LA BÊTE CREUSE

Le Quartanier Éditeur
remercie de leur soutien financier
le Conseil des arts du Canada
et la Société de développement des entreprises
culturelles du Québec (SODEC).

Gouvernement du Québec – Programme de crédit d'impôt
pour l'édition de livres – Gestion SODEC.

Le Quartanier reconnaît l'aide financière
du gouvernement du Canada.

Canadä

—

Diffusion au Canada : Dimedia
Diffusion en Europe : La librairie du Québec (DNM)

Dépôt légal, 2017
Bibliothèque et Archives nationales du Québec
Bibliothèque et Archives Canada

ISBN : 978-2-89698-294-3

—

Le Quartanier Éditeur
C.P. 47550, CSP Plateau Mont-Royal
Montréal (Québec) H2H 2S8
www.lequartanier.com

CHRISTOPHE BERNARD

La bête creuse

roman

COLLECTION POLYGRAPHE

Le Quartanier

À mes amis

Prologue

L AURAIT PAS FALLU que Monti Bouge déclare juste de même la guerre au service des postes. Le service des postes de la municipalité, à l'époque, c'était Victor Bradley, et la municipalité, elle, eh bien, c'était pas grand-chose, pas encore. Une frange de bâtiments étirée le long du littoral, entre la mer et la forêt débordant d'un mont giboyeux. Saint-Lancelot-de-la-Frayère, ça s'appelait. Feuillus, conifères et poteaux dévalaient la pente comme des jambes pour aller se jeter dans une baie piquetée d'autant de chaloupes qu'il y avait dans le village d'habitants mâles. C'était la baie des Chaleurs sous le règne de Wilfrid Laurier, quand le seul gouvernement que le monde écoutait dans le bout, c'était celui des outardes qui migraient et des capelans qui, fin juin, début juillet, roulaient imbécilement sur la grève. On devinait à vol d'oiseau le circuit des sentiers de chasse émergeant du bois pour former, dans les quelques pâturages défrichés, les chemins de terre et les lés dont se lézardait le paysage entre les charpentes érigées par-ci par-là. En tout petit dans le croche que faisait le bras de mer, le cortège postal s'amenait à l'hôtel. C'était le Victor Bradley en question. Il venait de finir la toute première tournée de courrier de sa vie. Avec maints sacrebleu, maints jarnicoton, le facteur flambant neuf tirait son cheval par la bride, un beau cheval officiel fourni par la Ville, sans grand millage après ça.

Bradley rentre, s'avance pour aller s'accouder au bar, un long roulement de tambour dans l'expression. Persuadé que c'est des galons de haut gradé cousus là sur l'uniforme du Département des bureaux de postes lui enserrant l'ego.

— Il y a pas de service icitte… Tavernier !

Sauf que le tavernier, cet après-midi, il a des jupes et des sabots. Il a des bosses dans son chandail. Il s'agit de la veuve Guité, l'ancienne sage-femme, propriétaire de l'hôtel. C'est avec une force intimidante qu'elle tord son torchon sans se soucier de l'eau peu chantante qui tombe partout sur son plancher. Elle devine tout Bradley d'un coup.

— Well, ou tavernière, ça a de l'air, dit le facteur.

Il tapote le zinc des doigts qu'il lui reste en se laissant décanter, à toiser de ses yeux vairons la foule d'exactement trois pour dénicher le zouf à qui marteler toute la veillée que c'est lui l'inventeur du timbre. Il a l'air d'attendre qu'on le félicite. La Guité se contente de continuer à siffloter, elle joue de la guenille, deux ou trois crayons de plantés dans le chignon. Bien rien que le monsieur du Nouveau-Brunswick, comme fait en pain, pour afficher pareille tête de bonbonnière. Il est descendu de sa chambre pour voir du monde et travailler, tout mêlé dans ses commandes et ses prospectus. *Moi, moi !* il semble supplier, à la manière dont il lève son chapeau. Bradley lui rend même pas son bonjour. Pas de merci non plus quand sont déposés devant lui son sous-verre puis son sherry sur le sous-verre. Parce que c'est ça qu'il boit, Bradley, du sherry. Le sucre, il en raffole. Et c'est le genre de gars chez eux partout. *Mais pas icitte,* pense Monti comme il dresse la tête d'en dessous du comptoir, le bras enfoncé dans la trappe à graisse, où il est en train de déprendre de quoi qui couine.

Il a quel âge Monti à cette époque-là, dix-huit, vingt ans ? L'âge, en tout cas, où tu passes encore ton rasoir en secret à même la peau entre tes talles de barbe ingrates pour aider à ce que ça pousse bien dru partout. Sans sortir le bras de la trappe, pareil que s'il jouait dans la graisse par plaisir, il étudie un instant le facteur assis au bar, pas beaucoup plus vieux que lui. Bradley hausse insolemment les épaules devant la Guité parce qu'elle lui a demandé d'arrêter de pianoter partout.

— Je te connais, toé, fait Monti de sa voix encore verte.

Juste de même, la guerre était déclarée.

Mais bon. Bradley, tout le monde le connaissait. T'avais beau pas le connaître, tu le connaissais pareil. Pourquoi ça ? À cause d'une fois à Paspébiac. Un candidat député, un farfelu du nom de Poitras, qui venait pas de Paspébiac, lui, ce qui partait pas bien, donnait alors libre cours à sa verve, à l'apogée d'un discours électoral juste assez infantilisant, mais où manquait pourtant le petit flirt requis pour capter l'attention, ne serait-ce qu'un tant soit peu, de la légion d'énergumènes en avant de lui, des Ti-Claude et des Roger Johnson, des Sylvain « Nuche » Duchesneau et des Deslarosbil pour les fins et les fous, qui toute la gang riaient d'avance des scandales inévitables à venir plutôt que d'écouter l'autre sophiste se prendre pour un ministre sur sa tribune en carton en leur jetant de la poudre aux yeux par pleines chaudières. À cause de la fois, donc, à Paspébiac, où le candidat Poitras avait osé dire, et là, qu'on soit bien averti de jamais lâcher pareille ânerie devant une foule de Paspéyas gigotant par douzaines sur leurs chaises même pas vissées dans le sol quand ils ont des vers au cul comme ce jour-là. Le futur député Poitras avait osé dire qu'il l'aimait tellement, la Gaspésie, qu'il la *marierait,* mes chers concitoyens, et qu'il… Quand il avait entendu ça, Bradley avait pas pu se retenir, lui qui mâchait toujours de la réglisse, mais pas souvent ses mots. Il s'était détendu sur sa chaise comme un ressort de six pieds cinq pour rétorquer à Poitras, dans le patois cauchemardesque parlé par chez eux, un charabia trop crampant importé de l'île Jersey, que les Paspéyas débitent d'une traite par staccatos mouillés, les joues aspirées par en dedans et les lèvres proéminentes. Bradley, aux côtés de son père et de son grand-père et de tous ses oncles, s'était levé au milieu de l'assemblée pour crier au député Poitras :

— Depuis le temps que tu la fourres, va ben falloir que tu la marisses !

Ça avait été l'anarchie. La réplique désormais prover-
biale avait scié carré les jambes du candidat député. Sa
conquête de la Gaspésie, pas tout à fait napoléonienne
en partant, venait d'avorter là. Tandis que Bradley, lui,
il était devenu célèbre dans le temps de le dire, parce
qu'en Gaspésie, c'était pas long jadis qu'une réplique du
style voyageait tout le tour de la péninsule. C'est différent de nos jours.

Sauf qu'il s'était pas fait que des amis, le Bradley. Oh
non. Loin d'être tout le monde qui avait trouvé ça spirituel, son mot d'esprit. Poitras, il était chummé avec
quelques tireurs de ficelles, une sorte de coop pas fiable
qui essayait de s'organiser parmi les pêcheurs de morue
du pays là-bas. On parle de marins au jargon mêlé de
chiac et au shaggy huileux, empestant du foie. Ce qu'ils
voulaient, les gaillards, c'était de placer au pouvoir le
politicien de leur connaissance paraissant le mieux, pour
mettre le garde-pêche dans leur poche, contrôler les
quotas, donner la chienne aux concurrents. Ils lisaient
pas de livres, mais savaient calculer, et ça avait déjà coûté
des gros sous pour amener Poitras où il était rendu.
C'est quand même pas les discours abracadabrants que
le candidat député venait improviser dans nos régions
qui faisaient rentrer l'argent pour financer sa campagne.

Puis un jour Bradley s'était barré les pieds sur son
perron dans un colis-surprise. Il avait ouvert le paquet
et s'était plongé la main dans le bran de scie. Ça avait
pris un moment après le claquement du métal pour que
la douleur embarque. Deux doigts tranchés net, comme

autant de bouts de carottes, par un vieux piège à ours tout rouillé. Il aurait fallu être dur de comprenure pour pas se mettre à prospecter l'immobilier des cantons alentour. Bel adon pour les huit doigts qui restaient, on cherchait un nouveau facteur à Saint-Lancelot-de-la-Frayère. Lui d'avant, Barriot, venait de s'échouer parmi les capelans sur les battures, boursouflé, sa peau translucide marbrée de nervures bleutées.

Mais tout ça, c'est des détails.

En réalité, tout a débuté quand Monti a perdu sa première vie au tournoi de hockey juvénile du diocèse de Gaspé, où s'opposaient les paroisses les plus friandes de sport et de rancunes indélébiles. C'était il y a des lustres, l'année où l'équipe de Saint-Lancelot-de-la-Frayère pour laquelle Monti protégeait le filet s'était rendue en finale pour l'unique fois dans l'histoire de cet événement disgracieusement organisé bon an mal an par quelques curés bénévoles gardant leur soutane quand ils coachaient. Les Grisous, que s'appelait l'équipe. Et comme à toutes les éditions du tournoi depuis l'aube de son histoire immémoriale, les Crolions de Paspébiac en feraient rien qu'une bouchée. Car on aura compris qu'à Paspébiac, c'est en général du bien bon monde, mais ils sont pas constitués comme ailleurs. C'est pas seulement qu'ils bougent vite et qu'ils sont faits en caoutchouc. Non. Là-bas, quand tes dix frères te battent en même temps, tu te tords de rire à terre et t'en veux plus, parce que tu carbures à ça, toi, les volées. Si quelqu'un t'obstine que tu peux pas marcher sur l'eau, mais que toi, t'as décidé que tu pouvais, c'est que tu peux marcher sur l'eau. Faque tu te lèves, tu t'en vas au bout de la jetée sans t'arrêter, tu te bêches correct dans les galets avant même d'avoir touché l'eau, tu te relèves, tu reviens t'assir au bar de la marina les genoux en sang et tu lâches : « Je te l'avais dit. »

Mais si les Crolions régnaient encore cette année-là sur le moindre barachois de la création pouvant faire office de patinoire amateur, c'était pas parce qu'ils avaient pas d'instinct de survie et mangeaient de la morue trois fois par jour. C'était grâce à Billy Joe Pictou. Fallait pas chercher le baptistaire à ce païen-là, Micmac pure laine dont la famille frayait malgré le tabou avec la communauté blanche. Ses frères jobaient à la scierie, sa mère dans le domaine du ménage. Le père travaillait pas. Le père buvait tellement que la compagnie Labatt avait été obligée de clairer deux employés pour compenser ses pertes quand il s'était plus réveillé de sur sa table dans un débit d'alcool. Un peu pour toutes ces raisons, il y avait toujours dans les villages où la vie menait les Pictou quelque langue sale pour traiter Billy Joe d'enfant-loup, des innocents qui lui jetaient des cigarettes dans le but de l'apprivoiser. À quoi Billy Joe avait la dignité de pas réagir.

— C'est pas avec un loup qu'il est croisé, c'est avec un mollusque.

Oui, bon, c'était pas faux non plus qu'on remarquait vite chez le jeune Micmac quelque chose d'amorphe, ou quelque chose qui aurait pu passer pour tel. Billy Joe avait pogné la puberté avant ses camarades et il en avait pogné une de luxe. Vu comme ça du dehors, il sécrétait plus de sébum que de poésie. Mais même si, au plus fort d'une énorme adolescence, il avait l'air d'avoir le système nerveux qui virait au ralenti, en lui il se passait plein d'affaires. Les prises de conscience lui poppaient à tout bout de champ entre les deux oreilles. Ses prunelles laissaient deviner le genre de profondeurs où pas beaucoup de gens se hasardent.

— Tu peux pas lui faire mal, ça a pas de nerfs, disaient les écoliers des classes au-dessus.

Ils lui lançaient des boules de neige bien tapées dans la face pour prouver leurs dires.

— Toé avoir été négligé un ti-peu par Grand Manitou, peut-être ?

Cette fois-là, par dignité aussi, Billy Joe avait réagi. Ça allait pas bien chez eux, et il était sorti traîner, pour finir les mains dans les poches au bord d'une patinoire de fond de cour à observer, le vague à l'âme, les Canadiens français chaussés de patins de cuir qui poussaient une canne de conserve avec des bâtons comme t'en retrouves pas en forêt. Il s'était rué sur la glace pour étamper le gars qui avait crié la bêtise.

C'est ainsi que le hockey avait été pour le Micmac une découverte, un moyen de donner libre cours à ce qu'un autre gars, une seule fois après ça, avait appelé sa horde intérieure. Et lui pareil, il avait été une découverte pour le hockey, parce qu'il était sûrement pas le meilleur sur ses patins, mais il pouvait te pulvériser d'un snap le tibia de nos enfants, et ça valait de l'or dans une équipe, ça. L'Indien avait trouvé quelque chose à quoi accrocher sa fierté. Une saison plus tard, il pouvait envoyer de la côte une rondelle sur l'île Miscou, quand elle fauchait pas un goéland dans les airs avant de se rendre. Mais il avait pas d'amis pour autant, gardait tout dans sa personne, sans rien partager que de belles séries de victoires avec ceux de son âge, des éphèbes à côté de lui. Tant de vérités expiraient dans son être. De massifs déplacements de destinée le remuaient sans bon sens, sans nulle part où aller. Fallait que ça sorte, des fois. Et c'est dans le sport que ça sortait.

S'ils avaient pas eu des moniteurs plus avisés sur le dos, les ratoureux de Crolions auraient affamé Billy Joe Pictou tout le long du tournoi en lui faisant renifler le chandail des Grisous saucé dans le bouillon. Pour le garder nerveux un peu, c'est tout, plus réactif. Car il en restait pas moins qu'il avait l'âge qu'il avait, Billy Joe, et durant des méchants bouts, quand il attendait sur le banc, l'adolescence reprenait le dessus, ça avait pas d'allure. C'était le retour à l'état lisse, il oubliait le pointage, les yeux dans la graisse de bines. Les Crolions pouvaient donc pas le sortir beaucoup dans un match, juste le temps qu'il fallait pour cribler de trous le défenseur étoile ou peinturer une autre ligne rouge pas tout à fait réglementaire sur la glace avec les restes d'un fin finaud d'ailier aux patins enchantés.

Monti, fin de partie, en était là dans ses réflexions et ses Notre Père devant son but, quand il avait vu le coach adverse pratiquement remonter de toutes ses forces les bobettes dans la craque à son monstre. Il pensait que ce serait le signal pour Pictou, qu'il se ruerait sur la glace, vas-y, clenche, croques-en un. Mais non, pas du tout. C'était pas mal pire que ça. L'Indien, pas pressé, avait fait le tour par la tite porte. Longue angoisse chez Monti au niveau de l'intestin grêle. Ses projets de chasse seraient pour une autre existence, se désolait-il. Parce qu'une fois Billy Joe sur la patinoire, c'était parti en Christophe. Les pieds enflés dans ses patins trop serrés, mais les lacets retombant coquettement, c'était étrange, en jolies boucles bouffantes, il avait chargé vers le but des Grisous, une boule de quilles, courant plus sur ses lames qu'il patinait. Des enfants désossés revolaient dans son sillage. Monti, qui s'appelait pas Monti pour rien, mon petit, mon p'tit, mon ti, Monti, c'est comme ça que les autres orphelins avaient trouvé son surnom, était vraiment pas venu gros dans ses shorts. C'est simple, il aurait pu se tasser du filet sans que bouge d'un poil son équipement tellement il flottait tout à coup dans sa vaste armure de goaler, devenue friable en cours de match en raison des quarante-six tirs au but.

Quarante-quatre arrêts. Par miracle, Sicotte avait égalisé le score à 2-2 en fin de troisième, amen. La prolongation promettait d'être une lutte à mort, les Crolions ayant surtout pas l'intention de perdre, et Monti non plus. Il avait pas joué pendant tout le tournoi comme un carcajou qui reveut ses petits pour que le trophée retourne encore douze mois se faire profaner à Paspébiac, oubliez ça. Évidemment qu'il avait peur de la brute aux Crolions. Même la puck avait peur du Micmac qui franchissait à l'instant la ligne bleue en marmottant sûrement *Tibia, tibia, tibia.* Sauf que Monti, il avait un plan. *Ha ha, viens-t'en, patine!* qu'il se disait, les yeux mi-clos, faisant tinter chaque poteau de sa palette tandis qu'il cherchait un point faible chez son adversaire, dont la corpulence éclipsait de plus en plus le soleil à mesure qu'il avançait.

Pictou s'en venait régler ça, ce niaisage-là.

La carotide, pensait Monti, *un semblant de pomme d'Adam, un bout de talon d'Achille, de quoi pour travailler.* Il était résolu à frapper où ça tue. Patine, patine, patine, pa... Le Micmac électrisé avait levé comme en gros plan son hockey tout élastique pour shooter. Ça avait retenti jusque dans la montagne. Les oreilles des chevreuils à l'affût avaient toutes pivoté en même temps dans les bois. Un snap de ligue nationale. La puck fendait l'air. Son ombre oblongue glissait à cent miles à l'heure sur la glace rêlée. Monti avait fait un homme mort de lui. En se serinant comme à l'orphelinat qu'on va au paradis quand on meurt, les schnolles rentrées par en dedans, il était resté planté devant son but sans défaillir. Oui, sa jambière ferait pouf en se désintégrant dans un petit nuage de bourre. Oui, sa jambe ferait crac tout de suite après. Mais il lui faudrait, avant de s'écrouler, faire abstraction de la souffrance et tenir debout jusqu'à ce que Pictou, qui pourrait jamais freiner à une telle vitesse si la physique est pas une crosse, soit assez proche pour qu'il le décapite d'un coup de palette en gueulant.

Ça s'était pas passé comme prévu. Non seulement Pictou avait pas de cou, mais Monti avait pas eu l'occasion de gueuler très longtemps non plus. Il y avait ni casque, ni grille, ni visière en ces temps-là et, saisissant sa chance dans un rare instant de grâce, le dernier espoir des Grisous avait réalisé l'arrêt en attrapant la puck au vol entre ses dents, c'est comme ça qu'il raconterait ça plus tard. Et dans ce même mouvement de sauteur à la perche, Monti frappa Pictou dans la face avec son hockey. Il se luxa quasiment le coude. L'Indien l'entraîna au fond du but, où ils allèrent s'écraser, noués l'un à l'autre. Si la dentition de Monti resta miraculeusement intacte, celle du Micmac s'égrena sur la patinoire dans un bruit de bâton de pluie.

Un coup de sifflet sucré résonna longuement sur la courbure de la baie.

Au moment de reprendre connaissance, la tête à moitié dans le but, la puck à moitié dans la tête et le but enfoui sous une mêlée non euclidienne de gringalets en train de s'entretuer, Monti avait entrevu son coach rouge comme une tomate s'égosiller à deux pouces de la face de l'arbitre adjoint, un juge de ligne qui, avec ses iris pas de la même couleur et son haleine de jujube, disait que c'était ça qui était ça, il allait pas revenir sur sa décision.

— Il est bon, le but, disait Bradley, les rayures noires et blanches de son maillot toutes bombées à la hauteur de sa poitrine. Aussi vrai que mon chien il est attaché là, il est bon, le but.

C'était vrai, le pire, que son chien était attaché là. Ce qui prouvait rien pantoute, pareil cabot plein de poux.

Tout ça, c'était une dizaine d'années avant que Bradley resurgisse devant Monti dans l'hôtel à la Guité. Les Crolions avaient gagné. La fée des dents remplissait son casseau. La gueule en sang, le sourire troué, Billy Joe Pictou s'envolait quant à lui à la verticale à chaque poussée plus

20

ou moins synchronisée des vingt-six bras de ses coéqui-
piers. Monti lui en voulait pas, leurs yeux s'étaient dit
quelque chose dans la seconde et demie de leur face à
face. Mais couché en étoile sur la glace, se faisant aller
la margoulette de gauche à droite pour déloger la puck
encastrée dedans, il s'était promis, pas pour tout de suite
parce qu'il venait de donner pas mal, qu'il obtiendrait
un jour sa revanche sur ce Paspéya-là.

I

DIRECTION EST

1

UN ÉCLAIR DE FILM de savant fou a déchiré les cumulonimbus. Le rideau de pluie s'est illuminé de vingt milliards de diodes. Le ciel a passé proche de s'écrouler. François s'est trémoussé sur son siège en rajustant cravate et masque stérile. C'était rien pour soulager la migraine qui commençait à filtrer dans les moindres replis de son intellect. Il se massait les tempes pour que la salle d'urgence arrête de se dédoubler. Le monde faisait déjà assez dur là-dedans. Les traits comme du mastic après douze heures d'attente. C'était pas utile de les voir en deux versions. Ça allait de la psychoéducatrice mordue par un élève soupçonné d'avoir la rage au gourmand dans l'estomac de qui les rayons X allaient révéler des choses drôles. D'autres souffraient de mals de cheveux, de foulures de nombril. François, vêtu de son fidèle complet de tweed aux épaulettes saupoudrées de pellicules, se permettait pas de regarder ailleurs qu'en avant de lui. Il avait trop peur de découvrir que la bête l'avait suivi jusqu'ici. Mais quand un troll au crâne d'œuf décoré de sang s'est laissé choir sur le siège en face du sien, c'est devenu difficile de pas loucher.

— Allô, a dit poliment François.

Le troll portait un costume de mascotte dégoulinant. La face a fini par lui tordre, tellement il fixait François, qui s'est détourné. Il aurait pas dû. Elle était là. Le moiré furtif de la bête, en dessous du siège d'un trousse-pet qui avait des crayons de cire enfoncés dans le nez. François s'est retourné vers le troll, le sourire pincé derrière son masque stérile. Je te tiens par la barbichette, oublie ça. Une goutte de sueur glaciale lui a laissé une strie pas de la même couleur au front. Le costume du troll lui a rappelé que le Canadien avait affronté les Bruins en soirée.

— François Bouge? a bâillé une infirmière par-dessus le tonnerre.

Son siège avait eu le temps de prendre une valeur sentimentale. Mais la séparation s'est bien passée. *Au revoir, gros monsieur pas fin,* a pensé François.

— Je vous écoute, lui a menti le médecin.

C'était un résident, et il tapait en forcené des affaires sur un ordinateur en lançant à François des regards de désespoir. François, lui, était pas capable de conter de menteries. Jamais. Les élastiques de son masque stérile lui décollaient les oreilles. Il voulait dire la vérité au médecin, toute la vérité, mais il est venu moins convaincu que son cas pressait tant que ça quand il a vu passer, à la course dans le couloir, des infirmières sur le gros nerf, un garde de sécurité qui avait de la misère à suivre, des ambulanciers de chaque côté d'une civière arquée, code rouge, code rouge. Son docteur avait l'air d'avoir d'autres chats à fouetter. Et aussi d'avoir joué avec une fourchette dans un grille-pain branché.

— Monsieur, je… Vous permettez que je vous appelle monsieur ? Cela dépend, bien sûr, des normes en la matière, je ne sais point s'il est de coutume d'utiliser le titre de docteur pour les résidents.

— Aboutis, a dit le médecin.

C'est pas ce qu'il a dit, mais c'était pas mal ça que ça voulait dire. François, tout à coup, était rongé par le doute. Sa migraine avait beau à ce stade lui monter dans les sinus comme de la chair à saucisse, elle justifiait certainement pas sa présence ici. Ça faisait six mois que c'était son état normal. Il savait pas par où prendre le problème, incapable ne serait-ce que de commencer à démêler la pelote de fil qu'était rendue sa réalité. Et il allait surtout pas mentir, non. Pas après avoir gâché sa vie au nom du vrai. Pas plus qu'il allait lâcher tout de go qu'il y avait une bête fantastique à ses trousses, direct là, derrière l'ondulation du rideau.

— Ça biaiserait le diagnostic, il a dit.

Qu'est-ce que je fais ici ? Il aurait dû s'écrire des points sur des fiches. Même lui peinait à suivre le galimatias qu'il déblatérait sataniquement vite au résident de plus en plus inatteignable et qui voulait juste savoir c'était quoi son bobo. Quelque chose à propos d'un sorcier au Yukon à cause de qui la boisson éponyme était justement éponyme, avec quelque part dans tout ça le grand-père du patient, qui aurait attrapé quelque chose de transmissible par hérédité.

— Psychiatrie, a tranché le médecin.

Il a éteint la lampe de poche avec quoi il venait de brûler un trou dans les rétines à François. Son sarrau blanc a disparu dans le passage. Assis tout seul sur le bord de la table d'examen, François a attendu. Son masque stérile lui rentrait dans la bouche quand il inspirait. Il avait de l'eau dans la cave. Savait plus vers qui se tourner, à qui demander de l'aide.

Une fée marraine est apparue, au paréo dansant dans l'air qu'elle déplaçait. Des mimiques un brin nouvel-âge. *Je veux me faire hospitaliser,* a pensé François, *non pas me faire déboucher un chakra.* À en juger par le ton de la psychiatre, il se demandait s'il se serait pas exprimé à voix haute sans faire exprès. Il fatiguait, tout le long de l'interrogatoire, de la voir brouillonner dans son blocnotes. Des vertiges le prenaient à la simple idée d'écrire, et c'est avec comme un début de soif qu'il a étiré son col de chemise.

Mais il fallait pas qu'il cède, et il a descendu gobelet sur gobelet d'eau pour se soulager. Les cônes en papier étaient tout bien imbriqués l'un dans l'autre dans le distributeur. Il est ressorti de la consultation que non, François avait pas l'impression d'être espionné par les services secrets. Et que non, il était pas la réincarnation du Messie. Et que non, ses voisins lui lançaient pas des attaques psychiques pour le rendre homosexuel.

— Je sens que vous me cachez des choses et, tant que

ce sera le cas, je pourrai rien faire pour vous, monsieur Bouge. En attendant, tenez, je vais vous donner quelques brochures que vous pourrez consulter pour voir si…

— Je connais de près chacune de ces institutions.

François a sorti un stylo de sa poche revolver, il avait arrêté d'écouter, pour aussitôt se mettre à corriger les coquilles dans les brochures. La fée marraine avait pas l'air très impressionnée.

— Je suis pas certaine que vous êtes au bon endroit, elle a dit. Vous semblez pas présenter de symptômes.

— Je suis victime d'une malédiction.

La psychiatre s'est immobilisée. Exception faite des breloques à ses lobes. Du tulle de sa blouse. Ça aurait été l'occasion pour François de parler de la bête qui le guettait. Il suffisait d'écarter le rideau. La psy lui donnerait peut-être une pilule rose, au moins. Elle le penserait victime d'hallucinations. Et il faudrait qu'il explique encore une fois que c'était pas des hallucinations. Ça se compliquerait dans des proportions dont la simple évocation l'épuisait. De toute façon, c'était tellement enchevêtré en lui, tout ça. Il arrivait plus à s'en dépêtrer. Il savait plus. Il s'imaginait soudain reprendre sa thèse la session prochaine, ses charges de cours. Un zombie devant sa classe, la glande thyroïde turgescente, pleine d'étincelles à cause des électrochocs. Il fallait qu'il boive de quoi vite. La psychiatrie et lui, ils partaient pas sur des bonnes bases. Un autre gobelet. Une grosse bulle d'air a remonté dans la tinque.

— Une malédiction, monsieur Bouge? J'ai pas de prescription pour ça.

Monsieur Bouge a senti la bête sournoise lui passer entre les cannes pour aller se cacher en dessous de la table d'examen. Il aurait dû consulter plutôt le docteur Dugas, à La Frayère. Si Patapon avait pas fini de le rendre fou.

— Non, docteur, vous ne comprenez rien du tout. Je suis dans l'impossibilité…

La psy s'est envolée par la fenêtre dans une traînée de poudre magique. François a tiré sa langue sans moiteur, recouverte de pâte blanche. *Une gorgée de point cinq, pas plus, promis juré.* Il a arraché son masque stérile et retraversé la salle d'attente sans voir personne, pliant, dépliant, repliant sa carte soleil jusqu'à ce qu'elle pète en deux, puis en quatre. Jusqu'à ce qu'elle pète en huit. Il en a fait pleuvoir les petits bouts dans une poubelle tout droit sortie du programme spatial, près de la porte vitrée où les mouillures étiraient en tous sens les lumières ouatées de la rue Sherbrooke. L'œil magique des portes automatiques détectait jamais François sur le coup, et il a dû faire une danse peut-être un peu trop en avance sur son temps pour que ça s'ouvre.

John Coape Sherbrooke, il a pensé en sortant. Des déchets virevoltaient sur le parvis, à travers des rafales en tire-bouchon. *Gouverneur d'Amérique du Nord sous la couronne anglaise, si je ne m'abuse.* Ça faisait des années qu'il était dans le déni, mais là c'était clair, il y avait seulement en Gaspésie qu'il trouverait les pièces manquantes du puzzle. Il pourrait prendre la clé des champs dans l'image que ça formerait. Il serait enfin libéré. Un éclair décoché vers lui, et il s'est resauvé en dedans. Le stroboscope s'est pas arrêté tout de suite entre les arbres en ombres chinoises du parc en face.

François, en repassant à côté, a jeté le reste de ses cartes d'identité dans la poubelle. Il a profité de ce que le seul garde visible était occupé à varger dans une machine à liqueur et s'est enfoncé par les couloirs au cœur de l'édifice. Il avait envie de hurler que le nom du parc La Fontaine venait de Louis-Hippolyte, célèbre pour avoir prononcé le premier discours en français au Sénat après l'Acte d'Union de 1840. Ses mèches mouillées sur les joues, grommelant d'aigreur, il a arraché son bouquet de rhododendrons au fantôme en devenir qui passait en chaise roulante en sens inverse.

Le concierge dans l'ascenseur avait ses écouteurs sur les oreilles. Il dévisageait François qui, pour lui montrer qu'il s'en allait visiter quelqu'un, lui a agité le bouquet sous le nez jusqu'à ce qu'il soit dépouillé de ses pétales et de la joie qu'il apportait. L'employé faisait du lipsync, le manche de sa serpillière pour micro. La cage brassait. Les crocs de la bête grignotaient le câble d'acier et François paniquait légèrement. Ça montait. Il a appuyé sur plein de boutons en même temps. Montait plus. Les portes se sont écartées et le concierge est sorti dans un moonwalk.

— Bonsoir, il a crié.

L'ascenseur a redécollé vers l'éther. Dix secondes plus tard, François en sortait à son tour. Il savait pas trop à quel étage il était rendu, mais là il longeait une rangée de fenêtres comme fondues dans l'averse, accélérant au moment où deux chirurgiens tournaient le coin derrière lui avec leur scalpel un peu tannant et leurs quatorze années d'études pour apprendre à s'en servir. La foudre a refrappé entre des nuages en forme de chou-fleur. Ça lui silait en sale dans la migraine. Il était plus haut qu'il pensait, à voir se découper de même dans l'éclair, hérissées d'antennes crépitantes, les toitures raboteuses et plus ou moins finies du Centre-Sud. Quand l'ombre grinçante d'un chariot de draps souillés a émergé à l'autre bout du corridor, François est entré, même pas par effraction, c'était pas barré, dans la chambre d'un malade.

Faisait noir comme dans le cul d'un ours. Il s'est avancé à l'aveuglette jusqu'au lit le plus proche, pour vérifier au toucher s'il y avait des pieds sous les draps. Il avait dû se perdre dans le pavillon des amputés. Il en trouvait pas, de pieds. Jamais de la vie qu'il aurait partagé sa couche avec un cul-de-jatte, et il s'est laissé guider par une odeur de fermentation, jouant à colin-maillard jusqu'à l'autre lit. Après son tango avec le support à roulettes sur lequel il venait de buter, il a découvert à tâtons le sac de sérum fixé dessus, puis ce qui avait tout l'air d'un masque respiratoire sur l'oreiller. Il y avait une face en dessous du masque. Des tubes un peu partout. La bête avait été semée à la faveur de l'obscurité. Le vieillard dans le lit avait pas l'air d'humeur à s'obstiner. S'il comptait les moutons, ils ont dû se distordre quand François, par précaution, a pesé deux ou trois fois sur le piton pour lui réinjecter de son opiacé. Patapon aussi, il aimait ça, ce jus-là. Pépère et François étaient étendus côte à côte. François prenait toute la couverte.

Il s'est réveillé dans un spasme anguleux. Il est tombé

du lit avant même de se souvenir qu'il était couché dessus. Il a rebondi sur ses souliers, et toute sa personne lui est montée dans le cabochon. *Seigneur, oh Seigneur,* il geignait sans voir le bout de son nez. Pris de confusion, il a tenté de faire coulisser le calorifère, de trouver une issue à travers le mur, haletant, dans l'espoir d'échapper à ses bourreaux. Douce sur le coup, visqueuse ensuite, la bête lui a frôlé la cheville. Elle a longuement tinté. C'est en faisant volte-face que François a aperçu une craque lumineuse au bas du mur opposé, comme si la noirceur se dézippait là. Il entendait déjà de l'autre bord la brise des vallons, les oiseaux gazouiller.

Sautant par-dessus le lit du vieux, il s'est enfargé dans une intraveineuse. Le tube est parti à se tortiller sur le terrazzo. François chancelait d'un pas de robot vers la lumière qui entrait par en dessous de la porte. En même temps qu'il lui venait des idées pour ses recherches, il s'est penché. Il allait pour glisser les doigts dans la craque quand on a cogné l'autre bord, trois petits coups, quasiment mélodieux.

— Monsieur Langlois? a chuchoté l'infirmière dans l'entrebâillement. Je viens pour... Veux-tu ben me dire?

François a pas eu le temps de la pousser de devant lui en rugissant « Louve ss! » que la fille avait déjà donné sa démission, tellement elle avait eu peur. En se grattant partout, soulevé de hoquets et de soubresauts, François a pris le large. Aussitôt les fluorescents lui ont comme durci le cerveau. Ça faisait clic quand il avalait. Son âme au diable pour une lampée de Yukon. Il avait vu, dans la clarté déchaînée, que c'était pas un estropié dans le

premier lit. *Il n'y avait personne!* OK, bon, il se replaçait.
Il était pas dans un camp de concentration, rien de la
sorte, mais c'est malgré tout avec un sentiment de danger
qu'il s'est faufilé dans l'ascenseur au bout du couloir.
L'infirmière en arrière-plan rampait pour se tasser de
là avant que la Zamboni qui lavait les planchers tourne
le croche dans trois, deux, un.

Au rez-de-chaussée, une autre membre du personnel
hospitalier était en état de choc. Blottie dans un coin, son
uniforme maculé de taches multicolores, la responsable
du triage était hypnotisée par les applaudissements des
portes d'ascenseur que bloquait un cabaret de cafétéria
vide. Bravo, beau dégât. Il y avait des coulisses sur les
murs du vestibule, des mottons sur les dalles. Le cabaret
était pas vide la minute d'avant. Pas plus que l'uniforme
de la fille était brun, vert, mauve. Elle s'en revenait de
la cafétéria, avec son souper, son cellulaire, quand l'ascenseur s'était arrêté. Et là, ça avait surgi, ça là. Une créature lunaire, deux ampoules de cent watts où les yeux.
La créature l'avait tout bonnement piétinée. Le cabaret
avait revolé. Le jus de poulet brun, les petits pois verts,
le Jell-O mauve partout. L'hurluberlu se déboîtait puis se
remboîtait d'un pas à l'autre, se précipitant vers la sortie
de secours. Il a tapé carré dans la porte automatique. Puis
il s'est reculé en giguant, et la porte s'est ouverte sur un
cyclone de feuilles mortes et de mégots. Un éclair a sur-
volté la nuit. Les lambeaux d'un parapluie palpitaient
entre des branches d'arbre et ses baleines démantibu-
lées rappelaient des doigts de tragédienne. La pluie a
absorbé François pareil que si c'était à elle.

Loin des entrées de blocs ou de pawnshops trop éclairées, hors de portée des caméras quand c'était possible, Poupette furetait rue Ontario. Il forçait l'allure sous les lampadaires. Les halos fumaient dans les maelstroms que faisait la pluie. Ses mains, croustillantes dans la nuit, ont lâché tout à coup le sac à poubelle qu'elles étaient en train d'éventrer. Personne en ville, pareil orage. Poupette a reniflé, voûté sous l'averse. L'air serpentait par les trous de son cartilage. Puis il a disparu en se redressant, fondu à une vitrine pleine de squelettes, de faces de vampires et de citrouilles anthropomorphes. Ses bouteilles ont roulé sur le trottoir. Les fonds de bière ont conflué avec les rigoles jusque dans les égouts.

— Merde, merde, merde.

Quelqu'un s'amenait à la course. Le réflexe à Poupette, en temps normal, aurait été de chenailler, sauf que ça faisait longtemps que les réflexes étaient désactivés là-dessus. Il s'est dérobé au lieu de ça, son capuchon sur la tête, sous un abri d'autobus. Les dents lui branlaient dans les gencives. Il faisait semblant d'attendre sagement la 125, hors service à cette heure-là. Sans reconnaître, avec sa cravate d'ombre qui tourbillonnait dans les trombes, la silhouette toute maladroite déboulant la pente de la rue Plessis. Poupette priait que ce soit pas le Roy.

Parce qu'avec la lucidité que lui donnait le manque, il visualisait un peu trop nettement pour bien dormir les méthodes de collecte moyenâgeuses à son vendeur. Le Roy était pas le genre à écouter très longtemps tes fictions. « Faut que tu payes », qu'il disait en te bandant les yeux lui-même. Il se retirait après ça, pour pas se faire éclabousser. Son collecteur de dettes, Poupette se doutait bien, devait pas non plus prendre rendez-vous quand venait le temps de retontir chez vous pour t'apprendre par l'exemple les lois du règne animal. Le gars avait beau verser une larme durant les langoureux solos de guitare pleins de montées d'harmoniques sur ses compilations de glam métal des années quatre-vingt, il aimait pas pour autant son prochain. Et peut-être qu'il se payait des masques au concombre et se faisait épiler le torse au laser de temps en temps, ça voulait pas dire qu'il était pas capable de te dévisser le tien, de torse.

Mais attends un peu, là. Poupette a fait des gros yeux pour mieux distinguer par l'ouverture de l'abri le gars devant lui. *C'est pas…* Il avait besoin d'argent, ça urgeait. Et si le bonhomme allumettes qui s'en venait était celui qu'il pensait, il allait peut-être pouvoir repayer sa dette, s'acheter sa dose plus vite qu'en revendant des bouteilles consignées cinq ou dix cennes. Le piéton a clignoté dans les ciselures d'un éclair.

— Tu me niaises! s'est excité Poupette, un gazou à la place de la gorge. Françoué! Françoué!

Il trépignait d'euphorie, les omoplates comme des moignons d'aile sous l'imitation de cotte de mailles qu'il avait sur le dos. Les chiens et les soûlons jappaient en chœur par-dessus les glouglous tout partout. Poupette, dans ses Converse, ses jeans serrés dans le bas, s'est mis à faire de l'aérobie sur le trottoir. En évitant d'un déhanchement la borne-fontaine à l'intersection, François lui a adressé un salut comme doté d'une vie propre. Il s'est retourné pour être sûr que l'hôpital le suivait pas.

— Le Frank! a crié Poupette sous un rayon de lune qui avait transpercé les nuages. Estique, j'en reviens pas.

Ses prières avaient mieux marché que d'habitude. François lui devait soixante piasses. Et une serrure aussi. En haut de son poteau criblé de broches, un transformateur laissait échapper ses stridences au-dessus d'un dépanneur fermé. Poupette avait l'air, à sa posture, d'exister dans un monde pas exactement en deux dimensions, mais où il y aurait eu que le nord et l'est. La tête ailleurs, François s'est quand même approché de la vitre de l'abri d'autobus, en se faisant un masque de plongée avec les mains.

— Je ne vous vois pas, il a hésité. Qui êtes-vous?

Dominique Boisvert, surnommé Poupette. Cinq pieds onze, cent dix livres. Trente et un ans, sexe pas facile à déterminer. Domicilié à Hochelaga-Maisonneuve, dans un taudis où t'avais peut-être des chances de survivre, si t'avais le malheur de t'y perdre, en te nourrissant des bouteilles d'Ensure que tu pouvais dénicher en dessous des montagnes de cochonneries fringantes. Sans emploi, surtout pas. Et tellement de signes distinctifs que ça voulait plus rien dire.

— C'est moé, Françoué! C'est Dominique!

— Saperlipopette.

Après des retrouvailles pour le moins tièdes, chaudes d'un bord, froides de l'autre, le tandem est reparti en tanguant sous la pluie et les fils électriques ballottés dans leur gaine. La conversation allait à sens unique, François était trop préoccupé.

— Ben parle-moé, s'est insurgé Poupette, qu'est-ce qu'y a? D'habitude, tu serais en train de me rabâcher pour la millième fois que le Joseph-Octave Plessis de la rue Plessis a été le premier cardinal de Gatineau ou quelque chose!

— Archevêque de Québec, Poupette, de Québec. Je ne te le répéterai jamais assez.

Ça paraissait qu'il lui devait de l'argent, parce que des fois Poupette reconnaissait même pas François quand ils se croisaient. Tout de suite il tâchait de l'embobiner dans ses gimmicks de vélo trouvé, qu'il lui laissait pour un vingt plus une couple de topes. Il oubliait que le François qu'il aimait avait en horreur la cigarette.

La lumière diffractée des gyrophares arrachait des luisances brusques et pointues aux flots le long des trottoirs. François essayait de se rappeler si c'était de Québec ou de Gatineau que Plessis avait été l'archevêque. *Ou était-ce cardinal ?* Poupette avait semé le doute dans son esprit.

— Vous auriez pas un ti-peu de change ? a demandé, par pur réflexe, Poupette à un homme d'affaires qui se sauvait d'un sauna.

C'est le seul réflexe qu'il lui restait. François avait pas ralenti pour l'attendre.

— J'en ai plein les poches, a répondu l'homme d'affaires.

Irradiée en dedans d'un bleu chimique, la Mercedes dans laquelle il est monté a filé vers Westmount. Poupette, tout à ses simagrées, à ses cliquètements de cennes noires, avait de la misère à tenir le pas de François. Les deux se confondaient à la patine de plus en plus batracienne des façades. La foulée déréglée de François se corrigeait au fur et à mesure qu'ils s'aventuraient dans des coins plus ghettos. C'est pas qu'il marchait plus droit, c'est pas ça. C'est les bâtisses autour qui étaient plus croches. Ils avaient dépassé l'avenue De Lorimier. La foudre a figé dans le ciel, avant de s'abattre ici et là par grands morceaux blancs sur le béton des structures. François se laissait suivre, parce que la bête, d'habitude inlassable, le laissait tranquille quand Poupette était alentour. Le clapet lui arrêtait plus, à celui-là, avec son phrasé de free jazz.

— Ouin, faque c'est ça, mon Frank, si t'aurais mon cash, ça m'arrangerait... Heille, mon chum ! content de te voir, pis clisse... À part de ça, où c'est que tu te cachais, t'es pas venu au cinq à sept jeudi.

L'haleine à Poupette a quasiment brûlé les cils olfactifs à François quand les deux se sont tournés l'un vers l'autre. François s'est dit, par association, qu'une chance que les Amérindiens avaient les remèdes qu'il fallait pour guérir les colons du scorbut, parce que Montréal aurait sinon la population de Baie-Johan-Beetz sur la Côte-Nord aujourd'hui. Il s'est demandé aussi si Étienne-Jean Pictou vivait toujours. Ça pourrait être utile de l'interviewer.

— Ark, scuse-moé, je viens de roter ma frite d'hier… Woah, mon homme, je pue de la gueule en chien, ha ha, pis je pense à ça, c'est quand est-ce que tu… Heille, c'est pas le Roy, là, au service à l'auto ? Grouille, grouille. Pis tu laisseras faire pour ma serrure itou, donne-moé quinze-vingt piasses à la place.

Poupette aurait tout aussi bien pu parler swahili. Tout ce que François entendait, c'est le mot « halitose », qui se réverbérait dans son crâne, où sa luette racornie par la soif battait à tout rompre comme dans une cloche fêlée. Son veston trempé, collé sur le corps, il a pilé, métro Frontenac, sur un kleenex particulièrement spongieux.

— Je digère plus ça, des solides, continuait Poupette. En quoi tu te déguises, toé, à l'Halloween ? Je sais pas trop, moé, je pensais me louer de la fourrure pis des cornes, pis à part de ça, on te cherchait, nous autres là. Ça fait quoi, trois jours, je le sais plus trop. C'est quoi le rapport, que j'ai dit à Momo pis Tibi, mais astheure, quand ils…

— Tu n'aurais pas, par hasard, quelque chose à boire ? a fait François, le regard projeté au bout de la rue.

— Là, écoute, le Roy, je le sais ben que c'est pas de vos troubles, mais moé…

C'était pas clair si le ciel était meublé de nuages ou

de champignons atomiques. Sans crier gare, Poupette a ramassé François par le collet. Il le flairait dans les plis.

— Qu'est-ce tu viens de dire là, mon oublieux? Qu'est-ce tu viens de dire, come on, répète?

Poupette cherchait des traces de robine.

— Je disais seulement… a commencé François.

Mais Poupette l'a accoté tout de travers sur des bicycles, les cheveux en linguines. Ses yeux jaunes lui roulaient en tous sens dans les orbites. François aurait pu lui faire peur. Il connaissait les mots-clés. Poupette agitait un doigt nicotiné devant sa face verte, orange, rouge, verte encore dans la lueur du feu de circulation sur le coin.

— Ah toé, mon crotté. Mon ingrat!

— Laisse tomber, a exhalé François.

Sa colonne vertébrale s'était lovée autour d'un cadenas.

— Et je te prierais de me lâcher, s'il te plaît. Tu risques d'abîmer mon dernier habit encore présentable.

François était de cette race en voie d'extinction qui se mettait encore sur son trente-six pour aller chez le docteur. Il avait été élevé de même, c'était dans sa mentalité. Poupette a enroulé, autour de son poignet, sa cravate psychotronique. L'eau lui dégoulinait partout dans la face, et ça le dérangeait même pas.

— Toé mon enfant de chienne. Tu te la fermes pis tu m'écoutes. Tu m'écoutes, c'est-tu clair? C'est ça que tu faisais depuis dix jours? Avoue, mon ostie, t'étais parti boire! Tu y penses-tu, des fois, à nous autres? Moé, j'ai fini, comprends-tu, j'ai fini, mon ostie, de te ramasser dans des…

Quand un éclair s'est connecté au paratonnerre d'une tour à bureaux pas loin, Poupette est venu tout flasque. Il refermait la main comme s'il voulait attraper de quoi d'invisible à trois pouces de la face à François, lequel en a profité pour se dégager.

— Reprends-toi donc, Dominique. Je ne buvais nullement, va. Je travaillais à mes recherches.

— Ben c'est pire ! s'est indigné Poupette.

Il a perdu l'équilibre, résigné. Puis il s'est mis à haler après un dix vitesses, des fois qu'il serait pas barré.

— Ah pis oublie ça, toé pis tes marottes. Fais ce que tu veux, mais donne-moi mon cash avant qu'on te retrouve raidi dans ta chaise.

— Oh, calme tes transports, a dit François, et il a refait son nœud de cravate pour se désétrangler.

— Comment ce qu'il a lâché ça l'autre fois, Graton ? « Avec, dans ta poche de chemise, un avis d'éviction éternelle. »

— Il n'y a que lui pour dire une telle chose, oui.

— Parce que c'est ça qui va t'arriver.

Ils ont atteint une intersection où la pluie s'alignait sur le vent à l'horizontale. Poupette s'était remis à boguer François plus agressivement. Tout ce qu'il voulait rendu là, c'était se faire rembourser.

— Mais arrête, bon, ton argent, je te l'ai redonné déjà.

— De quoi, tu me l'as redonné ? Tu me l'as pas redonné, innocent, t'as glissé un billet de loto en dessous de ma porte.

Jamais que François serait allé plus loin que le pas

de la porte chez Poupette sans un équipement de spé-
léologue.

— Oui, et je t'ai dit que ce serait le numéro gagnant.
Tu n'avais qu'à me croire.

— Je te croyais, mais là de toute façon, retrouver ça.

La théorie de François, c'est que son ami s'était inconsciemment débrouillé pour anéantir le billet, sachant
très bien que tout cet argent-là le détruirait le jour même
du tirage.

— Je vais avoir d'autres entrées bientôt, il a poursuivi.
Un à-valoir, des chèques de droits d'auteur.

— Je m'en sacre comme de l'an quarante de tes rentrées, moé c'est tout de suite que j'ai des besoins.

— Tu sauras que cela m'intéresse, moi, l'an quarante,
a dit François, grelottant.

Ils étaient rendus à se colleter tout en maintenant
leur trajectoire. Poupette essayait de revirer les poches
du veston de son camarade, de moins en moins présentable sous l'orage.

— Donne-moé mon cash.

— Va dans le Mile-End ou sur le Plateau, a dit François quand Poupette l'a poussé. Parasite les plus nantis.
Montre-leur tes photos pliées en vingt-sept.

— Paye tes dettes !

Poupette s'était accroché aux culottes à François. Il se
faisait tirer sur l'asphalte, au risque de s'éparer comme
une traînée de margarine. Jusqu'au coin de l'avenue Ben-
nett, que François l'a tiré. Poupette a escaladé le dos de
son débiteur, s'agrippant à ses épaules. Les tendons lui
saillaient. Il a approché ses lèvres à moitié démaquillées

du cou à François. Quand celui-ci a senti la sucette, le coude lui est parti tout seul.

— Oh là là.

Il a cru sur le coup que Poupette était mort, mais il s'est relevé, avec dans le bec un botch qu'il avait pêché dans une flaque agitée par l'averse et ceinturée de mousse rose nanane. Des êtres comme Poupette, tu tuais ça, il en ressortait un pareil du Lafleur au coin De Lorimier, un autre des toilettes de l'UQAM, un troisième d'en dessous de l'escalier du bout de la rue Saint-Christophe.

— Je t'en prie, pardonne-moi, j'ignore ce qui s'est emparé de moi.

Poupette s'était éloigné de quelques pas. Il murmurait son numéro d'assurance sociale pour se raccrocher à son humanité. Pareille humiliation. Plus François s'excusait, plus Poupette chuintait du méchant, avec des gestes amples et mystérieux. La pluie qui les séparait le rendait brouillon, et ses chuintements ont vite dégénéré en une sorte de yodle heurté. Une lame s'est matérialisée dans sa main. Il passait ça suavement sous le nez de François. Un dormeur, derrière sa fenêtre où étaient scotchées des sorcières en papier construction, leur a crié de crever. Il mouillait à siaux. Les voilà qui se démenaient pour se déprendre d'une prise de lutte ayant pas viré comme prévu. Poupette a raté un coup plus technique, ce qui a permis à François, dans une pliure de contorsionniste, de lui ressortir entre les jambes. C'est là qu'il a foncé vers son demi-sous-sol, s'engouffrant dans une ruelle embrumée. Il avait le couteau de Poupette, un coupe-ongle, planté entre deux côtes.

44

JEAN DE BUADE de Frontenac, expliquait François à Poupette en repensant au kleenex.

Ils s'étaient pleurés dans les bras l'un de l'autre pour se réconcilier. Poupette, dans des larmes de joie, avait ri de tendresse, une main sur la joue de son compagnon. Puis il lui avait sorti d'un coup sec le couteau des côtes. « T'as jusqu'à demain soir, sinon t'es mort », il avait dit. Ils ont descendu les trois marches de chez François. L'ambiguïté, le biaisement s'infiltraient dans ses connaissances historiques. Poupette l'avait fait douter. Des fleurs endurcies avaient envahi les fissures du ciment.

— Deux particules ! s'est épaté François, stické sur *Louis* de Buade de Frontenac. Il fut, malgré pareil nom bâtard, gouverneur de la colonie sous Louis XIV. Ou sous Louis XV ? Je ne sais plus trop.

Il s'est retourné vers Poupette pour voir sa réaction. Lui dont il assurait l'éducation. Mais surprise. Poupette était plus là. Tant pis pour lui. François a ouvert sa porte, jamais barrée. Mais la porte, barrée, a pas ouvert. Il était là à se tenir le nez en grommelant, les yeux pleins d'eau. Il a plongé une main dans sa boîte aux lettres, pour la ressortir illico avec une grimace de répugnance. Il avait palpé, dans le fond, quelque chose de chaud, de pâteux, de gluant. Et pas de subvention du FQRSC ou du CRSH encore cette année.

Il a remonté les trois marches jusqu'au niveau de la mer, pour slalomer entre les bébelles laissées à traîner par les enfants de ses voisins. Des mangeurs de pain mou. Un ancien futur Canadien de Montréal. Une darling à paillettes. Un Ovide des mythologies de quartier. Il a fait le tour de l'immeuble par la cour incolore. Le même raton laveur haïssable, patte de velours et masque de voleur, avait encore éparpillé les vidanges un peu partout. François s'est arrêté. Il a poussé du pied une fenêtre au sol, une des seules de son appartement. Barré ça avec. Il a regardé à droite, à gauche. Puis il s'est penché pour ramasser un nain de jardin abandonné, tout pimpant à côté d'un bac de basilic et de romarin plus tellement comestibles.

— Touche pas à ça! s'est écrié Poupette.

Il a rejailli de nulle part comme une kyrielle de serpentins échappés d'une boîte à ressorts.

— Ah, mais te revoilà!

— Françoué, sérieux.

— Tu as bonne mine, reviendrais-tu de vacances?

Poupette a relâché son air épouvanté pour prendre

son expression soucieuse, et il a indiqué par là-bas d'un œil oblique en articulant en silence le nom du Roy.

— Je disais donc, a repris François. Frontenac. Un hardi pourfendeur de Sauvages et d'Angliches qui, et pas juste parce qu'il avait la perruque pour, se sera bravement battu pour son peuple, son roi et de pleines cargaisons de fourrures acquises en échange d'un petit bout de miroir cassé.

— T'es tellement calé en histoire.

Sans jamais perdre le sourire, le nain de jardin a fait un vol plané tapageur à travers la vitre.

— Au revoir, a dit François à son acolyte.

Il s'est effacé dans les ténèbres de son chez-soi.

— Françoué ! a crié Poupette, tout bas.

Il était pas invité, mais ça l'a pas empêché de s'approcher de la fenêtre à croupetons, sûr qu'il avait vu le nain de jardin piquer un sprint derrière le boîtier à découvert d'une prise de courant qui pendait au bout de ses fils.

— Chérie, a dit François après avoir retrouvé son ballant sur le plancher moelleux de sa cuisinette. C'est moi.

L'écho de sa voix s'est évanoui dans un ricanement meurtri. Il a allumé au plafond le luminaire en forme d'objet volant non identifié. Non sans un certain intérêt, il a observé, sur les gondolements de ce qui avait autrefois été du linoléum, la fuite des poissons d'argent. La tête lui vibrait d'une note de thérémine sans fin. Manie qu'il tenait de sa mère, il a replacé droit sur son clou un laminé que ses étudiants lui avaient offert en remerciement, parce qu'il se présentait jamais en classe et donnait

47

des bonnes notes. C'était peu avant son licenciement, que lui-même qualifiait plutôt de décrochage à petit feu. Rien à boire dans l'appartement. Il a raccroché le combiné du téléphone, sur le plancher parmi les moutons de poussière.

Plaqué contre un mur, François a osé un regard vers son bureau. Un meuble de fortune, fait de caisses de douze et de ripe pressée, garroché dans un angle ondulant du salon où l'éclairage venait s'atrophier. Il voulait pas, François. *Je ne veux pas.*

Le bureau ployait sous la pesanteur d'un manuscrit, une pile de feuillets compacte, d'une blancheur instable.

François s'est approché, avec une telle envie de s'étourdir qu'il se retenait pour pas courir dehors se gaver des fruits de son cormier. *Prospection aurifère et développement rural : cas de figure,* qu'il était écrit sur la page titre de son manuscrit, titre inchangé depuis le dépôt de son projet de thèse à une époque depuis longtemps révolue. Le sous-titre commençait en dessous par *Le village de Saint-Lancelot-de-la-Frayère sous l'influence d'Honoré Bouge* et se déballait comme ça sur une demi-page, gagnant toujours plus en longueur tandis que François, les années passant, perdait le fil de ses découvertes et spéculations. Jamais depuis qu'il s'était envenu à Montréal, au baccalauréat, il était retourné à La Frayère. Mais là, c'était le temps. Il avait jamais revu personne de par chez eux non plus, à part une fois son cousin Steeve, qui était en fait son petit-cousin. François avait du monde à voir. La chaise aux pattes inégales s'est tirée d'elle-même pour qu'il s'assise à son bureau. Depuis le baccalauréat, d'ailleurs, qu'il était pas sorti de Montréal. C'est tout son espace de travail, avec ses crayons, son aiguise, qui l'invitait à venir contempler devant le papier la super-fluité de vivre.

Ma valise, maintenant, il a pensé après avoir fourré machinalement le manuscrit dans la mallette qu'il utilisait quand il enseignait. La Gaspésie, pour François, se réduisait pas à la Croix de Gaspé et au parc Forillon. C'était plus compliqué pour lui que pour d'autres, la Gaspésie. Ses phalanges se sont contractées autour de la poignée mal huilée de son garde-robe pas au niveau. La porte s'est ouverte dans un essaim de spores, sur un Poupette puant l'abysse, plié en trois par une quinte de toux.

— Mais qu'est-ce que…

Poupette a poussé la valise dans les bras à François. Une sorte de grosse boîte à lunch où ce dernier s'est mis à entasser ses effets.

— Tu n'aurais pas aussi vu Thierry Vignola là-dedans ? il a demandé en indiquant le garde-robe.

— Je te piquerais ben de quoi à grignoter, a répondu Poupette. T'as-tu de l'Ensure ? Je suis en train de m'auto-digérer.

Mange pas ça, Poupette. Mange-toi pas.

— Nom de Dieu, Dominique. Des fois, j'ai l'impression de t'avoir inventé. Sers-toi dans le réfrigérateur.

Le téléphone, en passant, était débranché depuis des mois. François, une bonne fois, avait appelé un musée de Dawson City en se faisant passer pour un Dexter. Il avait fait se sentir coupable la réceptionniste du fait que, dans un élan de mégalomanie, George Mercer Dawson, géologue de l'Île-du-Prince-Édouard et *Legum Doctor* diplômé de l'Université McGill, avait eu l'originalité de baptiser la ville à son nom, et lui avait dit d'attendre une minute, qu'il allait chercher le dossier contenant le numéro de concession dont il avait besoin. La réceptionniste s'était tannée d'attendre. Elle avait mis le téléphone sur le haut-parleur. Puis elle avait oublié ça, et elle était partie en congé sans raccrocher. François était revenu trois jours plus tard, avec une pneumonie et le genre de facture de Bell dont tu te sors plus.

— Embraye, par exemple, a crié Poupette. La nuit est jeune, mais on a à peu près un million de places où passer avant de retourner chez nous.

Il a frotté, devant le frigo, son petit bedon tout rond. François faisait pendant ce temps-là la toupie d'un bout à l'autre de la place. À récupérer, en dessous du futon, dans le panier à linge sale, son fourbi qu'il jetait pêle-mêle dans sa valise.

— Tu le sais ce qui arrive quand je me fais surprendre par le lever du soleil, il a cru entendre Poupette dire dans l'autre pièce.

François rentrait à tout bout de champ dans le débarras, pour chaque fois se souvenir qu'il avait rien à faire là. Intrigué, Poupette a senti des restes de sushis d'épicerie en se demandant pourquoi un être humain s'infligerait pareille pitance.

— Tu vas voir, il a hurlé à François.

Puis, moins fort, il a rajouté :

— Je vas te le finir, moé, ton câlisse de livre.

François a finalement mis la main sur son jeton de

six mois des AA. Son amulette à lui. Du pouce, il l'a fait tournoyer dans les airs, pour l'empocher contre son cœur, empli d'un pep nouveau.

— Je crois qu'il y a un malentendu, cher Dominique, il a répondu de sa chambre, la deuxième chambre la plus déprimante au monde. Je ne t'accompagne pas chez toi.

Il a tiré trop fort sur son tiroir de commode. Le tiroir a passé proche de revoler dans le mur. *Les nerfs, l'amulette,* a pensé François. Il a vidé sa corbeille sur ses draps tachés de vin. Ça allait lui prendre, pour son voyage, des capitaux.

— Comment ça? a fait Poupette.

Le couteau qu'il avait pris pour tuer François, il le trempait maintenant dans des pots de condiments. Il était en train de se faire un sandwich. C'était ça ou du bicarbonate de soude. Ou des sushis. Il avait donc opté pour un quignon de baguette moisi, coupé sur le long, avec du rosbif en tranches aux stries turquoise et du ketchup, son légume préféré. Du fromage suisse aussi. Il le découpait tout le tour des trous. Quelqu'un lui avait déjà dit de jamais manger les trous.

— Viens-t'en avec moé chez nous, garçon. Installe-toé pour un boutte.

Donc, a pensé François. Les bras ouverts, il se balançait d'un pied sur l'autre devant son lit, comme s'il se tenait prêt à attraper de quoi de rapide. Il a attrapé les ciseaux. Dans la jouissance, il a déchiré le *Journal de Montréal* d'il y a deux semaines. Tout de suite il s'est appliqué à y découper merveilleusement des bouts de papier de la même grosseur que des billets de banque. Une bonne motte plus tard, il a pris une enveloppe parmi les fournitures sur son lit. Il y a inséré son découpage, puis a léché le tout pour sceller. Sauf qu'il avait zéro salive, et il a donc utilisé son bâton de colle. Ensuite de ça, il a débouché un feutre. Il a écrit « 5000 $ » sur son enveloppe. *Mais qu'est-ce que je vais faire de tout cet argent ?* il s'est demandé, soupesant avec contentement les économies d'une vie.

— Merci d'une si chaleureuse invitation, il a mâchonné, l'enveloppe entre les dents.

Il tirait sa valise dans le couloir. Sa mallette tapait sur les murs.

— Non, mais viens, a fait Poupette, la bouche pleine dans l'embrasure à l'autre bout de la pièce. Tu pourras t'installer dans…

L'enveloppe est tombée sur le plancher.

— Je pars ce soir pour un périple qu'il me faut entreprendre seul. Mon travail historiographique ayant atteint ses limites, je dois me livrer à quelques études de terrain.

— C'est quoi, cet argent-là ?

François, haletant, s'était adossé contre la porte de la salle de bain où il s'était barricadé. Sa mallette, il l'avait, mais sa valise était restée dans le couloir. La porte tressaillait sur ses gonds. Puis les secousses dans les charnières, dans le crochet, se sont affaiblies. Les coups de griffes et les impacts contre le bois l'autre bord se sont espacés. Poupette a sacré quelques minutes, sans trop de stratégies pour gérer sa colère. François l'a entendu glisser jusqu'à terre contre la porte. Il s'est mis, Poupette, à zézayer des flagorneries, des mots doux entrecoupés de reniflettes et de plaintes de faim. La soucoupe de verre qui protégeait l'ampoule crue de la salle de bain était remplie de mouches mortes. Sa chemise relevée, devant les plaques de tain qu'il restait dans le miroir, François a ausculté la plaie que le couteau lui avait laissée. On aurait dit que la vésicule biliaire lui jutait par la valvule quand il pesait. *Je ne suis pas médecin.* C'est comme ça qu'il a décidé de pas s'inquiéter. Il savait pas trop comment ils avaient réglé leur compte, mais en tout cas, c'est lui qui tenait le sandwich au clown dans lequel manquait une mordée. Les gargouillements d'estomac de Poupette passaient à travers la cloison.

Tout est allé très vite. Sa mallette en l'air, François a envoyé dans la porte un surprenant coup de pied, énergisé par l'amulette. Poupette, dans sa pose de sirène, s'est tout de suite mis à battre de la queue quand, lancé par en dessous comme à la balle molle, le sandwich a volé jusqu'au fond du couloir. Ce François-là, il s'est pas fait prier pour se pousser. *Le plus loin possible du 514.* Comme il l'avait appris dans les vues qu'il regardait enfant avec son frère et Patapon, avant que les gens à l'intérieur de la télévision commencent à lui sembler suspects, il a coincé une fois dehors le dossier d'une chaise de patio sous la poignée de porte, laissant Poupette à sa fureur de dévoration.

4

PARKING DU BERCY, pas de Poupette à l'horizon. Ça tombait encore à boire debout. *Boire,* a dit quelqu'un dans la conscience à François. Cent livres mouillé dans son complet, il claudiquait à travers les rues. Ses ourlets flottaient au vent au-dessus du bitume. La bête s'était remise sur ses traces, sa truffe toute dégarnie, son pelage tapé sur les flancs. François l'avait aperçue du coin de l'œil, sous un auvent. La pluie ruisselait sur celui de ses poings qui tenait sa mallette, plus lourde qu'il y paraissait. *Il me faut une pièce de vingt-cinq cents,* il a pensé, et il a pensé à Patapon aussi, qu'il avait hâte de revoir, à sa mère, à l'odeur du varech, aux brûlures de soleil de mer dans la baie. Son père, il y penserait plus tard, parce qu'en attendant, il avait quoi, sept cents kilomètres à faire ? Avec sa mallette au manuscrit d'une tonne et quart, et le sentiment difficile d'avoir joué à *Tetris* quarante-huit heures en ligne. La Gaspésie, à pied, c'était très loin. L'autobus, François avait pas confiance. Trop d'yeux. Trop d'oreilles.

Et dire qu'il faisait beau à Laval. Le firmament de la banlieue était dégagé au-dessus des piscines hors terre et des calottes à l'envers. François nageait vers l'ouest sur Ontario. Il est passé devant une place de karaoké. L'averse, en se décuplant, avait vidé les rues du Centre-Sud de tout noctambule.

Bondé était cet établissement, de stupre et de performances regrettées le lendemain. Pour voir s'il connaissait pas du monde, François a recensé depuis l'entrée les gueules qui vociféraient tout le tour du comptoir dans un entremêlement de bras tendus, crispés, suants. La pieuvre derrière le bar couvrait tous ses angles pour bien défaire à coups de deux pour un le plus de faces possible. « J'ai cinq mille dollars », a fait François, à voix haute par-dessus le ressac cristallin du change sur le chrome. Un linge est passé, fugace et moussant. La quille était en spécial. Les shooters, à perpétuité. Le vingt-six onces de Yukon se détachait du rang de bouteilles derrière le bar. François se balançait d'un pied sur l'autre, en se faisant accroire qu'il aurait juste pu rentrer faire du change. Mais il lui a suffi de toucher dans sa poche son amulette, le jeton des AA, et il est reparti à déambuler dans la ville pendant qu'une fêtée faisait une vraie folle d'elle sur scène en éructant son classique de Gerry Boulet.

Poupette était toujours prisonnier de l'appartement. Son sandwich lui arrachait du ventre des enzymes qu'il produisait plus ça faisait longtemps. Il voyait des affaires. Tournait les coins en tenant devant lui son couteau des deux mains. Ça aurait pas été si compliqué de s'évader, sauf que Poupette, il avait un blocage. Il aurait mieux aimé scrammer par le tuyau des toilettes que par une des fenêtres. Elles étaient hautes un peu aussi. Ce qu'il aurait voulu le plus, en fait, ça aurait été qu'un des sbires au Roy vienne le chercher. Le Roy voulait le finir à coups de batte, mais qu'est-ce que tu veux, Poupette réfléchissait pas comme monsieur et madame Tout-le-Monde. Il pitonnait donc, ça faisait vingt minutes, le numéro de pagette à son vendeur, sur un téléphone débranché depuis plus longtemps qu'il avait été sobre au cours de sa vie adulte.

Le regard braqué sur le trottoir, dans sa quête de monnaie, François a obliqué rue Logan. Deux super polices l'ont accosté. Les gars lui ont demandé s'il avait pas vu passer quelqu'un de louche et de potentiellement dangereux. L'un d'eux montrait l'hôpital de sa matraque. L'orage cassait des briques. Jamais il serait venu à François l'idée de formuler des faussetés devant la loi. « C'est moi ! » il s'est exclamé, avec une franchise désarmante. Les policiers se sont esclaffés. En le bousculant, ils sont retournés à leur char marmonner virilement dans leur émetteur-récepteur. La bête se profilait dans l'éclat des phares, cuivrée, verdie, perchée sur la hampe d'un drapeau parti au vent. François était allé les voir, une fois, la police. Il leur avait parlé du meurtre, parlé de Dexter. Il leur avait dessiné un schéma, pour leur montrer les corrélations entre ce qui s'était passé dans le Nord et sa situation actuelle. Ils lui avaient fait passer la nuit en dedans.

Il a viré sur Maisonneuve.

Sieur de Maisonneuve, il s'est récité. *Paul de son prénom, de Chomedey. Toupet ras, collet d'hermine, il a découvert Montréal. Un front de zélé sur sa trogne de gripette. Très médiocre fut l'homme dans sa gestion de la colonie, durement relégué pour cette raison à dix minutes du programme d'histoire de secondaire quatre.*

Oui, le complot contre Monti, tout ça, les sortilèges et les cadeaux poison, n'empêche que François, c'était un chanceux. Toujours à bout, sur la corde raide, la crotte au cul, mais il avait besoin d'un trente sous, il a trouvé son trente sous. Au chaud dans l'entrée d'un guichet. Ça sentait les pastilles d'urinoir et Ringo. Ringo ronflait pelotonné dans un coin, avec son nom d'écrit au marqueur sur son manteau. Ça sentait la morgue, pour être exact. Ringo devait pas venir beau les nuits de pleine lune et portait des sacs de la SAQ en guise de bottes. François l'a contourné à pas de ballerine pour inspecter les lieux, salopant de ses chouclaques les tuiles ardemment vadrouillées. Ringo avait le haut du corps de face, et le bas de dos. Il avait le nez qui coulait et sa toux tuait. Car, couché sur ses boîtes de livraison, sous sa couverte qui bougeait toute seule, Ringo avait la grippe. Un de ces virus que tu tires au douze derrière ton cabanon. Le trente sous attendait là par terre à côté de lui. Il avait dû rouler de son gobelet de Styrofoam où un enfant en bas âge avait dessiné une famille, des fleurs à sourires, un chien aux quatre pattes alignées l'une en arrière de l'autre. L'ombre de François ternissait derrière lui le guichet aux liasses cordées serré sous son blindage. La radio en bruit de fond décortiquait la déconfiture du

57

Tricolore, blanchi trois à zéro par les Bruins en feu ce soir. François avait qu'à se pencher, puis à cueillir, en remerciant ses aïeux, le trente sous providentiel. Le hic, c'était que le trente sous gisait dans une clame, dont la membrane d'un coloris d'huître se dégradait vers un blanc smegma plus nervuré dans le protoplasme. Des bulles saumâtres s'agglutinaient dans le mucus autour d'un filament comme granuleux. Une chlamydia, ça a l'air de ça. *Plutôt embrasser Poupette!* s'est dit François. Mais Ringo a renâclé, et God save the Queen. Pétrissant dans sa poche son amulette, plus Françoué que jamais, François a tendu la main.

Endormie sur son divan, en gougounes et bigoudis, Louisette Potvin s'est réveillée en sursaut devant ce qui avait tout l'air d'un film de fesses, quand trois secondes plus tôt c'était encore *Légendes d'automne.* Elle venait d'entendre, montant du guichet en dessous de son deux et demie, le pire cri de mort de sa vie.

François s'est réfugié dans une cabine téléphonique. Il gardait sa main contaminée dans un sac de papier brun, qu'il tenait le plus loin possible de son corps. La pluie dégouttait sur l'informe bouillie du bottin par un joint crochi entre deux panneaux de plexiglas vandalisés. Il a déposé sa mallette à terre, et de sa main libre il a enveloppé l'acoustique du téléphone dans sa cravate. Il a fouillé dans sa poche de sa main ensachée et a inséré dans la fente de l'appareil non pas son trente sous, mais son jeton des AA. Les nuages se sont broyés un peu plus les uns contre les autres dans le kaléidoscope atmosphérique. Le jeton est jamais ressorti, et c'est avec la tremblote que François a cherché le nom de son parrain dans le bottin. La page manquait. Puis il a allongé son trente sous, cette fois, et composé un numéro de taxi qu'il connaissait par cœur sans savoir pourquoi. Ça sonnait, il se sentait tomber, le répondeur a embarqué. Le téléphone a ingurgité sa pièce avec un cliquetis drabe.

C'est quand il est parti pour éclater le téléphone avec la grille d'une bouche d'égout que François a remarqué, arrêtée sur une rouge, une Volvo couleur chair, une familiale à demi escamotée par les convolutions de ses gaz d'échappement. L'enseigne de taxi sur le toit repoussait la nuit sur les côtés.

— Bonsoir, monsieur, il a fait, frappant à la vitre.

D'habitude les portières se verrouillaient. Les pneus crissaient de gauche à droite et le chauffeur donnait un coup de pédale sur le neutre. Mais pas là. La vitre de la Volvo a descendu. De la fumée a roulé dehors par l'ouverture.

— Dites-moi, auriez-vous l'obligeance de me reconduire en dehors de la métropole, moyennant un substantiel dédommagement ?

François a brandi sous la pluie son enveloppe marquée 5000 $. L'enveloppe s'est teintée d'un mauve acidulé le temps d'un éclair. Il y avait pas de plaque d'immatriculation sur l'auto. François a pas remarqué. Dans la noirceur de l'habitacle, la braise d'une clope s'est irisée.

— J'ai rien compris de ce que t'as dit, a grondé à l'intérieur une voix comme dans le formol. Mais je t'attendais, le gros. Embarque.

II

LE JOUEUR DE TOURS

5

PAS LONGTEMPS après sa consécration, Victor Bradley, groggy sur les bords, se repointa un matin à l'hôtel à la Guité. Celle-ci testait comme de fait un appeau à couleuvre de sa conception, qu'elle était à l'étape de fignoler au canif.

— Je pense que ça marche, dit la tenancière à Monti juste avant que le facteur entre.

Elle venait de le voir passer par un carreau, contre la grisaille du début de l'automne.

Monti était toujours de bonne heure sur le piton. Ça faisait longtemps que sa journée était commencée. Grimpé dans les airs, il s'apprêtait à revernir des poutrelles qu'il venait de finir de décaper. Sitôt qu'il vit le bout du couvre-chef à Bradley poindre par l'embrasure, et son cheval qui paissait en arrière-plan, il fit non, non, non de la tête, le sourire fendu jusqu'aux oreilles. Son pinceau dégoulinait sur les marches de son escabeau.

— Je vous sers-ti un remède, mon caporal ? dit la Guité.

Bradley se péta les bretelles avant de s'assir sur son tabouret comme s'il enjambait une clôture à bestiaux.

— C'est pas un caporal, madame Guité, fit le colporteur du Newbie, assis lui aussi au comptoir devant un plateau de charcuterie qu'il s'appliquait à couper en fines rondelles. C'est le facteur, vous vous en souviendrez sûrement !

Il rajusta sa montre de gousset, sa serviette à picots. Parce qu'il savait qu'il avait raison. Il était sur son départ, sa malle de marchandises à terre à côté de lui. Sa saison était finie, et pas avec gros de commission.

— Ah ben, cher monsieur, je me serai donc trompée, lui répondit la Guité, servant à Bradley son jus de bas. Ça doit être à cause de l'uniforme, je cré ben.

Des plis de couvertes étampés sur une joue, sa crigne rousse peignée à coups de fourche, le facteur se borna à siroter dédaigneusement son café. Il contrôlait les alentours. Monti, tout ravi de la scène, chercha l'attention de la Guité jusqu'à ce qu'il soit certain qu'elle le regardait faire. Il se crêpa la peignure pareil à Bradley, fit des yeux ronds comme lui, prit le même air grincheux, puis en triant des enveloppes inexistantes il fit semblant de partir pour se lécher le doigt, sauf que c'était un de ceux que le facteur avait plus. La Guité se cachait derrière sa tasse, les épaules sautillant de chaque côté. Mais Bradley voyait rien aller. Il se tournait de gauche à droite, à hauteur du pelvis, pour voir qui d'autre il y avait.

— M'as te prendre ton sucre, dit-il, et demandé de

même, peu s'en fallut qu'il se fasse plutôt donner le sel, ou de l'arsenic.

Il mit une cuillerée dans sa tasse. Une autre. Encore une. Une quatrième. Il allait sûrement arrêter à un moment donné. Mais il arrêtait pas, et la cuillère tenait drôle dans sa main mutilée.

— À qui le poulain? demanda le docteur Maturin.

Maturin rebouclait sa ceinture au sortir des latrines, avec pour lecture la gazette locale, *Le Vivier.*

Il y eut quelques cous encore ankylosés aux tables qui s'étirèrent pour voir par le carreau s'il y avait bien un cheval. Les buveurs de café échangèrent des regards. Ça hochait du chef pour confirmer. Il y avait un cheval. Les feuilles commençaient déjà de s'oranger sur les branches. Maturin, il était pas tout à fait docteur, et ça doit être pour ça que Bradley le jugea pas digne d'un éclaircissement. Il gardait le dos tourné à sa monture, qui patientait dehors debout dans le vent, les quatre fers plantés dans son aplomb.

— Belle créature, en remit Maturin.

Il en fallut pas plus pour qu'autour, parce qu'ils savaient, les clients semblent tous avoir un instant le croupion sur un oursin. La une du *Vivier,* avec un mois de retard et comme une pointe d'hystérie, montrait la plus grosse courgette jamais enregistrée dans le canton. Entre les colonnes on voyait la photographie de Pancras Canon, l'air mauvais, et de son légume dans une barouette.

Le colporteur du Nouveau-Brunswick trouvait donc ça merveilleux, la Gaspésie. Quelle hospitalité, quelle jugeote. De l'excellent monde, il était sûr de ses vues là-dessus. Leurs pitreries, tout ça. Et près des Acadiens, des cousins. À les regarder aller, il éprouvait un mélange d'admiration et de déplaisir. Ça lui disait pas de remballer son bric-à-brac. Il aurait voulu se poser un jour à Saint-Lancelot-de-la-Frayère, y fonder une famille, se partir à son compte. *Mais ça fait rien,* pensa-t-il, *on va revenir mener notre business dans la région.* À part peut-être chez les Canon, parlant d'eux autres. Plus jamais qu'il remettrait les pieds chez ces sadiques-là. La simple pensée de prendre dorénavant chaque fois ses quartiers sous l'étoile de la Guité l'entraînait dans une mélancolie rêveuse. Un peu plus âgée que lui, mais veuve. Elle lui aurait fait un beau parti en ti-pit, la madame Guité. Il voulait quand même pas passer ses vieux jours sous le toit de sa sœur. Bien fat de sa personne et toujours bien juste facteur, Bradley se revira alors vers lui pour troubler son recueillement et lui expliquer comment ça marchait, le Nouveau-Brunswick, l'Acadie, ces places-là. Monti lui coupa la parole, déclarant à brûle-pourpoint qu'il les prenait toutes.

— De quoi, toutes ?

De quoi, toutes, de quoi… Le murmure se répandit parmi la clientèle. De s'être fait fermer la boîte, Bradley en avait la face rentrée par en dedans.

— Toutes vos livres, là, à vous, dit Monti en agitant un doigt tremblant d'excitation vers la malle du colporteur. Vos grosses almanachs, je les achète toutes.

— Ah, ça. C'est pas des almanachs, c'est une encyclopédie ! Huit tomes reliés en peau de chagrin, massicotés à l'égoïne.

La totalité du savoir humain, promettait le dépliant. Ce qui pesait autant qu'un bœuf et deux moutons.

— Pour passer l'hiver, dit Monti.

Voyant le Newbie grogner de joie en léchant le bout de ses doigts graisseux pour serrer la main au polisson, Bradley vint encore plus en Hérode. Surtout que le facteur venait de voir ça faire. La Guité avait demandé à Monti de lui descendre une bouteille de la tablette du haut, en lui décrivant le dessin sur l'étiquette au lieu de lui dire le nom. *Ça va lui servir à allumer son poêle, cette encyclopédie-là,* méditait Bradley. Puis, comme ça au hasard, il se mit à poignarder du regard un bougre attablé plus loin, le Langis à Yves Allard, et ça aura toujours eu de quoi de désagréable et de disjoignant quand Bradley te considérait. À cause de son œil bleu et de l'autre brun. Le spectre des couleurs se décomposait. Tu voyais des arcs-en-cieux.

Le Newbie se leva de son tabouret. Tout épanoui dans son lard, il resserra la pince à Monti, en recouvrant ce coup-là leur poignée de son autre main. Puis il se flaira la paume. Ça sentait le décapant, mais il en ferait certainement pas de cas. Dans une montée d'amour, il lança :

— De la bière pour tout le monde ! C'est ma tournée !

Il regretta aussitôt, les pommettes comme frais sorties de la boulangerie, après avoir calculé vite de même sa cote sur la vente. Les gars trinquèrent, tout le monde était content. Sept heures et demie le matin.

— Je m'en vas vous monter ça tout de suite dans votre chambre, dit le colporteur à Monti d'un ton de demande en mariage.

Car c'était ça qui arrivait. Monti, il se gardait un gîte chez la Guité, en échange de jobines. Il avait son lit de paille à l'étage, dans un réduit de quatre par six, avec un pot de chambre dans un coin, un crucifix sur le mur. Sachant pas trop encore ce qu'il voulait faire de son soi-même, il créchait là des fois.

La municipalité de Saint-Lancelot-de-la-Frayère, par contre, savait ce qu'elle voulait faire avec sa terre. Personne lui connaissait d'ancêtre dans les parages, à Monti, ni de descendant. Jamais il s'ouvrait là-dessus, pas plus que sur l'éducation trouée qu'il avait reçue à l'orphelinat. Après une absence de plusieurs mois, il était revenu du bois un bon jour, avec son fusil et sa gibecière, des idées de recettes et un bout de papier fripé censé prouver que dans la montagne il y avait un lopin de terre qui lui revenait de droit, comme en équilibre sur un surplomb, piqué au moindre pied carré d'arbres à résine, à hiboux, engorgé de déblais et de ronciers, si creux dans le bois que t'étais mieux de ressortir par l'autre côté et de faire le tour pour en repartir.

Peu importe, la Ville persistait dans son désir de racheter l'enclave pour la zoner et faire passer l'aqueduc en son mitan. De la façon dont le coude de la rivière à Frai était fait, t'avais pas le choix. Mais les négociations avaient quelque chose d'éprouvant, vraiment. Monti vendait. Monti vendait plus. Vendait. Vendait plus. Le maire Pleau rêvait de le faire saisir par l'huissier, et de le jeter en prison s'il rouspétait. Ben non, voyons, c'était pas dans ses agissements, à Pleau, pas si despote que ça. Mais en attendant, avec pour unique souhait que celui de se laisser vivre, Monti s'entêtait à garder son avoir. Pour chasser, disait-il. Dans le temps, partir à la chasse, ça voulait encore dire se soûler dans le bois une semaine pour tirer des animaux, les dépecer puis s'en nourrir. Pas s'en aller, comme aujourd'hui, dans le bois soûl *depuis* deux semaines pour se plomber soi-même les caries d'un coup de tromblon dans une cabane sans porte ni fenêtre.

— Nonon, dit Monti au colporteur.

Parce qu'il était trop tôt pour la chose, il vida son galopin inentamé dans le cygne. La Guité zyeutait distraitement du côté de Langis pour voir c'était quoi son problème, tout bredouillant qu'il était de saisissement. Il avait-ti halluciné, ou bien il venait d'apercevoir par le carreau le cheval des postes se souffler le toupet de devant les yeux? Bradley rajouta, non sans raideur, deux costaudes cuillerées de sucre dans son café.

— Pas dans votre chambre? fit le Newbie à Monti. Pas de trouble, je peux vous emballer ça icitte.

Le Paspéya partit pour se remettre encore une cuillerée.

— Faites plutôt maller ça chez nous par notre facteur, dit Monti.

Il y eut un sursaut de tabouret. Les bottillons de Bradley, même pas craqués encore, étaient tout saupoudrés de sucre étincelant.

Pas plus tard qu'à la brunante, les bottillons, ils auraient craqué. Il était pas plus vaillant que ça, le Paspéya,

Monti se rappelait ça du hockey. Dans sa mémoire, ça avait l'air pénible de siffler dans son sifflet quand les Crolions jouaient chien le long des bandes. Bradley bâclait tout, et déjà après quelques jours ouvrables, il s'était pas mal mis ça clair dans le ciboulot qu'il fallait pas que ça lui prenne plus que quatre heures pour livrer son chargement, quatre et demie au plus. En additionnant ses indolences dans tout ce qu'il y avait de gargotes et de buvettes chez l'habitant, tu pouvais te fier que sa délivrance du courrier s'étirait à huit heures pour les contribuables.

La fois de l'encyclopédie, par exemple, il s'était fait dompter. C'était une journée fraîche et, vers midi, il s'arrêta pour se repaître d'un ragoût de pattes et de pain de miche, dans un établissement de bord de route où il se fit chauffer la couenne dans la contiguïté de l'âtre. Il se fit même servir sa panade. Il prit le temps de boire et, comme il aimait ça, l'estaminet où il se détendait, il décida de laisser ses couverts là, de réserver sa place ainsi. Il s'en irait maller le colis de Monti vite fait, se promit-il, pour aussitôt revenir près du feu se déraidir dans la langueur en finissant d'expliquer certaines notions de phlogistique au mastroquet reconnaissant d'être aussi sourd qu'un pot.

Bradley savait pas que « chez nous », dans le vocabulaire à Monti, « dans le bois », ça tenait pour une cabane pas trouvable, en haut du pire raidillon, à deux heures de marche juste à l'aller. Il se convainquit au début qu'il aimait ça. Il feignit pour lui-même d'admirer dans l'air gagnant en fraîcheur les feuillages enflammés. Les bois, dans le mont, ils pouvaient par contre être étouffants si t'avais pas assez de jarnigoine pour découvrir les anciens chemins de portage. Et ton cheval passait jamais là, pas moyen. ·

Les lèvres tirant sur le mauve, les poignets rouges, des épines dans ses poches et ses revers, dans sa casquette, sa raie, avec les encyclopédies débarquant aux huit secondes de son chariot qui accrochait partout dans une végétation pas docile, le facteur finit par gagner la cabane. L'air embaumait la neige. Fragilement campé dans ses chaussettes trempes, parce qu'il avait bien fallu qu'il traverse la rivière à Frai, Bradley cogna à la porte comme pour la défoncer.

Veux-tu bien me dire qui c'est ça ? se demanda Monti. Il avait perdu toute souvenance d'avoir commandé les encyclopédies. C'était rien qu'une farce. Il essuya la bave qu'il venait de laisser sur l'appeau que la Guité avait fini par lui offrir. Tout nu en dessous d'une salopette trop grande du fond de culotte, il ouvrit la porte en se grattant la poche.

— Eh ben, eh ben, s'étonna-t-il, l'humeur assouplie d'un treize onces de brandy. De la grande visite.

Bradley, les reins sciés, déchargea le colis. Une guédille pendait aux poils de sa narine. Il avait tellement l'estomac dans le besoin qu'il mordait le fumet affolant qui s'échappait de l'entrebâillure de la porte. Il y avait de la viande de bois qui devait mijoter. Et faisait chaud là-dedans. Ça fournissait, le poêle en tôle bricolé au fond là.

— T'as pas amené ton chefal ? fit Monti, sans rien distinguer que son chariot derrière Bradley. Je l'aurais invité à souper !

Tard dans la nuit, le facteur clopinait, sur une route estompée par la fatigue et le crachin, vers l'enseigne de l'estaminet où il avait laissé sur l'heure du dîner son verre et sa jasette. Il maugréa par-devers lui, avec au moins l'intention d'étancher sa soif jusqu'à plus voir clair. Le ti-Jésus eut de la peine à l'entendre. Parce que, c'était bien sûr, la place était fermée. Et dans l'attente des cris du coq, il avait rien d'autre en son pouvoir que de se coller dans la vitre pour observer son sherry s'évaporer à la lueur encore invitante des braises de l'autre côté.

6

L E SNOREAU à Monti, ça lui avait plu, le tour qu'il avait joué au facteur. Il voulait remettre ça. C'est la raison pour laquelle, casquette à oreilles et redingote, il débarqua au lendemain des grandes marées au magasin général de monsieur et madame Berthelot pour un deuxième round.

— Bon, y est là, lui, comment ce qu'il va ? fit monsieur Berthelot.

Il s'arrêta de trier son cannage dans le cagibi.

— Pas pire, pas pire, répondit Monti, et il se souffla sur les jointures.

— Fait pas chaud à matin, hein ?

Il y avait, à terre dans un coin, un mulot sous un bocal à cornichons. Monsieur Berthelot s'essuya longuement les mains sur son tablier, souriant comme d'habitude de son air bonasse qui te donnait toujours l'impression que c'était à toi de parler.

— Dis-moi, lui demanda Monti à demi-mot, la Joséphine est-ti venue faire une livraison déjà aujourd'hui?

— Oh, oui, fit Berthelot, les mains rendues sèches certain. T'as dû la manquer peut-être d'un quart d'heure. Tu l'as dans l'œil, mon courailleux?

Les deux firent comme s'ils partaient pour boxer. Berthelot éclata d'un rire plein de candeur. Il donna une tape d'amitié dans le dos de Monti. Ce dernier adressa ses distinguées salutations à l'épicier, puis se pencha afin de passer en dessous de l'escalier chambranlant, jusque dans l'appentis qui servait de dépôt pour le courrier.

— Tiens, faisait longtemps qu'on l'avions vu, celui-là, dit madame Berthelot, appuyée sur son balai fléchi. Tu te terrais-ti dans ta ouache?

Elle dissimulait toujours plus ou moins subtilement son embonpoint dans la même robe fleurie et le même cardigan démesuré. Monti humait l'air. Ça sentait le Bradley dans le dépôt.

— Je voulais savoir, lâcha-t-il sans prolégomènes.

Il savait très bien qu'avec la Berthelot, tu pouvais laisser faire les pantomimes.

— Comment ça marche, la poste?

— Comment tu dis ça?

Elle avait plus de moustache que son jules, madame Berthelot. C'était la bonté de cœur incarnée.

— Ben je veux dire, je te donne ça à toé, mon paquet, pis là après? Ça peut pas être aussi lala que ça?

— T'as-ti un peu d'argent? Va falloir que t'achetions un timbre. Le reste, la madame y veille.

Les sourcils froncés, Monti tâta sa redingote toute

rapiécée. Des bouffées de poussière en jaillirent. Il retourna, un peu nerveux, les poches de ses fripes, de son pantalon à la fesse, pour trouver un sou noir par-ci par-là, à travers des croûtes de pain, des ongles d'orteil, des scoubidous.

— Le compte a l'air bon, le rassura la Berthelot sans même regarder. Donne-moé ton enveloppe.

Elle lécha la colle au verso d'un timbre minuscule, qu'elle pinçait délicatement entre ses doigts comme des baloneys.

— Non, non, dit Monti, c'est pas une enveloppe. J'ai deux poches de concassé dehors à faire porter chez nous.

— Ah ben là, ça va te coûter plus, par exemple.

— Je le sais pas, moé, tu m'as dit qu'y allait falloir que j'achète un timbre.

— Jériboire, pour un envoi de même, je croirions que ça va te prendre un timbre d'un pied par un pied et demi. J'étions pas certaine que ça te tente de voir gros de même le portrait du roi d'Angleterre. Je pourrions te marquer ça, si tu désires, ou bien donc…

Elle fit des ronds dans le vide avec son postérieur, les paumes jointes au bout de son manche à balai. Elle ajouta :

— J'aurions peut-être un contrat pour toé.

Les deux jetèrent un œil à monsieur Berthelot pour voir à quoi il s'affairait dans les allées. La gorge à madame lui fit pareil qu'aux tourterelles.

— Dis toujours.

Plus tard dans l'après-midi, Monti remonta de la cave par un escalier pas moins casse-cou que celui en arrière du comptoir de l'hôtel. Une poche de jute sur son épaule grouillait de vermine. Il se moucha noir, et tout en se désemberlificotant des toiles d'araignée partout sur lui, il souleva sa cueillette par-dessus les rayonnages pour que madame Berthelot à l'autre bout puisse voir ce qu'il ramenait d'en bas en matière de mulots. La tendre matrone lui fit signe que c'était bien beau, à la revoyure. Elle oblitéra son colis et lui offrit la pâtisserie qu'il se choisit en sortant, parmi celles que Joséphine concoctait chaque semaine pour différents points de distribution.

Hélas, deux jours plus tard, ayant regagné sa cabane, Monti avait toujours pas reçu la visite de son facteur. On était rendu mercredi. Des feuilles tombaient en permanence des arbres flamboyants. Le vendredi, il sortit sa berçante sur le perron, puis s'en retourna en dedans se déboucher un vin de pissenlit. Il ressortit, un gros foulard en tricot dans le cou, pour attendre ainsi équipé une partie de la matinée, à boire et à fumer. La forêt crépitait de toutes parts. *Qu'est-ce je pourrais ben faire de ces mulots-là ?* pensa-t-il en regardant, calée dans la fourche d'un orme, la poche de jute dont il se promettait de faire bon usage. Jusqu'à ce qu'il lui apparaisse préférable que le facteur passe pas, finalement. L'irréparable se commettrait, Monti était persuadé de ça au moment de rentrer dans la cabane. Il ressortit se rassir avec sa carabine sur les genoux. Il se berça longtemps. Il se berça à en creuser des rainures sur son perron.

— C'est un incompétent, votre facteur ! fulmina-t-il en ressoudant plus tard dans le bureau d'un maire Pleau légèrement décoiffé devant pareil époumonage. Les plumes, le goudron ! Sacrez-moi ça dehors !

Viendrait un jour où Monti aurait ses passe-droits à la mairie, mais, jusqu'à nouvel ordre, il entrait par l'entrée principale comme tout le monde. Le maire, entendant le tohu-bohu dans le corridor, avait eu tout le loisir de réfléchir à ce qu'il allait dire. Derrière son secrétaire, les coudes posés dessus et le coupe-papier proche au cas où ça dégénérerait, il se leva de son fauteuil et se réajusta. Il renâcla. Monti était à veille de manger le bordereau incriminant de sa commande non honorée. Pipe entre les dents, costume écaille de truite, Pleau se pavana une minute sous les yeux peints à l'huile de ses prédécesseurs.

— Écoute, attaqua-t-il.

Son poing se referma sur le fourneau de sa pipe.

— Bradley a pas tort. D'icitte à ta terre, c'est la ville. Pis passé ta terre jusqu'au dernier coude de la rivière à Frai, c'est la ville aussi. Mais ta terre, elle, fait *pas* partie de la ville. Ben non. En passant, ta chemise est à l'envers. Parce que tu veux pas, ta terre, la vendre à la Ville. Peu t'en chaut, faut croire, que les Frayois, les Frayoises, aillent de l'eau potable et s'abreuvent à satiété. Nous autres, on est pas là pour te déculotter, Monti. Mais le règlement le dit. Pis le bon sens aussi. Ça serait aberrant, hein, qu'il revienne au facteur municipal de livrer sa malle en dehors de la municipalité. Faque fais comme les Indiens, mon jouvenceau, qui en reçoivent jamais de malle, eux autres, pis passe prendre ton courrier chez les Berthelot.

Monti redressa la palette de sa casquette à oreilles. Il se glissa les mains sous les aisselles, où poussaient des luzernes. En se balançant sur les talons de ses bottes de pêche, il dit :

— Ouin, ben, pouvez vous fier qu'aux prochaines élections, vous l'aurez pas, mon vote.

Un silence brutal s'abattit sur la pièce. Le maire se nettoya une molaire du bout de la langue. Monti venait d'allumer lui avec. Ça toussotait d'inconfort. Il y avait des traînements de savates sur le parquet.

— T'es conscient, dit Pleau.

— Dites rien, s'il vous plaît. Je le sais.

— T'es conscient que, même si tu votes pas pour moé, ça te donne pas plus, si t'es pas enregistré à Saint-Lancelot-de-la-Frayère, le droit de voter pour quelqu'un d'autre ?

La porte claqua sur ses gonds derrière Monti avec une force telle qu'une lame de fond souleva le tapis jusqu'aux souliers flegmatiques du maire élu.

— C'est ça, grommela le politicien, déguerpis, crénom de chenapan.

Faut croire que Monti avait l'oreille fine, parce qu'il refit aussitôt irruption dans le bureau pour aller s'assir à toute vitesse sur le fauteuil derrière le secrétaire en pouffant, avec son meilleur air administratif et un doigt dans le nez.

— Toé, mon effronté, tasse-toé d'à ma place avant que je te serre les ouïes !

Dès l'édition suivante, *Le Vivier* publiait en une, dans sa typographie qui te donnait toujours l'impression de te faire crier après, qu'on allait l'avoir, notre aqueduc. Faudrait attendre au moins que le sol dégèle, mais Monti avait vendu. Si t'étais dans *Le Vivier,* t'avais une chance sur deux d'être en une. C'était une feuille recto verso.

Pour la troisième fois cette semaine-là, en allant déposer l'acte de vente qu'il venait d'assermenter, le notaire Langevin vit passer un mulot dans le corridor de l'hôtel de ville. Puis il fit remarquer à l'huissier que d'une part Monti avait fait signer son témoin à sa place et que d'autre part une clause avait été griffonnée dans le bas d'une page, stipulant qu'il cédait sa terre, mais à une condition. Bon, là, c'était pas n'importe quel flâneur de bout de quai qui aurait pu rentrer dans les détails techniques, mais de la façon que la populace avait compris ça, la nouvelle carte esquissée par l'arpenteur annexait le domicile d'Honoré Bouge, dit Monti, au territoire municipal.

— Du front, le petit maudit.

En gros, Monti conservait le droit d'habiter sa cabane, même si elle se trouvait dorénavant sur une propriété publique. Il s'était pas mis riche en vendant, mais ça faisait rien, il allait quand même pouvoir se laisser vivre une escousse des fruits de la transaction, largement à son tour que c'était d'offrir à boire aux lurons. C'était avant qu'il trouve son or, tout ça, à l'époque où la misère des villageois les rendait pas pour autant chiches de leur jovialité. Avant que l'argent, que t'en ailles ou que t'en ailles pas, empuantisse tout ce qu'il y avait de bobettes à Saint-Lancelot-de-la-Frayère, après que même la plèbe se fut mise à pourrir du dedans.

Dès qu'il eut encaissé son dû, Monti fila au magasin

général avec dans l'idée d'acheter ce qu'il y avait de plus lourd et d'encombrant dans les stocks. La pesanteur même aurait été à vendre, au diable la dépense, il en aurait pris deux. Il finit bien par acheter de quoi, qu'il fit encore une fois maller chez eux dans la forêt. Il y avait beaucoup, beaucoup de timbres sur le colis. Quand Bradley fit le tour pour essayer de voir par où soulever ça, il eut la sensation, dans sa déconvenue, que la mosaïque de George V le dévisageait comme un œil de mouche géant.

Entre-temps, Monti avait fait ses commissions. Il était allé emprunter des outils chez des amis bûcherons ou menuisiers, chez le maréchal-ferrant. Puis il avait loué un mulet à Maturin. Le faux docteur avait envoyé une claque sur la croupe à l'animal, se passant la langue sur les lèvres comme pour dire à son preneur d'en profiter. La bête de somme cheminait les pattes écartillées, en dépit de quoi Monti se débrouilla pour rejoindre sa cabane avec tout le barda, et ses bidous de cachés dans sa doublure de redingote. Les banques, il comprenait pas encore à quoi ça servait. Parvenu dans une déclivité plus à pic du versant, il prit un trait de rince-cochon. Puis un autre et, tout en revissant le couvercle du pot Mason, il s'agenouilla sur la coulée de façon à étudier au soleil, sur la première neige comme jonchée de verroterie, les empreintes indéchiffrables d'une bête occulte.

C'était inconcevable pour Bradley de retourner s'établir à Paspébiac. Il tenait pas à finir sur les tablettes de la poissonnerie, empoté dans de la saumure, parmi les morues. Les plaintes s'accumulaient contre lui. Fallait qu'il livre, sinon il serait privé de son gagne-pain. Mais le jour du deuxième colis pesant, c'était à croire qu'il avait son vieux sifflet d'arbitre de coincé quelque part dans la tuyauterie. Il poussait some silements dans la montagne. Les poumons en couteaux, il avait même plus assez de souffle pour égrener ses doléances tandis qu'il gravissait dans le froid, contre lequel il avait refusé de se prémunir, la montée jusqu'à la cabane. Les bras lui avaient rallongé d'une bonne verge à force de remorquer le chariot ployé en son milieu par le colis. Sa picouille avait jamais voulu lever un sabot devant pareille charge.

Sur une saillie, un écureuil aux abajoues arrondies en était à se demander si c'était possible d'atteindre une certaine branche d'épinette de l'autre côté du vide, quand soudain une main réduite à trois doigts s'agrippa aux racines devant lui. Bradley parvint à hisser sa carcasse jusque sur un carré de neige plat puis, avec moult ahans, à tirer le chariot jusqu'à lui. *Je suis arrivé.* En secouant son uniforme, il se tourna vers la cabane à Monti pour lâcher un ouac. Il fut touché par une sorte de tétanos existentiel et son poing se serra dans sa mitaine, autant les vrais doigts que les doigts fantômes.

La cabane était plus là.

Le ouac sortit plutôt en un gémissement flûté. Il y avait plus rien qu'un peu de sciure, quelques clous crochis, les traces des sabots de ce qui avait pas le choix d'être un satyre. Sûrement que Bradley avait dévié de son itinéraire habituel, mystifié par la blancheur de la nature autour, mais il était tellement orgueilleux qu'au lieu d'avouer son erreur, il avait préféré accorder le point à son détracteur en racontant, dans les salles publiques, que Monti avait démonté sa cabane pour la changer de place.

Le soir de la première tempête de neige digne de ce nom, il s'était ramassé une joyeuse ribambelle à l'hôtel à la Guité, dans la cour, dans l'escalier, partout, sur les balcons ou le toit, la langue aussi longue qu'un ski pour goûter aux flocons. Les jeunes de Saint-Lancelot-de-la-Frayère étaient venus se remplir la panse de houblon après une bataille de boules de neige épique dans les rues dérangées de milliers de traces de pas. Jouqué sur son tonneau, parmi les corps morts et les dames-jeannes renversées, il y avait en dedans un violoneux comme phosphorescent, accompagné d'un joueur de contrebassine et d'un autre de concertina. Le trio aurait pu faire danser la claquette à une foule de quadriplégiques, et Monti, pris de chaleurs sur le plancher secoué, était sorti avec une cohorte se rafraîchir et fumer. Laissant en suspens le récit qu'il était en train d'inventer à mesure, il s'alluma une autre clope en protégeant son feu du vent de mer. Il jeta l'allumette dans un crachoir enneigé sur la galerie.

— Faque, lui demanda Sicotte, qu'est-ce t'as faite après avoir démonté le shack?

Moins paf que les autres viveurs, Monti leur avait raconté avoir déposé sa plainte *avant* de déménager sa cabane, pour que le paquet se rende jamais, et là...

— Toé, mon vicieux, zozota Skelling en s'échappant son verre entre les mocassins. J'aurais-ti pas l'impression que t'as le béguin?

— Je... dit Monti.

Il avait perdu le fil de ses inventions.

— Je… Non… Je…

Devant son public décontenancé, il arracha la flasque de la poigne mollassonne à Sicotte. Il la cala dans un silence grave. Il enleva ensuite sa casquette de chasseur, encore à tenter de s'aplatir les couettes quand Joséphine Bujold, sapré beau brin de fille sous son cache-oreilles, s'approcha de leur assemblée. Des copines l'accompagnaient, de moindre pureté dans l'opinion de Monti, mais pas sans joliesse non plus, surtout une fois bichonnées.

Elle jouait dans une autre ligue, Joséphine. Les leçons de piano, les gestes de philanthropie. Mais elle avait rien de snob pour autant, et Monti lui rôdait autour sans se déclarer. Ils s'étaient croisés la première fois au chevet du bonhomme Guité, qui se mourait du pancréas. Mademoiselle lui apportait du réconfort, au nom de son père, qui occupait les fonctions officielles de médecin du village, et Monti, certaines choses interdites à tout moribond.

Joséphine avait dû, ce soir-là, se sauver en secret de chez son paternel. Elle et Monti s'étaient mis à se faire des manières, ça prit pas long. Les pucelles étaient anxieuses elles aussi d'ouïr ce qui s'était passé avec le facteur. Ça avait fait du bruit, ces rebondissements-là. Et aucune d'entre elles se serait plainte non plus de prendre le protégé de la Guité pour galant, le temps de partir sur la trotte flauber le magot encore juteux tiré de la vente de sa terre. Ça aussi, ça s'était su.

— Avant qu'on soye vieilles, plates pis laides, dit une des filles.

— Mariées! lâcha Sicotte.

À quoi s'amusèrent les jeunesses, retournées à la chaleur dans le fourmillement. Les garçons courtisèrent ainsi un bout de temps le beau sexe. À part Monti, figé. Joséphine se la jouait garçonne, le col de son manteau relevé pour que ça paraisse pas qu'elle attendait rien qu'il l'invite à danser. Elle placotait avec des connaissances, déliée, généreuse de sa personne, sans le maniérisme qu'avaient souvent les filles de son statut, aussi apte à converser de poètes maudits que d'équitation à cru. Sicotte avait décollé dans un rigodon au bras de la Coraline. Joséphine pencha la tête pour aspirer une gorgée prudente de sa bière trop pleine et ses tresses reluirent dans la musique. Elle leva du même geste les yeux sur Monti qui, dans sa bulle, essayait de se rappeler comment vouvoyer. Skelling lui tapa du coude dans les côtes tandis que la ratoureuse à Flavienne lui embarquait dans la vareuse.

— Délure-toé, cette affaire! Fais pas poireauter de même la fille au médecin.

Monti allait lui dire de quoi, n'importe quoi. Il allait lui dire qu'une fois, au crépuscule, il avait fendu une chauve-souris au vol avec sa hache en coupant du bois chez Langis. Mais il se prit trop tard. Quand il se vira enfin vers Joséphine pour lui conter fleurette, l'autre plaisantin à Bradley était apparu. À un empan de sa face. Son Paspéya préféré, avec un gilet de laine rêche, des bottes de cow-boy, la barbe taillée en bouc et son ti-crayon jaune. Un joueur de ruine-babines s'était joint à l'orchestre. Le crin pétait sur l'archet du violoneux. Sur

84

la piste ensorcelée les genoux montaient, entraînés par les reels et les hi-ha, jusqu'en dessous des mentons. Flavienne et Coraline firent la moue, et d'autres créatures dans l'hôtel aussi. Il était quand même beau bonhomme, Bradley, grand, velu, sauf qu'il s'était déjà forgé une réputation de coureur de jupons, et la moindre petite mère au village savait qu'il avait pas de classe. Monti eut pas le temps de lui demander ce qu'il voulait que le facteur lui tendait un formulaire gras, avec son ti-crayon jaune trop court et tellement mâchouillé que tu te sentais sale juste à le tenir.

— J'avais oublié, lui dit Bradley, de te faire signer ça pour les encyclopédies que je t'ai livrées en date du 18 octobre de cette année.

L'ombre verte d'un rapace passa sur les chaumes enneigés d'un champ pas loin. Monti s'assombrit. Joséphine se sentit protectrice. Bradley, lui, s'illumina. Bradley qui, qu'on se comprenne bien, coulait pas exactement des bronzes de Molière quand il allait à la selle. Il savait pas lire beaucoup plus qu'une adresse. Joséphine partait pour le remettre à sa place quand Monti prit le ti-crayon jaune. S'il se débattait, le collet allait serrer. Il prit le formulaire des postes. Tout le monde autour s'était fermé la gueule. Puis devant les donzelles, les Jos Bleau, il signa d'un beau X au bas du formulaire. Le ti-crayon cassa.

7

Avec l'arrivée de l'hiver, la majorité des travailleurs saisonniers avaient pris leurs cliques et leurs claques, et rendu en février les fûts de la Guité baissaient plus très vite, malgré qu'il y eût toujours quelques leveurs de coude, les cheveux pleins de toques, pour empêcher la bière de se perdre.

L'hôtelière, avec au bout de chaque bras une chaudière remplie à ras bord par son toit qui coulait, essayait de pousser du pied la porte de la salle quand la porte s'ouvrit d'un coup toute seule. La Guité reprit de justesse son équilibre sur le chambranle, évitant de choir pour l'éternité dans le néant de brouillard hivernal massé jusqu'à sa galerie. Elle baissa les yeux, sans rien voir de particulier. C'est une histoire qu'elle allait, les rares fois où elle avait un verre dans le nez, ramener sur le tapis des années de temps. Elle était revenue derrière son comptoir, l'œil biffé, subitement affligée d'une écœurite aiguë. Il y avait sur la mer des poissons figés dans les vagues gelées. La Guité, d'une voix vitreuse, héla Monti. Abruti d'oisiveté sur un tabouret au comptoir, Monti se rembarqua la tête sur le cou, comme une boule de bilboquet.

— Qu'est-ce qu'y a là, patronne ? Vous avez la fale basse.

— Viens icitte, fiston, j'ai affaire à toi.

— Ça va être correct, dit Monti en se dirigeant vers l'étage pour aller chercher ses possessions. J'ai compris.

C'est pas que la Guité voulait se débarrasser de lui, bien au contraire. Mais l'ouvrage manquait. Monti allait quand même pouvoir venir manger gratuit des fois, il le savait, ça. Il allait toujours pouvoir venir réclamer son colleux quand il passerait dans le coin. La Guité, c'était une mère pour ces gars-là. Il y avait eu, après l'enterrement de son mari, une pancarte à vendre durant un bout de temps devant l'établissement. C'était pas à ça qu'elle se destinait, elle, l'hôtellerie, et elle avait jugé préférable de faire une passe d'argent pour mieux assir sa pratique de sage-femme. Elle en avait accouché, de la marmaille, à Saint-Lancelot-de-la-Frayère. Ailleurs aussi, elle qui allait à n'importe quelle heure du jour ou de la nuit aider les Indiennes en cas de complications. Elle et Guité avaient jamais procréé. C'est pas dit qu'il y avait pas un problème de mécanique derrière ça. Tout le monde savait de toute manière que c'était l'hôtel, le bébé du bonhomme. Et elle, Madeleine, c'était son nom, elle en avait dix mille, des enfants. Son plaisir, dans la vie, c'était en grosse partie de les voir grandir. Mais le jour où Barriot, l'ancien facteur avant Bradley, avait dérivé noyé sur la grève, elle avait enlevé la pancarte à vendre de devant l'hôtel. Elle se consolait en se disant que le facteur était mort d'une rage de capelans. Elle était rentrée faire du ménage dans le bar, remettre les comptes en ordre, exterminer les mites à farine dans les armoires, changer les draps sur les matelas. C'est elle qui l'avait accouché, Barriot, et ça l'avait maganée, sa noyade. Elle avait senti que c'était le temps d'arrêter de mettre des petits au monde et de s'occuper de ceux qu'elle avait déjà, les protéger d'eux-mêmes sans qu'ils s'en rendent compte. Fallait pas non plus qu'ils se sentent surveillés. Parce que les Frayois, pas les Frayoises, les Frayois, ils vivaient dans deux mondes. Un monde dans lequel ils avaient leurs mères, leurs grands-mères, leurs sœurs, leurs tantes, leurs nièces, leurs épouses. Comme n'importe qui. Puis un autre monde dans lequel ils étaient seuls entre eux, un monde de masculinité pas toujours bien investie, et ça c'était sujet à dérapage, et c'est dans ce monde-là que la Guité se promettait non pas de faire la police, mais d'assurer une gouvernance ferme et bienveillante. C'était en rien différent pour Monti, qu'elle avait pourtant pas vu naître plus que personne. Il blaguait des fois qu'il avait été recraché par une coquille Saint-Jacques. La Guité l'avait pris sous son aile comme elle l'avait fait pour tant d'autres, il méritait sa chance. C'est que c'était vaillant, cet animal-là, pas peur de se salir, et l'hôtel avait pris du pic avec lui. Il irait loin, mais la Guité trouvait que c'était pas l'aider non plus que de le garder rien que pour elle. Et Monti aussi, pour parler franc, il était dû pour changer d'air. Ça faisait depuis la fois du ti-crayon cassé qu'il ressentait de l'insatisfaction en toute chose. Ça lui avait brassé la cage, une telle turpitude de la part d'un postillon.

— Pis ça boit du sherry ! tonnait-il en levant de terre.

Même s'il aurait été plus avisé d'aller se faire saigner chez Maturin, il se poussa dans sa cabane. La chasse, ça c'était de quoi qu'il aimait. Il chassait tous les quelques jours, dans l'espoir que ça finirait par mener à plus que de tuer des bêtes. Il aurait voulu, en mastiquant ses grillades de porc-épic ou en nettoyant le canon de son fusil à l'aide d'un gros cure-pipe, que tout le monde aille chasser en même temps, que tout le monde disparaisse ensemble dans les montagnes, pour voir ce qui se passait réellement dans le bois. Il savait pas trop encore, mais ses pensées revenaient souvent à cette idée-là.

Rien à voir avec la chasse, mais un soir, le facteur lui-même lui fournit par la bande une bonne idée de punition, et comme le mode d'emploi qui allait avec. Monti, en maillot de corps, feuilletait un des rares tomes de son encyclopédie que l'humidité avait épargnés. Des vêtements dégouttaient d'une corde à linge de broche à foin, entre des peaux de rats musqués prêtes au tannage, s'il pouvait cesser de neiger un jour. Même fin seul en forêt, il éprouvait de la honte à devoir bûcher autant que ça sur des phrases qu'il lisait à la loupe. Il appréciait par contre la diversité des sujets. Sa lampe à l'huile pivotait sur son crochet, fixée après une poutre. Monti s'était inculqué la lecture dans les derniers mois. Et quand il butait trop sur un élément de français, il sortait d'en dessous de son grabat, avec des manières de gars espionné, un syllabaire d'écolier à l'épine craquelée. Joséphine remplaçait des fois sa mère à l'école et lui avait permis d'emporter le manuel de lecture parce qu'il avait cordé leur bois et qu'il était gentil. Monti se repassait sans se faire d'illusions chacune des paroles qu'elle lui avait dites ce jour-là. Elle lui avait entre autres expliqué que sa liberté avait quelque chose d'enviable et qu'il avait de quoi être fier, et il était reparti de l'école le cœur hypertrophié, en réfléchissant à tout ça, avec son syllabaire d'élève, l'épine pas encore craquelée. Sauf que le docteur Bujold avait beau être libéral tant que tu voulais, à Saint-Lancelot-de-la-Frayère comme ailleurs, les tout-nus se mêlaient pas au sang bleu.

Monti recacha son syllabaire entre deux planches de sa cabane. Dans une canne de conserve, ouverte avec un tournevis qu'il lui faudrait bien redonner au maréchal-ferrant, il se resservit une lampée de caribou. Il prit un instant pour apprécier, dans le silence, le fonctionnement du drain de pluie qu'il avait posé avec tous ces outils-là. Puis il se replongea dans l'encyclopédie. L'armature de la lampe projetait un carrousel d'ombres sur les murs battus par les intempéries. Sa curiosité fut piquée par une liste d'équipement crayonnée d'une main inconnue dans la marge qui jouxtait une carte du Klondike. *C'est dans le Canada, le Yukon?* se demanda-t-il. La ruée vers l'or était finie depuis quinze ans, mais Monti aurait pas su ça. C'était là sous ses yeux, imprimé dans un livre. Ça mentait pas, les livres. Voilà que la neige tombait en flocons d'or. Les bourrasques soulevaient de fulgurantes traînées. *La grande chasse pourrait attendre.* Monti pensait plus qu'à prospecter. Il avait encore envie de boire, sans savoir quoi. C'était comme si ce dont il avait envie existait pas. Il continua au fil de sa lecture à prendre des traites de caribou dans sa cacane, faisant même plus attention, dans le foisonnement de ses émotions, à pas se couper sur les barbes de métal.

Le caribou tapa d'un coup. Monti tomba en arrière sur son grabat pareil que s'il venait de manger un upper-cut. Il s'était moins endormi qu'évanoui, les commissures des lèvres en sang. La carabine qu'il avait eu le projet de nettoyer reposait sur ses cuisses. La peau, d'un côté de sa face, se gangrenait de ténèbres croissantes au fur et à mesure que la mèche de la lampe se consumait. Ses rêves avaient la forme d'une bête chatoyante, toute faite de nuit malléable. Ses rêves avaient la forme d'un ori-gnal tout fait de nuit. Ils se promenaient, ses rêves, en brayant dans la forêt alentour, puis dans des nébuleuses de rochers que Monti reconnaissait plus.

La détonation de la carabine le réveilla assez pour qu'il dorme plus jamais de sa vie. Il y eut un tintement de tôle en même temps, et le tuyau de la cheminée patentée avec les moyens du bord se cabossa. Monti avait dû tirer du plus profond de son sommeil. Il vit ce matin-là dans l'or la possibilité de dire un jour au père Bujold de garder sa dot, qu'il allait juste prendre sa fille.

Dans ses caleçons longs tombants, ses convulsions pas-sées, il se leva l'air d'un veau né dans l'heure. Il enfila ses bottes de pluie à l'envers, ce qui serait pas arrivé s'il avait attendu de s'être rincé le gorgoton d'un café qu'il prépa-rait tellement fort qu'il aurait pu s'envoyer un coup de cafetière en pleine dentition que ça aurait été du pareil au même. Il chia une roche dans une chaudière et sortit dans le flou de l'évaporation, sous les branchages gainés de glace, mais dégoulinants de gouttes porteuses de petits soleils. Il faisait pas si pire beau passé l'aube, et Monti alla, première des choses, vérifier les pièges qu'il avait posés près de layons peu fréquentés. Des fois qu'il aurait par une fracture du réel capturé le drôle d'animal de ses rêves, dont il arrêtait plus de voir partout les pistes.

8

BRADLEY aussi, dans les derniers mois, s'était métamorphosé. C'était en plein carême, cette fois-là. Il traversait le village, tout gommant dans ses culottes mal raccommodées. Une demi-lune souillait sa chemise pas boutonnée jusqu'en haut malgré le mercure à zéro. Son cheval traînait de la patte au bout de sa bride, et tout ce qu'il y avait de piétons et de senteux dans les entrées de commerces réanimés par le temps somme toute plus clément de mars se faisait vilipender par le Paspéya.

— Faut croire que la Dubuc l'a pas ménagé, disait-on.

La Dubuc, c'était Marie Dubuc, du rang Saint-Onge. Une mégère de fond de terroir, une harpie que certaines langues fourchues avaient rebaptisée la Vierge, même si plusieurs de ces mêmes langues auraient pas pu nier sans pécher qu'elles lui avaient déjà léché le sel de l'épiderme. Même le curé, de son bord du confessionnal, se choquait plus d'entendre qu'une fois l'âge, un autre damoiseau de Saint-Lancelot-de-la-Frayère était parti éprouver sous les hardes à la Dubuc la véracité des fables de cigognes et de bébés dans les choux. Pas différent de personne, le facteur avait besoin de chaleur, et il s'était retrouvé en ménage avec. Quand t'étais trop volage de réputation, c'était pas long que tu te barrais auprès de tout ce qu'il y avait de tounes respectables dans le village. «Tu passes ton tour, le grand», disaient-elles, et ça expliquait que Bradley et la Dubuc, tout cet hiver-là, avaient étudié l'anatomie sur une couche aux draps poisseux, dans des combles du rang Saint-Onge.

— Tu vas-ti te mouvoir! cria Bradley à son cheval au milieu du chemin en ce matin de carême.

Un volet claqua à l'étage d'une maison. Quelques secondes plus tard, ce fut le volet de la pièce à côté qui claqua, qu'on barra. Puis les volets du rez-de-chaussée. Des bras de mères surgissaient des huis, et il restait rien que des jouets suspendus dans les airs là où les marmots jouaient une seconde auparavant. Les rideaux se tiraient aux lucarnes. Des yeux s'écrasaient contre les judas.

— Qu'est-ce vous avez là, à me reluquer de même? fit, soudain mielleux, le facteur à Flavienne et Coraline.

Les fréquentations de Joséphine sortaient à peine, effarouchées devant le grabuge, de chez la couturière où elles allaient des fois caresser des étoffes. Tout en attachant son cheval devant le magasin général, assez serré que son mors le défigurait, Bradley leur souffla des becs mouillés. Il avait de la mélasse séchée tout le tour de la bouche, mais c'est quand il se mit à zigonner après sa braguette de ses doigts écourtés que les filles se cachèrent derrière leurs emplettes. D'une torsion du poignet, le facteur fit déborder d'une touffe explosive l'épeurante pissette grise dont il était amanché. Il se mit un poing sur la hanche et fléchit les genoux. Un, deux, trois, et voilà. Quelque grivoiserie s'écrivait en cursives jaunes et grésillantes sur la neige aux pétillements de quartz. Ce fut plus fort qu'elle, il fallut que la Flavienne hasarde un regard par le trou que faisait la poignée de son sac. C'est drôle pareil qu'elle ait fini ses jours à l'Asile Saint-Michel-Archange.

— Monsieur, madame Berthelot, dit le facteur en salissant de gadoue le plancher du magasin général.

Ça avait commencé par une pelle carrée. Bradley s'en était saisi, sans toutefois s'être nettoyé les mains après s'être manipulé d'aussi vile façon à hauteur du bloc honteux, et quand il avait vu que c'était à livrer chez Monti, la pelle, il avait pilé sur son orgueil, et fait par-devers soi le pari que le dadais à Bouge creuserait par méprise sa propre tombe avec. Sauf qu'il y avait pas seulement de l'orgueil là-dedans. Les circonstances s'étaient compliquées. Bradley, il s'était fait parler dans le casque, et sa job étant compromise il était sur le qui-vive par les temps qui couraient. Le maire Pleau avait décidé que ça suffisait, fâché assez pour convoquer le facteur dans son bureau. Il lui avait demandé d'expliquer pourquoi ça faisait la file dans le dessein de déposer des plaintes contre son altesse.

— C'est pas si dur, messemble, de maller des lettres.

Telle était l'opinion du maire. Le plus irritant pour

lui, c'est que Bradley démordait pas de ses faux-fuyants. Le Paspéya était quand même reparti de la mairie en se questionnant sur le moyen de boire autant qu'il en avait l'ambition, mais en slaquant moins à la besogne.

Il se plia donc sans chicaner, pour ces raisons, aux nécessités de la livraison d'une pelle carrée chez Monti Bouge. *C'est rien,* se répétait-il à lui-même. Après sa tournée ce jour-là, harassé par sa promenade hygiénique, il s'était retrouvé garlot bien vite, pour un diable de sa constitution. Les galopins de liqueur de prune avalés à l'hôtel lui avaient mis des boulets aux chevilles. Il attendait, à moitié couché sur le zinc, l'occasion de donner une leçon à son illettré. Parce que Monti avait brillé par son absence quand le facteur avait fait toc-toc chez eux plus tôt dans l'après-midi. Et quand il se terrait pas dans le bois, Monti veillait à l'accoutumée chez la Guité, à qui jamais dans cent ans il en aurait voulu pour quoi que ce soit. Mais il s'était pas montré le bout du nez de la soirée, et il y avait pas personne dans la place d'instruit de ses itinérances. Bradley avait claqué sa paye au bar, fricotant tout le long un mauvais coup pour se revenger. L'affaire avait avorté quand il était arrivé au bout de ses cennes, dans une torchure de face magistrale où le dédoublement de sa vision exacerbait un terrible détachement face aux choses de l'existence.

Vint ensuite, commandée direct de la filature, une bâche non raffinée, faite de toile pas trouable, roulée puis emmaillotée de façon peu commode à l'aide d'une corde maudite pour les échardes. Bradley remonta, armé, dire bonjour à Monti avec ça chez eux. Et ça pognait dans le vent, et le vent lâchait pas. Les jours suivants, dans le délire de turlutes et de tourbillons qui soufflaient du mont, apparurent, tout en désordre dans la poste, encore deux haches, un manche de rechange, des onguents, de la térébenthine, une trousse de premiers soins, des crampons, un grappin, un harnais, une ceinture d'alpinisme, des piolets, un licou, de la chaîne et un jeu de cartes. Et des trappes à souris. Et d'autres affaires avec. Bradley, la fumée lui sortait par les oreilles, et bonjour les mollets.

— Où es-tu, où es-tu, petit vite? chantonnait-il d'une voix de rogomme, toujours aux aguets à l'hôtel à la Guité.

Il avait établi sa cache dans la fumée de ses cigarettes, sur un tabouret auquel il se cramponnait pour s'assurer que le fion lui lèverait plus de là. Mais jamais il débusqua sa proie. Trois fois il avait gravi le raidillon chapeauté de la cabane aux planches colorées de lichen bleu-vert, dans sa forêt de balais secs et de gibier maigre.

Monti demeurait introuvable, et pourtant il perdura dans ses magouilles et se fit venir une tente, des poêlonnes en fonte, des serviettes, un manteau d'Esquimau, de la ligne à pêche, un compas, des sacoches en cuir, un ouvre-canne, un bloc de résine, un atlas de poche, un affiloir, de la poudre de talc ainsi qu'un cossin que personne appelait pareil. D'autres rumeurs de passes croches attribuables à Bradley étaient entre-temps parvenues à Pleau. C'était des vétilles, mais bon, le bouche-à-oreille. Le maire s'en formalisa, en se «contrecrissant bien», pour reprendre son expression, que le scandale fut par nature exagéré, parce qu'on exagère en Gaspésie. Fallait que Bradley livre. Si la Ville le démettait de ses fonctions, ça avait pas changé, il risquait de finir en darnes à Paspébiac, englouti entre deux gorgées de broue par des matelots rotant sur les marches de la marina. Ce serait être aussi menteur que lui de dire qu'il faisait des cabrioles sur le chemin du raidillon.

Les nerfs comme des cordes de clavecin, il se mit par un soir à marcher plus vite que ses souliers, pour rattraper Monti s'éloignant vers des genres de feux-follets au-dessus de là où d'habitude s'étendait la plage. Des perles de sueur sur la lèvre, Bradley épingla enfin son persécuteur et le fit valdinguer contre une embarcation qui se révéla dans la nuit. La chaloupe tangua, et Bradley resta déboussolé, parce qu'il avait de l'eau jusqu'aux jarrets, mais surtout à cause de l'expression bonasse du quidam debout devant lui, lequel s'excusait en balbutiant de pas être Monti. Il fit voir à Bradley qu'il enroulait juste un câble laissé en tas dans le fond de son embarcation. Le Paspéya rentra chez eux, s'alita, souffla son lumignon. Il ferma ses quenœils. Il les rouvrit, insupporté dans l'obscurité par les ronflements de la Dubuc. Il voyait, entre les solives soutenant les combles, les mêmes dits feux-follets qu'à la mer plus tôt.

Après ça, ce fut une cafetière et un moulin, une théière en grès, des couvertes de laine, un rouleau de broche, une poulie, une nacelle, un mandrin, des fourchettes et couteaux et cuillères, une tabatière avec pipe et blague en daim, des sceaux de bois et des sceaux de fer, un paquet de lacets, une fiole de vif-argent.

L'arpenteur-géomètre responsable du découpage préliminaire, monsieur Lionel, et son apprenti, le puîné à

Gouin, étaient tombés au printemps près de la rivière à Frai sur leur bon facteur. Ils étaient dans le bois pour mesurer les dénivellations où passerait l'aqueduc.

— Du vif-argent, du *vif-argent* ! vibrait Bradley en se frottant contre une souche le pied dont il venait d'écrapoutir un nid d'hirondelle.

Les clavicules s'étaient mises à lui claquer tandis qu'il tressautait hors de vue dans les hautes herbes de l'an passé, émiettant à sa traîne les heurts de son rire enténébré.

L'arrivage suivant contenait trois ciseaux, dont un défectueux, des tamis, un chapeau d'une laideur, un dictionnaire français, une grammaire française, un dictionnaire anglais-français, de la lotion pour hémorroïdes, du Vicks, des doublures de bottes, une brosse de crin, un vilebrequin, assez de mèche pour en dérouler de Saint-Lancelot-de-la-Frayère jusqu'à Dalhousie, une longue-vue, un fusil où se reflétait, s'allongeait puis se déformait la bouille du gars qui l'épaulait, six paires de mitaines en mouton, cinq yards de filet à moustiques, cent cinquante livres de chandelles, quinze livres de clous, autant de suif, un marteau, un jeu de dames et tout un affublement d'expédition. Le cheval à Bradley décida que non. Il se pétrifia tout à fait, et jamais il perdit la droiture de son maintien, même alors que son maître en beau mosus l'éperonnait jusqu'au sang. Monti, de surcroît, prit soin de retourner le ciseau défectueux.

Fourbu, dépliant plus dans son bain, le Paspéya se faisait limer la corne en dessous des pieds par la Dubuc.

— Peux-tu frotter plus à droite ? Là, là, c'est ça.

— Y va t'avoir à l'usure, si ça continue.

Il y avait de la poussière en l'air tellement que la Vierge limait.

— Je vais frapper assez fort, il va s'en ressentir un siècle.

— Hâte de voir ça.

— T'as pas hâte pour rien, je te garantis.

— Ou peut-être itou qu'il vaut mieux que toé.

De tels tête-à-tête aidaient pas le facteur à prendre son mal en patience. À poil dans son baquet, dans l'eau brunâtre et saturée, il fit promettre à ses génitoires que, si jamais des petits Bradley en sortaient un jour, ils voueraient une haine toute pétrie de persiflage et de coups bas au nom de Bouge, et encore mieux…

La logorrhée fut étouffée par le grondement de l'avalanche, deux cents livres de bacon, quatre cents de farine, quatre-vingt-cinq de fruits confits, cinquante de semoule de maïs, trente-cinq de riz et plus, toujours plus. Bradley se retournait obsessionnellement dans le magasin, des fois que la cavalerie suivrait.

La Berthelot l'épiait par-dessus ses calculs, inquiète de ses détraquements et des longues plaques blanches où il sentait plus son corps. Avec la hausse récente que ses ventes connaissaient, elle s'était racheté une robe, identique à sa précédente. Quand Bradley se présenta la fois d'après, ce fut pour souffrir les mille et une recommandations que lui dégoisait la commerçante. Elle avait grimpé dans les rideaux quand elle l'avait vu. Il avait pris une débarque dans des aspérités de glace et de chardons.

C'était rendu une question d'honneur. Le facteur avait pas fini de ravaler son motton qu'il redécollait, tout flageolant, pour vingt-quatre livres de café, une poche de thé, vingt-cinq livres de poisson mariné, une quantité faramineuse de cannes de soupe et d'oignons et quelque chose comme cent livres de sucre en barillets. Il charria la cargaison sur son toboggan quand il aurait dû prendre son chariot. Il y avait plus de neige, mais n'empêche qu'il avait les jointures tellement gercées qu'elles éclataient comme des baies trop mûres dans un frimas subit. S'il pouvait lui mettre la patte dessus, au casseur de veillée, Bradley allait l'éplucher à l'économe jusqu'à ce qu'il reste rien que le sot-l'y-laisse, et… Cinquante livres de gruau, des patates, des légumineuses par pleins wagons, vingt-cinq cartons de beurre salé, cent livres de bines, des lardons, quatre douzaines de bidons de lait condensé, quinze livres de sel, une de poivre, huit de poudre à pâte, deux de soda, une demi-livre de moutarde, trente-six livres de levure et cinq barres de savon, ce qui paraissait bien peu. Ah oui. Et deux cent quarante boîtes d'allumettes aussi. Le facteur en craqua une, perdu dans la nuit en dehors des traverses familières. Le peu d'esprit qui lui restait se consuma dans les vertes crépitations de la flamme volée.

9

LES CLIENTS le voyaient s'amener par le châssis. Bradley se traînait vers l'hôtel, les jambes cagneuses. Il devait avoir le dedans du thorax érodé, pareils râles qui s'échappaient de là. Les frisottis carotte sur son front avaient perdu de leur feu. Sous son menton, au bout de son long cou râpeux, pendouillait un fanon de dinde. Fidèle à ses us, le Paspéya attacha bientôt son cheval à une herse abandonnée dans les fardoches, sans laisser assez de mou pour que l'animal s'abreuve à sa guise dans les flaques environnantes. Tout le monde qui fumait dehors l'avait vu faire, avant de retourner à leurs bières en dedans. Cheval, corde, herse. Pas de tour de passe-passe là. Le facteur envoya un coup de botte dans la porte, se croyant au saloon. Sa silhouette de grand fouet parut en contre-jour dans l'embrasure. Personne dit un mot quand il martela les planches de ses talons. Mais ça, c'était normal, des fois personne parlait durant des soirées de temps.

— À boire! meugla Bradley, sans se gêner pour tasser notre Newbie national, le même que d'habitude, revenu de sa province pas pour colporter cette fois, mais en vacances.

La Guité leva le menton pour demander au facteur ce qu'il buvait.

— Sherry, fit le trou noir dans sa barbe rousse.

Il y en avait plus, godon. La fourchette au poing, Monti en buvait le dernier verre pour arroser sa luisante assiettée de palourdes. La Guité eut simplement besoin de dire qu'elle allait en refaire venir par la poste pour que la compagnie se déride là-dedans. Comme ça l'énervait moins que Bradley qu'ils se retrouvent dans les mêmes lieux, Monti s'estima en position de faire son bon gars, sans rancune.

— Sers-y un cidre, la mère. Tu mettras ça sur mon bill.

La Guité servit à Bradley ce qui restait de cidre, plein de pulpe et de pépins et de débris, puis elle ouvrit la trappe pour descendre dans le cellier piocher dans ses réserves. Le Newbie rangea quant à lui son portefeuille dans sa veste, frustré par Monti du plaisir d'offrir à boire. Il se coiffa de son melon d'un air piteux et se retourna pour bien viser avant de laisser retomber son puissant fessier sur son tabouret. Il jouait encore avec sa moustache aux pointes cirées quand Skelling survint à son tour dans l'hôtel, des barbeaux de suie sur les joues. La Guité remontait à ce moment-là du cellier, les bras chargés de cruchons, et elle le mit en garde pour que personne pique de fouille par la trappe restée ouverte. En s'asseyant, Skelling donna un coup d'épaule au facteur et dit :

— T'es sur le cidre à soir, mon Bradley ? Tu fais dur pas mal.

Et il se mit à enlever des boubous dans les franges de l'uniforme du Département des bureaux de postes. Le Paspéya ronchonna, toujours aussi boqué, et ses crocs se dévoilèrent quand il roula des yeux vers Monti. Il cherchait une pine à lui lâcher et sapait sa petite ponce. Monti vidait calmement le reste de son sherry dans le cygne pendant que Skelling lui signalait, en faisant comme s'il se dévissait la tempe, sa perplexité à l'égard de la générosité qu'il témoignait au facteur.

— C'est parce que faut le voir boire pour lui distinguer la gueule de l'anus, expliqua Monti.

Ça repouffa dans la place.

— Tu parles d'un gaspille de pommes, rajouta Skelling, et il se commanda un cidre lui aussi.

Le Paspéya cracha, à côté du crachoir. Plongé au fond de son deuxième verre déjà, il rongeait son frein. Trois cidres plus tard, plus rien le bâdrait. En train de se faire planter solide au crib par Langis, Monti entendait pas, par-dessus le brouhaha, ce que Bradley radotait, mais il avait l'air de raconter quelque énormité aux victimes alentour. Il ouvrait les bras dans toute leur envergure, et quand les gars secouaient la tête pour le démentir, il se gonflait les joues et faisait oui oui, puis il se mettait à jouer du moulinet dans le beurre, la main en visière au-dessus des yeux pour faire comme s'il scrutait l'horizon. Son auditoire se levait, l'un après l'autre, pour aller téter leurs biberons à d'autres tables. Pas le Newbie, évidemment, en pleine godaille. Lui, il s'en amusait parfaitement, des fabulations de Bradley. Il s'accrochait des fois après le bord du comptoir et faisait basculer sa rotondité sur son tabouret dans le but d'accrocher la société qui passait pour les convaincre de venir écouter ça ou les prévenir que la trappe était encore ouverte derrière lui.

Là, faut comprendre qu'en Gaspésie, des Méchins jusqu'à Miguasha, de Tracadièche jusqu'à Manche-d'Épée, le monde en mettent. Ça sert à rien là-bas de *jurer* que t'as déjà tranché une chauve-souris pendant que tu fendais du bois. T'as juste à le *dire.* Le monde vont te croire. Ils *veulent* que ce soit vrai. Parce que si c'est vrai, c'est plus intéressant.

Quand Honoré Bouge, dit Monti, somma devant témoins Victor Bradley de Paspébiac d'arrêter ses menteries, il y eut donc un instant de stupeur. C'était pas culotté rien qu'un peu en fait de calomnie. Le Newbie brailla en se couvrant l'œil où s'était logé un morceau de pelure expulsé d'entre les dents du facteur. Bradley avait rugi de quoi avant de se ruer sur Monti. Le Newbie bascula de son tabouret, disparut. La Guité s'en mêla et fit au Paspéya sa clé à dessoûler. Il se débattait en vain. Son œil bleu vira brun et vice-versa.

— C'est pas des menteries ! postillonna-t-il. C'est aussi vrai que mon cheval il est attaché dehors.

Avec tout ce qu'il avait de plus philosophe, Monti

passa derrière le comptoir. Il se pencha pour reparaître avec une planche à découper et un couperet aux gigantesques éclats d'argent. Des geignements montèrent du cellier. Monti prit son temps. Plein de minutie, il aligna la lame du joujou le long de la planche et posa un vingt-six onces à peine attaqué à côté.

— M'en vas te gager ton chefal là-dessus, dit-il à Bradley, que la Guité venait de replanter sur son tabouret.

Ils étaient plusieurs dans l'hôtel qui, en jasant plus tard du dénouement, allaient se rendre compte qu'ils avaient eu une impression de déjà-vu tout le monde.

— Tu vas me gager quoi?

Monti partait en voyage, et c'était pas dans ses plans de marcher. Dans le temps, partir en voyage, ça voulait encore dire de mettre ses habits du dimanche pour le réveillon chez le cousinage ou de faire ses malles et s'en aller se dégourdir dans les vieux pays. Pas de se tenir devant le phare d'une locomotive pour un aller simple, ton billet poinçonné par Dieu le père en personne.

— Je te gage ton chefal qu'il est pas dehors, renchérit Monti, et il réajusta de quelques millimètres l'alignement du couperet. C'est-à-dire que si ton chefal est pas dehors, il est à moé.

Le lendemain à l'aurore. Un ciel saumon. Des mouettes survolaient la mer. La tête pas seulement dans le cul, mais enturbannée d'un épais pansement et de diachylum, le Newbie transbahutait ses valises de sa chambre jusqu'au rond-point devant la bâtisse, avec un puits au milieu. Il s'arrêta, muet, pour régler sa note et faire des

yeux doux à la Guité. Il consulta sa montre et salua l'hôtelière d'un signe courtois et tracassé. Le Newbie partait
remettre son négoce en marche sous des cieux plus…
Pas tellement différents d'ici, finalement. La voiture l'attendait au bord d'une pile de cages à homards. Les ânes
piaffaient. Une fois son bagage chargé, il réfléchit une
seconde au moyen de pas se tuer avant de se hisser sur la
banquette, à côté de Sicotte, aux cuisses abrillées d'une
couverture qui te faisait atchoumer. Un coup de cravache
pas réveillé, et la voiture se mit en branle. *C'est parti,
mon kiki.* Ils s'en allaient à la gare, dans le village voisin.

— Y a de la perdrix ces jours-citte, dit Sicotte, désireux
de rompre un silence qu'il trouvait malaisant.

Bah, tant qu'il se vêle pas, pensa-t-il avec un regard à
son passager. Il engagea peu après ses bourriques dans
l'ascension d'un coteau l'air de rien, mais qui devenait
bientôt les Appalaches. Il se mit à rigoler tout seul sur la
route, entouré des panaches de fumée montant des maisons en bas, parce que de voir le Newbie statufié, assis
sur le bout de la banquette avec son sac polochon serré
contre lui, ça lui remémorait une fois à la petite école,
il avait quelque chose à cacher dans ses culottes en dessous de son pupitre, et vu qu'il était pas attentif, la maîtresse l'avait choisi pour aller résoudre le problème au
tableau. Mais il revint dans le présent quand il aperçut
en contrebas, au bout de son ombre de trente pieds de
long, le facteur qui tirait son chariot.

— Ce qui lui prend, lui, de livrer d'aussi de bonne
heure à matin? Pis à pied?

— Ben… commença le Newbie.

Et là, pour le moquer, Sicotte feignit de sursauter. Comme surpris de voir que ça parlait. Leurs regards s'entrechoquèrent. Une étincelle de sympathie jaillit.

— C'est à cause du ti-jeune, là, poursuivit le colporteur, le flo qui travaillait à l'hôtel avant.

— Monti?

— Ouin, c'est ça. Monti.

— Y vous a encore sorti l'histoire de la puck, je gage?

— Oh, moé, je gage plus jamais. Quelle histoire de puck?

Sicotte raconta le célèbre arrêt que Monti avait réussi à l'époque, il avait bloqué avec ses dents le snapshot d'un Indien gros comme un bûcheron, en finale d'un tournoi contre les Crolions de Paspébiac. Sicotte souligna au passage que c'est lui qui avait scoré le but leur ayant permis de se rendre en prolongation. Il raconta aussi qu'il avait fallu deux hommes, pas des gamins, des hommes, pour sortir la puck de la face à Monti. Le gars avait les joues renflées de chaque côté. L'entraîneur lui tirait sur la tête d'un bord. Le père à Labillois, défenseur pour les Grisous, tirait de l'autre sur le petit bout de puck de rien qui lui dépassait de la gueule. Quand ils avaient fini par extraire l'objet, ils avaient pris acte des traces de dents dessus.

— Simonac, hein, fit le Newbie. Faque vous avez gagné?

— Non. L'arbitre a donné le but aux Crolions pareil. Pis devinez c'était qui, l'arbitre.

Sicotte s'envoya le pouce par-dessus l'épaule vers Bradley au loin, à angle aigu avec la terre du chemin.

— Ah ben, vous me direz.

— Même pas de favoritisme dans sa décision, je pense. Un caprice du moment, c'est tout.

— Je comprends mieux en tout cas ce qui s'est passé hier.

Le Newbie exposa, d'une voix de cendrier saccadée par les cahots, les épisodes qu'il se rappelait de la veillée.

— Faque votre facteur, il a accepté la gageure, dit-il vers la fin du trajet, hors d'haleine rien que de parler. Il allait gager son cheval, pas de trouble. Pis heille, je le sais, moé, ça a de la valeur une bête de même, ne serait-ce que le crin. Mais anyway, c'était normal que monsieur Bradley demande ce qu'il avait à gagner dans l'aventure. Monti a levé deux doigts. En voulant dire, et là sur le coup, j'ai pas trouvé ça fin de sa part... en voulant dire qu'il se gageait deux doigts en retour, les deux mêmes qui manquent à monsieur Bradley. Le facteur, il est... Il a de la malice, cet homme-là. Il est venu fou comme de la marde. Tellement qu'il entendait pas ça, lui, les *tetloque, tetloque* qui résonnaient sur le plancher à l'étage. La place est venue sérieuse en baptême quand madame Guité, blanche comme un drap, s'est écartée de la planche à découper, du vingt-six onces, de l'instrument d'abattoir. Elle agitait les mains en signe de protestation, comme pour s'affranchir de la job de boucherie si jamais que monsieur Bradley l'emportait. On l'avait toutes vu faire, nous autres, quand il avait attelé son cheval au ras de la herse dans le fond du terrain. Votre facteur a calé son verre cul sec, pis il a calé le mien avec, pis il s'est levé sans vergogne pour éprouver le fil de la lame. Ça te tranche un doigt en ti-père, un couperet de même ! Mais pas de scrupules, lui là. Il s'en est allé pour ouvrir la porte, que tout le monde voie son cheval. Sauf que là, je vous dis ça, la porte de l'hôtel à madame Guité, elle s'ouvre en *poussant*. C'était hilarant. Monsieur Bradley a fini par se démêler, et une fois la porte ouverte il a stâlé. Les transes qu'il a pognées là. Nous autres, on se demandait en calvaire c'était quoi le prodige. Il nous cachait la vue. Jésus-Marie-Joseph, j'étais toujours ben pas en boisson… Bon, OK, j'étais pas mal gai, pis je me suis fait mal hier. Quand c'est pas ma sœur qui m'assomme, c'est moé. Faut croire que je m'en ennuie, mais je vais vous dire de quoi. J'élabore pas des théories, moé-là, dans la vie. Je vends de la scrap pour mon gâgne. Je suis pas un frappé ! Je vous le jure, ce que j'ai vu hier, j'en avais encore la chiasse à matin. Fouillez-moé comment qu'elle a faite pour monter là, la licorne, mais après que Bradley a eu constaté que son cheval était plus dehors, Monti a sifflé, et les *tetloque* au plafond ont cessé. J'ai vu ça, de mes yeux vu. Le cheval s'est pointé le museau en haut de l'escalier, pis il a descendu sur le palier comme si de rien était. Le pas leste, mon homme, tout fier-pet. Comme en chantant, je vous dis. Il a ben dû falloir qu'une force quelconque soulève le toit, bonyenne ! C'est là, vous croirez, que monsieur Bradley s'est mis à hurler. De terreur élémentaire, je vous le garantis. C'était chagrinant.

Cahin-caha, la voiture émergea d'une voûte de branches lourdes de bourgeons, pour amorcer sa descente vers un val où se dessinaient ici et là des mottes de chaume ou des rectangles à labourer. Le véhicule remonta jusqu'à une gare que rien différenciait des autres constructions. Les deux zigotos, à se tordre le cou de même pour guetter les corbeaux et les augures, se magasinaient un torticolis.

— Si vous le dites, fit Sicotte enfin, eh ben, c'est que ça doit être vrai.

III

LA PREMIÈRE NUIT

10

Ç A FAISAIT depuis leur arrivée que *Kill 'Em All* jouait et ça torchait la mort dans le système de son de l'oncle à Laganière. Le bonhomme avait dû signer le genre de chèque qui nourrit une famille gaspésienne moyenne pendant trois mois rien que pour ses haut-parleurs. Il les avait fait faire dans un atelier perdu de l'Abitibi-Témiscamingue par un artisan semi-autiste qui en bidouillait juste quelques paires par année, mais sur qui s'écrivaient des articles ésotériques dans des magazines spécialisés jusqu'au fin fond de la Scandinavie. L'oncle à Laganière se passionnait même pas tant que ça pour ça, le son, l'électro-acoustique, la haute-fidélité. Au contraire. C'était l'amant du silence, l'oncle à Laganière. Un chasseur. Seulement, quand il achetait quelque chose, fallait que ce soit le plus beau, le plus gros, le plus cher. C'était pareil pour n'importe quoi, sa thermopompe ou son éplucheur à patates.

Fallait que ça torche. Il aimait ça de même. Et il avait le pouvoir d'achat pour. La simplicité volontaire ? Pas trop, non. Un baby-boomer, l'oncle à Laganière, avec des désirs et des REER. Qui payait ses taxes. Votait conservateur au fédéral, libéral au provincial. Les fils qui connectaient les haut-parleurs à son amanchure de navette spatiale valaient six cents piasses, et là, qu'on se comprenne bien, le bonhomme, il en prenait soin, de son système. Il était maniaque. Tellement qu'il faisait rien jouer d'autre que de la flûte traversière, Pavarotti ou des chants grégoriens dans « sa radio », comme il disait. À la limite Radio Rock Détente, mais jamais sans mettre de gomme bleue sur les vis pour amortir les vibrations. Laganière le savait. Formellement interdit de monter le volume à plus qu'un. Le volume était à quatre.

— Les gars, le stéréo, sérieux, mon oncle va m'arracher la tête !

Son polo beige entortillé autour du poing, Laganière courait de tous bords tous côtés entre les indésirables dans la cuisine, au salon, sous le regard évasif de la tête d'orignal empaillée au-dessus du fauteuil. Sous le regard encore plus évasif de Marteau, atriqué en mariée, à qui il venait de s'adresser, sans en tirer de réaction.

— Ton père serait fier, encore…

Laganière gérait pas, mais pas du tout la situation. Comme quand tu bouches un trou dans un tuyau et que l'eau se met à friser par un autre trou plus loin.

— Steeve. Viens ici, Steeve, faut qu'on parle. Vous avez pas assez bu, là ?

Steeve était assis dans le fauteuil vibromasseur.

Le problème, c'est que le chalet de l'oncle à Laganière était aux chalets de ce coin-là de la Gaspésie ce que son système de son était aux prototypes de gramophone. Le bonhomme y avait investi une bonne portion de son fonds de retraite, et de sa libido. Même les poignées d'armoire étaient toupillées, ici dedans. C'était le gros luxe sale, et le neveu courait partout en essayant d'endiguer du mieux qu'il pouvait les ravauds pour que son compte d'épargne saigne moins quand son oncle allait l'actionner. S'il lui arrachait pas la tête avant.

— Ramassez-vous à mesure, au moins…

Steeve l'a regardé, le fauteuil en mode massage, l'air de dire étouffe. Laganière a craché sur une lavette. Il s'est mis à frotter des cernes de bière sur de l'acajou. La même odeur suspecte que plus tôt est revenue lui taquiner la narine. Il s'est retourné vite. Rien d'autre derrière lui que son ombre pliée bizarre dans l'encoignure où les armes de chasse étaient massées. *Veux-tu ben me dire c'est quoi qui sent ça, ma foi du bon Dieu?* Il s'est reniflé les dessous de bras, puis un sifflement railleur s'est dérobé dans une tache aveugle en périphérie de sa vision déficiente.

— Où ce qu'il est passé, le gars de Montréal?

L'odeur s'est dissipée, et Marteau dans la cuisine a répondu d'un rire peu prometteur. C'était le gars de Montréal, le coupable, ça avait pas le choix. *Fouille-moi*, a pensé Laganière. Il s'est reviré encore une fois et son ombre s'est aplanie sur le plancher, jusque dans les bottes à l'entrée.

— Est-ce qu'on peut baisser le son? S'il vous plaît?

Sa tête à lui, ça allait être beau aussi, sur une plaque

de bois au mur à côté de celle du cervidé. Comment ça se faisait, à part de ça, que les gars savaient que le chalet était libre ? Lorraine avait dû le dire à Cynthia, qui l'avait dit à Yannick. Le mystère s'éclaircissait. Lorraine savait pas qu'il était censé l'emmener passer la soirée au chalet, mais elle savait que son oncle était parti en Floride.

Et la belette était introuvable.

— Je vas le baisser, le son, a répondu Steeve.

Steeve Allard, avec deux *e*. Ses mots, dans le fauteuil vibromasseur, sortaient comme d'un droïde qui décompense. C'était le petit-cousin de Yannick et de François par sa mère, Mireille, fille de Lucie Bouge, la sœur d'Henri, leur père, qui avait marié, Mireille, pas Henri, Raymond Allard, le petit-fils de Langis Allard, qui avait connu Monti, pour finalement divorcer, Mireille, pas Langis, quelques années plus tard, et se remarier à un des petits-fils de la Cousineau, Marc Guité, dont la grand-tante avait longtemps tenu l'hôtel avant que ça passe aux Guérette, et dont la grand-mère avait assuré, à ses débuts, la gestion de la bibliothèque que Joséphine Bouge, femme de Monti, mère d'Henri, grand-mère de François et de Yannick, avait fondée une cinquantaine d'années avant, et au bon fonctionnement de laquelle se consacrait maintenant Laganière en personne. Ah, les régions. Steeve avait émigré à l'adolescence dans la grande région métropolitaine de Montréal. Après l'accident d'hydravion de son beau-père, sa mère avait pris sa part de l'héritage pour revenir se fixer en Gaspésie, où elle roulait ses *r* allègrement. Steeve rendait donc visite à maman et à ses amis les indigènes. D'un strict point de vue scientifique, Steeve était un taupin, et tout un spécimen. On voyait sa craque quand il se penchait, il avait tendance à violacer, et ses cheveux rasés sur le dessus était rasés plus court sur les côtés.

— Si t'insistes, il a ajouté.

Il a tendu vers l'amplificateur la racine de gingembre qui, à en croire l'ongle incarné, était son gros orteil, mais pas pour baisser le son, pour le grimper. Concerto de tronçonneuses. Les basses bourraient tellement qu'un cadre accroché au-dessus du système a sacré le camp, cassant le bras de la table tournante. Marteau, en voyant ça aller de la cuisine, a recraché sa gorgée de bière dans l'argenterie.

— C'est pas drôle! a fait Laganière, son émoi vite emporté dans une des meilleures passes de trémolo de Metallica.

Le cadre contenait une photo du souper de retraite à son oncle. Devant ses associés, le bonhomme sabrait le champagne avec ce qui ressemblait à un cimeterre, les yeux pas juste rougis par le flash.

— Ça vaut cher…

Marteau a répliqué de quoi, mais ça s'est perdu dans la fricassée de décibels. La mélodie du bonheur. La-la-la.

— Qu'est-ce que t'as dit?

Laganière avait dû mal lire sur ses lèvres. Marteau venait sûrement pas de citer Ringuet. Steeve a barri d'une joie simplette, prouvant que c'est pas parce que t'avais été la coqueluche de ton école secondaire que tu virais bien. Il a réglé le vibromasseur de son fauteuil au maximum.

— Le barde, va nous écrire une ode.

Pas de réponse. Laganière se donnait même plus la peine de répliquer quand les gars l'appelaient le barde. *Ils vont se tanner avant moi,* il a pensé, têtu qu'il était.

Il pleuvait tellement fort dehors, les murs étaient sur le point de cogner à la porte pour venir se réchauffer en dedans eux autres avec. Il y avait quatorze cadrans et horloges disséminés dans le chalet. Le temps a passé un peu, mais pas plus vite pour autant.

— Qu'est-ce qu'il traficote, votre ami de Montréal? a fini par demander Laganière, sans se rendre compte qu'il était en train de renverser tout ce qu'il avait ramassé de saletés dans le porte-poussière.

Pas de réponse encore une fois. Il savait trop bien qu'il jouait à cache-cache, le gars de Montréal. Il était pas sorti, ses souliers étaient dans l'entrée.

— Ah, qu'il reste donc dans son terrier.

— Ça me fait penser, a dit Steeve.

Il a raconté à Marteau ce qui était arrivé plus tôt à la chasse. Il avait passé un Glock au gars de Montréal. Le gars avait disjoncté. Il s'était mis à tenir son pétard un peu de côté, comme un caïd, en se touchant le nez du bout de la langue en même temps qu'il cherchait de quoi à tirer autour. Un peu à l'écart, Laganière pleurait sous la pluie. Devant son fourneau, Marteau se délectait d'entendre ça. Steeve a dit :

— Je pense que t'étais pas mal mieux de ton bord avec Yannick. Le gars était à veille de faire sortir de leur pâturage deux ou trois veaux rachitiques à force de caller l'original comme il faisait.

— Ça va être salé, mes chums, a promis Marteau.

Pendant qu'il salait son bouillon, le bouchon du totem miniature qui servait de salière s'était dévissé.

Ça pullulait moins qu'avant dans nos fourrés, mais les quatre chasseurs avaient quand même abattu assez de lapins pour en remanger demain sans avoir à sortir dans la tempête. C'est ça que Marteau leur apprêtait, un civet de lapin. Il y allait à l'œil. Il a raconté à son tour ce qui s'était passé tantôt dans le bois après qu'ils s'étaient séparés, Steeve et Laganière et le gars de Montréal d'un côté, Yannick et lui de l'autre. Yannick voulait tester sa slogue. Ça adonnait bien, un lapin gambadait devant eux dans l'herbe affriolante. Une slogue, c'est une boule de minerai brut de la grosseur d'une pomme d'api que tu charges dans ton douze où la cartouche. Les quatre pattes du lapin avaient continué de courir de par la prairie et les gués, sauf qu'il y avait plus de lapin dessus.

— Parlant de Yannick, a dit Laganière, un peu scandalisé de l'anecdote, mais bon, fallait en prendre et en laisser. Est-ce qu'il va revenir un jour ? Il a pas dû chasser tout ce temps-là, pareil temps de cul. Parce que ça se passera pas de même, si je peux lui dire ma façon de penser.

Les autres l'ont ignoré. Il jouait avec son jonc, le faisant tourner du pouce autour de son annulaire. Steeve s'est levé, il a caressé au passage les hanches à Marteau dans sa robe nuptiale. Sur « The Four Horsemen », il est allé s'étendre dans la chambre des maîtres. Laganière regardait dehors. Est-ce que c'était Yannick, là-bas ? Il avait pas ses bonnes lunettes, et il faisait noir, mais qu'est-ce que… Dans le pire blitz de pluie à date, la fenêtre est venue comme une toile impressionniste. Au bout d'une minute, l'image s'est précisée. C'était pas Yannick, mais un arbuste vaguement humanoïde, derrière la rangée de réflecteurs que l'oncle avait installés pour pas que tu tapes dans l'abri de la motoneige quand tu reculais.

La même odeur irrespirable est revenue aux narines de Laganière. Il a feint de se revirer à droite, pour attaquer à gauche.

— T'es là, toi.

C'était le gars de Montréal. Il avait de quoi de caché dans le dos. Des émanations de phtalate de dibutyle se dispersaient devant sa face à fesser dedans.

— Avec quoi tu viens de m'arroser? s'est écrié Laganière. Montre!

Les deux se sont empoignés par le gilet. Olé. Ils se tiraient par les cheveux, se griffaient devant Marteau fasciné.

Steeve était arrivé avec ça à matin sur l'autobus. À ce qu'il paraissait, le gars de Montréal était rentré dans le terminus d'Orléans Express, tout imbu de son urbanité, en poussant une couple de cocoricos devant deux ou trois patriarches de La Frayère. «Ça vivrait pas vieux dans le fond du chemin des Tapp à Saint-Maurice-de-l'Échouerie», aurait lâché le vieux Marcel derrière sa frette. Le terminus était dans le snack-bar où la mère à Patapon assurait le service. «Y a sa face dans le *Larousse* à côté du mot *ti-coune*», aurait renchéri le Gabou à Fernand. Le gars de Montréal, c'est pas des farces, il avait beau mesurer trois pieds et demi, il dégageait une aura de deux cent cinquante livres. Il essayait, en tout cas, dans son linge blousant. Ils se connaissaient pas tant que ça, mais Steeve et lui travaillaient ensemble pour la voirie. Steeve disait qu'il l'avait même pas invité. Le gars de Montréal l'avait suivi dans l'autobus. Dix heures plus tard, il était sorti du véhicule avec lui au même arrêt. Laganière trouvait ça louche. C'était pas le Survenant, ça là. Le gars débarquait pas de même en Gaspésie pour son retour à la terre, sans bagages avec à moitié pas de manteau sur le dos.

Le gars de Montréal s'est échappé, par un pas de twist, de la prise de soumission que Laganière allait pratiquer sur sa personne, une version adoucie par le temps de la clé à dessoûler de la légendaire madame Guité. C'est le vieux Marcel, justement, qui lui avait appris ça. *Est-ce qu'il est à la radio ce soir ?* Laganière avait jamais eu la chance de ramasser la nouvelle programmation de CBSA. Le gars de Montréal a dégainé une bombe aérosol, du fixatif à cheveux, qu'il lui a vaporisé dans les dents. Ça goûtait ce que ça sentait.

— Donne-moi ça, avant de te faire fondre une cornée !

Le gars de Montréal jouait à saute-mouton par-dessus les meubles. Zigzaguait entre les chaises qu'il dérangeait dans des grincements torturés. Il a pas fallu longtemps pour que les jambes à Laganière s'épuisent dans ses corduroys remontés haut. Lorraine avait encore mis ses culottes dans la sécheuse, elles avaient foulé. Il s'est essuyé le front, comme s'il avait le serre-poignet qu'il portait d'habitude au badminton. Le gars de Montréal à l'autre bout le narguait en faisant le geste de se crosser. Un poisson rouge lui a passé derrière les yeux. Laganière s'est revengé en le traitant de coprophage, tout content

de la double humiliation d'une insulte que l'autre avait
pas comprise.

— Han, le barde, va nous écrire une ode, a contre-
attaqué le gars de Montréal.

Laganière a pas riposté, mais il a souhaité fort, à s'en
péter un anévrisme, que la belette surgisse de nulle part
pour amputer ce nabot-là d'une oreille. Rien l'unissait
aux autres ici. Mais quand Laganière s'est demandé ce
qui lui-même l'unissait à Steeve, Yannick et Marteau,
il a rien trouvé, à part qu'ils étaient tous gaspésiens. Et
qu'ils avaient tous connu Thierry Vignola. C'est un des
tatouages à Marteau qui venait de lui faire penser à ça.
Un fanion décoloré où c'était écrit «1986», l'année de
la disparition de Vignola.

— T'es pas chez vous, a dit Laganière. C'est le chalet
à mon oncle ici.

En plus, c'est le gars de Montréal qui avait fait rentrer la belette. «On crève», il avait décidé tantôt quand
il était ressorti du bain-tourbillon, puant l'eau brune, sa
virilité enveloppée d'une serviette sur laquelle avaient
été brodées les initiales du maître des lieux. Puis il avait
ouvert la porte-patio, à quatre degrés Celsius quand il
mouillait des cordes. La belette avait filé au chaud, devant
tout le monde diverti de l'apparition.

— Y est en Floride, ton oncle! a gueulé Steeve de la
chambre des maîtres, où il se prélassait dans le satin en
contemplant son mal-être dans le miroir au plafond.

Donc, c'est ça qui se passait. En matinée, les trois malvats, talonnés par le gars de Montréal, avaient eu l'idée
de réquisitionner le chalet pour célébrer la paternité

imminente à Yannick. Ils avaient su que l'oncle à Laganière avait migré récemment dans son condo pastel dans
le coin de Fort Lauderdale et ils avaient décidé que le
chalet leur permettrait d'établir un pas pire camp de base
pour chasser. De toute façon, le bonhomme devait s'en
foutre, il était dans le Sud. Erreur. Il s'en foutait pas du
tout. Avant de partir, il avait fait le tour de la propriété
avec son neveu, responsable de venir arroser les cactus,
de vérifier le thermostat, tous ces menus travaux d'entretien capables de l'obséder à trois mille quatre cents
kilomètres de distance. «Les détecteurs de fumée pis de
monoxyde de carbone marchent pas, faut tout que je
recâble.» Il y avait rien de trop chinois là-dedans, mais
Laganière s'était pas moins fait avertir, avec plus de dureté
que nécessaire, de pas se servir du bain ni de la douche,
qu'ils avaient des problèmes de plomberie. «Y a plein
de marde qui s'est ramassée dans le puits.» Et c'est d'un
air sombre que son oncle lui avait finalement confié la
clé, tirant sur son bout avant de lâcher. Ensuite de quoi
il avait griffonné le code du système d'alarme sur un
post-it, sans expirer. Puis il avait expiré, très longtemps,
et dit : «Vous viendrez profiter du cinéma maison, toé
pis Lorraine.» Le bonhomme avait ouvert la porte de
la chambre des maîtres. Sur chaque oreiller, dans le lit
satiné, était posé un suçon.

11

F AIT BEAU à soir, a dit le chauffeur à François par-
dessus son épaule.

— Très beau, oui.

Le chauffeur improvisait au volant de son taxi,
réinterprétant le Code de la route à sa manière dans le
trafic aux alentours du pont Champlain. Les bâtisses se
liquéfiaient dans l'orage. *Très beau, han,* il a pensé, arrêté
à un feu rouge. La Volvo était de biais sur deux voies de
l'avenue Viger, entre les autos. Un tournevis roulait en
arrière aux pieds de François.

— Regardez la route, là, a dit celui-ci dans un virage,
déplacé sur son siège par la force centrifuge.

Le chauffeur avait coupé par le terre-plein quelques
minutes plus tôt. Il voulait suivre une fille en Golf avant
de tourner vers le sud. François s'en était pas encore tout
à fait remis. Il avait l'impression de vivre un accident
qui en finissait plus. Le chauffeur lui avait demandé

trente-cinq fois s'il avait vu la fille. «Regarde la fille», qu'il disait. François avait rien vu d'autre que des picots noirs et grand-papa Monti qui l'attendait avec grand-maman Joséphine, au loin dans une lumière apaisante. Mais la conduite catastrophique de son chauffeur avait ça de bon qu'il était moins obnubilé par le compteur. Il avait demandé, en embarquant, à ce qu'on arrête le véhicule quand le compteur atteindrait cinq mille. Il descendrait à cet endroit-là, peu importe où ils seraient rendus.

Patapon, j'en suis sûr, se réjouira de venir me chercher au besoin, il a pensé.

Je peux ben lui dire n'importe quoi, a pensé le chauffeur. *Ils m'ont mis sur le cas d'un mort-vivant.*

— Oups, je suis pas à la bonne place, moi là.

Le taxi a traversé toutes les voies d'un coup, dans un chœur de klaxons discordants. François se souvenait plus si c'est à bord de la *Bonne Renommée* ou de la *Santa María* que Champlain avait touché le continent, mais il se rappelait par contre pourquoi ça faisait des années qu'il était pas monté dans un char. Depuis cinq minutes qu'il parlait tout seul en essayant de s'attacher. Sauf qu'il était déjà attaché. Sa main corrompue était toujours en quarantaine dans le sac de papier brun. Un casque de bain gueulait, proche de la vitre, dans son casque de moto. Le chauffeur lui envoyait des beaux bonjours. Il s'est allumé une clope, puis a lâché une réplique de western dans le rétroviseur entre deux poffes. *On va le tester pour vrai,* il a pensé en scrutant son passager.

— Heille, François?

— Oui?

— Ah, je sais plus. J'ai oublié.

Il me semble que je trouverais ça louche, moi, que quelqu'un connaisse mon nom sans que je lui aille dit. Le tonnerre jouait dans les graves au-dessus du pont. Le ciel était en train de fusionner avec le fleuve, les deux reliés l'un à l'autre par de longs pointillés d'eau partout. François, les yeux fermés à un point tel que ça crevassait sur les côtés, se tenait à la poignée du plafond. Il se représentait des objets doux, des chatons, des robes de chambre. *Je peux lui faire dire n'importe quoi,* a pensé le chauffeur. *Ça va être trop facile.* La sortie Sorel/Québec approchait vite. C'était beau, toutes les lumières.

— *Vade retro!* a crié le chauffeur dans le rétroviseur.

Il a coupé six autobus pour pas manquer sa bretelle.

— Je vous demande pardon? a sursauté François.

Les yeux lui avaient rouvert là. Le sac en papier brun sur sa main s'était froissé. Sa mallette, si elle avait pas été coincée entre une poche de hockey et sa hanche, se serait promenée sur la banquette.

— Rien, rien, a dit le chauffeur. Je vérifiais de quoi. Pis arrache pas ma poignée, s'il te plaît.

Il a tiré une interminable bouffée à sa cigarette. En se regardant encore dans son miroir, il a dit quelque chose en anglais, dans un anglais impeccable, mais en modifiant son timbre. Il avait relâché les muscles de sa mâchoire pour que la gueule lui balance de gauche à droite. De ce que François comprenait, le gars rejouait une scène de film, comme sur le point de se battre en duel.

— L'as-tu vu, ce film-là? Je l'ai, pareil, tu trouves pas?

Ils roulaient maintenant sur l'autoroute. Le dernier

coup de tonnerre retombait en répliques affaiblies. Des codes, des commandes blasées s'échangeaient de temps en temps dans le récepteur du taxi, de petites informations crépitantes. Le chauffeur se sentait pas concerné. Il a éteint l'appareil. Depuis tantôt que François se retournait pour observer, par la vitre d'en arrière, la civilisation qui s'évanouissait comme ils fonçaient vers les confins de la terre, tout droit dans la gueule du Léviathan dévorant les chars égarés trop loin de Montréal. Rien qu'à penser au prochain éclair, il a senti un arrière-goût de mâchefer s'installer dans ses cavités. Une face de fille surdimensionnée est passée à côté d'eux, imprimée sur le flanc d'un Econoline, pour une publicité de forfait de téléphonie ou quelque chose.

— Ayoye, a dit le chauffeur. Je pense que je la connais.

Il s'est rallumé une cigarette pour se rendre compte que François se lamentait en arrière.

— C'est quoi, c'est ta blonde?

Les segments rouges de la somme au compteur se réagençaient sans relâche, dans une implacable inflation. *Je sais pas pourquoi on sort les grands moyens,* a pensé le chauffeur. *J'aurais pu aller le porter en dessous du viaduc à La Frayère il y a deux jours pis lui dire d'attendre là le temps que Danny motive ses troupes.* Le moteur vrombissait sous le capot carré, qui serait bientôt radicalement poqué. *Scraper un char pour rien. Mais bon, j'imagine que ça fait partie du plan.*

— T'as-tu une blonde? il a demandé à François.

La nuit éclatait, devant les phares des véhicules dans la voie inverse, en autant de soleils polygonaux. Le chauffeur a fini par remarquer, en regardant encore dans le rétro-viseur auquel pendait un petit sapin cartonné, que François étudiait le permis de taxi collé près de l'appuie-tête.

— Je revenais de vacances, il a dit.

Il a levé les yeux vers François en prenant, il pensait, la même expression que le Noir sur la photo. Puis il s'est étiré vers la boîte à gants, pour toutefois se raviser. *Trop tôt encore.* Il a fait quelques farces de yoga en se désétirant.

— Ah, je sais ce que je voulais dire tantôt. Ça a de l'air qu'à Sorel, il y a un croche où il y a un accident mortel par jour.

— Je le sais, a répondu François, et il s'est demandé ce qu'il y avait dans la boîte à gants.

Il sait ça, lui, a pensé le chauffeur. Et là, c'est vrai qu'il se retenait pour pas rire. *Un accident par jour.* Elle était un peu gratuite celle-là, mais bon, le gars était plate. *Serait peut-être temps que la Ville pose un panneau.* Le gars était incroyablement plate, et si le chauffeur était pour passer dix heures dans un char avec, il allait se divertir tout seul. Le pied lui a alourdi. François aimait pas mieux l'autoroute. Il avait le sentiment étourdis-sant d'être immobile, que c'était le décor autour d'eux qui coulissait vers l'arrière, à différentes vitesses selon la profondeur de champ. Le sapin cartonné dansait au bout de sa cordelette.

— Non, a dit François.

— De quoi, non?

Il avait senti que le chauffeur allait dire de quoi. Il a pris une chance, il a répondu avant qu'il le dise. Le chauf-feur a haussé les épaules, curieux de voir quel genre de

130

main monstrueuse son passager pouvait bien cacher dans son sac de papier brun. Il a pris une bouffée comme James Dean. Une autre comme Humphrey Bogart.

— T'aimes-tu ça, la musique? il a demandé plus tard en cherchant de quoi autour de lui.

— Mon père aime ça.

Il digérait pas bien, François, son souper d'ongles rongés jusqu'aux cuticules. La soif était revenue lui jouer dans le pharynx. Des aiguilles en émergeaient, se multipliaient à un rythme réglé sur le compteur.

— Il aime-tu le Yukon aussi?

— On en reçoit une bouteille chaque semaine à la maison.

OK, ça c'était chien, a pensé le chauffeur. *Le gars fait pitié.* Il s'amusait peut-être un peu trop à ses dépens. Ils se sont jasés un peu plus après ça, lentement, par phases. François a appris que le chauffeur avait la double citoyenneté, parce qu'il avait de sa famille qui venait des États, un pays qu'il adulait. Le chauffeur a rien appris sur lui. Il avait déjà été informé de tout ce qu'il y avait à savoir. Sa bedaine de cinquantenaire se laissait bercer par le ronron de la mécanique et les vagues sur la route, comme une gélatine qui avait eu chaud.

Dans le bout de Drummondville, la causerie avait reperdu de sa réciprocité. Le chauffeur cherchait encore quelque chose autour de lui, dans sa portière, sur la console, dans le cendrier. Mais pas dans la boîte à gants. *Où c'est que j'ai mis ça, ce iPod-là?* il a pensé. On descendait une longue côte en banane. François avait pas redit un mot depuis qu'avait été rejetée son autorité de chercheur en histoire, dont il avait usé pour trancher le différend qui les opposait, le chauffeur et lui, sur les origines de la poutine. Les chars dans l'autre sens avaient l'air de remonter la pente en télésiège. Le chauffeur, en fumant trois cigarettes à la fois, faisait pour se réconcilier son imitation de Juif new-yorkais névrosé à la Woody Allen. *On va le travailler un peu, d'abord,* il a pensé quand il a vu que François sourcillait pas. Le dos rond, il a pesé encore plus généreusement sur le gaz dans la descente.

— Fait soif? il a dit.

— Très soif, a grimacé François.

Pas un mot de plus. François restait bouché, malgré l'habitacle qui se dépressurisait par petits pets. Il y avait dans la boîte à gants, se disait le chauffeur, tout ce qu'il faudrait pour le faire jaser tantôt. La Volvo a filé un autre bout de temps sur l'autoroute 20. François a vu deux vis à ses pieds, à côté du tournevis en étoile. Il aurait pas fallu que les essuie-glaces lâchent. Une clope fléchissait en se consumant entre les doigts bagués de noir du chauffeur, sa main relaxe sur le volant enveloppé d'une housse de similifourrure. Ses bagues gothiques juraient avec ses culottes de coton ouaté et son chandail à face de loup. *Faudrait ben que j'avertisse le grand-père qu'on s'en vient,* il a pensé. Il a rallumé l'émetteur-récepteur. Tout de suite on a entendu de la friture sur les ondes.

— Toussaint? a dit une femme qui venait sans doute d'inhaler de l'hélium en bonbonne. Toussaint, t'es-tu là? C'est Chantal, de la centrale.

Chantal, de la centrale, voulait savoir où est-ce que

Toussaint était passé, parce que là, Tony avait une cre-
vaison, Marco s'était encore fait braquer dans le nord
de l'île et c'est certainement pas elle qui irait ramasser
l'hystérique à l'accent bolchevik qui avait appelé sept
fois depuis vingt minutes pour une voiture dans le secteur d'Atwater.

— Chantal, beauté fatale, a commencé le chauffeur,
tu devineras jamais.

Il s'est tourné vers François, tout rembruni dans la
fumée secondaire et son costume brun. Il a articulé :
« Prends des notes. »

— Toussaint ? faisait Chantal. Toussaint, c'est-tu toi ?

— Oui oui, c'est moi, Chantal. C'est Toussaint. Écoute,
je pourrai pas aller chercher ton communiste, je suis en
route pour…

François s'est laissé dériver dans l'averse pendant que
le chauffeur embobinait Chantal. Il a fait un cauchemar
éveillé où le ciel était troué de champlures endommagées
qu'il lui fallait réparer sous les regards pleins de juge-
ment de son père et de Yannick. Les bâtiments le long
de l'autoroute montaient et descendaient comme des
pistons par sa fenêtre au gré des bosses. Se secouant, il a
tâté la poche de hockey qui prenait toute la banquette.
Il voulait voir si quelque chose bougeait dedans, mais
elle semblait bien contenir de l'équipement de sport.
Je l'ai semée, il a pensé. Il revoyait en esprit sa bête intan-
gible. Puis il a retiré sa main du sac de papier brun, qu'il
a gardé ouvert pas loin de lui au cas où il aurait envie
de vomir. Il a profité de ce que le chauffeur était occupé

à baratiner la répartitrice pour le toucher de sa main malade en disant «tague». Guéri, il a ouvert sa mallette, d'où il a sorti un cahier Canada.

— … Promis, toi pis moi, Chantal d'amour.

— Vous êtes pas Toussaint, a dit Chantal.

François a sèchement refermé la mallette.

— Je te l'ai dit, Toussaint m'a demandé de lui rendre service une couple d'heures. Là, je passe te prendre lundi, OK, t'habites où?

En voyant le cahier de François, qui mordillait l'efface au bout de son crayon, le chauffeur lui a fait signe de se dépêcher de tout noter ça.

— Si Toussaint m'a pas contactée d'ici cinq minutes, a dit Chantal, j'appelle la police, c'est-tu assez clair?

— À lundi, OK. Je te sors quelque part de spécial, tu vas voir.

François suivait pas trop. Il scribouillait dans son cahier, à peu près certain qu'un morceau de son palais s'était détaché tellement il avait soif. Il y avait aussi la question du montant maximal pouvant être affiché sur le compteur. Le chauffeur a poursuivi avec Chantal dans une veine plus ouvertement cochonne, pour finir par raccrocher l'émetteur auquel il venait presque de faire l'amour.

— Attaboy, il a dit, la Chantal, si je voudrais, je pourrais la…

— Si je *voulais,* a dit François.

Ou c'était peut-être l'efface, le morceau de palais en question. Il y en avait plus au bout du crayon.

— Je m'excuse, il a ajouté.

Quelques kilomètres plus loin, le chauffeur a redécroché l'émetteur-récepteur, qu'il a réglé sur une fréquence où le silence se distordait.

— Allô, oui, il y a quelqu'un? il a fait dans l'émetteur. C'est Rock.

— Rock, a répété dans le récepteur une voix désincarnée.

Voilà qui rappelle le téléphone rouge de papa, a pensé François, parcouru d'un frisson.

— Ou Toussaint, a dit le chauffeur en lançant un regard à son passager. Toussaint, mon nom. On approche de Québec.

Le feu des réverbères glissait en feuilles sur la tôle mouillée du taxi. François tenait son crayon en l'air, abandonné par les muses.

— Ça descend bien, a continué le chauffeur. On va être là à temps. Danny est déjà sur place, avec le frère.

Il y a dû y avoir une pause d'une minute sur les ondes. *Heille, c'est-tu compliqué pour rien, ce plan-là,* a pensé Rock.

— J'attends, a dit la voix.

François a flairé un accent américain. Rock a raccroché.

— C'était mon grand-père, il a dit.

Le rire qu'il a retenu lui a fait pousser un grognement. L'asphalte devant la voiture semblait bouillir sous la pluie qui se tannait pas.

— Le mien est mort, a dit François.

— Oh, le mien aussi, a dit le chauffeur.

L'eau dans leur sillage frisait des roues comme deux

ailerons de requin. François voyait rien d'autre des machi-
nations du gars que ses huit bits d'intelligence et son air
d'émoticon. Il s'apprêtait, cabré sous sa ceinture, à sortir une statistique du ministère des Transports, mais le
chauffeur a été plus vite que lui.

— Je *voulais* préciser, à propos de Chantal.

— Oui oui, là.

— Il y a pas de magie là-dedans.

— D'accord.

Rock a ralenti. Les frisures d'eau traçaient un arc plus
paresseux sur les côtés du char. Le camion qui les suivait depuis un bout de temps les rattrapait peu à peu.

— La magie, c'est autre chose. La séduction, à un
moment donné, tu l'as ou tu l'as pas.

— Vous n'auriez pas quelque chose à boire? a demandé François.

La plaque de buée, sur la vitre où sa tête reposait,
s'agrandissait à chacun de ses halètements.

— It's all I wanted to say, a fait Rock.

Le camion les a rejoints dans le haut d'une montée.
Une lumière acide a envahi l'habitacle, aussitôt diffractée
en quatorze mille shrapnels tandis que le conducteur
s'engageait dans la voie de gauche pour les dépasser. De
furieux billots de bois rebondissaient dans sa remorque.
Rock a donné un coup de volant cinématographique, fou
braque, pour à la dernière seconde se remettre devant le
camion avant qu'il les dépasse. Sa panse a fait la vague.
Le cul de la Volvo a dérapé. Le char louvoyait contre
une lame de fond que le camion, le criard collé, venait
de soulever en se tassant juste à temps. Les essuie-glaces

tranchaient ça en juliennes. François avait maintenant le pharynx tapissé d'aiguilles à la grandeur, jusqu'en arrière des dents. De quoi de dur roulait dans la boîte à gants. Les lignes sur la route ont serpenté sous les mouvements du char. *Nid-de-poule,* a pensé Rock à l'approche d'un trou devant eux. La gravité a débarqué quand ils l'ont pogné. L'intérieur du char est entré en apesanteur. Sapin cartonné, mallette, poche de hockey, vis, tournevis, cahier Canada, restes de mets ethniques et menu y afférent, tout flottait dans l'habitacle.

Un coup de feu, une envolée d'oies sauvages et François a repris connaissance. Rock jouait de la batterie sur le volant et le tableau de bord. Les lumières de Québec s'éloignaient derrière eux. François les voyait virevolter, folâtres, coulantes, par le miroir du côté passager. Le miroir pendait au bout du câble de métal qui le rattachait à la carrosserie. François léchait la condensation sur sa vitre quand une plaque d'immatriculation a glissé d'en dessous du siège. Elle a buté contre sa semelle. Il s'est penché pour la ramasser et l'a redonnée à Rock. « Je me souviens », il était écrit sur la plaque.

— Connais-tu, a commencé le chauffeur, la joke du boss des bécosses pis du…

— Oui, a répondu François.

Il a fait dans le rétroviseur un geste de Jedi pour dissuader Rock de lui parler. Il aurait voulu se recentrer sur sa personne, sur ses centres énergétiques. La passe de Jedi a pas marché.

— Pis celle-là de la grenouille à grande bouche qui…

— Je la connais, a râlé François. Je les connais toutes.

12

D E RETOUR dans le chalet de l'oncle à Laganière, où les choses allaient pas en s'améliorant. L'odeur de fixatif, Laganière, le gars de Montréal, Marteau et son civet, Metallica, tout ça s'était poursuivi sur le même ton une heure ou deux. La bière rentrait au poste, rendait les gars plus mottés. Pendant que François descendait la 20, eux punissaient les bâillements. Le civet brûlait doucement, dans l'indifférence générale. Le gars de Montréal devait être sur le point de plus s'endurer lui non plus. *Attrapez-moi ça au lasso,* pensait Steeve. *Beau petit hyperactif,* pensait Laganière. La pluie dessinait des barreaux dans les fenêtres nocturnes. *Kill 'Em All* a recommencé du début pour une énième fois. Le son était moins fort. Les transistors avaient dû fondre. Si Lorraine avait été là, rien de tout ça serait allé aussi loin. Dire que Laganière lui avait préparé une aventure personnalisée. Il était prisonnier au fond de la cam-

brousse en pleine nuit. Une averse apocalyptique menaçait d'emporter le chalet. Il se trouvait à des kilomètres
ne serait-ce que d'une réception cellulaire, avec le sentiment tragicomique d'être le cobaye d'une expérience
comportementale. Il refusait toutefois de s'apitoyer sur
son sort, et ramassait plutôt les emballages, miettes de
nachos, bas sales, centimètres de tabac arrachés au bout
des cigarettes, jetons de backgammon, tampons, canettes
vides, oui, tampons, bouteilles vides, serviettes trempes,
abats de lapin, tous les rebuts hétéroclites qui enjoli-
vaient la place, organiques ou manufacturés.

— T'ovules-tu, coudon ? lui a demandé Marteau.

— T'ovules-tu, coudon ? l'a singé Laganière.

Marteau coupait sa viande entrelardée sur le comptoir d'inox en jasant. Il en ingurgitait de temps à autre,
hop, un cube cru. C'était la robe de mariée de la tante
à Laganière qu'il avait sur le dos. Le symbole démodé
d'une union soporifique. Les gars avaient trouvé ça dans
la penderie, avec la mort-aux-rats.

— Câline, Martin, c'est pas drôle, là, la robe à matante
Sylvaine.

Marteau était de corvée de popote. C'était donc lui, la
mariée. Avec ses scrofules d'acné, ses tatouages. C'est la
première loi qu'ils avaient instaurée dans le chalet, peu
après avoir déniché la robe. Déjà sur la rumba, Marteau
a arrêté de couper sa viande, et le temps s'est arrêté aussi.
Puis il s'est essuyé les mains sur sa traîne en mousseline
pour s'en déboucher une tiède.

— C'était la robe de mariée à sa mère à elle, pis là
vous...

Laganière avait un genou à terre.

— Il est quelle heure, quelqu'un? a redemandé le gars de Montréal.

Faut se mettre dans le contexte que, si l'oncle à Laganière voyait pas l'heure à tout moment, le tournis s'emparait de lui, il s'amusait plus, les secondes qu'il lui restait à vivre lui sortaient par les oreilles, et chaque fois il s'épongeait le front et notait dans son assistant électronique qu'il devait prendre rendez-vous chez le notaire. Pour rendre ça plus compliqué, le bonhomme pouvait pas porter de montre non plus, il pouvait pas, sinon le tic-tac lui résonnait dans tout l'être. C'était pour ça, l'agencement panoptique des quatorze cadrans et horloges dans le chalet, dont l'horloge grand-père du salon, assez dure à manquer merci. Le gars de Montréal voulait savoir l'heure à tout bout de champ. *Rock pis le frère à Yannick devraient arriver demain matin,* il se disait en repensant à la conversation qu'il avait eue sur MSN avec Dexter à la bibliothèque. Laganière est parti pour lui demander s'ils allaient devoir lui sortir la clepsydre, mais Marteau a tiré sur une lèchefrite dans l'armoire au-dessus du four, et la râpe, la passoire, les casseroles et ramequins et tout le bataclan se sont abattus autour de lui. La lame du robot culinaire s'est plantée dans le bois franc du plancher, un shuriken.

— Hare Krishna, a dit Marteau.

Il voulait dire *alléluia.* Son visage s'est illuminé. Son scrofuleux visage. Ça devait être un rêve, c'était trop beau. C'était tout bonnement caché là, derrière la batterie d'ustensiles. Ses papilles gustatives se sont tendues vers

la tablette, pareilles à des tournesols au soleil. Des bouteilles d'à peu près toutes les sortes de forts et de liqueurs
lui disaient bonjour dans cette armoire-là. Des liqueurs,
et pas rien que ça. Les vins qu'il y avait là-dedans. Bon, il
était pas sommelier non plus, Marteau. Mais il connaissait quand même plus ça que la lépidoptérologie.

— Qu'est-ce tu viens de nous trouver là? a dit Steeve.

Il a lâché sa bière sur la descente de lit en peau de
mouton pour se téléporter jusqu'à la cuisine, un suçon
dans la gueule.

La musique a coupé sec.

Steeve et Marteau, des bouteilles à la main, se sont
regardés. Ils ont regardé Laganière. Laganière venait de
trouver la télécommande dans le tiroir où tu mettais
toutes les affaires que tu savais pas où mettre. Les fusils
de chasse étaient appuyés à côté de lui sur la boîte à bois.
Steeve a enfoui son rire agricole dans ses chairs blettes.
Il a déposé ses bouteilles et s'est écarté du comptoir, du
reste de l'alcool, en faisant des entrechats.

— Je t'en sers-tu un? a dit Marteau à Laganière.

Il venait de déboucher un bourbon millésimé de
l'année de naissance à Viviane, la cousine au barde. Steeve
a vu soudain Laganière piger dans les armes à feu. Le
bibliothécaire a soulevé un douze qu'il a pointé vers eux.

— Peut-être que tu devrais remettre la bouteille là,
a dit Steeve à Marteau.

La mariée frottait ses paumes de célibataire devant la
dégustation d'alcool dans quoi il s'apprêtait à se lâcher.
Steeve a défroissé un peu sa robe dans le dos. Laganière
avait l'air en beau joual vert et il était armé. Le canon se

promenait un peu parce que le douze pesait lourd pour lui. Le seul espoir de Steeve, c'était que l'omoplate lui déboîte s'il essayait de tirer.

— Remets les bouteilles à leur place, a dit Laganière à Marteau.

— Casse pas le party, toé, a répondu Marteau, et il a posé le bourbon sur le comptoir pour sortir des verres.

— Tu vas voir ce que je vais te casser, a dit Laganière. T'as juste à dire «oui, je le veux».

Le plancher a craqué sous ses pieds.

— On t'invite à la chasse avec nous autres, a dit Steeve, pis toi tu…

Inviter, c'était un grand mot. Ils avaient débarqué à midi, pas un chat dans la place. Laganière vaquait dévotement à ses obligations professionnelles. C'était la job de rêve pour lui, bibliothécaire. Le passé de La Frayère le passionnait, et la bibliothèque était le meilleur endroit pour le fouiller. La place contenait les archives, et il avait toujours quelques trucs à vérifier dans ce que le vieux Marcel lui avait raconté. C'est sur leur intérêt commun pour l'histoire que le vieux et lui avaient bâti leur relation. En tout cas, Laganière venait de finir de classer ses livres. Il se coupait les ongles en repoussant le moment d'appeler madame Turcotte, parce que chaque fois que t'appelais madame Turcotte pour lui dire que ses réservations étaient arrivées, elle trouvait le moyen de t'étirer ça vingt-cinq minutes au bout du fil, à déblatérer à propos de ses rhumatismes ou de son chat qui avait encore dégueulé dans ses revues. Il pensait à Lorraine, à leur soirée d'aventure. Lorraine avait jamais vu le chalet. *Tu vas délirer,* qu'il se disait. Il l'avait même pas avertie qu'il l'emmenait, c'était une surprise. Lorraine savait pas qu'il disposait des clés ni que l'oncle lui avait confié les lieux. Restait rien qu'à sortir d'ici après sa journée pour aller la chercher à la boutique des Perrault après être passé à la maison nourrir les perruches.

Il tamponnait ses journaux en grignotant des crudités quand le jeep avait surgi, quasiment sur deux roues, dans le stationnement de la bibliothèque à côté de son char à lui. *C'est pas le jeep à Yannick Bouge?* s'était dit Laganière. Drôle de coïncidence, il venait de penser à Marcel. Marcel était un ami de jeunesse d'Henri, le père à Yannick. Il avait pratiquement été élevé chez les Bouge. C'était un excentrique qui avait connu tout le monde, et il faisait autorité pour tout ce qui touchait à la généalogie, à l'histoire des bâtiments, aux fredaines de jadis. Des choses que la plupart des Frayois avaient oubliées, mais qui avaient fait de la ville ce qu'elle était. C'est pour discuter et l'écouter que le bibliothécaire allait le rencontrer de temps en temps.

Laganière, au moment où se refermaient les portières du jeep, s'était dit que c'était sûrement Yannick ou des ouvriers de sa compagnie qui profitaient de leur heure de pause pour venir faire leur crotte dans un lieu de culture. Il avait enlevé ses lunettes de presbyte pour mettre ses lunettes de myope. *Ben tiens.* De la visite de Montréal. Steeve Allard, il avait pas vu ça depuis trois cents ans. Un autre gars avec lui, pas gros. L'autre gars en question était allé pour sortir par le toit ouvrant, sauf qu'il y en avait un qui avait dû le tirer par une cheville.

Il avait redisparu dans le jeep d'un coup sec. Laganière le replaçait pas. Pas un gars de par ici. *Un kobold,* il avait pensé. *Ou un hobbit.* Le gars, contrit, avait fini par sortir par la portière comme du monde.

Il fallait d'ailleurs que Laganière retourne le voir, Marcel, et pas juste pour prendre la programmation. Ça disparaîtrait, à un moment donné, les bonhommes et bonnes femmes nés à l'époque de Saint-Lancelot-de-la-Frayère. Pendant que ses visiteurs montaient par la rampe pour handicapés, étampe à la main il s'était humecté le doigt pour mieux tourner la page du *Vivier.* La porte s'était ouverte sur un duo de torses gonflés. Le doigt de Laganière avait séché.

— What's up.

— Bonjour.

Suçotant une menthe censée masquer son haleine hydroponique, Steeve était venu accoter sur le comptoir ses avant-bras bronzés en fermier qu'il avait toutefois ramenés contre lui quand il s'était rendu compte qu'on voyait ses vieilles cicatrices de coupures à l'exacto. Le hobbit, lui, s'était dépêché d'embarquer sur le Pentium libre-service, avec des interjections destinées à autrui, pour ouvrir une session de clavardage sur MSN. Les deux étaient habillés pour la chasse et… Rectification. Steeve était habillé pour la chasse. L'autre avait un de ses bas par-dessus ses culottes camouflées trop basses. *Un hobbit yo,* avait pensé Laganière.

— Tu dois avoir ça dans tes dossiers, le numéro à Nadine? avait demandé Steeve.

Nadine Chabot, son ex-blonde du temps de la polyvalente. Elle venait faire son tour à l'occasion, emprunter des films en VHS pour ses gamins. Elle était passée plus tôt ce jour-là, pour un renouvellement, en chemin vers une entrevue d'embauche. Steeve à l'époque avait reçu une injonction de la cour comme de quoi il avait plus le droit de l'approcher. Des histoires de harcèlement. C'était pas le seul de leur génération à être tombé dans la délinquance lourde après la disparition de Thierry Vignola. Surtout que cette gang-là, Thierry Vignola, ça avait été leur grand chum. Au moins, la famille à Steeve avait eu la bonne idée de le changer de milieu.

— Ça me fait plaisir de te voir aussi, avait répondu Laganière.

Il s'était déconnecté vite fait de la banque des usagers, sur son Commodore 64. La bibliothèque avait pas eu le budget pour plus d'un Pentium. Les chasseurs s'étaient mis après ça à ratisser les allées, les rayons. Ça ricanait, ça se parlait comme on se parle là. Laganière s'était raclé la gorge en tapotant le comptoir avec son Bic. *Non, mais ça se peut-ti.* Il louchait, pas subtil, vers la pancarte « Silence ». Steeve était parti manigancer dans les 121K. Section philosophie. Il avait ramassé, couverture rigide, une brique de sept cents pages avant d'aller explorer les chiottes. Ça avait été au tour du hobbit de se présenter au comptoir.

— Tu travailles pas, toi, le mardi ?

Me semblait aussi. Le hobbit avait l'accent de Montréal gros comme le bras. Les yeux rouge pétant lui aussi, et pas parce qu'il revenait de la piscine.

— Je suis *en train* de travailler, pour ton information.

Si t'as d'autres questions pertinentes, il y a un cahier sur le lutrin là, tu peux…

— Méchant pelletage de nuages, oui.

C'est ça, avait pensé Laganière. Le genre de gars de Montréal pour qui travailler, c'est se parquer entre deux cônes dans le trafic avec un dossard, en faisant semblant de pas être payé à rien faire jusqu'à cinq heures. Tout au long de leur conversation, Laganière voyait Martin «Marteau» Pelchat qui s'en venait par la fenêtre, un cigarillo entre les dents. Il était mécanicien au garage Pagé de l'autre bord de la rue, responsable de le réintégrer à la société.

— Y a quelqu'un qui a écrit «Combats la pastille» au-dessus de l'urinoir, s'était réjoui Steeve à sa sortie des toilettes.

— T'as-tu l'heure?

Le téléphone avait sonné. Laganière avait répondu. Enfer et damnation, c'était madame Turcotte. Ça avait pris dix minutes pour lui faire comprendre qu'elle avait pas appelé aux annonces du bulletin paroissial, mais bien à la bibliothèque municipale Joséphine-Bujold-Bouge où l'attendaient d'ailleurs ses réservations. Laganière venait de manquer une belle occasion de se la fermer, parce que mamie était repartie un autre dix minutes à tenter de se rappeler pourquoi déjà elle avait commandé ça, ces livres-là, et ça avait fini que ça avait plus rapport, elle lui parlait de ses pots de rhubarbe et… Laganière lui avait raccroché la ligne au nez.

— Ah ben non, par exemple.

Le bibliothécaire avait foncé sur Steeve qui se promenait sur le chariot des retours en se propulsant du pied comme sur un rouli-roulant, et qu'est-ce qu'il avait-ti pas vu alors ? Le gars de Montréal, à son aise dans la section pour enfants, toute bien décorée pour l'Halloween. Il feuilletait l'*Allô Police* sur la table basse en plastique aux couleurs éducatives. Laganière était en train de se donner un élan pour lui enfiler une savate depuis l'autre bout de la pièce quand la sonnette de service au comptoir avait explosé. C'était Marteau qui pesait dessus, déjà pompette dans sa chienne tachée d'huile. Et Marteau fumait en dedans.

Laganière se laisserait pas faire. Il était allé lui enlever son cigarillo de la gueule d'une claque précise, pour sauter dessus à pieds joints. Mais c'était trois contre un. Steeve et Marteau le tiraient par une jambe et par un bras pendant que le gars de Montréal le piquait dans les côtes. Il avait quand même réussi à se rendre jusqu'au téléphone. Il les avait menacés d'appeler les coches, mais quand il avait décroché, il y avait encore madame Turcotte à l'autre bout du fil qui répétait « Allô ? Allô ? » C'est à ce moment-là que Laganière avait capitulé, et durant une seconde sa rage de vivre avait cédé à l'épuisement spirituel. Quand Steeve lui avait écrasé la brique de philosophie sur la citrouille, il avait jamais eu le réflexe de l'esquiver. Le grabuge était retombé. Les pompons s'étaient calmés. Ils avaient calé Laganière dans sa chaise de bureau, une compresse humide sur le front. Les barniques de travers, la citrouille avait pas mal l'air trois semaines passé l'Halloween. Laganière voyait des ti-noumènes papillonner dans les voûtes.

— Yannick va avoir un flo, avait dit Marteau.

Les bras croisés, le menton rentré par en dedans, Steeve avait fait longtemps oui de la tête. Le téléphone s'était remis à sonner.

— Bravo Yannick, avait dit Laganière.

Un bébé Bradley, il avait pensé, sauf qu'il y a des vérités que t'es mieux de garder pour toi. Le téléphone sonnait ça faisait trois coups. Marteau s'était rallumé un cigarillo, une fille tout nue sur son briquet.

— On va fêter ça dans le bois, il avait continué.

Laganière les avait dévisagés, l'un après l'autre. Yannick dans le stationnement écrasait le criard et le téléphone sonnait ça faisait sept coups.

— Besoin de lecture? avait dit le bibliothécaire.

La patate lui débattait sous sa chemise. Il avait compris qu'il gagnerait pas. Sa chemise était parfaitement repassée. Son seul mécanisme de défense était le sarcasme. Le téléphone sonnait. Sa chemise était tellement repassée, elle avait l'air en plâtre. Il avait tendu la main vers Steeve comme pour avoir sa carte d'abonnement, sachant très bien que Steeve avait pas l'intention d'emprunter la *Critique de la raison pure* pour aller s'assommer lui aussi avec.

— Tu t'en viens avec nous autres, pas de barguignage.

Le kantisme, dans la ville de La Frayère, n'advient pas. Onze coups. Douze. Trei…

— Je *travaille,* avait répondu Laganière, pas gêné de regarder le gars de Montréal le plus croche qu'il pouvait en même temps.

— Du beau pognage de cul.

Le gars de Montréal avait, pour être exact, l'accent de Brossard. Le répondeur avait embarqué, et si madame Turcotte était confuse.

— Pis regarde voir pour le numéro de Nadine, s'était rappelé Steeve.

C'était les anciens modèles de boîte vocale et t'entendais madame Turcotte enragée noir sur son message sans même savoir qu'elle était en train de laisser un message. Laganière avait pris une gorgée de tisane dans son thermos, puis s'était mis à taper au clavier comme s'ils avaient tous passé à autre chose. *Je vais pas nulle part.* En fait, il amnistiait au hasard des amendes partout dans le réseau avant de tout saboter. Relâchant sa fumée par les narines, Marteau avait mis sur le comptoir une cagoule et des menottes.

— Bon, où est-ce qu'on va ? avait dit Laganière pendant que le gars de Montréal arrachait le fil de la prise du téléphone.

La confidentialité des usagers d'abord. Steeve se penchait par-dessus le comptoir pour voir l'écran, et Laganière avait fait glisser l'icône du disque dur dans la corbeille, faisant presque imploser le Commodore. C'est sage comme une image qu'il s'était laissé cagouler, les trous pour les yeux derrière la tête, menotter et transporter par ses trois agresseurs vers le jeep encroûté de vase et grondant. Il se débattait pas. Il tenait droit comme un piquet dans leurs bras. Faisait sa petite affaire dans sa cagoule. Yannick leur avait ouvert la portière de l'intérieur. Le contraire d'un char de police, son jeep. Les portières s'ouvraient seulement de l'intérieur. Les gars s'étaient mis à se colletailler pour savoir qui est-ce qui allait s'assir en avant. Les shotgun et chapeau pointu pied moustache s'enterraient les uns les autres. Ça brassait pas mal pour Laganière. La cagoule lui bruissait dans les oreilles. Yannick, derrière son volant, avait éclaté en aboiements de führer, et finalement c'est lui, Laganière, qui avait fait le trajet sur le siège passager.

— T'es pas content de venir à la chasse avec nous autres ? lui avait demandé Yannick.

Kill 'Em All jouait déjà dans le piton dans le jeep.

— Super content.

— Lâche l'attitude de marde, je vas être papa !

Du mousseux, des crécelles, vite. *Bâtard,* avait pensé Laganière. Une piñata, tant qu'à y être. Sa cagoule sentait mauvais où son respir. Les trois autres en arrière étaient serrés comme des sardines, Steeve et Marteau quand même plus à l'aise, dans leur corps d'habitant, que le gars de Montréal à moitié asphyxié au milieu. On entendait par-dessus le verbiage le hochet des boîtes de munitions. C'est le vieux Marcel qui avait fait remarquer à Laganière que Yannick, comme le facteur Bradley, avait les yeux vairons. « Henri a jamais vu rien de bon dans un test de paternité », il lui avait dit devant sa Mol à l'hôtel. Connaissant la réputation que Bradley avait eue, c'était dur de croire que Liette Bouge aurait pu rendre Henri cocu de la sorte. Le jeep roulait, dans la pétulance et les bourrades. Laganière se demandait si ses kidnappeurs s'exprimaient pas en langue d'oïl.

Captant des bribes de phrases plus intelligibles de temps à autre, il avait compris que Yannick leur parlait d'un nouveau hobby qu'il s'était découvert récemment. Faire enrager le chien-chien que ses parents venaient d'adopter. Croquette, qu'elle s'appelait, la nuisance. D'une race de jappeux fatigants, une espèce de rottweiler monté sur une charpente de musaraigne qui avait ressuscité en Liette la partie de sa personne qui était morte depuis que ses garçons avaient quitté le foyer. Henri promenait le cabot orgueilleusement sur ses genoux durant ses longs trajets en camion. Même Laganière avait pas pu retenir un raclement de rire quand Yannick avait juré que Croquette était le descendant direct à Caillotte. Il avait expliqué que, pendant les trois premières semaines d'idylle entre ses géniteurs et le chien, indigné de les voir s'extasier devant pareille motte de poils inutile, il avait patrouillé tous les jours en jeep devant la maison chez eux, incognito, et sitôt qu'il remarquait que les vieux étaient sortis quelque part, au bridge, sur le quai, n'importe quoi, les commissions abstraites à son père, il s'introduisait en dedans, ramassait sans laisser de trace une poignée de bonbons dans la jarre, puis attirait Croquette avec un morceau de sucre à la crème, la base de son alimentation. Quand le chien était assez proche, il l'empoignait par le surplus de peau qu'il avait dans le cou. Il le crucifiait au tapis, en le tenant sur le dos de même pendant vingt minutes. Dès le jour deux, Croquette le fixait, la tête sur le côté, l'œil globuleux, un prédateur aux grognements d'impuissance, dévoilant un pouce et demi de gencives rose et noir. Pendant trois semaines, Yannick était allé faire son tour en cachette pour martyriser la bête à doses de plus en plus cruelles, jusqu'à ce que le chien l'haïsse assez pour le tuer, pire que le facteur, pire que les autres chiens qu'il voyait dans ses programmes avant de se mettre à stepper devant l'écran de la télévision en aboyant d'indignation. Le problème, c'est que Croquette, il aimait encore plus le sucre à la crème qu'il haïssait Yannick. Un beau jour, l'occasion rêvée s'était présentée. Liette avait appelé Cynthia. Elle leur avait ressorti plein de pagosses de bébé dont ils avaient pas besoin, mais elle voulait quand même qu'ils passent pour voir si ça valait la peine qu'elle leur garde ça.

— Ben non, avait dit Yannick à sa blonde. Dérange-toé pas, pitoune, m'as aller ramasser ça chez mes parents à mon retour du chantier.

C'était une bonne fille, Cynthia. Elle avait de l'entregent, des capacités. Elle aurait pu faire quelque chose de sa vie, finir son cégep au moins, si elle s'était pas retrouvée sous le joug à Yannick. Il était pas mal plus âgé qu'elle, jaloux, possessif en plus. La farce qu'il faisait tout le temps, c'est qu'il l'avait gagnée au pool.

— Bon, ben je vais rester à la maison à rien faire, d'abord, elle avait dit.

C'est à peine si Yannick était débarqué de son jeep pour remonter l'allée vers le portique à ses parents, excité mais cachant son jeu, que tout couic-couic avait cessé dans le salon. Croquette avait lâché son poulet de silicone fétiche pour accourir entre les jambes de son maître, agressif un peu au-dessus de ses moyens, jappant d'un jappement équivalent à de l'urticaire dans les oreilles. Henri, se demandant ce qui lui prenait là, avait refermé les jambes en ciseaux contre la cage thoracique à son chien, et c'était aussi bien, parce qu'il était parti pour la jugulaire à son tortionnaire. Yannick, acteur comme il était, avait fait semblant de chier dans ses culottes devant les dents minuscules. Reculant vers la brouette, il avait éparé tout un tas de feuilles en marchant dedans. Il avait ramassé un râteau pour se défendre au cas où. Son père dans le cadre de porte le regardait en voulant dire t'es pas sérieux ? Yannick lui avait rendu son regard l'air de dire mets-en. Toujours un peu décalée, Liette s'était précipitée dehors elle aussi, dix-huit sacs d'affaires de bébé dans les bras, se répandant en excuses sans même savoir ce qui se passait. Elle était descendue de l'étage, où elle pliait du linge l'instant d'avant, dans la chambre à François qu'ils avaient transformée en pouponnière. Elle aussi, elle était pas mal plus jeune que son mari. Le monde avait jasé à l'époque. Tout déconcerté, Henri essayait, par-dessus toutes ces exclamations-là, de faire fermer la trappe à Croquette, à veille de cracher du sang tellement il jappait, spinnant sur place comme dans quelque turbine infernale. Henri Bouge avait pas exactement inventé la patience et, incapable qu'il était d'imposer son autorité, il avait franchi le cap passé lequel ça allait lui prendre trois jours à dépomper. Le pied lui était parti tout seul. Il avait donné un coup dans le cabot, digne d'un botté de placement de quarante-cinq verges, et Croquette avait décollé à couiner en transportant sa psychose sur le côté du garage. Liette avait hurlé : « Toé, mon vieux gâteau ! Que je te voye plus jamais taper le chien, je te place à l'hospice, tu vas voir que tu vas… » La chicane était partie pour de bon, et il restait rien qu'à Yannick, tout contenté de la gratuité de son mauvais coup, à remonter dans son char et à dire à sa mère de retourner ranger le stock de bébé. Avant que ses pneus crient, il avait baissé sa vitre pour bien avertir ses parents qu'ils avaient intérêt à faire euthanasier ce parasite-là s'ils voulaient voir grandir leur petit-fils. Et ça, déjà que leur François était disparu de la mappe, ça avait blessé Liette.

Les ouaouarons sautaient de côté au passage du jeep. Ils devaient rouler sur un chemin de terre depuis dix kilomètres quand l'averse s'était déclenchée. Un lac suspendu qui aurait décroché.

— C'est-tu la bonne heure sur le cadran, mon Yannick?

Yannick avait ignoré le gars de Montréal, comme il l'avait ignoré plus tôt quand il avait insisté pour qu'ils ralentissent au moment de passer sous le viaduc à la croisée du rang Saint-Onge, à la sortie nord de la ville. Il avait voulu voir comment c'était fait, quelle hauteur la structure avait. Maintenant il arrêtait pas de comparer son cellulaire à celui de la compagnie, que Yannick gardait dans son jeep. Les roues travaillaient dans les coulées. Les fusils, les pioches, les casques de construction, tout l'équipement dans le coffre s'entrechoquait niaisement. Ils avaient descendu la côte Sainte-Cluque, le jeep un peu de biais, dans un léger dérapage, et Laganière encagoulé avait su même sans voir. Les bouteilles carillonnaient dans la vingt-quatre à ses pieds. Puis elles carillonnaient plus. Les oreilles venaient de lui boucher. Il y avait rien que la côte Sainte-Cluque d'assez à pic dans le secteur pour te faire applaudir les tympans de même.

Ah, c'est pas vrai, il avait pensé. Le gars de Montréal était en train de gosser Steeve et Marteau, et mon Dieu que ça avait l'air de leur peser, pour qu'ils lui expliquent le raccourci le plus efficace pour retourner à pied jusqu'au viaduc duquel ils s'éloignaient.

— Ça se marche en trois heures, avait dit Steeve.

— Six heures pour toi, avait dit Yannick.

— Traverse le champ des Canon, pis t'es rendu, avait dit Marteau.

Les gars l'avaient trouvé bien bonne, celle-là. Laganière se croisait, se décroisait, se recroisait, s'entrecroisait les jambes. Il se sentait plus le nerf sciatique. Le pinceau chuintant des branches effleurait la carrosserie. *Je pense que ce que je vais faire, je...* Le jeep s'était arrêté dans un branle-bas. Yannick avait laissé les clés dans le contact. Laganière entendait les bières qu'on décapsulait. Il entendait se disperser les ouacs et les youyous, parmi la pluie battante, les bouleaux gouttant, les fractales hydrographiques.

— Tu sais-tu où ce qu'on est ? lui avait demandé Yannick par-dessus le déluge.

Ils avaient débarqué Laganière. Il était maintenant couché au sol en chien de fusil, un rocher pointu pour oreiller, une samare comme édredon.

— Sur une plage d'Acapulco, il avait répondu.

Un maringouin tardif lui bourdonnait dans la cagoule.

— Donne-moé le code du système d'alarme, avait dit Yannick.

Vaincu d'avance, Laganière le lui avait donné, mais en marquant des pauses d'un siècle entre chaque chiffre.

La porte du chalet béait quelques secondes plus tard sur un Steeve plié à quatre-vingt-dix degrés. La face turgide, violette. Il était paralysé de rire dans la cuisine, où s'étalaient sur la table deux bocks de fonte, un candélabre en étain, des dés très inventifs, des figurines de plomb et une pile de livres de *Donjons et Dragons.* Un bol de pyrex aussi, pour les nachos.

— C'est quoi, ça, Laganière? avait dit Steeve.

— T'es-ti comme une sorte de barde? avait dit Marteau.

Laganière se tenait dans le coin, tout pénitent.

— J'avais préparé une aventure pour Lorraine. Touche pas à ça, toi!

Le gars de Montréal, à l'autre bout de la table, avait ramassé une fiche de personnage insérée dans le *Manuel des joueurs.* Marteau, par habitude, avait parti la hotte au-dessus du four pour fumer. Pas industrielle, la hotte, mais pas loin.

— C'est qui, ça, Gwouingnedling…?

Les gars avaient ri. Le gars de Montréal tenait la feuille de personnage à la lumière. Gwendolyn d'Artémios, magicienne elfique de onzième niveau.

— C'est le personnage à Lorraine, pis touches-y pas, sinon…

— Pis ça, c'est quoi?

— Un dé à quatre faces, tu vois ben.

Et la fiche de personnage de planer à travers la cuisine. Elle avait pas encore été aspirée par la hotte que le gars de Montréal avait déjà ouvert le sac de nachos pour se goinfrer.

Tout ça, c'était pour ainsi dire hier.

Là, Laganière venait de se rejouer trois ou quatre fois le kidnapping devant Steeve et Marteau paralysés. Il s'imaginait chaque fois de façon plus détaillée ce qu'il aurait pu dire, ce qu'il aurait dû dire, ce qui aurait pu se passer s'il avait pas abandonné le karaté après sa ceinture jaune à huit ans. Sa main gauche s'est resserrée sur le canon du douze. Steeve faisait des petits non inquiets de la tête en voyant le gars de Montréal s'approcher en tapinois derrière le barde, avec sa bombe aérosol.

— Je ris plus, les gars, a dit Laganière.

Sa main droite s'est resserrée autour de la gâchette. C'est à ce moment-là que la porte-patio s'est ouverte, le bruit de la pluie plus intense le temps qu'elle se referme.

— Y arrive, lui! a fait le gars de Montréal, et il a envoyé un jet de fixatif sur Laganière tout en se désintéressant de lui.

Laganière s'est retourné dans un demi-lutz, mais le gars de Montréal était déjà allé se cacher quelque part hors de sa portée. C'est avec Yannick qu'il est tombé face à face. Une lampe de poche dans la bouche, Yannick a appuyé sa Remington dans le coin, avec sa carnassière qu'il avait déguisée en branchailles. De la vapeur montait de ses épaules. Il avait deux bières dans les poches de sa veste trempe, enfilée par-dessus une chemise carreautée beige et brun. Il a enlevé le douze des mains de Laganière. Laganière a pas résisté.

— Ben là, Yannick, je… Tu vas me redonner ma carabine, s'il te plaît. Je suis pas dans un état d'esprit avec lequel tu veux…

— Vous allez me mixer un drink léger, les gars, a dit Yannick. On va commencer doucement.

La musique était repartie. Steeve leur lavait des verres à cognac pendant que Marteau s'enfonçait dans la contemplation des enluminures d'une étiquette de fort.

— Là, Yannick, a dit Laganière, je vais vous demander de partir. Moi, mon oncle m'arrache la tête s'il trouve ne serait-ce qu'un cil dans l'évier.

Sitôt qu'il a été assez proche, Yannick lui a lâché à ça du casque son pire brame de wapiti. Le chalet au complet s'est engouffré derrière ses amygdales. Laganière a reculé dans le râtelier dévalisé avec un petit ah clairet. Les trois autres hommes de Cro-Magnon s'arrachaient le linge de sur le dos de rire. *Je viens de me caler,* a pensé Laganière en se laissant tomber dans le divan. Le gars de Montréal a ri plus fort et plus longtemps que tout le monde.

— Laganière… a fini par accoucher Steeve, sa lèvre supérieure hideusement retroussée. Une chance que Lorraine t'a sorti tes culottes brunes à matin.

Laganière a pas répondu. Les soupapes lui cliquetaient. Lorraine devait avoir, à chaque char qui passait devant la fenêtre chez eux, les traits toujours plus congestionnés par l'exaspération et l'envie de meurtre. Yannick, sans enlever ses Doc, s'est assis à côté du bibliothécaire. Il a fermé une seconde son œil brun, son œil bleu.

— Ouf, claqué, moé-là. Si vous me voyez courir, courez vous autres avec. Ça veut dire qu'y a de quoi de malin qui me court après.

Le gars de Montréal, à côté d'une des caisses de vingt-quatre ouvertes, lui a lancé une bière, trois pieds trop haut. Yannick a même pas essayé de l'attraper, et c'est la collection de cactus à matante Sylvaine plus loin qui a amorti le choc. Il a enlevé sa calotte de Bouge & Fils. Le devant était rembourré, et il y avait du grillage en arrière. Il l'a remise sur le côté en montrant d'un coup de menton le gars de Montréal à Steeve en train de parcourir le *Manuel des monstres*.

— C'est-ti prêt, ce civet-là ? a fait Yannick.

Il s'est relevé. Ses culottes de combat avaient mouillé les coussins du divan.

— Ça s'en vient, a ricané Marteau, mélangé dans ses chaudrons. Tu nous as-ti abattu de la galipote huppée ?

Deux perdrix la langue sortie sont apparues sur le plateau de service en argent. Marteau voulait dire de la gélinotte. Il a descendu une lampée de bourbon à soixante-dix piasses. Commençait à pogner de très sérieux fixes sur le ventilateur, Marteau. D'ailleurs, la qualité de l'air se détériorait. Ça sentait un mélange de gnou et de brûlé. Metallica lâchait pas et les bouteilles se débouchaient l'une après l'autre et roulaient, aussitôt vidées, sur le prélart ou les tapis. Dehors, les nuages de pire en pire se craquelaient entre les branches dans la nuit. Le gars de Montréal, toujours un plus gros verre que les autres à la main, se vantait depuis tantôt que dans quelques jours il serait plus riche que tout eux autres ensemble et que tous leurs parents aussi et que tout le monde qu'ils connaissaient, et qu'il pouvait pas leur dire pourquoi, et qu'il aurait les femmes qu'il voulait aussi. Il arrêtait pas de dire à Laganière qu'il pourrait payer les dégâts, s'il voulait. Que ce serait rien pour lui. Laganière se retournait même plus quand il l'arrosait de fixatif.

— À quelle heure qu'y a dit qu'il allait passer, Perrault? a demandé Yannick à Marteau.

Il trouvait que ça caillait. Marteau a répondu d'un haussement d'épaules de trois minutes. Il avait suffi à Laganière d'entendre le nom de Perrault pour arrêter de chantonner tout bas «Tico tico».

— Quoi? il a dit. Pas question que Romain Perrault débarque ici.

Lorraine travaillait pour ses parents, mais Laganière pouvait pas le blairer. Pas encore sevré que ça se promenait en Civic de l'année passée. C'était pas en vendant du persil ni du sucre blanc qu'il arrivait à se payer ça.

— Vous remballez vos valises et vos…

— Crisse, est là! *Est là!*

La belette leur a tricoté entre les jambes en traversant la cuisine, puis elle a redisparu. Ça a été l'anarchie. Tout le monde cherchait l'animal. Steeve a gueulé à s'en rouvrir la fontanelle.

— En arrière du frigidaire!

Laganière a tout vu ça venir avant que ça vienne. Un coup de douze est parti dans le frigidaire en même temps que le chanteur de Metallica a beuglé «Seek and destroy». Le frigidaire a riposté avec une volée de débris durs et mous. Le fréon s'est échappé en coulant sur les boiseries. Laganière a rampé derrière le pouf en poussant des chevrotements traumatisés. Steeve, dans le chaos, cherchait Marteau. Marteau continuait d'alcooliser tranquille son civet de plus en plus expérimental. Yannick entendait plus rien que des acouphènes. Laganière cherchait désespérément la cagoule de la veille pour se la remettre sur le crâne. Le triomphe se lisait, à côté de la boîte à bois, dans les beaux grands yeux d'enfant du gars de Montréal. Le douze lui fumait entre les mains. Une gerbe de fils a crachoté des étincelles. Les étincelles traçaient des vrilles. Il pleuvait plus. Il neigeait. Les flocons devaient avoir la taille de poussins.

13

P ENDANT que Laganière essayait de réparer le frigo, François se laissait quant à lui refroidir le front contre sa fenêtre, à suivre des yeux la course hoquetante du garde-fou. La pluie s'était pas encore transformée en neige dans la partie de la province que fendait le taxi. La fumée qui saturait l'habitacle devait, craignait-il, lui rentrer par la plaie de couteau laissée par Poupette. Il aurait aimé l'avoir mis dans ses bagages, celui-là. Il était plus capable de fermer les poings.

— Rock, a refait soudain la même voix d'outre-tombe que plus tôt dans l'émetteur-récepteur.

François a tendu l'oreille. Même accent de Yankee. Il en avait la chair de poule sous son veston, et pas parce que le tweed en était encore humide. Son père, quand Yannick et lui étaient enfants, faisait allusion à un téléphone rouge chaque fois qu'ils se conformaient pas à

ses nombreuses règles ou posaient des gestes aux consé-
quences désagréables. C'était un peu sa version du Bonhomme Sept Heures, à Henri. Il disait toujours en les
chicanant que le téléphone rouge allait sonner. Quand
Yannick un jour lui avait rétorqué qu'il allait répondre
pour envoyer paître la personne au bout du fil, le père
avait dit qu'il avait lui-même répondu une fois, et que
ça s'était pas très bien passé. Le soir, il leur imitait la voix
pour leur faire peur ou les remettre au pas, et là, se disait
François, c'est cette voix-là qu'il entendait.

— Oui, a dit dans l'émetteur un Rock sur le pilote
automatique.

— J'ai besoin d'un nom de marionnette.

— Ça s'en vient, donne-moi une couple d'heures
encore.

Le chauffeur a raccroché l'appareil, sa peau d'un vert
radioactif dans le halo des cadrans. Le montant au compteur continuait de grimper.

— Je suis pas le gentil organisateur de service non
plus, Rock a dit.

Il avait beau, après Lévis, s'être mis en mode vacances,
il trouvait le trajet long. Découragé, il observait François dans le rétroviseur. François cherchait la trousse
de premiers soins pour en boire le peroxyde. L'envie
tenaillait le chauffeur, malgré ce qui se fomentait sans
qu'il voie très bien lui-même toutes les ficelles du plan,
de freiner sur l'accotement de gravier, de sortir son passager par le collet, de lui mettre une ou deux taloches
dans le kodak avant de le rassir sur la banquette en lui

dénouant le nœud de cravate pour redécoller dans le plaisir et l'allégresse.

— De la famille en Gaspésie ? il a demandé.

Et là, il a pouffé tout seul. François s'est recomposé un peu. Il s'est éclairci ce qu'il lui restait de gorge.

— Nullement.

Demandes-y donc s'il y a une malédiction chez les Bouge, un coup parti, a pensé Rock.

— Des amis ?

— Des fois.

Le grand-père avait raison. Va falloir le faire boire pour qu'il parle. Un détour sur l'autoroute les a conduits vers un chemin encore en construction, sournoise coulée de vase pleine de roches affleurant. Les boulons vibraient à grandeur de la carrosserie pendant que Rock résumait à François un film de série B qu'il avait vu récemment et dont la prémisse était à peu près pareille à la situation dans laquelle ils s'enfonçaient. François, de travers dans son siège, battait des paupières en se ventilant du menu de restaurant ethnique qui traînait sur la banquette. Il était dans le désert, lui là, dans le sable à perte de vue, avec les chameaux, les effluves de narghilé, les arabesques. Pas que le bazou tirait, mais le chauffeur s'est quand même arrangé en passant pour éclabousser de boue un couple de pouceux au seuil du cannibalisme. Le gars et la fille s'estompaient dans le lointain, brandissaient leurs poings brusques et vaporeux. Rock trouvait ça comique parce que c'était des babas cool. Puis, sur cette route en ligne droite, sans carrefour ni passage à niveau ni rien, a surgi, comme ça, un feu de circulation.

— Ça te dérange pas que j'en fume une autre? a dit le chauffeur à François en tapant son paquet dans sa paume pour en faire sortir une clope. T'en veux-tu une?

La lumière a viré rouge, et il s'est arrêté, plein d'attitude. Sans que personne touche à rien, la boîte à gants s'est ouverte dans un déclic. La poudre de perlimpinpin est retombée avec un tintement de triangle, et un vingt-six onces de Yukon a roulé du compartiment jusque sur le siège passager. Ça s'est mis à parloter en arabe là entre les oreilles à François.

— Vous savez, il a dit, dégêné.

C'était pas plus compliqué que ça, a pensé Rock. La voix de François, grumeleuse, trouée, était plus la même que sur la rue Ontario. *Il aura régurgité, à moitié digérée, la langue qu'il a avalée plus tôt.*

— Mon grand-père, a dit François, a joué un rôle prépondérant dans l'histoire de cette entreprise. De Yukon, je veux dire.

— Le mien aussi.

Ah que je suis méchant, a pensé Rock. Le fleuve, à l'est, s'évasait tranquillement pas vite dans le macrocosme. C'était pas si pire, le film de science-fiction dont il avait parlé tantôt, ça lui donnait des idées. François voyait pas grand-chose d'autre, à travers l'écran de fumée, que le vague rayonnement du compteur, mais il avait dû défoncer le cap des quatre chiffres depuis quoi, La Pocatière? *François Pollet de la Combe Pocatière,* il a pensé.

— Tu parles d'un nom, il a dit.

— Heille, mon iPod est pas en arrière? a demandé Rock. En dessous de ma poche de hockey, peut-être?

La bouteille tenait tout croche dans un des porte-gobelets de la console. Rock l'avait pas débouchée. C'était une édition premium en plus, vieillie dans des fûts de chêne. La lumière se réfléchissait dessus, comme ajoutée à l'ordinateur. C'était d'une perfection. François avait aucune idée de ce qu'était un iPod. La pomme d'Adam lui montait et descendait toute seule. François avait soif.

— Vous ne me croirez peut-être pas, il a fait, s'avançant entre les deux sièges, mais nous recevons dans ma famille une bouteille de cette boisson par semaine. Une bouteille par semaine depuis la création de la marque.

— Depuis l'époque de Victor Bradley, si je me trompe pas ?

— Ah, vous connaissez Victor Bradley ? Il nous a quittés peu après ma naissance. Maladie de Lyme. Il serait sans doute toujours parmi nous, sinon.

— T'as-tu vu *Shining* ?

François, progressivement, s'est transporté en avant, se glissant dans le siège passager, sa mallette laissée en arrière à côté de la poche de hockey. Il était pas d'un naturel très volubile, à part quand il parlait de ses *recherches,* mais il savait par contre qu'une bouteille, ça se passe entre « chums ». Le chauffeur est resté un bon quart d'heure dans le rôle de Jack Nicholson incarnant Jack Torrance. Depuis une vingtaine de minutes qu'ils bavardaient, François racontait des histoires. La fois où le maire Fortin avait promené Monti en barouette partout dans le village. Celle de l'évêque à l'église, dans sa saisissante soutane mauve, avec Onésime Canon en pleine crise qui avait crié de barrer les portes, qu'ils allaient pogner ça, cette bibitte-là.

— Faque t'es un genre de génie, toi, hein, a dit Rock à un certain point. Il te manque juste le tricorne pis la blouse bouffante. T'as-tu déjà pensé à négocier des pelleteries dans le Petit Champlain?

Ils traversaient un village, aucune idée lequel, pas vu de pancarte. Rock a offert à François une cigarette, que François a cassée en toussotant. La pluie crevait en bubons blêmes sur le goudron et partout où le regard se posait, sur la courtepointe embrouillée des toitures, dans le patchwork inondé des champs cousus de clôtures aux poteaux moussants. François parlait davantage à la bouteille de Yukon qu'à son propriétaire. *Le gars s'est dépogné*, a pensé Rock. *C'est un tripant, finalement.* À quelques reprises il a interrogé, sans trop forcer, son passager sur les amis qu'il avait en Gaspésie. Mais François, pas encore assez affecté, se défilait en expert. Rock s'est repris une clope et l'a posée dans le cendrier après une poffe.

— On va te surnommer le marquis de la Bougeotte, il a dit dans le bout de Kamouraska.

Et il s'est mis à raconter à François la fois où, sans s'en apercevoir, il était débarqué aux Fêtes de la Nouvelle-France, avec une conquête qui s'était avérée bipolaire, et sapristi qu'il trouvait donc que le monde s'habillait drôle à Québec.

François a mentionné les frasques vestimentaires à sa mère, et quand le chauffeur lui a demandé si elle était belle, il l'a laissé parler tout seul un peu. Rock a saisi l'occasion pour lui donner un cours de drague. *Quel pithécanthrope,* a pensé François. Le fort qu'il avait fini par se servir lui coulait dans le cou, dans les manches. Mais sa déglutition, elle, était méthodique. Les aiguilles, à chaque gorgée, tournaient follement sur les cadrans du tableau de bord. Les lumières clignotaient de toutes les couleurs dans des cui-cui électroniques. Le chauffeur, en lui disant de noter ça, était en train de lui fournir toute une trousse de citations de films, de *Jules et Jim* à *Piège de cristal,* selon la fille, dont tu pouvais te servir pour la préparer. Le Yukon entre les jambes, la tête hantée de publicités ou d'émissions qu'il avait vues dans sa jeunesse et qu'il aurait aimé mieux avoir jamais enregistrées dans sa mémoire, François a réussi à amener la conversation sur le hockey. C'est la seule chose qu'il regardait à la télévision et il y avait de l'équipement sur la banquette. Ils se sont rendu compte très vite qu'ils avaient des opinions incompatibles sur la composition du premier trio du Canadien. Mais surtout, le chauffeur s'est fâché quand François a utilisé le mot *palet.*

— Une puck, sacrament, une *puck.*

Un reproche qui, inévitablement, a conduit François à raconter le but que le facteur Bradley avait une fois accordé aux Crolions de Paspébiac contre son grand-père après que celui-ci eut réalisé un arrêt avec les dents, dans un genre de saut périlleux face au snapshot le plus destructeur de l'histoire de la Gaspésie. Il avait fallu, jurait-il, cinq hommes, et pas des moumounes, pour que Monti recrache la rondelle. Quatre pour tenir chacun de ses membres, et le cinquième qui se laissait tomber, de tout son haut, les genoux en plein sur sa cage thoracique. Rock riait, en disant non merci, pas au volant, chaque fois que François lui offrait la bouteille.

— Vous-même jouez au hockey, à ce que je vois, a dit François en se tournant vers la poche en arrière.

— Non, pas pantoute.

Rondelle était le compromis qu'ils avaient trouvé. *C'est plate pareil qu'il doive lui arriver ce qui doit lui arriver,* a pensé Rock. Se rappelant pas avoir mis sa clope dans le cendrier, il s'en est allumé une autre. C'était le sosie de Mario Bros, trouvait François, sans la moustache. L'humus, le long d'un marais salant, était en train de virer en relish entre des quenouilles qui s'entrechoquaient sur leurs tiges. François s'est douché l'estomac d'une longue tresse de boisson chatoyante. Il a raconté la fois où deux vieux torrieux de La Frayère, Péo et le capitaine Labrie, pas plus capitaine que le Capitaine Cosmos, étaient allés aux petites créances après que Caillotte, le chien à Péo, véritable anomalie génétique, eut mordu le capitaine Labrie. Les deux avaient fait la paix depuis longtemps rendus le jour de leur audience, et ça avait fini que c'était eux qui avaient fait un procès au juge Blais. Péo mimait son chien à quatre pattes pendant que le magistrat tapait tout partout avec son petit marteau de magistrat et que le capitaine Labrie l'accusait devant tout le village de braconner l'orignal, de collectionner les tickets pas payés et de culbuter, dans le dos de sa légitime, Unetelle, Unetelle, Unetelle. François, emporté dans ses réminiscences, a eu une pensée pour le vieux

Marcel. Il se demandait s'il animait toujours son émission à BSAC. Rock se tapait sur les cuisses.

— C'est-tu vrai, mon petit marquis, il a réussi à souffler, tout ce que tu me contes là ?

Épineuse question, qui a laissé François le front plissé.

— Tous les Gaspésiens sont des menteurs, il a dit.

— Tout le monde ?

— C'est le paradoxe d'Épiménide. Comme je suis gaspésien, l'énoncé s'annule, parce que, si je mens, je… Ah, puis laissez donc faire.

L'autoroute déroulait de plus belle ses bobines d'asphalte devant les faisceaux que la pluie hachait toujours. « Le goût de l'or », qu'il était écrit sur la bouteille de Yukon. François s'était confondu lui-même avec ses affaires de paradoxe, mais il avait au moins découvert que son mal de bloc était disparu. Il a rebu plus. Rock se rallumait sur ses mégots. Il a longuement résumé à son passager l'histoire d'une série télé qu'il avait en tête, pas tout à fait basée sur un paradoxe de la sorte, mais dont l'intrigue présentait des distorsions de la réalité aussi mélangeantes. Il y avait une scène de pêche dans un des épisodes, et là les gars ont pas eu d'autre choix que de s'obstiner sur la question. Le chauffeur avait jamais vu une plie de sa vie, ni sans doute mangé de poisson à part les bâtonnets surgelés qu'il achetait à l'épicerie par boîtes de cent.

— Oublie ça, il a dit. C'est pas long de même une plie, vraiment pas.

François débattait pour la forme. Il aurait fallu une seringue pour rentrer quoi que ce soit dans le crâne à

Rock. L'exagération, ça le chicotait aussi. Le chauffeur allait pas aimer ça, la Gaspésie. Les mesures sont floues, là-bas.

— Écoutez, monsieur… Monsieur qui?

— Dexter. Mais appelle-moi Rock.

— Dexter, quelle coïncidence. C'est le nom d'un des deux fondateurs du Yukon dont je m'irrigue ici.

— Tu m'en diras tant.

— Écoutez, monsieur Rock. On ne parle point de méné. Croyez-moi, croyez-moi pas, je vous assure que Marc Guité a péché au large de la baie des Chaleurs une plie de cette longueur-là.

Il a, quand même, ouvert très grand les bras.

— Je te gage l'honneur que non, a dit Rock. On va regarder sur Yahoo si on a une chance d'arrêter quelque part avant que ton chum tombe du ciel sur le char.

— Regarder où?

— Yahoo.

— Qu'est-ce que c'est? Et de quel ami parlez-vous?

Rock avait le piton collé. Tellement que François savait plus où se mettre. Il s'est donc mis à rire lui aussi, mais d'un rire métallique et réglé, qui lui partait comme d'en arrière des palettes.

— Qu'est-ce que j'ai dit? Vous saurez que Marc Guité, deuxième mari de ma cousine Mireille, utilisait d'ailleurs une technique ancienne pour…

De pleins seaux d'orage se sont écrasés contre le pare-brise. Le chauffeur a décoché une bine sur la cuisse de son passager.

— Laisse-moi reprendre mon souffle, mon petit marquis… T'es-tu en train de me faire accroire que t'as déjà été chargé de cours à je sais plus quel collège d'affaire de fou, à leur disserter ça comme tu faisais tantôt sur les dérapes de la prohibition dans le Red Light de Montréal ou la drave de pitounes au dix-neuvième siècle, mais que tu sais pas c'est quoi Yahoo?

François massait son charley horse en maugréant des méchancetés. Une barbe en velcro lui avait silencieusement poussé par houppettes jusqu'aux cernes. Il y avait de l'électricité dans l'air, diffuse dans le ciel, dans l'attente d'un éclair canalisateur.

— Ben, j'ai mon voyage, a fait Rock.

IV

ET VINT LA BÊTE

14

DIRE qu'il y avait pas trois secondes, quand il s'était senti la gorge une petite affaire sèche, Monti avait dû prendre sur lui pour pas jeter en l'air ses cartes à jouer et sa pipe à tabac. Il s'était retenu de laper sur la table une flaque de tord-boyaux où se noyait, virée sur le dos et les pattes qui s'agitaient, une bibitte à patates. *Combien ça prend de temps,* pensa-t-il, *s'habituer à plus licher le dégât d'autrui pour te finir ?* Puis, avec le sourire parce qu'il s'amusait, il commanda un autre bock d'ale au Polonais, la main levée derrière la motte de cash fleurant bon la vie grasse qu'il accumulait depuis la veille au soir.

Au poker.

Bon, la motte de cash était pas si imposante que ça non plus, avec pour jetons des onglets de cannes de conserve et des bouchons de liège. Mais quand même, pour un chemineau de Saint-Lancelot-de-la-Frayère…

Monti trinqua à la bonne santé des autres joueurs, trois États-Uniens.

— À la vôtre !

Ses vachers loufoques, qu'il les appelait. Pas loin du bout de leurs cennes, ils espaçaient pour leur part leurs consommations de plus en plus. Le pire, c'est que ce Gaspésien tout gigoteux là, le poker, il en avait appris les règles la veille. Les États-Uniens, il les avait pas plumés à moitié, avec sa moustache de broue et sa face de jackalope. Qu'il daigne même pas commander pour la table, lui qui avait amplement le budget pour se montrer donnant, voilà qui passait plus ou moins bien.

— Ouin, faque ben tsé, disait-il, et comme c'était à lui de brasser pour ce qui risquait d'être le dernier tour, il mit la patte sur le paquet de cartes.

Voici l'histoire d'Honoré Bouge, dit Monti, à une période de sa vie trouée d'ellipses et qui serait drôlement repatchée plus tard par son petit-fils François Bouge dans ses recherches, où pour se mettre riche il était parti à l'aventure quelque part entre la terre de Baffin et l'Alaska, croyait-il, sans jamais rien trouver d'autre que de la roche bien normale ou des crottes de lapin séchées. Dans sa tête, Monti, c'est au Klondike qu'il avait abouti. Avec une marge d'erreur de plus ou moins quatre mille kilomètres. Il avait voyagé pendant des semaines. Sauf qu'il pigeait pas un mot de ce qui se disait depuis qu'il était sorti du Québec et, quand il était arrivé dans les premiers campements, quelque part à l'est de Timmins, à peut-être trois cents kilomètres de Sudbury, il avait pris une chance et *décidé* qu'il était rendu. C'était aussi bien, de toute façon, d'arrêter avant que la terre coupe. Voici l'histoire de la nuit la plus révélatrice, la plus incompréhensible de sa ruée vers l'or, l'histoire de la nuit la plus décisive de sa vie. À la manière dont il raconterait ça plus tard, on comprenait que c'est toute sa destinée qui s'était jouée là, dans une manche de poker. Il raconterait jamais trop rien d'autre de son périple à part ça.

La partie avait lieu dans une bicoque à la toiture bosselée qu'un Polonais avait transformée en assommoir. On avait planté les quatre murs et le toit entre quelques baraquements que Monti rejoignait pour, sans même s'en rendre compte, manger des fois sur le dos de la compagnie à laquelle tout ça appartenait. Il venait faire du social toutes les deux semaines à peu près, quand ça lui tentait de se taper la journée de marche depuis le spot que lui-même s'était attribué au milieu de nulle part, en se basant sur l'image assez ressemblante que son encyclopédie donnait du Yukon. Il comprenait pas que ces gens-là avaient été embauchés par l'administration de la mine Hollinger. « C'est qui, ce Noah-là ? » demandait-il tout le temps. Il pensait que c'était des gars comme lui, venus tenter leur chance, et il les trouvait caves de prospecter aussi près les uns des autres. Quand l'alcool avait fait tomber les barrières linguistiques, il expliquait à ses amis d'une nuit qu'il pousserait bientôt jusqu'à Dawson City. Les gars s'esclaffaient. *Ben coudon,* se disait Monti, et il riait avec eux. Puis il repartait à l'aube, traversant Porcupine, pour s'isoler de l'autre côté d'une grande forêt brûlée.

Le voisinage des cantonnements permettait au Polonais de s'enrichir grâce à la soif des prospecteurs, une fois finie leur journée de piochage et de tamisage. Il leur servait des solvants qu'il fallait pas mal être alcooliques pour payer pour. Ce soir de poker là, Monti était débarqué taraudé par une soif formidable. Le pape lui serait apparu pour lui bummer une gorgée qu'il lui aurait relevé sa soutane par-dessus la tête et l'aurait poussé dans une côte. Il collait aux États-Uniens, lesquels voyaient bien qu'il comprenait un mot sur dix de ce qui se disait. Un des trois, Dexter, qu'il s'appelait, vétéran de la vraie ruée de 1897, prenait un malin plaisir à faire dire des niaiseries à Monti depuis qu'il avait compris que le Frog se pensait au Yukon. Et quand Monti leur avait dessiné, à l'endos d'un coupon, attribuables à aucune bête répertoriée, les traces biscornues qu'il arrêtait pas de voir autour de son bivouac, les trois États-Uniens avaient eu l'idée d'un poker, sûrs que pareil gland se laisserait vite désargenter. C'était sympathique au début, ça gageait pas trop gros. Les États-Uniens choquaient leurs verres parmi des nuées de phalènes. Malgré leurs rires crasses, Monti avait vite remporté de quoi s'abreuver. Avec toujours une longueur d'avance sur tout le monde, il avait bien vu que les autres le prenaient pour une cruche. C'est à cause de ça qu'il avait bluffé une flush sans offrir le scotch, et ainsi de suite jusqu'à ce qu'il leur ait tout pris aux trois, pas tellement compétent pour ce qui était des chiffres, mais très capable de pousser des faces qui contaient des menteries.

— Come on, Henry, brasse, dit un des méchants.

Monti, que la tablée avait rebaptisé Henry pour éviter de se fracturer la mâchoire en disant Honoré, brassa le paquet. Coupa le paquet. Arqua le paquet au-dessus de la table en faisant claquer les cartes en accordéon sous la voûte de ses mains, que les autres surveillaient voracement. Les États-Uniens, à ce stade-ci de la nuit, demandaient rien de mieux que de surprendre un as dans une manche, un trucage à travers la fumée. Ça arrivait ici que des rixes éclataient, dans des situations de même, chez les princes de la gâchette approximatifs. Pas souvent, mais ça arrivait.

L'heure était donc grave. Fallait leur voir la face à tous. L'affaire, c'est que Monti, trop fafouin pour flairer le danger, ça le faisait rire quand ça devenait trop sérieux. Ses partenaires mirent pas long à lui demander ce qu'il avait à s'égayer, et lui, brassant toujours les cartes, il se retenait de pisser dans ses combines. La vessie lui faisait comme un ballon d'eau posé sur la souche de pin où il était assis. C'était pas une atmosphère où tu te lèves quand ça te tente pour aller te soulager dehors, les yeux suivant le dessin des constellations. T'endurais ton envie. Fallait que tu *joues.* Monti recoupa une dernière fois le paquet avant de tapoter sa pipe contre une patch de cuir avec quoi il avait raccommodé ses culottes.

— Regarde pas tes cartes tout de suite, mon Tomate, dit-il alors qu'il distribuait une première carte à une sorte de Louis Cyr anglo-saxon.

La carte glissa sur la table et s'arrêta on ne peut plus sec quand s'abattit dessus une paluche taillée comme une rame.

— Toi, bougonna ledit Tomate.

Puis ce fut, en anglais, un chapelet de menaces pendant quoi le poids lourd se redressa assez pour que son torse fasse de l'ombre sur tout Monti. Le Polonais, derrière ses alambics, regardait ça aller, c'était son loisir. Le monde l'appelait le Polonais, mais personne savait trop s'il venait de Pologne pour vrai. Il se nourrissait de féculents et s'exprimait dans une langue extraterrestre.

— Appelle-moi Tomate encore une fois, pour voir, gronda le gros garçon, ramenant sa minuscule carte vers lui tout en dévisageant Monti qui faisait femmelette à côté, les orteils quand même recroquevillés dans ses bas de laine pour pas éclater de rire.

Ce gros garçon-là était nul autre que Donald W. Bead. Un fils de cultivateurs, élevé sur une ferme quelque part près de Warren dans le comté de Washington au Vermont. On l'appelait Tomate pour des questions de flux sanguin, mais il aimait pas ça. Avant d'aboutir ici, Donald avait été le champion d'un circuit de rings de fond de grange où des viandus comme lui se tapochaient en gants de boxe, dans la clandestinité, pour l'agrément des parieurs. T'étais mieux de l'avoir de ton bord, mettons, et il avait assez entendu de Canadiens français baragouiner quand ils passaient depuis le Québec les lignes des États jusqu'à chez eux pour se démêler avec le frangliche et les polissonneries à Monti. Une fois rassis, il se lança d'un coup raide un arc de bière contre le fond du pharynx. Il s'essuya ensuite les babines du revers de la manche en étudiant la lie sous l'éclat fiévreux d'une lampe en plein

naufrage dans ces landes étirées. Des particules tournoyaient au fond de son verre. En connaisseur, il jeta
un coup d'œil à son frère à côté de lui, pour savoir ce
qu'il en pensait.

— Désoblige-toé pas, ma plante herbacée, s'excusa
Monti.

Ça aussi, il avait appris ça dans ses encyclopédies,
qu'une tomate, c'était une plante herbacée. Il était
rendu assez chaud qu'il devait se retenir sur le bord de
la table pour pas que le corps lui parte avec les cartes
qu'il continua de dispenser. La table se limitait à un
billot de conifère scié sur la longueur en deux moitiés
que le Polonais avait raboutées ensemble, sans fla-fla ni
rien. Même qu'il restait de l'écorce. Des branches hir-
sutes dépassaient ici et là. Après une soirée à la table, tu
retrouvais de la résine et des aiguilles dans ton linge une
semaine de temps. Mais c'était du bon bois, les pattes avec,
et une autre carte plana dessus devant le joueur suivant.

Une main laiteuse s'échappa d'un poignet de chemise enjolivé d'un bouton de manchette. Une main
de pickpocket, qui courut sur la table vers la carte à la
manière des araignées. Puis la carte se souleva entre
des doigts agiles. Il y avait, au bout du bras, Charles
K. Bead, l'aîné des Bead. Donald, c'était le bébé. Allure
très Nouvelle-Angleterre, tiré à quatre épingles dans une
bicoque de mineurs à Timmins en Ontario, Charles faisait plus gentleman farmer que son frérot. Sauf qu'il fallait pas se fier à son élégance non plus. Il y avait d'autres
domaines dans lesquels il était moins chic. C'était un

bandit de grand chemin, Charles Bead, recherché dans douze États et fier de l'être. Et fier aussi de l'étoile de marshal percée d'une balle qu'il arborait à sa veste. C'est ce qui l'avait poussé à venir au Canada avec son frère. Il était ici pour qu'on l'oublie. Et en attendant, il projetait de ramasser, lui qui se spécialisait en parties fines, le capital nécessaire pour ouvrir une distillerie. Il en avait déjà parlé à Donald, et Donald en avait glissé un mot à William. Tout en phase avec le jeu, il passa le pouce et l'auriculaire sur les cordons de son bolo. Il porta à ses lèvres sévères un nectar de nitroglycérine qu'il dégustait dans un verre pas plus gros qu'un dé à coudre.

— Pas de tricherie, dit-il en anglais, avant de se replier loin derrière son porte-cigarette.

Jamais Monti se serait douté que ses partenaires l'auraient volontiers pendu direct à côté de la bicoque. Il valait déjà pas mieux à leurs yeux qu'un coquin de voleur. Au bout de sa ceinture fléchée, qu'ils l'auraient pendu, s'il en avait eu une. Il avait déjà la langue gonflée aussi, à cause de l'alcool. Et la mâchoire mal équarrie. *Y a de la joie,* pensait-il, parce que, dans son expérience, le monde s'entretuait pas. Le mal, à Saint-Lancelot-de-la-Frayère, c'est quand ta sœur était ta mère aussi. Le quatrième joueur attrapa au vol entre deux doigts la dernière carte de la brasse.

Il s'agissait de William Dexter, de l'Ouest américain. Il plissait un œil dans la fumée d'une cigarette pas fumable plantée dans le trou aux trente-deux canines mal centré entre ses joues. Un autre cas grave qui mêmement, le jour de son trépas, serait pas trop crédible devant

saint Pierre. *Faut que tu le watches, lui,* se disait Monti,
ayant comme tout le monde ouï les rumeurs qui circu-
laient sur sa personne. Des raconteurs, au campement,
avaient surnommé Dexter «le Sorcier». Monti était pas
certain d'avoir tout compris, mais un autre soir de virée,
quelques semaines plus tôt, où il avait fini dans une
rivière avec d'autres gars à tirer de la carabine sur des
bouteilles vides alignées sur des rocs, un vieux routier
du circuit de l'or, qui lui aussi avait été au Klondike en
1897, lui avait conté une histoire. C'était un gars de la
Saskatchewan, que Monti avait failli faire mourir à force
de crier «Noah!» en déchaîné dans la nuit chaque fois
qu'il faisait péter une bouteille d'un tir impeccable. Le
Saskatchewanois, ou peu importe, avait raconté que sur
la rivière au Lapin, pas loin de Dawson City, un voyou
du nom de Mojo Bayou s'était fait pogner à se graisser
dans le filon d'un autre. Un groupe de justiciers s'était
constitué sans délai pour le rattraper. Les hommes sur
leurs chevaux avaient fini par l'acculer, en sueur, contre
une muraille géologique. Parmi eux se trouvaient Dexter et le Saskatchewanois. Mojo Bayou avait reculé dans
la rivière, de l'eau jusqu'au nombril. Puis il avait caché
sa pépite derrière son dos en geignant devant les cava-
liers qui dégainaient sur la berge. Tout le monde avait
les yeux rivés sur lui. Dexter le fixait plus intensément
que les autres. Là, et ça c'est le bout que Monti avait
moins bien compris, Dexter se serait mis à psalmodier
quelque chose, et la main de Mojo Bayou se serait *détachée* de son poignet dans son dos, sans saigner ni rien,
pour plonger dans les remous de la rivière aux algues

murmurantes. Monti pour sa part avait conté la fois où il avait coupé une chauve-souris en deux sur une bûche pendant qu'il fendait du bois chez Langis Allard. Puis les rumeurs s'étaient multipliées sur Dexter parmi les mineurs. Les gars en avaient raconté d'autres à la lueur des flammes. Des roues de chariot cassées en pleine prise de bec, des vomissements de cheveux pour avoir pris le dernier bout de pain au réfectoire, le lait du contremaître qui tournait entre deux gorgées après une remontrance. Personne savait d'où il venait, Dexter, ni où il allait. Personne savait pourquoi il se lavait jamais. Il voyageait avec une Française qui avait l'air d'être sa concubine, et elle inspirait pas plus confiance que lui. La Française parlait aux troncs d'arbres morts. Les deux passaient des marchés avec des gens qui reprenaient leurs esprits le lendemain en réalisant qu'ils avaient rien à y gagner. Le gars de la Saskatchewan disait que Dexter avait pas vieilli d'un poil depuis le Klondike. Monti comprenait pas. C'était en ce moment, le Klondike, non? Le gars de la Saskatchewan disait aussi qu'il avait pas embelli non plus.

— Triche pas, dit Dexter à Monti.

Ses doigts sales pianotaient dans le vide au-dessus de la crosse blonde de son revolver. Personne osait regarder son jeu. Les États-Uniens pouvaient encore se refaire, mais c'était maintenant ou jamais. Le Polonais se gifla lui-même une fois, puis deux fois. Il croyait voir une masse noire, une ombre flottant au-dessus de Donald. Les joueurs étaient trop graves pour se demander ce qui lui prenait, personne se retourna. Ce fut lui le premier,

Donald, qui se tira la tête loin en arrière et souleva le coin de son jeu.

— Vas-y, Tomate, fit Dexter.

Les souches se mirent à revoler partout, les coutures lâchaient, oupelaye, et des bleus se firent, la bicoque tangua une minute.

— Personne m'appelle Tomate! tonna le géant.

Il redéplia l'effronté dans un bruit de steak haché et le cloua sur sa souche. Dexter, échevelé, lui souffla la fumée de sa cigarette dans la face.

— OK, *Donald.*

Les cartes, les jetons, rien de tout ça avait bougé. Tout le monde avait le souffle rauque dans son mutisme. Le Polonais offrit un calmant à chacun, plus un fort pour Donald.

Monti déploya devant lui ses cinq cartes en une queue de paon. Ses yeux dépassaient au-dessus, chafouins et baignant dans la pisse. Ils s'ouvrirent impossiblement grand. Le Gaspésien reposa vite ses cartes à l'envers sur la table, des spirales où les pupilles, afin de se frotter les yeux des poings en se demandant s'il aurait pas triché contre son gré. *Attends un peu, toé-là.* Même avec un entendement limité des stratégies, de l'arithmétique et des règles du jeu, il avait pas besoin de la tête à Papineau pour convenir qu'il venait de se passer de quoi d'admirable. Son masque décomposé, le corps à moitié sorti par les ouïes, il se ressaisit de ses cartes, et en effet. *Tu parles, toé.* En trèfle. Dix, valet, dame, roi, as. Straight flush royale. Du premier coup.

— Je de, de, bebe… bredouilla-t-il en cherchant son français, lui qui, avec ses dictionnaires, sa grammaire, avait pourtant dévolu une partie de son voyage à étudier des notions de cet ordre-là, et comment ça se faisait, à part ça, que *français,* ça s'écrivait avec un *s* même au singulier ?

Je veux dire, *françai,* messemble, comme *arbre* ou *village,* non ?

Là, les premiers chercheurs d'or qui avaient eu de la chance dans la région devaient déjà être repartis dans leur coin, pensait Monti, avec des sacoches bourrées de pépites, pas encore traitées, aussi difformes que des nouveau-nés. Les mois chauds allaient s'en venir. Le bruit allait se répandre. C'est clair que ça allait ressoudre dans la région. De partout sur le continent. Il allait y avoir du trafic à plus finir sur la rivière. Le barda allait sonnailler sur le col Chilkoot, qui l'avait déçu. Monti se disait que les encyclopédistes avaient exagéré là-dessus, mais c'est évidemment lui qui avait pris des dénivellations plus praticables pour le célèbre passage. Le camp allait se développer. Et l'économie pareil. Monti se revoyait traverser, sans jamais regarder en arrière, la vallée de la Matapédia, tout le pays jusqu'ici. Il avait pas trouvé son filon, mais aujourd'hui, avec une main aussi écœurante que ça, à lui le gros lot. C'était du futur en bloc, ça là. Fini les finances de garçonnet. Il sentit l'odeur musquée de la bête ambiguë, sa proximité. Il sentit l'or pulser sous ses semelles, sous la croûte terrestre. L'or qui se dépliait dans des secousses, s'étirait comme de la guimauve jusque dans les craquelures du roc pour filer de tous côtés en frétillantes nervures de lumière. Fallait se grouiller. Prospecter sa part. Avec ses gains d'à soir, ayoye, il aurait les moyens de s'organiser mieux que ça. Peut-être même d'embaucher. Tout était réglé. Il allait assez prospecter pour remplir la cave de la maison dont il était déjà en train d'échafauder, au bénéfice de Joséphine et de leurs enfants, la construction dans sa songerie.

Il redescendit de la lune, atterrissant sur sa souche, tout de travers dans son linge. Une goutte de pisse mouilla ses culottes. Techniquement, il pouvait pas perdre. Avec les cartes qu'il avait là, Monti pouvait pas perdre. Tout était réglé, mais il avait quand même envie d'apprendre aux trois fieffés morons devant lui, représentants de la race des maîtres, qu'ils avaient fait sentir une fois de trop à un sous-citoyen du Bas-Canada que sa posture naturelle, c'était le bras jusqu'au coude dans un péteux de vache. *Je suis pas le docteur Maturin, quand même.*

Il leva un regard mesquin sur les États-Uniens, trop transporté pour se rendre compte que personne pipait mot. C'était le calme plat dans la place. Mais fallait pas se fier à la taciturnité ambiante. En réalité, les gars se débordaient des bobettes. Bon, c'est une image pour dire que la lune était ovale. Ce qui est une autre image pour dire que c'était tendu, les gars étaient tendus. Immobiles derrière leurs cartes, l'esprit à des années-lumière. Monti avait regagné ses moyens. *Je suis soûl comme une botte,* pensa-t-il. Il était pas plus prolixe que les autres, mais n'empêche que la dernière fois qu'il s'était amusé autant, ça remontait à dans le clos de bouette aux Canon par chez eux, la fois du tournoi de pognage de petit cochon huilé.

Plus personne avait grand-chose à gager. Les flux de liquidités avaient tous fini dans le pot que Monti avait friponné. Le Gaspésien se sentait toutefois, dans sa bonne humeur, ouvert aux pourparlers. Donald cala le reste de sa bière. Lança son bock. Le Polonais, normalement, aurait dit heille. Mais le Polonais avait disparu. Sans lui non plus changer de cartes, Donald Bead annonça de sa voix sourde, pareils câbles d'arrimage qu'il devait avoir pour cordes vocales, qu'il gageait un troupeau de Monti savait pas trop quoi. Il avait pas eu le temps de mettre l'interrupteur sur « anglais ». Mais sûrement des moutons, des vaches, des Québécois. Donald, en gros, mettait en jeu de la propriété agricole. Le comptoir de la bicoque, les alambics, tout ça avait disparu. Une partie du plancher aussi.

Monti tremblait d'excitation, il s'imaginait déjà en cow-boy. Charles Bead, dans un geste artiste, fit apparaître une flasque aveuglante et belle. Elle était remplie d'une boisson de velours qu'il avait distillée lui-même dans l'attente de la commercialiser.

— Ça pourrait s'appeler du Yukon, suggéra Dexter.

La conversation partit un bout de temps là-dessus. Il y avait plus de barils, plus d'autres tables dans la bicoque. Tout était en train de disparaître. Plus rien pour se rafraîchir. Charles, lui aussi, gardait sa main telle quelle, cachée aux regards. Alors que Monti, dans un geste vers la flasque, renversait les verres taris, le bandit produisit des documents divers, un brevet, une plume, un encrier. Le gagnant du jackpot, bref, plus jamais il aurait soif.

Les muscles de la face anormalement définis, à croire qu'il venait de s'égosser, Dexter les fit quant à lui patienter. Lui, c'est vrai qu'il était presque lavé. Il flancha pas, changea pas de jeu, mais finit par extirper de ses habits le titre de la concession qu'un fonctionnaire du gouvernement du Canada lui avait, au Klondike quinze ans plus tôt, assignée d'une signature nonchalante. *Regarde donc,* pensa Monti. Dexter étala ça sur la table. Il en lissa très longtemps les plis. Il restait rien dans la bicoque, juste la table, les sièges, les cartes, la cagnotte. Dexter sortit ensuite un ti-crayon jaune. Monti manqua de crier «watch out», pas tant parce que la pointe était assez aiguisée pour que tu puisses jouer au dard avec qu'à cause d'un mauvais souvenir. Question de pas mourir dépouillé de tout, Dexter traça sur le titre de propriété, en pesant fort, une mappe du lot qui allait avec, et indiqua les secteurs où il avait moins tamisé avant de repartir. La mine du ti-crayon s'en trouva tout arrondie.

Monti se dit qu'il pourrait peut-être déménager ses quartiers sur ce lot-là dans les prochains jours.

Puis Dexter dégaina son revolver, assez massif, assez pesant dans son étui pour lui désaxer les hanches. Le canon prit huit minutes à sortir au complet du cuir. *Avec une telle pièce de machinerie,* pensa le Gaspésien, *pas besoin de tours de magie.* Dexter posa l'arme sur la table, et le toc que ça fit leur résonna à chacun dans les dents.

— Tous on gage gros, dit-il. Mais en cas de litige, le Seigneur vous avertit, ce sera au gun que voici que reviendra le verdict.

— Adjugé, dit le poker.

Au nord d'une certaine latitude, là où les mignons centaures rouges et chapeautés du nom de Mounties se raréfiaient, les lois, c'était tout à refaire.

— Tu permets? dit Monti, une main sur la cuisse au sorcier, l'autre tendue pour flatter la crosse du revolver.

Dexter se racla la gorge. Il enleva sa cuisse. Un peu gêné de son mauvais timing. Il avait oublié d'attendre que Monti annonce ses couleurs avant d'édicter son décret. Monti qui, encore une fois, avait pas saisi l'essentiel de ce qui s'était dit. Mais un pétard de ce calibre-là à l'air libre, le chien plus crinqué qu'un guerrier mohawk par une nuit de pleine lune, c'était universel comme langage. Monti tripota ses jetons, un sourire en coin. Les six yeux autour suivaient le va-et-vient de ses doigts.

— Ah pis je me couche, fit-il dans des levages de cul sur leur souche et des pâmoisons.

Ils finirent les quatre par retomber sur leurs fesses, écarlates, étourdis. Tout autour était noir, envolé dans le néant. Donald allait exploser s'il arrêtait pas d'inspirer de même sans relâcher son air.

— J'ai réfléchi! hurla Monti.

Il allait jouer. Mais à *une* condition.

— Comment? dit Donald.

— Laquelle? dit Charles.

Il rajoutait *sa* clause. Même sans six-coups pour la ratifier.

— Sinon quoi ? dit Dexter.

— Sinon bye, dit Monti.

Il y eut encore un peu de braillage et de griefs et de poings sur la table. Monti, les bras croisés, décida qu'il avait pas la moindre envie de les regarder faire du boudin, et partit pour s'en aller.

— Assieds-toi, Henry, assieds-toi, dit Charles en le rassisant par le revers de la redingote, qu'il lui épousseta par petites tapes pleines de politesse.

Monti, en se pliant, lâcha une fiouse furtive. Une chaude. Et de voir les États-Uniens virer de même au vert sans risquer une plainte, pas le moindre pouah, il se délecta bien gros de ça. Il avait encore un cœur d'enfant.

— Moé pas moins que vous autres, fit-il mine de bourrasser, j'aurais pu tout perdre. Une fois pis deux. Ça fait depuis hier au soir que je vous plume. Pis y a peut-être eu en plus des quitte ou double là-dedans, je me souviens pas. Faque là, vous votez ma motion, ou ben… Ou ben… Pas de ou ben. Vous votez ma motion, final bâton. Ce que j'exige, mes vachers loufoques, c'est que vous acceptiez à l'unanimité qu'on annule le *principe d'égalité,* si je peux dire ça de même. C'est-à-dire que. Si jamais que nos jeux sontaient égals icitte à soir dans cette jurisprudence, eh ben, en vertu de la stipulation mentionnée dans la présente, c'est moé qui gagne, c'est-ti clair ?

Techniquement, ça se pouvait pas qu'il perde. Straight flush royale, tu peux pas perdre. Unanimité, stipulation, jurisprudence. Monti l'avait-ti lu, le dictionnaire ? Sa clause, c'était juste pour ulcérer les États-Uniens. Son laïus perdit néanmoins de son punch quand il dut tout répéter depuis le début dans son anglais pas en anglais. Fantasse de même, il aurait pu se faire mettre une balle dans le front vite fait, mais bon. *On est de même, les Gas-pésiens.*

Il y eut assentiment. Monti et les trois États-Uniens, parce qu'il fallait bien, jouèrent ce tour de clôture là.

Le résultat eut peut-être l'air pur sur le coup, mathématiquement pur, reste que c'était trop inquiétant pour être beau. Une fois les cartes dévoilées, la mise fut immédiatement dépouillée de toute valeur. Ou pas immédiatement, non. Les joueurs prirent, tous autant qu'ils étaient, une minute pour enregistrer l'aberration combinatoire qui venait de faire sortir le jeu de ses gonds et de ses axiomes. Une béance s'était ouverte par où furent aspirées certaines insignifiances de la vie, telles que le bonheur de posséder. Les quatre partenaires de poker étaient rendus debout, déboussolés, dans une réalité sans plus beaucoup de liant. *C'est pas possible,* pensa Monti.

Du premier coup, chacun, une straight flush royale.

Monti en trèfle. Dexter en pique. Charles en carreau. Donald en cœur. Une chance sur six cent quarante-neuf mille sept cent quarante à la puissance quatre.

Bats ça.

La suite resta toujours sujette à interprétation. Chose certaine, fallait pas juger l'envie de boire phénoménale dont Monti fut assailli à l'étalon d'un gosier qui, comme c'était le cas du sien, avait pas passé l'hiver en ermitage dans la forêt totale. Le principe d'égalité étant aboli, le premier droit qu'il fit valoir, dans sa nouvelle vie plus cossue, fut celui de tinquer d'une glou amoureuse la flasque de potion virginale qu'il venait de chiper à Charles Bead. Ça goûtait tellement succulent qu'il se dit que plus jamais il allait vouloir d'une autre lavasse, ne serait-ce que pour s'en gargariser. Et c'est pour ça qu'il lança la flasque en se jetant sur Charles dans le but de ravoir de sa production. Mais l'alcool l'avait amoché prodigieusement. Son propre élan laissa dans l'espace une traînée polychrome qui vint le distraire. Dexter en profita pour le pousser, et Monti partit à kisser contre la table en se crêpant tout partout. Mou qu'il était, il pirouetta cependant sur ses pieds, pas moins surpris que les autres de sa prouesse. Il tremblotait dans ses bottes autant qu'une plotée de vermicelles. Il voulut ouvrir la porte de la bicoque. Sauf qu'il y avait plus de porte. Il y avait plus de bicoque non plus. La table lévitait dans le cosmos. Les faces brunes des États-Uniens y flottaient aussi, avec dans le front le mot *vengeance* de gravé au fer rouge. Ce fut à ce moment-là que les yeux de Monti lui tombèrent dans le même trou, pour se braquer sur la fameuse bête avec quoi il achalait tout le monde et qui venait de prendre corps en avant de lui. La morpho-logie de l'animal changeait sous son pelage arc-en-ciel. Les États-Uniens restaient aveugles à la manifestation. Ça brettait, qu'ils trouvaient. Puis le Gaspésien plongea sur le revolver encore sur la table avec la cagnotte, les verres vides, les jeux retournés. La table se remit à valser dans le chaos. Tout se souleva n'importe comment, les mégots, les verres, les vides, les cartes, l'écorce, le fric et Monti mirant tout croche. Monti fit feu. La détonation se résorba avant que les choses soient redescendues. La fumée ruisselait de son poing. Tout le monde resta stupide. Puis les scélérats se reprirent. De leur pleine pesanteur ils se laissèrent choir sur sa personne en un parfait tapon de rugby. Les loups polaires hurlaient de crête en crête tandis qu'au-dessus des baraques et des tentes les salves pétaradaient pour saluer le coup de feu. Quand les États-Uniens réussirent enfin à se désentortiller bras et jambes, qu'ils se relevèrent pour se dépoussiérer, se rechapeauter, ils constatèrent que Monti s'était volatilisé. Il courait après sa bête entre des arbres calcinés, sans plus aucune intention d'y faire mal. La quasi-entièreté de son gâgne carillonnait dans son chandail, qu'il avait replié en une poche de marsupial.

V

LE MAUVAIS SORT

15

TU VAS-TU te verdir, Marteau?

Le soleil était pas à veille de se lever sur le chalet de l'oncle à Laganière qu'ils avaient déjà perdu Marteau. D'une densité d'hologramme, il était assis à table avec les autres. Depuis son Armageddon de tantôt qu'il était en communion avec les plantes, l'épiderme de la même teinte que la chlorophylle. Ses amis avaient cherché le moyen de lui poser un tuteur pour qu'il se tienne droit, puis avaient vite laissé faire ça. Le gars était grièvement paqueté. De toutes les couleurs, de toutes les tailles, les bouteilles s'échangeaient et tapaient cul sec et se renversaient et roulaient et se redressaient et cernaient la table jonchée de quarante-six mille bouts de carton et de tabac et de raclures parmi les pièces détachées du viseur infrarouge que Yannick était en train d'installer sur le canon de sa Remington. Ça jasait fort dans le chalet, grandes étaient les gueules, pâteuses et mal embouchées. La gouttière, dehors dans la froideur, s'était dentée de glaçons inégaux. La longue cendre fatiguée d'une cigarette de contrebande rallongeait les vertes lèvres à Marteau. Steeve lui a passé la main devant la face. Il a balbutié des formules d'algèbre, dans sa barbe de bulles et sa robe fluette.

— Dire que ça voulait être cosmonaute quand c'était flo, a dit Steeve.

— Un jeune dynamique, a rajouté Yannick.

— Quelle heure il est ? a demandé le gars de Montréal.

Le père à Marteau avait beau porter sans ironie un t-shirt de Céline acheté au Forum dans le temps de la tournée *Incognito,* ça restait un citoyen modèle en ville. Sans lui, pas d'Opération Nez rouge dans le temps des fêtes ni de berlingots gratuits le matin dans nos écoles. Les enfants en carence de calcium auraient pété comme des bretzels sur le terrain de ballon prisonnier. C'est déprimant pareil, parce que, quand tu gardes toutes les nuits une lumière allumée dans ton débarras pour être sûr que ta pancarte de Parents-Secours soit visible de la rue, la dernière affaire que tu mérites, c'est que Marteau partage ton ADN.

— Y s'est mal marié.

Les tatouages à Marteau transparaissaient en dessous de sa robe imprégnée de fluides divers. Le logo du groupe de speed métal dans lequel il avait déjà essayé de jouer de la basse. Son kanji. Il se souvenait plus trop de ce qu'il voulait dire.

— Han, quelqu'un, quelle heure il est ?

Va falloir que je trouve un prétexte pour les faire sortir d'ici, a pensé le gars de Montréal. Il avait pas tout à fait réussi à imposer son leadership. *Au pire je mettrai le feu quelques heures avant que Rock arrive.* Les kilopascals de stime en trop sous le couvercle du chaudron se déta-chaient en petits moutons thermiques vers la hotte. Du civet émanait un fumet compliqué. Les retailles de légumes bruissaient, les retailles de frigo et la vitre aussi, sous les semelles qui faisaient du surplace en dessous de la table. Les gars se levaient et se rassisaient et chan-geaient de place et s'intoxiquaient rigoureusement, et même si ça faisait cent huit fois qu'ils lui disaient de laisser mijoter, le gars de Montréal se relevait sans arrêt pour brasser le civet dans son bouillon de sang. *La sorte de marmiton que t'envoies faire les commissions,* pensait Yannick. Le gars de Montréal se défendait que c'était en train de cuire d'un bloc. Ça faisait rien, qu'ils lui disaient, c'était à la bonne franquette.

— Tu veux-tu fumer plus, pouliche ?

La robe nuptiale cascadait jusqu'au pied de la chaise, avec Marteau sur le point de s'évaporer dedans. La clope à ses lèvres tenait précaire. Le gars de Montréal, la face dissimulée aux trois quarts par des lunettes de shérif, a enfin arrêté de faire l'important au cellulaire. Tout le monde savait qu'il y avait pas de réception ici. Il a enfilé une du Maurier dans la narine de la mariée, qui s'est contentée d'esquisser un moulinet d'un bras gazeux pour le tasser de là. Le geste a avorté. Les gars étaient collés.

— Attention, y est vilain comme un crolion, a soufflé Steeve.

Vermouth, Yukon, bière et téquila. Ça s'appelle un

Armageddon. C'est ça qui avait mis Marteau dans cet état-là. Du lait aussi. Une épée de plastique miniature flottait dans son verre, piquée dans rien. Marteau avait porté un toast à de quoi que personne avait rien compris, que des labiales. Il avait bu son verre, puis on l'avait perdu.

— C'est quoi, un crolion? a demandé le gars de Montréal sur le bout de sa chaise.

Yannick voyait dans les lunettes de shérif le reflet d'un Laganière en catatonie assis derrière lui sur un pouf. La bombe de fixatif à cheveux montait la garde sur le comptoir, à l'ombre d'une cloche à gâteau.

— Ah, ça.

Puis la cendre à Marteau s'est effritée dans le courant d'air du ventilateur et toutes les chaises autour de la table se sont écartées, ont culbuté ou les deux, et les gars se sont plaqués contre les murs au garde-à-vous. T'avais Marteau, les genoux fléchis, gracile dans sa robe, qui se cramponnait sur le bord de la table, tous les ligaments bandés par des haut-le-cœur infructueux, des rots de vertèbres. Rien qui sortait, il a pas renvoyé. Tout le monde s'est rassis, ça a pas pris long. Ils ont rassis Marteau aussi, les bras chiffonnés l'un dans l'autre, une main dépassant au bout de son ti-poignet cassé. Sa tronche, vis-à-vis du cadre de fenêtre, pastichait les affiches psychédéliques des années soixante, avec son coloris limette contre les confettis de neige au second plan.

— Qu'est-ce ça mange en hiver, un crolion?

Le gars de Montréal voulait se sentir inclus. Les instructions que Rock lui avait données étaient de plus en plus nébuleuses, et il se disait qu'il faudrait bien qu'il lâche la boisson un peu.

— Man, a fait Yannick. Arrête de bouger comme un DJ, j'essaye de visser mon viseur.

La lumière de l'abri tempo était équipée d'un détecteur de mouvement, et à la moindre bestiole sur le terrain pixellisé par la tempête, le projecteur s'allumait et la clarté par la fenêtre découpait sur le plancher la trappe lumineuse d'un sous-sol qui existait pas. Yannick a donné à Marteau le verre de Yukon que Steeve venait de lui servir.

— Je suis pas capable de boire ça, il a dit en mettant devant lui cinq shooters de forts différents à la place.

Sur le dessus d'une armoire étaient disposés des cruches de grès pleines de macaronis, des pots Mason remplis d'agates des îles de la Madeleine et de coquilles de barlicoco, des assiettes décoratives, un güiro en forme de salamandre, ramené d'une quelconque république de bananes. Les Laganière allaient pas souvent dans le Sud, d'abord. Ils devaient avoir accumulé assez de miles Aéroplan pour racheter Air Canada au grand complet. Marteau a gémi. Sa tête s'est lentement renversée par en arrière. Les œsophages autour de la table déglutissaient irrégulièrement dans une dissonance mollasse.

— Yo, c'est quoi un crolion? a dit le gars de Montréal.

— C'est Marcel qui avait sorti ça dans le garage à ton père, je pense? a demandé Steeve.

— Je me rappelle vaguement, a dit Yannick.

— Demandez ça au barde, a murmuré Marteau, à

peine audible, et là tout le monde a applaudi, ils étaient fiers de lui.

La conversation a pris une tangente. Les gars se moquaient de BSAC, de Marcel qui était jamais tout à fait sorti de sa période hippie, stické dans le passé avec son émission, les vérités oubliées qu'il professait sur les ondes, sa sélection de rock progressif, Gentle Giant, Magma, Procol Harum, Maneige, en vinyle ou pas pantoute.

— Pink Floyd, oublie ça, c'est trop commercial pour lui.

— Y venait à la maison quand j'étais kid, a dit Yannick, pour écouter ses disques avec le père.

À part ça, on le voyait plus beaucoup, Marcel. Il restait le plus souvent reclus, dans sa tanière du quatrième rang, avec son bandeau teint par nœuds et ses colliers d'Indien. Il venait quand même prendre une bière de temps en temps à l'hôtel à la Guité, qui appartenait maintenant aux Guérette. Laganière le rejoignait des fois. Il commandait une bière lui aussi, mais de racine.

— Explique-nous c'est quoi un crolion, Laganière.

Le vieux Marcel était quand même pas assez séquelle pour se croire immortel, et c'est pour préparer son départ qu'il avait entassé dans les dernières années un méchant chapitre de la mémoire collective de La Frayère dans la caboche à Laganière. Ça plus l'intégrale d'Alys Robi, ça expliquait pourquoi le bibliothécaire l'avait grosse de même, la caboche. Les gars se moquaient, mais il y avait du respect là-dedans. C'est intimidant d'évoquer la mythologie locale devant quelqu'un de même.

— Ouin, bon, je pense que Laganière avec a muté en fleur, a dit Steeve.

Le dos en équerre sur le pouf, le bibliothécaire scrutait sans bouger une fissure nouvellement apparue dans le stucco. Tout se durcissait encore plus en lui chaque fois qu'il les entendait dire BSAC au lieu de CBSA.

— Je pense pas, moé, a dit Yannick.

En fait, il était mort à l'intérieur, Laganière. Ce qui était pas tout à fait le cas de Marteau. Marteau, lui, intériorisait en profondeur les plus infimes stimuli.

— Je vas t'en racheter quinze après-demain, des frigos, a promis le gars de Montréal.

Steeve était déjà en train de signer à Laganière un chèque de dédommagement qu'il avait pris à même le chéquier de l'oncle. *De la marde, j'ai soif,* a pensé le gars de Montréal en se resservant un Yukon. Il se sentait invincible, avec ses lunettes de shérif. Il a fait quelques allusions à son pacte avec le distilleur, mais personne écoutait, ça se parlait qu'ils pourraient mettre la radio pour en rire encore plus. Mais Yannick voulait pas interrompre l'épreuve d'endurance qu'était devenu l'album de Metallica. Puis Steeve s'est lancé :

— C'était une fois un Micmac, un Acadien pis un Paspéya. Les trois prenaient un coup sur le perron de la marina.

Laganière a cligné des yeux vite.

— Bon, c'est quoi qu'y va nous sortir là, a dit Yannick.

Il a clenché l'écrou du viseur, qu'il a serré sur le montant de sa carabine, jusqu'à ce que les tendons lui blanchissent.

— Un quoi t'as dit, le dernier? a fait le gars de Mont-réal.

— Un Paspéya, mais c'est pas important dans l'histoire.

Yannick a épaulé sa Remington pour tester le point rouge sur les trophées de quilles.

— Les trois gars, a poursuivi Steeve entre deux gor-gées, s'obstinent pour savoir c'est quoi l'animal le plus dangereux de la Gaspésie. Le Micmac prétend que c'est l'ours, parce qu'un ours, qu'il dit, tu t'approches des our-sons, ça se courrouce, pis t'as pas intérêt à…

— Te-te-te, a fait Laganière.

Il s'est rendu compte en même temps, horrifié, qu'il tapait du pied sur leur musique depuis tantôt.

— L'Aca… L'Acadien dit nan. L'animal le plus malin dans nos régions, c'est l'orignal.

La tête d'orignal au mur est restée stoïque, mais elle écoutait en sifflet, par exemple. Vas-y, mon Steeve :

— L'Acadien raconte la fois que son skidoo s'est fait emboutir par un panache sur la ZEC dans le bout de Saint-Clinclin, quand…

— C'est pas ça, l'histoire, a tranché Laganière, une guillotine dans le ton.

Ça a jeté un froid.

— Regarde, Laganière, a dit Steeve, se mettant dans son désarroi à taponner un paquet d'allumettes. C'est moé qui la conte, la joke. Si t'a connais toé itou, tant mieux pour toé, t'as juste… T'as juste à… Tu peux ben…

Le gars de Montréal a pas senti ça, ce froid-là. Suait de chaleur. Il s'éventait d'ailleurs avec un prospectus d'assu-rance vie qui traînait dans un panier en osier, sans trop comprendre ce qui arrivait à Steeve, au bord de l'hyper-ventilation. Le paquet d'allumettes passait un mauvais quart d'heure.

— Continue, Steeve, a dit Yannick.

Allumette, n. f. : Brin de bois, de carton imprégné à une extrémité d'un produit susceptible de s'enflammer par friction.

— Le Paspéya, donc, le Paspéya, a repris Steeve dans un regain de Steeve. Le Paspéya, y est catégorique. Il dit : vous vous fourvoyez ! La bête la plus intrépide, la plus répugnante, la plus redoutable de toute la péninsule gas-pésienne, du comté de la Mitis jusqu'à l'Anse-aux-Gascons avant que ça fusionne à Port-Daniel, c'est le *crolion.*

Courroucer, emboutir, fourvoyer. Il avait du voca-bulaire pareil, Steeve. Du Monti quelque part dans ces chromosomes-là, ça paraissait.

— Le quoi ? a demandé le gars de Montréal.

— Le crolion, a répété Steeve, et il a cogné sur la table en répétant.

— En tout cas, a dit Laganière.

Et il a suffi qu'il dise ça pour qu'une démangeaison généralisée passe autour de la table. Le gars de Montréal regardait l'heure sur sa montre. Sentait rien. Sauf qu'il avait pas de montre, et c'est précisément pour les cas de même que le bonhomme Laganière s'était fait venir un prospectus d'assurance vie.

— Faque c'est quoi, un crolion ?

— Tu viens de Montréal longtemps, toé, a fait Yannick.

Les gars, ça les tuait, parce qu'un Montréalais, pour eux autres, ça allait toujours rester un touriste bronzé en canne qui se baigne dans rien qui a pas de chlore dedans parce qu'il hallucine des soleils de mer un peu partout, un touriste en sandales, capri, pull noué autour du cou, qui se déclare des allergies alimentaires à dormir debout quand tu lui sers un magnifique crustacé frais pêché, encore fumant dans sa carapace avec ses antennes de Martien et l'espèce de magma gastrique que t'es supposé tartiner imperturbablement sur un biscuit soda pour manger ça comme un vrai, si t'en es un. Mais il y avait aussi des modèles comme le gars de Montréal.

— C'est ça que l'Acadien pis le Micmac se demandent eux autres avec. C'est quoi, un crolion? Un crolion, dit le Paspéya, ça l'a une tête de *crocodile* d'un bord, pis une tête de *lion* de l'autre. Quand il dit ça… Le silence tombe sur le perron de la marina. Mais si je comprends ben, finit par demander l'Acadien, un crolion, ça l'a pas de trou de cul?

— Tu la contes pas comme il faut, a dit Laganière.

Et là, sans réfléchir, sans acrimonie, par *douleur,* vraiment, dans une contraction, un *spasme,* Steeve a fait voler une allumette vers le barde en la faisant riper du pouce sur la mince bande de papier sablé du paquet.

— À quoi le Paspéya répond…

L'allumette embrasée a suivi son arc phosphoré, éclairant comme au passage le symbole inflammable de la bombe de fixatif à cheveux sur le comptoir.

— … C'est *ça* qui le rend si malin.

Combustion spontanée, a pensé Yannick, trop avancé dans son état pour établir un lien causal, quand les cheveux lui ont cramé sur la nuque et qu'il a vu, reflétée dans les lunettes au gars de Montréal, non pas Laganière, mais une torche humaine, exagérerait-il plus tard, un pantin pyrotechnique bondissant vers les cactus, désarticulé, les bras devant, avec un feu de Bengale au bout de chaque terminaison nerveuse.

16

L A PLUIE frappait, derrière les clôtures en treillis, des rangs de pelotes de broche oxydée et des bidons de quarante-cinq gallons de produits toxiques. Gardée par un bulldozer à l'animalité éteinte, une entreprise étendait autour des vitres de la Volvo ses déjections jusque dans la forêt.

— Ça me fait penser, a dit le chauffeur à François, tu me parlais de ton ami Michel en Gaspésie tantôt.

François, de ses très longs doigts de pianiste impossible, a brossé sur le côté ses cheveux graisseux.

— Michel ? Je ne connais aucun Michel. Vous voulez peut-être dire Kevin ?

Même si lui comme les autres l'avait appelé Patapon toute sa jeunesse, Kevin était le seul ami que François se connaissait en Gaspésie. *Tu m'as pas parlé de personne, maudit niaiseux,* a pensé Rock. Il a attendu que François reprenne quelques gorgées de Yukon.

— Oui, c'est ça, il a dit, Kevin Radisson.

— Plourde, a fait François. Kevin Plourde.

Et voilà, a pensé Rock. *L'affaire est dans le sac.* L'orage bâdrait plus François. Il était dans un jeu vidéo, François. Des vies à l'infini. Depuis plusieurs heures maintenant qu'il se réhydratait, on aurait dit que la bouteille baissait jamais. Ses tempes pourtant s'étaient anoblies dans l'alcool. L'arête de son nez, plus busquée que jamais, lui donnait un profil de centurion. Ses favoris se gaufraient de plus en plus somptueusement. *Il tient la boisson,* pensait le chauffeur en l'observant. Le même épais silence radio s'est remis à faire des volutes avec la fumée de l'habitacle quand il a rallumé l'émetteur-récepteur.

— Kevin Plourde, il a dit, sans passion ni rien.

— Je lance le sort, a répondu la voix de téléphone rouge, et Rock a tout de suite éteint l'appareil.

La foudre a planté son trident dans le fleuve et le tonnerre a retenti avec amplitude. Le chauffeur gratifiait François de son sourire le plus gagnant. Il agitait en l'air ses doigts bagués de cathédrales, comme quand t'animes une marionnette. La Volvo faisait la course avec le tonnerre, qui roulait dans le paysage vers quelque borne originelle. François lapait son Yukon à coups de langue de colibri. Il parlait de Patapon, son inséparable compagnon de jeunesse, pour reprendre ses mots. Ils s'étaient perdus de vue, mais aux dernières nouvelles Patapon était malade, gravement malade. François avait su ça quand il avait croisé, dans un moment de malaise mutuel, son cousin Steeve à Montréal, ou son petit-cousin, lui-même savait plus trop. Apparemment que Patapon allait de crises de folie en périodes de dépression où il pissait dans des bouteilles pour pas avoir à se lever de son lit. Les lichettes imprévisibles dont François dardait la bouteille avaient plus rien à voir avec les rasades bien salopes de plus tôt.

— Nous étions si soudés, il a dit en s'essuyant la bouche avec sa cravate. Il m'invitait toujours chez lui, où nous élaborions l'après-midi durant des jeux d'une immense profondeur, ou alors nous nous contentions de construire des cachettes secrètes sur le terrain chez mes parents. Rien ne nous atteignait, dans ces cachettes. Sa mère m'aimait comme un fils, et lui-même avait adopté mes parents, en qui il voyait une seconde famille, à laquelle il se greffait à la moindre occasion afin que jamais ne s'interrompent nos époustouflantes aventures.

— C'est beau, ton histoire, a fait Rock. Vous êtes-vous mariés à la fin?

— Il me chaut de le revoir très vite. Vous n'auriez pas un crayon? Je semble avoir égaré le mien.

Son cahier Canada sur les genoux, François se tâtait tout partout, dans ses poches partout.

— Tiens, a fait Rock.

Par pur automatisme, il lui a refilé une clope.

— Je ne voudrais surtout pas perdre mon idée, a dit François en la prenant.

Il a durant un bon trente secondes essayé d'écrire avec la clope. Il a fini par se rendre compte que son crayon flottait debout dans le fond de la bouteille de Yukon. La mine, une fois l'outil repêché, grattait le cahier Canada comme des ongles sur un tableau vert. Une masse dure, dans la pluie, a percuté le capot.

— Un grêlon, a constaté François, tête levée.

— Ça va taper plus que ça tantôt, je te jure, a dit Rock.

Il espérait que Danny suivait les instructions. *Le gars aura quand même pas été trop dur à acheter.* Puis il s'est dit que, même si Danny suivait pas les instructions, aucune importance, les choses allaient se dérouler comme il fallait d'une manière ou d'une autre. *Les voies de William Dexter sont impénétrables.*

La troposphère s'est émiettée d'un coup. François, distrait par les grêlons de fin du monde, remâchés long-temps à des hauteurs plus azotées, a redonné son crayon à Rock après avoir couché son idée sur papier. Le chauf-feur a mis le crayon dans le cendrier. Des balles de ping-pong rebondissaient sur la chaussée et la carrosserie. Une envie de popcorn au micro-ondes est née en François, comme il y en avait toujours chez ses parents. Rock a levé de son siège ses fesses de plombier pour se rappro-cher la face du pare-brise et mieux se concentrer.

— Vous étiez assis là-dessus, a dit François.

— Pour vrai? a fait le chauffeur, et il a ramassé l'iPod que son passager lui tendait, enroulé dans un fil, et l'a mis dans le porte-gobelet.

Pris au dépourvu par sa question, François le dévisa-geait en craignant qu'il s'agisse d'une épreuve de vérité. *Pour vrai?* il a répété en pensée. L'iPod brillait d'une propreté inversement proportionnelle à celle de tout ce qu'il avait jamais possédé.

— Qu'est-ce que c'est?

— Un iPod.

François a déduit que ça devait être une nouvelle sorte de télécommande. Il s'est envoyé une gorgée plus charnelle pour arrêter de se demander une télécommande de quoi. Tous les cultivateurs du canton devaient être dans leur fenêtre, avec leur bonnet de nuit et leur famille nombreuse et leur épouse qui priait à genoux dans un coin. Puis la grêle a cessé. La bouteille avait baissé d'un millimètre.

— Tu vois, nous autres on dit *baleine,* a dit Rock un peu plus tard avec son accent montréalais.

— C'est ce que j'ai dit, *baleine,* a répondu François, l'accent gaspésien.

Il faisait pas mal plus froid déjà dans le Bas-du-Fleuve qu'à Montréal. La conversation du chauffeur et de son passager était à présent ponctuée d'un côté des opinions dont nous régalent les lignes ouvertes, de l'autre des faits qui font les champions de quiz. Cacouna, L'Isle-Verte, Saint-Éloi-Station. Dans l'orage miroitaient les pancartes rincées de tout ce qu'il aurait pu y avoir de fiente dessus. Les deux gars parlaient impôts. Parlaient lock-out. Parlaient 11-Septembre, et là, François délirait, c'était pas des farces. *Je vais t'en faire un, moi, un complot,* a pensé le chauffeur. Il s'est enveloppé le crâne d'un bandana sorti de nulle part, aux couleurs des USA. Il appelait sa deuxième patrie «l'Aigle» chaque fois qu'il la mentionnait. Leur échange de vues passait du stade olympique aux accommodements raisonnables, pour en revenir inéluctablement aux décisions de Claude Julien à la tête du

Canadien de Montréal, point à partir duquel Rock s'est épuisé à faire comprendre à son interlocuteur l'influence qu'avaient eue, sur son développement personnel, des productions comme *Slap Shot* ou *Lance et compte*.

— Je les ai toutes vus, les films.

— Pas la colonoscopie de ma tante Charline, a fait François.

— Tu sais ce que je veux dire.

La pluie dehors s'allongeait. Elle se chromait. L'iPod accaparait les yeux de François. Le rectangle blanc l'intriguait, avec son rond blanc, son écran gris, ses vides élégants. Il aurait voulu que sa vie soit aussi lisse et sans aspérités. Mais en même temps, ça le troublait qu'il y ait pas de bouton nulle part. Il a continué à boire comme un grand.

— Est-tu belle, ta tante Charline? a demandé Rock.

Il avait décidé que c'était le temps de donner à François sa deuxième leçon de drague. Il est reparti sur Chantal, de la centrale. À voir François écrire de même, il montait le volume de sa voix, prenait des pauses pour lui laisser le temps de noter.

— Parce que c'est pas seulement une affaire d'envoûtement, faut que tu penses à un autre niveau. À un autre niveau, mon petit marquis. Un métaniveau. Note ça, là. Note ça. Je dis ça pour toi. Faut pas que t'arrives là en homme hétérosexuel moyen. Ramasser les kleenex qui traînent partout, faire brûler de l'encens, c'est ben beau, mais perfectionne l'éclairage, mon gars, dose tes cocktails. Une ambiance, ça se gère, ça se paramètre, ça se dompte, fais travailler ça pour toi. Laisse faire tes pogos du samedi, les deux litres de liqueur, les ailes de poulet. Commence par une salade, quelque chose de fusion, mets de la mangue dedans, deux petites pétoncles ben citronnées. Prends n'importe quelle vinaigrette pis transvase-la dans une belle bouteille avec un bec. Dis que c'est une recette que t'as appris en voilier. Pas d'attendrissement, de remise en question, tu t'en tiens à ton plan de match. Bang, une mousse triple chocolat au dessert, de quoi de léger. Vous avez pas mangé encore, tu lui montres juste. Ou ben un jus de fruits macrobiotique à quatorze piasses. Achètes-en quelques bouteilles, ouvre-les toutes, pour qu'elle pense que tu bois ça tout le temps. Tu détaches ton tablier pendant que tu lui parles de tes voyages en lui mixant quelque chose de plus adulte sans même qu'elle s'en rende compte. La première affaire que tu sais, la fille te dit qu'elle a pas faim pis elle lèche le sel de céleri sur le bord de son Bloody. Là, tu passes en deuxième vitesse. Tu lui sors un compliment. « Sont beaux, ton chandail », tu dis en lui enlevant le verre des mains.

Il suffisait de changer une couple de mots, se disait François, et c'était Henri son père qui parlait de son entreprise. Mais il écoutait pas plus qu'il fallait, de toute manière. À grands gestes excentrés, il écrivait, sans trop se soucier des lignes bleues dans son cahier. Dehors, ça embellissait pas, le monde allait descendre bien vite les rues en canot.

— Tu notes tout ça ? a fait Rock.

Ne lui parle pas de ton livre, ne lui parle pas de ton livre, a pensé François.

— Non, j'écris un livre, il a dit.

— Un *livre*? a répondu Rock sans cacher son dégoût. Pourquoi t'écris pas un film? Qui lit ça, des livres? Pis quelle sorte de livre à part de ça?

— J'écris un chef-d'œuvre.

— Un chef-d'œuvre sur quoi?

— Un chef-d'œuvre sur ma famille.

Monti en enfer a fait signe au Polonais de remettre une tournée pour tout le monde. Les bois défilaient par la vitre comme la pellicule grafignée d'un film d'archives.

— Il sait pas c'est quoi Yahoo, a répété le chauffeur une fois le blabla au point mort.

Sa cigarette sautillait entre ses lèvres. Il a posé l'iPod sur sa cuisse. L'iPod sommeillait.

— Qu'est-ce que c'est? a pas pu s'empêcher de rede-mander François.

— De quoi?

— Cela. Qu'est-ce?

François montrait du doigt ce que lui seul au monde aurait appelé un baladeur numérique.

— Ah, ça, a dit Rock. Ça, tu pèses là-dessus pis le char explose.

17

D ANS la ville de La Frayère, la nuit où les astres se réalignaient au-dessus du taxi de François et du chalet de l'oncle à Laganière, passé une statue de cuivre à l'effigie du maire Fortin, avec ses écaillures, son vert-de-gris, ses graffitis scatologiques et son doigt qui aurait pointé augustement vers l'horizon si un comique l'avait pas cassé par un soir de Saint-Jean-Baptiste, tout au bout de la rue où Monti Bouge avait, bien des années plus tôt, fait bâtir une maison qui était toujours restée aux siens, mais qui le resterait plus pour très longtemps, là où le bois recommençait à être plus touffu, moins entretenu, plein de niques de guêpes, où la chaussée retombait sur la gravelle, se délabrait une roulotte brun pâle au toit brun foncé. Les factures en souffrance et les chèques rebondis fusaient en gerbe de la boîte aux lettres comme des fleurs d'une boîte à fleurs.

Au fond d'un corridor aux décorations défraîchies, qué-
taines, achetées en solde, dans une chambre en L, la
chambre la plus déprimante au monde, avec son odeur
fromagée et sur les murs des posters de lutteurs en
bobettes de spandex, sur un matelas renfoncé, pas de
sommier ni de tête de lit ni rien, se réveillait en s'étirant
languissamment un gars qui s'appelait Kevin Plourde,
mais que tout le monde à La Frayère appelait Patapon.
Il était pas regardant sur le décor. Un sombrero accroché sur une porte de garde-robe coulissante démanchée
de son rail, des restes de ramens, un dragon en imitation de cristal sur un meuble en formica, une télé
antique, le calendrier des infirmières d'il y a cinq ans.
Une présence inobservable venait de secouer Patapon,
non sans gentillesse, et il s'est prélassé dix minutes, une
tache de bave sur son oreiller pas de taie, avec la déli-
cieuse sensation d'avoir dormi d'un sommeil réparateur,
un sommeil peuplé de ces songes agréablement indi-
gestes qui des fois font ta journée. *Va falloir se réveiller,*
Kevin. Il y avait une voix dans ses rêves, une voix qui
venait de dire ça, dans une autre langue, une voix d'outre-
tombe, faussement veloutée. Elle lui disait que c'était le
temps de se lever, qu'il fallait y aller. Toute douleur s'était
dissipée. Les problèmes à Patapon avaient perdu leur
sens, c'était plus de sa faute, il était plus en contrôle, plus
responsable de la vie de merde dans laquelle il s'était
enlisé. Il s'est retourné pour se rendormir, pareil bien-
être, pour jouir encore un peu de son affranchissement.
Rendors-toi pas! a dit la voix avec plus de force. Et comme

tiré par une ficelle, le bras de Patapon lui est parti d'un coup en l'air. Puis l'autre bras. Et la jambe aussi, retombée mollement sur le lit. Patapon avait, ce qui lui arrivait pas souvent, une incroyable envie de bouger tout à coup. Le matelas a grincé quand, un sourire niais de collé dans la face, il s'est redressé sur les coudes. Il a cherché à tâtons, sur sa table de chevet, parmi sa pléthore de pots de pilules, le cadran que d'habitude il voulait pas voir ni entendre. Le store était toujours baissé dans sa chambre, il pensait que c'était l'après-midi, le moment où il émergeait pour ses trois heures quotidiennes de vie éveillée. Confirmant d'un regard entre les lames crasseuses du store ce que le cadran lui indiquait, il s'est aperçu qu'il faisait pas encore jour. *C'est même pas à veille.* Il s'est violemment enthousiasmé devant tout ce que la nuit avait à lui offrir. Ça faisait longtemps que Patapon, qu'on appellera désormais Plourde, parce que là, c'est une question de dignité, que Plourde, hein, avait pas vu ça, cette heure-là, en partie à cause des pilules fades et assommantes qui, dans leurs pots étiquetés, lui apparaissaient soudain comme des bonbons de toutes les couleurs et de formes rigolotes. Patapon, qu'on appellera désormais Plourde et là c'est vrai, a souri rien qu'à les manipuler, rendu à genoux dans son lit, l'air d'un flo passant la nuit chez un ami. Son capteur de rêves pendait seulement à une punaise derrière lui, chargé de plumes et de magie. Sa mère, à Patapon... à Plourde !, sa mère à Plourde, était bien gros superstitieuse. Elle avait acheté le capteur sur la réserve, au chaman, elle disait, dans le dessein de chasser les esprits fourbes qui habitaient son fils. Ça avait jamais marché. Plourde dormait tellement dans une semaine que le capteur devait être saturé. Plourde avait d'ailleurs le goût de l'appeler, sa mère. Monique, son nom. Il avait le goût de l'appeler, occupée qu'elle était dans la chambre à côté, pour la remercier, lui dire qu'il l'appréciait. Sauf que la voix lui a dit de pas l'appeler, qu'ils allaient lui faire une surprise. Une main invisible plaquée sur la bouche, Kevin a gloussé de plaisir à l'idée. Même s'il abominait tout ce que lui prescrivait le docteur Dugas pour le protéger de lui-même, ses pilules en ce moment avaient quelque chose d'alléchant. *T'as plus besoin de ça,* a susurré la voix, et ça lui chatouillait dans la tête quand elle parlait. Il en voulait, de ses pilules, il voulait que le docteur Dugas soit content de lui, mais comme il s'en versait dans la paume, pour en gober tout un cocktail, il s'est buté à une résistance venue de nulle part, comme si, encore, on avait tiré sur une corde attachée à son bras. Il était guéri, de toute façon, et il trouvait ça assez beau, les pilules qu'il venait d'échapper sur le plancher, qu'il a tout ouvert ses pots pour les vider partout. *Bon, c'est assez,* a fait la voix. *Viens-t'en, allez.* Il se sentait guéri, Kevin. Fini la dépression qui le dévorait depuis la fin de l'adolescence, un mal plus socioculturel que ce que le ministère du Tourisme aurait bien voulu admettre. De son matelas, Kevin a rebondi direct dans ses espadrilles. C'était facile, la vie. On aurait dit que quelqu'un avait sauté pour lui. Il a allumé sa télévision. *Qu'est-ce que tu glandes, encore ? Viens, j'ai dit.* Patapon avait jamais eu la force de rebrancher le fil du câble depuis que sa télé avait changé de place, quelques années plus tôt. Il a posé la main sur l'écran, captivé par la statique, la neige, le grichage à l'intérieur de l'appareil. Puis il s'est précipité dans le miroir pour se regarder. Il y avait eu transfiguration. L'adipeux avec du poil aux épaules avait laissé place à une pièce d'homme pleine de santé, une vraie belle gueule aux pas de danse bien torchés. Il a tripé un bout de temps à faire son lit, épaté de voir qu'un des coins de son drap contour débarquait toujours du matelas quand il tirait sur un autre à l'autre bout. *Par ici, par ici,* disait la voix. Plourde se sentait pareil que si quelqu'un venait de lui insérer huit batteries neuves par une petite trappe dans la nuque. Il avait fini de se languir, Plourde, de rester amorphe, de pas être du monde avec sa mère ni personne. Il avait envie d'aller faire de la cueillette en montagne, de l'origami dans un club, du monocycle sur un fil. N'importe quoi pour voir autre chose que son maudit plafond suspendu, avec ses chrysalides de papillons de nuit, ses auréoles verdâtres. *Embraye, mon Kevin!* le pressait la voix. Il était conscient que le reste de la planète était peut-être pas encore sur le même rythme que lui à cette heure-là, mais c'était pas grave. Fallait y aller. Il savait pas trop où se garrocher, par contre, trop de possibilités soudainement, et de gratter les restes de colle d'un vieil autocollant SEGA dans son miroir lui est apparu comme une priorité. Mais la main invisible s'est posée sur ses reins, sur sa hanche, pour le réorienter, et il a commencé à se préparer sur le turbo. Les projets déboulaient dans sa tête. Il s'inscrirait aux adultes, finirait son secondaire dans le temps de le dire. Ensuite de ça, il irait voir Henri Bouge chez eux pas loin, avec un bouquet pour Liette, et il le supplierait de l'embaucher. *Ambitionne pas non plus,* a fait la voix, et Plourde la sentait, cette présence-là, sans comprendre, ça lui ruisselait simplement dans les fibres. Il appellerait le BS une fois chez Henri, la CSST, Gérald du dépanneur, leur promettrait de se reprendre en main, que quelque chose en lui l'avait déjà repris en main, puis il leur expliquerait son plan en long et en large, ce qu'ils représentaient pour lui. Il redonnerait de l'espoir à La Frayère, retrouverait Thierry Vignola, en recollerait les morceaux au besoin. Juste d'entendre qu'il se reprendrait en main aurait suffi à mettre la puce à l'oreille au docteur Dugas, dont Plourde était le trophée noir dans une carrière semi-glorieuse, un Plourde qui venait d'interrompre ses préparatifs pour enchaîner une couple de passes de taekwondo dans le vide en rajoutant lui-même les effets sonores. *Bon, fait du bien, ça ? Dépêche.* S'il l'avait vu comme ça, le docteur Dugas aurait placé Plourde en observation dans une chambre capitonnée, il l'aurait confiné, mis sous sédatifs, sans lacets ni rien de pointu dans la pièce. Parce que là, le débalancement de son taux de sérotonine était pas normal, oh que non. Patapon est sorti de sa chambre d'un pas de cartoon, pour la première fois depuis plusieurs jours. OK, on recommence : *Plourde* est sorti de sa chambre d'un pas de cartoon, pour la première fois depuis un bout. Il a laissé derrière lui cette chambre aigrie, qui lui semblait maintenant, malgré tant d'associations négatives, un lieu sûr et utérin, quitté dans un mélange d'ivresse et de nostalgie. *Tu t'en vas quelque part de plus beau que ça,* a fait la voix, très rauque, et elle s'est comme éclairci la gorge. Resplendissant dans ses vieilles espadrilles sans marque et sans lacets, Plourde tenait dans ses bras un sac d'armée rempli à la botche. Le projet était pas clair. Il avait enfoncé le capteur de rêves dans son sac, mais ses pilules étaient restées à terre. Il s'était peigné aussi, avec le peigne à moitié fondu qu'il avait ramassé dans le calorifère électrique. Depuis dix ans qu'il s'était pas peigné, et là il s'était peigné, peigné jusqu'à ce que les cheveux lui tiennent d'un bloc comme ceux d'un Playmobil. *Beau bonhomme, beau bonhomme.* Il avançait dans le couloir. Un bébé naissant. Tout le fascinait, et c'est pas que la roulotte où il stagnait encore aux frais de sa mère était si fascinante que ça. Les abat-jour étaient en macramé là-dedans. Les électroménagers s'éteignaient des fois tout seuls à cause des chauves-souris dans les murs. Patapon a sautillé, et là on va juste laisser tomber les Plourde pour tout de suite, jusqu'au bout du couloir où, avant cette nuit-là, il marchait vers les chiottes comme vers une chaise électrique. C'est pour ça qu'il s'était mis à faire ses besoins dans un pot dans le coin de sa chambre. Par la fenêtre, avec quelque chose de hautain sur sa butte, la maison des Bouge surplombait les bungalows qui avaient proliféré jusqu'à ses limites. Son intérieur vrombissait en entier sous l'effet de la fournaise. Patapon est entré dans la salle de bain pour aussitôt figer devant la vanité. Appuyé, dans sa béatitude, au cygne mangé par les algues, il était captivé par le robinet. Un filet d'eau crayeuse coulait en permanence, mais il s'en sacrait. Sa main s'est abaissée lentement vers une brosse à dents au hasard, le tube de Colgate. Le dentifrice a jailli, merveille de nacre, et s'est enroulé tout seul sur sa brosse. *Pas de carie, belles dents,* a fait la voix. Patapon avait jamais rien vécu d'aussi puissant. Il a fallu qu'il s'agenouille. Il s'est brossé les dents en roucoulant. Sa mère, dans la chambre à côté, a dressé l'oreille. Elle se demandait en petit péché ce qu'elle entendait là. Elle entendait jamais son fils à part quand il rotait ou l'engueulait en lui disant que tout était de sa faute. Elle a rallumé d'une main collante sa lampe de chevet. Elle est partie pour se lever voir, inquiète un brin de ce que son gars fricotait. Le beau-père d'un soir à Patapon s'est mis à grommeler en cherchant ses cigarettes.

— Chut, a fait la mère, arrête un peu, Ovila, écoute, écoute.

Le beau-père ressemblait comme deux gouttes d'eau à Ovila Pronovost, mais avec un pied de moins qu'à la télé. Monique se l'était ramené du snack-bar où elle faisait le dernier shift. *Je suis-tu folle,* elle a pensé, *ou Patapon bardasse dans la cuisine ?* Même sa mère appelait Kevin par son surnom, mais ça l'empêchait pas, Kevin, d'être en train de replacer les conserves dans les étagères, les mémos sur le babillard, les bibelots sur des axes plus symétriques. *C'est parce qu'on est pressés un peu,* lui a dit la voix, quatre octaves plus basse au début de la phrase qu'à la fin. Désir de formes congrues, d'ensembles complets, de surfaces impeccables. Kevin portait des gants de vaisselle jaunes. Si les membres lui avaient pas remué dans une autre direction, il serait retourné dans la salle de bain avec son coffre à outils pour s'enseigner la plomberie. Au lieu de ça, il s'est mis à emballer de papier d'aluminium les restes de chiard et de jambon à l'ananas qui traînaient sur le poêle, et c'est à ce moment-là qu'il a basculé irrémédiablement dans la gaieté. La lumière du frigo est passée sur le papier d'aluminium comme à l'intérieur d'une photocopieuse. Un influx de joie brûlante lui a sillonné l'abdomen. *Yé !* s'est moquée la voix. Une épiphanie. Tellement que Kevin, son sac d'armée sur l'épaule, a ramassé la balayeuse dans l'armoire. *Ça pourrait servir,* il a pensé par lui-même, et ça, de penser par lui-même, il a moins aimé ça.

18

L ALLAIT falloir que Laganière accepte. Il trempait pas dans le liquide amniotique. De un, ça sentait la marée basse. De deux, il avait un robinet d'encastré dans le cou. Il était pas dans le ventre à sa maman, il était dans le bain. « Sers-toi pas du bain ni de la douche ! » lui avait dit son oncle, quelque part dans son interminable liste de prescriptions et de menaces. C'était l'eau brune du puits, dans quoi il s'est laissé tremper pareil, tout habillé, en position d'esperluette. Il se rappelait plus très bien de son rêve, mais ouf. Il avait un essaim où la tête, avec plein de douleur dedans. Les globes oculaires lui faisaient comme des éponges mouillées qu'on serre très fort derrière ses paupières. Les siennes étaient scellées, cimentées, ça ouvrait plus. Pas moyen de se rendormir pour autant, de se réévanouir, avec le tohu-bohu dans la cuisine, fantasmagorique et plein d'écholalies. Ça résonnait jusqu'à lui par les tuyaux. Il est resté ainsi à croupir dans une tiédeur putride, une jungle de toucans et de palmiers s'animant avec les ondoiements du rideau de douche, sa conscience qui tournait à vide, qui a dérivé longtemps pour finir, dans une connexion pas rapport, par se buter à la pensée qu'il savait pas se servir d'une scie sauteuse, et il avait comme honte de ça.

Peut-être que les paupières venaient de lui tomber, il savait pas. Les yeux lui ont ouvert, en tout cas. Ses pupilles se sont contractées. *Non, non. C'est pas vrai.* Elle était accrochée au plafond. À l'envers au plafond. Lustrée, tendue. Laganière a voulu refermer ses paupières, mais il en avait plus. La belette au-dessus de lui le scannait des deux minuscules billes d'hémoglobine qu'elle avait pour yeux. Les murs avançaient et reculaient en même temps. Laganière, dans l'urgence, il a pas réfléchi. Avec sa peau trop serrée, il a *ramené* sa jambe rôtie vers lui. En plus que ses culottes avaient fusionné avec sa brûlure. La belette analysait son supplice dans des bruits de vieux modem téléphonique.

Malgré une surdose d'adrénaline, c'est de peine et de misère qu'il a réussi à se hisser hors du bain-tourbillon. *Engagez-vous, qu'ils disaient.* Il est resté sur le plancher, plancher houleux, le temps de voir s'il était pas mort. Au plafond, les tuiles de polystyrène, vingt griffes très capables de plantées dedans, se sont mises à gémir. *Pas mort, pas mort,* a pensé Laganière. Ses pieds faisaient comme des palmes sur la céramique jazzée du plancher. Il avait l'impression d'avoir sur la tête un chaudron sur lequel quelqu'un tapait avec un bâton. La belette est le plus petit des carnivores. Tout ce qu'il y avait de tubes

et de pots de pilules a revolé de la pharmacie, les panse-
ments, les crèmes, les poires, le Viagra, les lotions d'éternelle jeunesse. Laganière trouvait pas l'aspirine, et il est
parti plutôt pour se frictionner de mercurochrome, jetant
par-dessus son épaule des coups d'œil déconnectés. La
belette approchait à seize images par seconde. La salle
de bain tournait, tournait, tournait, et rendu au quatrième tour Laganière a attrapé un kimono cyan qui
repassait sur son crochet. Puis il est sorti en claquant la
porte assez fort qu'on aurait cru qu'il venait d'enfermer
un vélociraptor.

Une tranche de prosciutto s'est détachée de sa brûlure quand il s'est déshabillé dans le corridor. Au moins,
la plaie se limitait surtout à sa jambe, quoiqu'il y eût
des plaques plus bénignes ici et là, des rougeurs, plein de
piqûres d'épines. Son linge contaminé s'est écrasé dans
une flaque pleine des bactéries du puits, et Laganière s'est
traîné vers la cuisine, un genou par en dedans, son genou
caramélisé, collé dans le kimono désespérément sexy de
sa tante. Le plancher tanguait. La tante à Laganière utilisait Bounce. Les vestibules dans ses oreilles jouaient les
laveuses à spin. Deux pieds dépassaient à l'horizontale
au bout du corridor. Trois fils dépassaient au bout d'un
des bas de laine. *Vous êtes la honte de l'armée romaine.*
Ça jacassait dans la cuisine. Beaucoup de wah-wah dans
les voix. Le corridor ondulait comme un serpent. Les
ombres des gars à table sont apparues sur la tapisserie,
des ombres de mafiosos, aux longs mentons coupants.
Veux-tu bien me dire c'est quoi ça ? Laganière venait pas
de piler dans une motte de cretons, mais vite de même.

— Tire-toi une bûche, lui a dit Perrault, arrivé depuis peu.

— Salut Romain, il a balbutié. Bonjour groupe.

Les clopes grésillaient exagérément. La table était hérissée de bouteilles, bière, bourbon, rhum, d'autres produits plus rares. Les gars étaient pas fâchés de le voir. Yannick et Steeve, et Perrault venu conclure une transaction. Perrault, pas mal plus jeune, avait une face de pierrot et des poils de chien-loup sur son polar. Une bolée de civet avec une fourchette enfoncée dedans a atterri en tournant sur elle-même devant Laganière.

— Mets du beurre là-dessus, a dit Perrault en pointant sa brûlure.

Laganière a ramené le pan de son kimono sur sa jambe. Pendant que Steeve lui faisait un massage, pour se faire pardonner, Yannick lui a montré ses cheveux crépus. La boule de feu avait ravagé sa coupe Longueuil.

— Mange, mange, mange, ils ont scandé en chœur.

Des résidus voltigeaient autour d'une ampoule halogène, près de la collection de cactus aplatie. C'était en train de virer en tempête de neige pour vrai dehors. Quelqu'un avait composé une maquette avec les figurines de plomb de *Donjons et Dragons.* Toutes bien placées dans des poses osées, inquiétantes. Laganière a commencé à faire des recommandations sur la cuisson, si jamais Marteau faisait un autre civet un jour.

— Mais c'est quoi, ces manières-là, toé ?

— On parle pas la bouche pleine.

Les larmes aux yeux, il a mastiqué et mastiqué sa fourchetée de lipides sous les regards admiratifs.

— Je m'excuse en tout cas, a dit Steeve, je voulais pas te brûler, je voulais… Je le sais pas, ce que je voulais.

— Qu'est-ce qui est arrivé à Martin ? a articulé Laganière.

Sa bouchée lui roulait dans la bouche. Les pieds dans le couloir, Marteau ronflait sur le plancher parmi les vides. La bretelle de la robe de mariée tombait sensuellement sur son épaule gâchée par son kanji. Le kanji voulait dire « samouraï ».

— Il a renvoyé, a dit Perrault.

Ah. C'était ça, les cretons dans le corridor. Et là à terre entre les chaises, et là dans le salon, sur la table parmi les bouteilles, partout. Et c'était ça, la nouvelle couche d'odeur.

— Chose de Montréal lui a faite fumer genre trente cigarettes d'une shot, a dit Yannick.

D'où l'assiette pleine de mégots à travers des restes de civet figés. Yannick a indiqué du canon de sa Remington le gars de Montréal, en sommeil paradoxal dans le fauteuil vibromasseur réglé au maximum.

— C'était pas mal classe, a dit Steeve.

— Marteau s'est étouffé noir. Tellement que ça nous l'a ramené. Y parlait pas fort-fort, disons, mais y a veillé avec nous autres une secousse.

Yannick se pinçait le haut du nez, Steeve se frottait les tempes. Laganière s'est félicité de pas être tout seul à avoir un mal de bloc. Le vent dehors engloutissait le chalet, et si la construction touchait toujours à terre, c'était sans doute rendu là grâce à la neige accumulée qui l'étreignait tout le tour.

— Pis après? il a demandé, derrière l'essuie-tout dont il a essuyé son sourire plastique dans le but de recracher sa bouchée dedans.

— La soif l'a repogné.

Laganière s'est juré qu'à partir de tout de suite, il serait végétalien.

— Il s'est remixé un Armageddon.

— À l'œil. Il rajoutait des ingrédients en donnant des coups de pied dans le vide pour pas qu'on approche.

— La première affaire qu'on a sue, il se dégueulait le corps dans le lavabo.

— T'as manqué ça.

— Faque nous autres, on riait.

— Pis lui, y avait de la peine.

— Y nous traitait d'hippocampes.

— Fouille-moi pourquoi.

Cent piasses que Marteau voulait dire «hypocrites».

— Y a ramassé une grosse poignée de biodiversité dans le cygne.

— Son vomi.

— Ça a tapé dans le ventilateur quand il nous l'a garroché.

— Y en avait partout.

— Y en a encore partout.

— Pis lui? a fait Laganière.

Tout le monde s'est reculé quand il a pointé sa fourchette vers le gars de Montréal embrouillé par les vibrations. Le gars laissait une image rémanente sur la rétine.

— Ah, lui.

— Y est ben où ce qu'il est.

— À Laganière! a lâché Yannick.

Il a levé son verre. Le fort en a surgi comme le ten-tacule d'un monstre tapi dedans.

— Tchin-tchin!

— Yes! À Laganière!

Laganière, ça l'horripilait. Des Laganière, il devait y en avoir trois cent dix-huit rien que dans l'annuaire du Bas-Saint-Laurent–Gaspésie. C'était Joël, son nom.

— Attends, attends, notre barde a rien à boire.

Mais «notre barde», ça l'horripilait encore plus.

— Qu'est-ce je pourrais ben te servir?

La bouteille de bourbon millésimé était plus trou-vable nulle part. Steeve y est donc allé pour le whisky. Il en restait plus une goutte. Il y est allé pour la vodka. Plus une goutte non plus. Plus de rhum, ni de crème de menthe, ni rien quasiment. Laganière voulait un verre d'eau et deux cachets d'aspirine. Il a tendu la main vers le pot devant Romain, dont l'étiquette avait été arrachée, mais Steeve a tassé ça hors de sa portée.

— Crois-moé, t'en veux pas, de ces pilules-là.

Les gars ont ricané, et Perrault a insisté pour qu'ils lui en donnent à lui avec. Laganière, sa perspicacité comme pas à la bonne place, a cru entendre le mot «Alcide». Il comprenait pas. Alcide, c'était le troisième voisin, à une vingtaine de kilomètres au nord. Une seule bouteille res-plendissait encore parmi ses consœurs lasses et ramollies. Yukon. Un verre est apparu devant lui, devant le biblio-thécaire. Du fort est apparu dans le verre.

— Vous savez ben que je bois pas.

Laganière se serait battu lui-même à coups de Chic-Chocs. *T'attendriras pas ces gars-là.* Il a porté son jonc à ses lèvres et a baissé le regard sur son verre. Le cercle de Yukon dedans lui a donné l'impression qu'il s'apprêtait à plonger dans un puits sans fond. Il a repoussé l'alcool, dans le sens de non.

— Bois, a dit la Remington.

— Non, mais, c'est bon. C'est spécial. Ça goûte un peu...

Le bord du verre goûtait salé.

— Attends, je regoûte. « Le goût de l'or. » Bien dit.

Une accalmie. Perrault a resserré dans son étui la mandoline qu'il était allé chercher dans sa Civic pour les anesthésier. Tout le monde s'était rendu compte à quel point Metallica avait fini par leur travailler les nerfs. Perrault a redonné une couple de pilules à Yannick, qui savait pas où les mettre. Oubliant d'y ranger la bouteille d'aspirine, il a fait du ménage dans son fanny pack, d'où saillaient une balance portative et des sacs de congélation bleus conçus pour le lait maternel. Il expliquait en même temps aux gars comment se passait sa probation. Parce qu'il avait beau avoir des manières de scout, fallait jamais lui tourner le dos, à Perrault. Une comptine à chaque cuillerée de pablum, des fois, c'est ça que ça donne. Un chacal. C'était né dans un cocon, ce fils à maman là. Dans l'amour et l'espoir. Juste avant le premier référendum. Mais ça avait quand même été, en rafales, la psychoéducatrice, la DPJ, le tribunal de la jeunesse. Quelques centres de détention plus tard, le revoilà qui rôdait encore ce soir-là avec la racaille de La Frayère, longtemps passé son couvre-feu.

Ils étaient tous rendus debout dans la cuisine, tout le monde sur le radar. Laganière harcelait Yannick pour qu'il lui raconte en détail la fois de la puck que Monti avait arrêtée avec les dents, et que quatre gars avaient dû lui extraire de la gorge à l'aide de pinces-monseigneur pendant qu'il asphyxiait. Il voulait savoir si Yannick l'avait déjà vue, cette puck-là. Marcel lui avait dit que c'était encore quelque part dans la maison chez les Bouge, et tant que Yannick le regardait, Laganière continuait à parler, mais Yannick répondait rien, puis il s'est détourné vers Perrault en voulant dire qu'il y avait pas nulle part de puck mordue, pas d'Indien chimérique en pleine nuit sur la galerie de la maison chez eux, et encore moins d'or dans les montagnes, que pour lui, c'était des histoires à dormir debout, tout ça, qu'il avait entendu son père radoter toute sa vie en mille versions. Il embarquait plus là-dedans.

— Vous devinerez jamais qui qui m'a appelé tantôt avant que je monte à Saint-Jules, a dit Perrault.

Va falloir qu'un jour dans une thèse de doctorat quelqu'un explique pourquoi au Québec les veillées finissent toujours debout dans la cuisine.

— Qui ça?

— Patapon.

— Sérieux? Il a pas encore fini de se liquéfier?

— Qu'est-ce qu'il voulait?

— Il était tout essoufflé. Il a dit qu'il me pardonnait.

— Tu redécolles-tu pour Saint-Jules tantôt?

— Nan, mes affaires sont réglées. Je me tiendrai pas trop là dans les prochains temps.

— Je…

Steeve allait dire de quoi. Ça lui a échappé. La faute d'Alcide. Il essayait de se rappeler, mais il commençait à être mêlé, et tout ce qui lui revenait en mémoire, c'était le numéro de téléphone d'une ancienne pub pour apprendre l'anglais.

— J'ai oublié ce que je partais pour dire.

Two five four, six o, one one. Deux fois. Puis il y a ça qui lui est revenu :

— Heille, Yannick, ça me fait penser, je t'ai pas dit ça, j'ai croisé ton frère à Montréal y a une couple de mois.

Yannick, son acide était en train d'embarquer à lui aussi. Il s'est senti rodé pour quelque enchantement. La matière s'est déformée là où il a approché sa main.

— Va pas ben, ton frère, a dit Steeve.

À la mention de François, Laganière s'est demandé pourquoi ils s'étaient jamais tenus ensemble. Et il s'est rappelé que François, quand il était jeune, avait toujours été le chien de poche à Patapon, dont lui-même avait été le souffre-douleur en chef. *Avant sa grosse pépeine*, il a pensé. Dans pas long, Yannick allait être assez magicien pour ressortir un lapin vivant du civet. Son acide lui ouvrait plus de possibilités de minute en minute.

— Hein, Yannick ?

— De quoi ?

Perrault lui demandait c'était quand qu'ils accouchaient, si la grossesse à Cynthia se passait bien, c'était-ti un gars, c'était-ti une fille, ces questions plates là.

— Un gars.

— Pis la job?

— Cynthia est rendue gérante au magasin. Elle a le congé de maternité qui va avec, pis là on parle-tu d'autre chose?

Cynthia, avec son sourire comme quand tu passes la baguette vite sur les lames d'un xylophone. Pour vous servir. *Je comprendrai jamais pourquoi elle a fini avec ce psychopathe-là,* a pensé Laganière. C'est Cynthia qui lui avait vendu ses souliers, ceux dans l'entrée. Elle en avait vendu quarante autres paires pareilles cette semaine-là.

— C'est poche, je serai plus là pour vous aider à déménager, a dit Steeve.

— Vous partez de sur le chemin Restigouche? a demandé Perrault à Yannick.

— Avec le bébé, ça nous prend plus de place. En plus que Cynthia stresse à cause du motard en dessous.

— Où c'est que vous déménagez?

La tête au gars de Montréal lui dodelinait dans le fauteuil. Un peu plus, ça démanchait, partait à rouler sous le buffet. La petite aiguille des quatorze cadrans et horloges arrivait sur le quatre.

— On déménage dans la maison chez nous, a dit Yannick.

— Ben non, a dit Laganière.

Yannick lui a décoché un regard bleu et brun à travers son verre trouble. Laganière avait mis sur pause sa recherche d'aspirine, le bras à moitié dans une armoire.

— Disons que mon père nous la lègue à l'avance.

— Non, ça se peut pas.

235

Laganière en revenait pas. Il grouillait plus d'un poil. Sa brûlure jutait dans des élancements en dessous de son kimono. Perrault comptait de l'argent, avec une face de petit garçon. Les autres se racontaient des pipes et riaient de plus en plus pour rien, laissant le bibliothécaire à ses pensées, son Yukon, son désappointement. Laganière était déçu parce qu'il y avait déjà eu des rumeurs comme quoi la maison de Monti serait un jour convertie en centre d'interprétation. Il y avait pas grand chance que François revienne s'établir en Gaspésie, mais s'il revenait, il y aurait de l'espoir, et peut-être qu'il se battrait pour l'héritage à Monti. En même temps, François, c'était le cadet. Pour aggraver les choses, Yannick avait pas plus que lui le tonnage ou le salaire pour garder la maison debout très longtemps. Bazous, outillage, mythes, blonde, le gars détruisait tout ce qu'il touchait. Mais le plus triste, pour Laganière, c'était pas qu'une maison historique soit maintenant vouée à la ruine, c'était que, même s'il lui avait fallu près de cent ans, Victor Bradley l'emporte finalement sur son cher ennemi. Le fils bâtard du facteur s'accaparait, pour finir de le coucher à terre, ce qui restait de l'empire à Monti.

19

D'UN GESTE de toréador, Patapon a attrapé sur la patère son fidèle perfecto, que les mains invisibles, rendues impatientes, l'ont aidé à se mettre sur le dos tellement fort que les manches ont manqué arracher. Tant de papiers d'emballage dans ses poches, ça l'a alarmé sur le coup, pareille quantité de cochonneries qu'il avait mangées dans sa vie. Mais il les a triés. Malgré les ordres marabouts de la voix, il est retourné à la cuisine les faire brûler dans l'évier. Le plexus solaire lui rougeoyait en se vascularisant devant la flamme. Patapon se sentait capable de passer à travers un mur en ciment, de partir à la course bâtir un centre d'achats pour organiser un téléthon dedans. Parlant de sortir. Il est sorti. *Pas trop tôt,* a fait la voix. Ah, l'odeur du varech dans l'air, du terroir, le mugissement des génisses. La Frayère, dans le dérèglement de Patapon, apparaissait un cran plus bucolique que dans la réalité.

Il a passé près de mourir d'extase quand il a vu O'KEEFE d'écrit sur le tapis décrépit de son perron, décrépit lui avec. C'était sublime, mais pas autant que le vire-vent fané planté dans le gazon. Un triomphe sur le mal. Ça lui a littéralement tiré une larme. Il se délectait de la sorte de neige drue qui te pince la face. *On descend les trois marches, s'il vous plaît.* Patapon a dégainé ses clés. Il les a fait tourner à son doigt comme un revolver, puis les a rengainées avec un clin d'œil à sa Festiva. *Ouah, pas belle d'abord, ma Festiva,* il a pensé, confusément, par-dessus l'autre voix dans sa tête qui lui ordonnait de s'activer. *On a pas toute la nuit.* Éblouissante sous la neige était sa Festiva. Patapon était pas allé battre ça dans les dunes depuis quoi, quatre-cinq ans certain. *Brûler du fioul,* il a pensé. *C'est moi qui pense ici,* a rétorqué cruellement l'autre voix. Plourde était tout fou. Ça lui pétillait dans les globules. Il a descendu puis remonté les quelques marches du perron, plusieurs fois, avec au ventre la sensation de chute libre et de spring que t'as quand tu sautes en bungee, jusqu'à ce que la voix se tanne. *Ça va faire!* elle a crié, rauque, rauque. Une fois son sac et sa balayeuse dans le coffre, Patapon s'est installé derrière le volant. Il s'est attaché. Il a ajusté ses miroirs, son siège, tout ce qui s'ajustait dans la Festiva. Il a inséré la clé dans le contact. Où est-ce qu'il allait, il savait pas trop. *Je le sais, moi,* a fait la voix, où se révélait quelque chose de creux, d'à vif. Ce qu'elle avait eu de feutré se desséchait. Pas grand place où aller à cette heure-ci dans un trou de même. Mais loin, que Patapon irait, pis en char à part de ça. Il partait en voyage. *Genre.* Un long, long voyage.

Très long. À Peawanuck en Ontario, tiens. Le tableau de bord s'est allumé quand il a tourné la clé. Il s'est éteint tout de suite après, complètement grillé. *Bon.* Plourde, sans jamais rien perdre de son entrain, s'est extirpé de l'habitacle exigu. Il a ouvert le capot. Le hamster en dessous de ça était inanimé dans sa roulette. Plus de Festiva. Pas grave. Il a essayé pendant une minute de trouver le meilleur angle pour soulever le char et le hisser sur son dos. Il voulait à tout prix l'amener à Peawanuck. Mais les mains invisibles l'ont tiré par le perfecto, un coup brusque, et il a valsé dans le vide. Il a quand même réussi à ramasser sa balayeuse dans le coffre, abandonnant son sac d'armée, et il est parti à pied du côté de chez les Bouge. Sa démarche se désajustait. Les pieds et les mains lui partaient en tous sens. Pendant qu'il marchait de par les rues en cours de déblayage, une flopée de souvenirs d'enfance, lourdement embellis, lui revenaient en mémoire, du temps que La Frayère était encore digne d'apparaître au moins sous forme de point noir sur les cartes que l'Office du tourisme distribuait dans ses kiosques, avant que la place retombe pratiquement sous Duplessis, pour devenir le bled que c'est aujourd'hui, miné par le chômage et la toxicomanie et l'exode vers les centres de services, parce que bon, la Gaspésie, c'est pas juste non plus le centre d'interprétation de la Bataille-de-la-Ristigouche ou le Rocher Percé. Plourde se revoyait heureux, avant qu'un matin la maladie surgisse de son bol de céréales pour lui sucer d'un coup toute sa vitalité. S'il avait eu l'intention d'aller sonner chez Henri Bouge, il venait en tout cas de passer tout droit. La maison de

Monti rapetissait derrière lui, un peu plus à tous les pas. Plourde se revoyait dans son t-shirt trop serré, une journée que sa mère l'avait encore forcé à jouer avec François. Tout ce qu'il aurait voulu, lui, ça aurait été de rôder avec Yannick et ses amis, et ses amies de filles surtout. *Cré Yannick, faudrait ben que je lui fabrique une carte pour le féliciter,* il a pensé à travers l'épaisse statique de son esprit. Sa mère avait appris la nouvelle au salon de coiffure. Il s'imaginait pas trop Yannick père, mais bien sûr Patapon serait toujours là pour le soutenir, il s'en faisait un point d'honneur. *Tu dois le savoir, toi,* a fait la voix, *par où il est, le viaduc ?* Il y avait une touche d'incertitude dans la question. Patapon piétinait sans savoir où se diriger. La fois du t-shirt trop serré, sa mère avait appelé Liette, la mère à Yannick et François, pour lui demander si François voulait venir jouer à la maison, en se disant qu'elle ploguerait les deux mousses devant la télé. La crosse, c'est que les Bouge allaient devoir ramener Kevin à souper après, parce qu'elle était sur le shift de soir au snack-bar. François avait sonné chez les Plourde avec un sac de la bibliothèque bourré de livres, des fois que Patapon voudrait lire avec lui. Patapon s'était même pas détourné de la télé quand il était rentré. François avait pas voulu s'assir à côté de lui. « Je n'aime pas la télévision », il avait dit à Monique, la mère à Patapon. Et il s'était mis à la suivre partout dans la maison pendant qu'elle essayait de se préparer. Monique avait finalement réussi à l'immobiliser sur le divan du salon, l'appâtant avec de l'orangeade et un bol de crottes au fromage que Plourde avait tout de suite tiré vers lui en s'appliquant à les gober toutes, une après l'autre, avec une régularité de métronome. Tout allait bien, ils végétaient en silence devant la lutte. Puis, après la lutte, devant les romans-savons américains mal doublés auxquels Plourde avait développé une dépendance en bas âge. Quand François, tout à coup, s'était mis à rire. D'un horrible rire de hyène. Par petites quintes au début, puis en continu. Pourtant, c'était pas particulièrement drôle qu'un triple divorcé se rende compte que son frère était pas son frère parce que lui-même avait été adopté d'une femme que son père avait engrossée dans la double vie qu'il avait menée durant cinquante ans après avoir appris que son épouse couchait avec son père. Patapon, les doigts gommés de fromage synthétique, s'était retourné vers François pour lui suggérer d'aller lire un de ses livres dans une autre pièce. Mais de le voir rire comme ça, et pendant une annonce en plus, avec le nez qui pissait le sang, Patapon était quasiment mort de peur.

Monique était allée reconduire François, traversant sa pelouse et puis celle des voisins jusqu'à chez les Bouge en le tenant par la main. Patapon les surveillait par la fenêtre du salon, une crotte au fromage dans la bouche. En aucun moment il avait lâché le bol.

Ben coudon, avait pensé Liette comme elle raccompagnait madame Plourde au bout de l'allée, avec des excuses à plus finir, après que Monique lui eut raconté ce qui s'était passé. François avait disparu dans la maison, un mouchoir dans la narine. Kevin, malgré ses supplications, viendrait les rejoindre dans une couple d'heures. «C'est ben beau», avait dit Liette à Monique. Pendant qu'elle pêchait, dans un contenant de plastique rempli d'eau, des bouts de céleri pour les enduire de Cheez Whiz comme Henri faisait, François, dans le pyjama à pattes qu'il avait enfilé, était venu lui demander la permission de se faire un nique de douillettes en bas. « Sûr, mon pit. » Puis elle était descendue lui porter sa collation, en se disant qu'elle aurait voulu que son époux voie ça, lui qui était pas trop alentour ces jours-ci, toujours occupé. Tout emmitouflé dans ses couvertes, ses crayons de couleur éparpillés autour de lui, François était absorbé comme un lézard dans le *Larousse* de l'année que son père, pour la fête des Pères, avait exigé de Yannick et lui. Les pages du dictionnaire craquaient. Elles brillaient et sentaient bon. Liette était remontée à la cuisine frotter une tache qui la tenait en haleine depuis une semaine et téléphoner à une amie pour savoir comment ça s'était passé sa séance chez la voyante. Pas longtemps après, Henri était revenu de la quincaillerie, avec Yannick qui boudait en sortant de la fourgonnette pour décharger les madriers du gazebo en cours de construction. Parce que c'était toujours la même histoire avec Henri, il t'abordait pareil qu'une grande personne, en te disant qu'il avait pas besoin d'aide pour sa commission, non. Il avait besoin de ton aide à *toi*. Sauf qu'au lieu que ça prenne une demi-heure comme il avait dit, tu passais l'après-midi à écouter des bonhommes barguigner dans un garage, capables d'être assez colons merci et de se mettre très beaucoup chaudailles. Mais bon, parle parle jase jase au téléphone. Liette, toute cigarettes et café filtre, avait souri à son homme qui, penture mais guilleret,

242

traversait la cuisine sans avoir enlevé ses bottes de travail. Liette lui avait fait signe d'aller espionner François une seconde au sous-sol. Ça adonnait bien, ça lui prenait le galon à mesurer sur son établi en bas.

— … Faque j'y ai dit, chère, pas besoin de monter à New Carlisle pour ça, ils l'ont dans le catalogue, Edwige en a commandé deux pour moé pis… Excuse-moé une minute. La bouilloire siffle, m'as aller éteindre mon rond.

Il y avait pas d'eau sur le feu. *Pas dans les patates à peu près, la fille,* avait pensé Liette. Le feu était même pas allumé, mais pourtant. Un crescendo montait du sous-sol. C'est-à-dire qu'un crescendo montait de son mari au sous-sol.

Patapon aurait préféré, plutôt que d'aller chez les Bouge, que sa mère lui dégèle des boulettes pour qu'il se fasse des burgers au micro-ondes. Mais elle était trop cassée jusqu'à jeudi, et ils allaient devoir s'inviter où ils pouvaient pendant quelques jours, se débrouiller comme ça. N'importe où ailleurs que chez les Bouge, au moins. Premièrement, Patapon aurait pas su nommer l'essentiel de ce qu'il y avait dans son assiette. Du maïs, oui, ça c'était de quoi qu'il était capable d'identifier. Il en avait par contre jamais mangé qui était pas en canne. Deuxièmement, il avait aucune idée de ce qui s'était passé dans cette famille-là, entre le rire hémorragique à François et le moment présent, mais personne se regardait ni parlait. Il y avait seulement Liette qui à chaque bouchée lâchait de petits piaillements étonnés. Quoique. Personne se regardait. C'était pas tout à fait vrai. Yannick, sa chaise en équilibre sur deux pattes, mâchait le plus lentement qu'il pouvait en le drillant, Patapon, de ses yeux contrastés.

— C'est-ti à ton goût, Kevin ? avait demandé Liette.

Patapon avait retenu son souffle en avançant vers sa bouche à peine ouverte une fourchetée de choses qu'il savait pas c'était quoi.

— Oui oui, il avait dit.

Il avait risqué un regard suicidaire vers Henri. C'est bien rien que par peur de se faire tuer qu'il s'obligeait à manger de ce manger-là. Le bonhomme, le nez rouge à travers une pilosité grisonnante, avait l'air en beau fusil. Sa largeur dépassait celle de la table.

— C'est Patapon, son nom, avait fait Yannick.

Henri avait pris une longue gorgée dans le verre de bière dont il accompagnait son repas, et dans lequel il avait mis du sel.

— Dans la maison icitte, c'est Kevin, avait dit Liette.

— Mais c'est Patapon, son nom, avait marmonné François, ses patates pilées à l'image d'un jardin japonais.

— Toi, je t'ai dit de pas parler, avait dit Henri.

Rien à voir avec le cri qu'il avait lâché tantôt en descendant au sous-sol. Un cri à te décrasser un tuberculeux qui fume un paquet et demi par jour. Henri venait de s'exprimer avec le plus grand calme. Chacune de ses syllabes découpée au couteau. Patapon se concentrait sur son assiette, sur le maniement de ses ustensiles. Des patates pilées, ça il savait c'était quoi. Par contre, il fallait pas du tout qu'il y ait de grumeaux pour qu'il aime ça. Il espérait que plus personne parlerait. Pour qu'Henri se refâche pas.

— Faque ta yeule, hein, Françoué, avait fait Yannick.

Il avait, de sa cuillère, catapulté un bout de viande sur son frère. Ça avait tout sali son pyjama à pattes. Le squelette à Patapon s'était réorganisé sur sa chaise.

— Toi, exprime-toi comme du monde, avait dit Henri à Yannick.

— Donc, ta gueule, n'est-ce pas, François.

François avait feint de s'être endormi. La face lui flottait au-dessus de son assiette. Patapon s'était mis à manger avec la même ardeur que plus tôt dans le bol de crottes au fromage.

— Tu vas rester à coucher, Kevin? lui avait demandé Liette.

Les larmes étaient montées aux yeux du flo. Il avait pas trouvé le courage de répondre. Il l'avait entendu de chez eux, le cri du bonhomme. D'abord un geignement aigrelet, qui avait très vite pris du corps, de manière exponentielle. Henri avait beau aimer ses enfants, il y avait des limites. C'était pas quelqu'un qui gérait bien la déception, et quand il était tombé sur François tantôt en train de barbouiller dans son cadeau de fête des Pères, quelque chose en lui s'était rompu. François avait eu droit à une engueulade de première classe. Et même quand la crise avait pris fin, il y avait rien de fini, parce que le pire restait d'avoir à s'assir tous à table ensemble pour manger dans un semblant de normalité.

— Je t'ai dit de pas parler, avait alors redit Henri à François.

— Tu viens de lui dire, avait fait Liette.

— Toi, Yannick, demain tu vas m'aider, nous allons…

245

— Je t'ai aidé toute la journée, peut-être que tu pourrais demander à François des fois.

Henri avait répondu quelque chose que François aurait peut-être mesuré deux pouces de plus s'il l'avait pas entendu.

— C'est un enfant ! s'était insurgée Liette. Me passerais-tu la sauce, Kevin ?

— Patapon ! avait dit Yannick.

— C'est pas un enfant, avait dit Henri. C'est huit ans de paternité sans résultats.

François, la tête couchée sur l'épaule, faisait semblant de ronfler. Son père avait tapé sur la table, et il avait quasiment été éjecté de son pyjama à pattes sans même que rien déboutonne.

— Tu vas m'aider demain, Yannick, avait redit Henri.

— On le sait, avait fait Liette.

— Nous allons couler la fondation du gazebo.

Patapon pleurait. Liette avait donné un coup de serviette de table à son mari.

— Pleure pas, mon grand, elle avait dit à leur invité. On te garde à coucher à soir, OK ? On va s'organiser une belle soirée.

Elle lui avait ébouriffé les cheveux. *J'ai un fun noir*, avait pensé Yannick. Puis il avait fini la bière à son père.

— Je... Je peux pas, avait commencé Patapon. Ma mère veut que je...

— Je vais lui parler, à ta mère, avait décidé Henri. Tu vas dormir ici avec nous, c'est correct.

Patapon avait baissé la tête pour cacher ses sanglots. Elle était tellement belle, Liette, si jeune encore, il l'aimait plus que c'était avouable. Mais elle venait de lui resservir une pleine portion de tout, pendant qu'Henri expliquait deux fois plutôt qu'une à Yannick ce qui l'attendait le lendemain. Il prenait soin d'écorcher par-ci par-là l'amour-propre à François.

— Ça suffit, bon, l'avait coupé Liette. Reprends sur toé un peu. Tout ça pour un *dictionnaire,* maudite marde. On va pas le déshériter non plus.

Henri était debout quand elle avait dit ça. Trouvant plus sa bière, il s'était levé pour se servir un Yukon. Le facteur avait livré la bouteille dans l'après-midi.

— C'est pour lui que je voulais le construire, le gazebo. Pour François. Sous les ramages de notre saule pleureur. Je nous voyais y passer de précieux moments. Entre père et fils. On aurait feuilleté ensemble mon *Larousse* neuf de l'année. Un cadeau de mes garçons, saint chrême. On aurait cultivé un peu cette bosse des langues qu'on a si charnue dans la famille Bouge.

— Il a dessiné une couple de lignes dedans, là, c'est pas comme si c'était…

— C'est bon pour la dompe ! avait crié le bonhomme.

Patapon cherchait son air, tourné vers Liette, les bras ouverts et les doigts crochus.

— Pis prends-toé donc un verre de lait pour une fois, avait dit Liette.

Elle s'était levée à son tour pour arracher le verre de Yukon de la main à son homme.

— Kevin, tu vas dormir ici, avait dit Henri, et il s'était sorti un autre verre de l'armoire.

Liette avait pesé sur la pédale de la poubelle et lâché

247

le premier verre dedans, encore à moitié plein. Henri lui avait donné le deuxième pour qu'elle fasse pareil, et Yannick autant que les autres avait pris son trou. Le père, même en s'en versant un troisième, se serait jamais avoué sa maladie. « Je suis un bon vivant ! » plaidait-il, plus éloquent quand il avait bu, et c'est certainement pas son médecin qui l'aurait contredit, il buvait autant. Le plaisir avait jamais empêché Henri de travailler, loin de là. Avec un simple secondaire quatre et la touch pour les affaires, il avait réussi financièrement. C'était le seul de sa fratrie qui roulait assez pour maintenir le train dispendieux de la maison familiale, rachetée à son père après que Monti avait été forcé de s'endetter dessus dans ses vieux jours. Il y avait juste lui aussi, dans son amour de la langue française, qui pouvait discuter de littérature avec leur mère. Personne le jalousait pour autant de ses succès. Il savait faire des largesses et rendre service. Il avait toujours essayé de se garder en forme aussi, plus motivé après la mort de ses parents, parce qu'il voulait tenir le pas aux deux fils qu'il avait eus sur le tard avec une femme d'une quinzaine d'années sa cadette. Liette Nault, à l'époque, s'était sentie obligée à la vie d'adulte. Elle s'était mise en ménage avec Henri. Depuis qu'elle était haute comme ça qu'elle connaissait Henri Bouge. Il lui avait payé une crème molle, un été. « C'est quoi, l'urgence ? s'était opposé Pierre Nault. Faut vivre sa jeunesse, cette affaire. » Il avait pas tort, le père. Dans l'opinion de ses proches, ça l'avait brisée, Liette, de se marier aussi tôt, avec quelqu'un qui était pas à la même place qu'elle dans la vie. Quand, après le rituel d'union, la procession de chars était passée en klaxonnant sur le boulevard, une couple de jeunes taureaux avaient pogné un coup d'humilité, accotés sur leur moto dans le stationnement de la salle de quilles, devant le bar laitier, ou sur leurs patins à roulettes le long de la promenade en bois qui longeait le banc de mer. Leur reflet avait défilé sur la carrosserie de la Lincoln Continental d'Henri. Sa main pendait fièrement contre la portière. Il emmenait le parti le plus flamboyant du village vers le coucher de soleil, traînant une guirlande de canisses accrochée après son pare-chocs. Les autres gars auraient peut-être été moins amers s'ils avaient su que Liette avait déjà une mauvaise graine qui lui germait dans le ventre. C'est pas clair d'ailleurs si Henri était au courant, s'il l'avait mariée en obéissant d'abord et avant tout à son sens des responsabilités. Même Marcel, le garçon d'honneur, avait jamais su si Henri savait.

20

J E DÉSIRE seulement voir, disait François alors qu'il ajustait la radio, si on capte déjà les ondes de CBSA.

— CBSA? a demandé Rock.

Le chauffeur fouillait dans les contenants de carton où il y avait ses restes de mets ethniques.

— C'est la radio communautaire de La Frayère.

Même *communautaire,* c'était un grand mot. C'était presque pour les animaux, cette radio-là. Les locaux en étaient installés à bonne distance de la ville, à flanc de montagne dans le bois, parce qu'à l'origine CBSA diffusait à partir d'une ancienne tour de transmission érigée au sommet. François connaissait pas trop les détails. Il pitonnait en se tordant le bras de manière à éviter tout contact avec le iPod toujours éteint.

— Je peux nous mettre de la musique, a dit Rock.

— Chut, chut, a fait François, l'oreille tendue.

Il venait d'entendre à travers les interférences quelques notes de synthétiseur à peine perceptibles. La même mesure se répétait en boucle, on aurait dit.

— CBSA, hein, a dit Rock, s'enfonçant un moignon de rouleau impérial dans le gorgoton.

Il y avait des silences de deux minutes pendant les nouvelles sur CBSA, des fois t'entendais des pages tourner, des toilettes flusher, d'autres employés parler en arrière de l'animateur. C'est pour ça que les Frayois appelaient ça BSAC.

— En veux-tu?

Le chauffeur tendait à son passager de ses nouilles huileuses mélangées à des caillots de sauce. François s'imaginait le livreur du restaurant taper dans la main de Rock quand il venait livrer chez eux. Rock, tu lui donnais un kiwi et une cuillère, il savait pas quoi faire avec ça. Sûrement aussi que le livreur repartait avec ses films en retard pour les rapporter au club vidéo du coin. *J'espère que ça sera pas ça ton dernier repas,* a pensé le chauffeur quand François s'est saisi du contenant en même temps qu'il baissait sa fenêtre. La pancarte dans laquelle c'est allé cogner a résonné comme un gong.

— Qu'est-ce tu... Mon souper!

Saint-Simon, mal cadré dans le pare-brise, s'ébauchait dans le déluge. Une diapo de vacances cramée dans le projecteur. François, de plus en plus expansif, aurait voulu sortir par le toit ouvrant dans l'orage, sauf qu'il y avait pas de toit ouvrant, et il est resté au lieu de ça dans son

siège à téter son Yukon. À la radio, les boucles de clavier gagnaient en définition au fur et à mesure qu'ils en
approchaient la source.

— Attends, je calcule, a fait Rock en référence à une
autre conversation plus tôt. Ton grand-père est allé au
Klondike…

Il en avait vidé avec ça, François, des tables dans des
brasseries. Chaque fois la même rengaine, les mêmes
soliloques. Tellement qu'il avait fini par s'aliéner son
entourage. Un gars se tanne, et ses amis se sauvaient
sans prendre le temps de finir leur bière, même pendant
La soirée du hockey. Momo, Armand, Graton, Tibi, toutes
les vieilles faces. C'était rendu tel que t'avais beau lui
parler de n'importe quoi, à François, de ta verrue plan-
taire et des délices insoupçonnées du traitement à l'azote,
il trouvait à tout coup le lien pour ramener le sujet sur
la saga du grand-père. Le lien était parfois très ténu. Au
début, les gars collaient, parce que François commandait une bouteille de Yukon pour la table sous prétexte
de leur montrer des indices secrets sur l'étiquette. Puis
il s'en servait un verre, en faisant comme s'il avait pas
de problème d'alcool, et ses amis le lui remplaçaient par
un Pepsi. Mais après quelques mois de ça, de François
qui leur sortait à tout bout de champ des cartes pêle-
mêle, des fac-similés d'enregistrements de lots de prospection, des archives qu'il tirait de sa mallette pour les
déchiffonner et qui prouvaient rien à part que le papier
vire brun avec les années, les amis en avaient eu plein le
casque de devoir chaque fois se cotiser pour payer la bouteille en fin de veillée. Pour François, c'était clair. Monti

avait fait quelque chose à quelqu'un quelque part. Il avait sa petite idée de la faute aux origines de la malédiction. Buzzé sur le Pepsi, il se mettait à divaguer que le déclin des Bouge, que le déclin de tout La Frayère était une affaire de vengeance, en représailles d'un meurtre perpétré sur une personne qu'il valait mieux pas nommer comme ça à la légère dans une respectable taverne du Centre-Sud. Les gars lui disaient que sa malédiction avait plus de chances de se résoudre dans un meeting des AA qu'avec un livre en train de pas s'écrire depuis dix ans. C'est Tibi, un des plus loyaux de ce cercle-là, qui avait fini par lui dire que, s'il tenait tant que ça à continuer de creuser de même dans le Nord, qu'il lâche son crayon et se trouve une pelle avec un manche de six mille kilomètres de long, et qu'il arrête de les faire chier. Tout le monde s'était levé en s'inventant des obligations avant de mettre leur manteau et de rentrer chez eux. Poupette était le seul à pas s'être sauvé. Il avait suivi François dehors. Il l'avait assis sur une bouche d'air chaud dans la rue et lui avait dit : « Mais là, Françoué… C'est toujours ben rien que dans le nord de l'*Ontario* qu'il est allé, ton grand-père.»

— Si on veut, a répondu François.

— Parce que là, dis-moi ça, a fait Rock, c'était en quelle année, la ruée vers l'or?

— Mil huit cent quatre-vingt-quinze.

Rock s'est resservi dans son paquet. Il avait dû sortir cent vingt cigarettes de là. Le monde se reflétait par convulsions dans le miroir brisé dehors, qui battait contre le flanc du char.

— Quelque chose de même, han. Pis quel âge que t'as, toi?

— Quel âge vous me donnez?

— Sais-tu, je te regarde, pis je le sais ben pas. Quelque part entre vingt pis soixante ans.

— En plein dans le mille, a ri François en repoussant le chauffeur gentiment. Gardez-vous une petite gêne, là.

— Parce que moi j'ai vingt ans de plus que ton frère, pis...

— Je ne vous ai jamais dit que j'avais un frère.

François a tourné la tête vers le chauffeur d'un coup sec. *Oups,* a pensé Rock. *Je viens de pogner un nerf sensible.*

— Messemble que tu parlais de lui, tantôt.

— Absolument pas.

— T'es juste trop chaud pour t'en rappeler.

— Je ne suis pas ivre, écoutez.

François a sifflé l'hymne national. L'alcool lui élançait dans les membres et c'était tout. Ça manquait peut-être un peu de gloire dans les montées, mais on reconnaissait la génialissime mélodie de Calixa Lavallée.

— OK d'abord, j'ai l'âge d'avoir vingt ans de plus que ton frère aurait si t'en aurais un. Pis mon grand-père à *moi* est allé au Klondike. Ça veut dire que ton grand-père à toi pouvait pas être ben ben plus qu'un enfant, dans ce temps-là.

Rock voulait rien d'autre, à ce stade-ci de la nuit, que François prenne conscience du piège qui se refermait sur lui. Il voulait, dans son empathie, qu'il comprenne où s'arrêterait leur course. *Mais il lui manque un module dans le cerveau,* il a pensé, quand François lui a répondu qu'on disait «si t'en *avais* un».

— Faque Yannick, lui, dis-moi ça, êtes-vous proches? il a demandé plus tard.

Les poignets maintenus de force sur le rail vibrant. «Lâche-le, Yannick, le train s'en vient.» Une clique de ti-culs pâlots reculent lentement dans les hautes herbes.

— Aucune proximité, aucune ressemblance, a fait François.

Il a noyé son souvenir dans une gorgée qui, à cette heure-là, lui faisait aussi office de déjeuner.

— Nous ne nous fréquentons pas, il a poursuivi. Nous ne nous aimons pas. Comment savez-vous d'ailleurs qu'il s'appelle Yannick?

— Moi, je t'aime.

Une lumière s'était allumée sur le tableau de bord. *Qu'est-ce que cela peut bien signifier?* François a vérifié, pas un mot là-dessus dans le manuel. C'est sous ce signe-là qu'ils ont traversé Rimouski. Rien d'autre à dire sur Rimouski. L'antenne fouaillait en tous sens sur le côté du capot. Rendu à la hauteur de Sainte-Luce-sur-Mer, François pérorait sur l'*Empress of Ireland.* Il avait insisté pour longer le fleuve.

— Dix mille douze noyés dans une salle de bal remplie d'eau salée, il disait. Imaginez-vous cela, les convives flottant parmi les débris de porcelaine et les roses de boutonnière.

— Je t'aime tellement, mon petit marquis.

François savait pas comment recevoir de telles déclarations. Il a regardé le chauffeur, interloqué.

— Je vous…

Le reste de sa réponse est sorti comme en exploréen. *Car ronchonner n'est point mentir,* il a pensé. Les battures le long du fleuve se mélangeaient par la vitre aux coulures d'un paysage à la grosse gouache. François commençait pas mal à sentir le compost. Le sapin cartonné fournissait plus.

— Tu catches pas, a dit Rock. Je t'aime, comprends-tu? J'en connais pas, moi, des bolles comme toi. Tu me parles pis les neurones me sautent dans la tête. Man, je te regarde écrire, pis je me dis… Je voulais faire du cinéma, moi, dans la vie, pas me gaspiller à jouer les laquais pour une gang de bootleggers…

— Monsieur Rock?

— … toujours pogné dans des histoires de bisounes pis de magie noire. Oui, quoi?

— Comment se fait-il que vous saviez que j'ai un frère du nom de Yannick?

La pluie s'était arrêtée sans que personne s'en aperçoive. La lune s'était déprise des nuages, lesquels s'étaient repliés. Mais presque tout de suite après l'entrée officielle du taxi en Gaspésie, pas trois minutes passé Sainte-Flavie, les nuages ont de nouveau renflé, pour vite prendre une consistance de plasticine. Puis ils se sont relâchés, et maintenant l'azur fourmillait nerveusement de neige.

— La famiglia, a répondu Rock avec un geste de la main appris dans *Le parrain.*

L'œil plissé par une clope qui se détricotait en petite fumée, il en était à écouter François lui lire le texte au dos de la bouteille de Yukon. Les transports du lecteur se sont modérés cependant quand le chauffeur lui a expliqué que c'était pas une formule magique, mais la mauvaise traduction d'un logiciel boboche.

— C'est que vous ne connaissez pas la réputation de William Dexter, a dit François.

— Je la connais plus que tu penses, a répondu Rock. Heille, peux-tu t'étirer en arrière dans ma poche pis me sortir les épaulettes de hockey?

Débouclant sa ceinture de sécurité, François s'est exécuté, pour retomber après sur son siège, hypnotisé, à essayer de discerner ne serait-ce que des formes rudimentaires à travers les flocons qui venaient s'incendier devant les phares.

— Comment se fait-il que vous connaissiez le nom de mon frère? il a dit sans revenir tout à fait parmi nous.

— Passe-moi mes protège-coudes pis mes jambières aussi, veux-tu?

Ce que François a fait, en jetant à Rock un regard vide de toute interrogation.

— C'est pour quand je vais sauter tantôt, a dit Rock.

— Mais répondez-moi donc, diantre.

L'ambiance était ordinaire après ça. Le chauffeur se mâchouillait le dedans des joues, encore incrédule, comme fru que son passager ait utilisé le mot *diantre*. Il a branché le iPod dans la prise auxiliaire. François a explosé. Et s'est recomposé en un tout presque intact quand il a vu qu'il se passait rien. Le chauffeur en était venu à douter que Danny soit capable de mettre en œuvre le plan dont il lui avait exposé les variables par Internet. *Je veux dire, as-tu vu le gars.* Mais il savait que d'une manière ou d'une autre le plan finirait par activer les engrenages voulus. C'était toujours comme ça. Ils allaient seulement devoir trouver une façon de passer les lignes après, quoiqu'il avait pas à s'inquiéter de ça tout de suite. Les mêmes six notes de synthétiseur jouaient encore sur les ondes de BSAC.

— Comment cela se fait-il, a redemandé François, pour une quatrième fois, que vous connaissiez le nom de mon frère ?

Ah ! comme la neige neige ! il a pensé. Son accent gaspésien, c'était psychologique, s'intensifiait à mesure que La Frayère s'en venait. Rock a encore essayé de le convaincre qu'il en perdait des bouts. Même s'il s'en rendait pas compte, il était plus paqueté qu'un sac à dos.

— Depuis Montréal que tu parles de Yannick !

François le croyait pas une seconde, mais il a abandonné. Ils arrivaient dans pas long, de toute façon, une heure et demie à peu près. Il était absorbé par la tempête au-dessus de la grande région métropolitaine d'Amqui. *Qu'est-ce que le spasme de vivre ?* Ils se sont fermé la boîte une heure ou deux. La face blanc cassé de François ressemblait maintenant à un masque de latex en train de fondre. Un plastron de bave surie sur sa chemise, il parlait de ce que la péninsule représentait pour lui, avec diverses allusions à ce qu'il s'en allait y accomplir.

— Passe-moi mon chandail, dans la poche.

François parlait de son amour pour la Gaspésie, des rêves qu'il avait pour elle, pendant que Rock enfilait le maillot des Sharks de San Jose qu'il lui avait remis. Le chauffeur lui a dit que c'était d'une femme qu'il devrait tomber amoureux. Il lui a dit qu'il allait lui donner un truc.

— Merci, c'est correct, a fait François par-dessus le bruit de la déneigeuse dans l'autre voie.

— Tu vas voir la fille. Tu y payes genre un cosmopolitan. Tu la laisses parler d'elle, de ses ateliers de taï-chi, tout ce qu'elle veut. Tu te confies toi aussi, en te la jouant vulnérable, mais aussitôt qu'elle part pour dropper le nom de son ex, tu pousses un trente sous sur le comptoir pis tu dis : «Appelle ton père, bébé, tu rentres pas coucher à soir.» Me passerais-tu mon casque en arrière, s'il te plaît? Dernière affaire, promis.

François a lui-même casqué le chauffeur pour qu'il s'enlève pas les mains de sur le volant. Il a boutonné la mentonnière, ajusté la grille. Un casque de marque Spalding.

— Parce que là, mon petit marquis, tes histoires de livres, ou je sais pas quoi, ça va te rendre fou. Sacre-moi ça au bout du quai, cette mallette-là. Vis ce qui te reste à vivre, man. Sors. Bats-toi. Fais des enfants. De mon point de vue, la Gaspésie, comme tu dis, elle t'a juste laissé une grosse peine d'amour. Le cœur va finir par te fendre jusque dans le coco.

C'était la fin du trajet. La calandre dévorait moins goulûment les derniers kilomètres tandis que la Volvo s'engageait dans le vortex de lumière fadasse qui s'ouvrait avec difficulté entre les nuages gonflant comme de l'intérieur, dans une nuit pareille à un solide. Rock conduisait la face au-dessus du volant. Son casque touchait presque au pare-brise. On voyait à peine jusqu'au

259

bout du capot. François a senti la Volvo ralentir. De sa propre initiative, il a tendu les gants de hockey à Rock, équipé à présent de la tête aux pieds. Puis c'est devenu impensable de continuer sur la 132. Le taxi pouvait plus avancer. Trop de neige sur la route. La gratte était pas encore passée sur le tronçon devant eux. T'aurais pas voulu faire du surf sur la mer à leur droite non plus. Rock a arrêté la Volvo avant de rester pris. *Comment tu gages que ça fait partie du plan ?* il a pensé. François regardait dans la tempête comme il aurait regardé ses parents copuler.

— Je crois, il a dit, qu'il vaudrait mieux rebrousser chemin pour tenter notre chance par la route Sainte-Cluque. Nous pourrions prendre par le rang Saint-Onge.

Rock a donné un coup de poing dans le volant et a reviré le taxi de bord. Les gants de hockey facilitaient pas la manœuvre. Le véhicule a glissé un peu à reculons avant que les pneus mordent dans la glace. *Faut toujours que ça soit compliqué.* François s'étonnait de pas éprouver plus d'émotion que ça à l'approche de son patelin. Il aurait pu être parti de La Frayère la veille, pour un aller-retour à Carleton, que sa réponse biochimique aurait pas été tellement différente. Ils ont tourné à gauche vers les terres, sur un chemin déneigé depuis peu. Ils ont roulé pendant une dizaine de minutes. Puis Rock a réglé la radio du char sur auxiliaire, et il a allumé l'iPod au moment où, gris sur fond gris, le viaduc au croisement de la route Sainte-Cluque et du rang Saint-Onge se profilait au bout du chemin. *La chute de l'homme,* il a pensé en devinant la silhouette qui enjambait la rambarde.

21

UNE FOIS les parois de l'estomac bien tapissées
de civet, Laganière s'était surpris de la quantité
de fort qu'il était capable de descendre, lui qui
s'était toujours docilement rangé derrière l'avis
de sa Lorraine, comme de quoi son Joël, avec le gabarit
qu'il avait, un bouchon de vin de cuisson et tu le retrouvais couché en étoile sur la surface plane la plus proche.
Mais là, Lorraine et le mariage et les écriteaux avec le
nom des invités dessus pour que le monde sache où
s'assir au souper le soir de la cérémonie et que lui-même
était censé aller chercher hier chez l'imprimeur, tout ça
était à des années-lumière de ses préoccupations, investi
qu'il était dans son rôle de conteur. Encapuchonné du
châle que sa tante gardait sur le dossier du fauteuil, Laganière a marqué, devant les trois autres encore conscients
dans le chalet, une pause pleine de suspens. Il achevait
de leur raconter l'histoire de la disparition de Thierry

Vignola, dans laquelle il se contentait de changer les âges et les noms, le décor, la texture. Steeve écoutait debout à l'écart, derrière Perrault sur son départ depuis deux heures. En balayant son auditoire d'un regard de défi, le bibliothécaire s'est calé une nouvelle rasade de Yukon. Son silence se prolongeait à la limite du supportable.

À l'époque de la polyvalente, Thierry Vignola avait été très proche de Yannick et de Steeve, mais Laganière aussi l'avait fréquenté, dans quelque club parascolaire, parce que, même s'il avait un gros fond de truanderie, Vignola avait été le genre de gars que tout le monde aimait, qui butinait d'une gang à l'autre, impliqué dans plein d'affaires. Laganière l'avait rebaptisé Julien dans son récit, et là Yannick était pas suspendu à ses lèvres à moitié.

Ça aurait fait un brillant en plus, Thierry Vignola. L'été où il s'était volatilisé durant une fin de semaine en nature, il s'enlignait pour des études, une relation sérieuse, moins de drogues douces. Les autres en camping avec lui, dont Marteau d'ailleurs, l'avaient cherché une bonne partie de la nuit dans le bois, et ce qui était sûr, c'est qu'à cet âge-là, quand tu viens de vivre de quoi de même, t'as surtout pas besoin de te faire reprocher d'avoir alerté les autorités trop tard. Leurs témoignages avaient été assez décousus merci. Les secouristes avaient jamais rien découvert d'autre que du linge, et des effets personnels éparpillés dans le bois, d'une manière qui avait donné lieu à toutes sortes de conjectures.

Pour la grande finale, Laganière s'est allumé une lampe de poche en contre-plongée en dessous du menton. Ça les a impressionnés dangereusement, les trois drogués.

Les impulsions électriques leur traversaient le néocortex, pire que des rapides à rafting.

— Pis cette année-là, a dit le bibliothécaire, le modelé de ses traits exacerbé par le faisceau cru, ça a été au tour d'une des sœurs Létourneau, à la rivière aux Émeraudes, d'entendre une nuit autour de sa tente une voix d'adolescent, la voix de Julien Drolet. Dans des cris d'orfraie, Julien la blâmait elle pis tous les autres au village de pas l'avoir retrouvé, de pas l'avoir aidé, de jamais l'avoir remercié de s'être sacrifié pour eux.

Steeve, devant la caricature grotesque qu'il voyait en Laganière, avait reculé tout au long de l'histoire vers la chambre des maîtres. Au moins, là, il y avait une aura parentale, la télévision. Les histoires d'épouvante qu'avaient racontées Yannick et Perrault avant que Laganière se lève pour la sienne, des histoires de pentagrammes tracés avec du sang d'agneau dans des gares désaffectées, de lits qui se mettent à brasser pour rien ou de séance de Ouija après quoi un fils modèle tue ses parents à la hache, passaient pour des calembredaines à côté de la fable à Laganière. Son côté sadique s'exprimait là-dedans. Le bibliothécaire voulait leur serrer les tripes, à cause du chalet, et de la maison de Monti surtout. Il voulait leur faire revivre quelque chose de primaire.

— Pendant ce temps-là, l'autre sœur Létourneau pis son ami Colin avaient pas encore réussi après une couple d'heures à trouver la sortie de la grotte où ils avaient déboulé. Explorant à la lueur d'un briquet, ils se sont enfargé les pieds dans un K-way tout lacéré. Je l'ai vu, moi, le carnet qu'il y avait dans la poche du K-way. C'est dans nos archives, à la bibliothèque. Julien avait dû rédiger ça dans ses ultimes moments. Il disait à sa blonde qu'il l'aimait. Il avait essayé de décrire aussi, dans la mesure où tu peux décrire l'indescriptible, la créature sanguinaire dont il se cachait. Il disait qu'en la voyant proche de ses amis, après être sorti de sa tente en pleine nuit pour aller pisser, il avait piqué une course au hasard dans la forêt. Il avait été entraîné loin du campement. Le texte s'arrêtait au début de la phrase d'après. « J'ai… » Plus rien. Il y avait des gouttes de sang partout sur la page.

Laganière beurrait épais, bien sûr. Mais ce qui était vrai, c'est que la disparition de Thierry Vignola avait éveillé la terreur au sein de la communauté de La Frayère. Personne savait si c'était une fugue, un suicide, un accident. Un meurtre. Tout le monde y allait de ses théories, et ça débouchait bien souvent sur de belles manifestations de culpabilité, de paranoïa, de psychose collective. Son portrait, à Vignola, était resté longtemps sur les pintes de lait et les babillards de bureau de poste. Même les xénophobes s'en donnaient à cœur joie – c'est les Indiens, les bâtards d'Indiens –, et les cryptozoologues encore plus. Ça durait depuis plus de quinze ans maintenant, les spéculations et les histoires à faire peur aux enfants, comme celle que Laganière s'apprêtait à conclure.

— La prochaine fois, je vous raconterai ce qu'un chasseur de Coin-du-Banc a raconté au vieux Marcel, pis que le vieux Marcel m'a raconté après. L'histoire de la bête inconnue, humanoïde sur les bords, qu'il avait réussi à tirer, proche de la rivière aux Émeraudes. Trois coups de .22, pis l'animal s'était enfui. Les balles tintaient en dedans de lui comme du change dans une tirelire. Je le sais pas, vous autres, mais moi je pense que c'est peut-être ça qu'on a entendu dehors tantôt… Et c'est comme ça que se termine l'histoire de la disparition de la rivière aux Émeraudes.

— OK, OK, a fait Steeve.

Et dans son désir d'organiser lui-même la prochaine activité, il tapait des mains en continuant de dire «OK». On a rallumé les lumières dans la cuisine, dans le salon. On a tiré les rideaux sur les barbelés de ronces à la lisière anguleuse des bois moroses et enneigés, où les gars avaient en effet cru entendre tantôt des grelots dans la tempête.

Chacun est vite reparti dans autre chose après ça. Les sourcils comme des flippers de machine à boules, Steeve passait le balai en s'appliquant, avec un respect mêlé d'incompréhension, à contourner la dépouille à Marteau, toujours étalée par terre à la même place. Marteau souffrait toujours des mêmes accès d'apnée, des mêmes mucosités. Un bouquet cueilli dans des pots de fleurs séchées dépassait entre ses mains, qu'on lui avait jointes sur le ventre. Le gars de Montréal, c'était le gars de Montréal, il bougeait et menait du train même en dormant. Perrault était à genoux dans le couloir à tester le rebond du plancher, où il se mettrait bientôt à faire des étirements, des exercices d'art dramatique. Laganière s'était quant à lui retrouvé dans son coin, avec son mal de bloc haut de gamme revenu malgré l'effet analgésique de l'alcool. Sa brûlure lui faisait atrocement mal, et aussi les écorchures qu'il s'était faites sur les doigts à force d'essayer de plier

265

des caps de bière à l'envers comme Yannick tantôt. Yannick qui, furtif, était parti tout seul de son bord, sur la piste du fantôme à Vignola, poussé par quelque chose d'irrésolu en lui.

Quand il est réapparu, dans des mugissements de vent, des furies de neige, la petite aiguille des quatorze horloges et cadrans du chalet tapait le six. À l'envers sur la table, une boîte en « cartron », comme disait l'oncle à Laganière, se mouvait d'elle-même entre les bouteilles bousculées. Les Gaspésiens avaient décidé de punir le gars de Montréal, pour ses façons d'énervé, son médaillon de soldat, ses questions insignifiantes, ses questions nasillardes auxquelles t'avais pas le temps de répondre qu'il était déjà rendu huit questions plus loin. Ils voulaient le punir parce qu'il venait de Montréal, et qu'il était content de ça, et que ça marche pas de même en région. Parce qu'il s'habillait comme dans un vidéoclip, quand leur norme vestimentaire à eux, c'était beige et de la bonne taille. Ils voulaient le… Ils *devaient* le punir parce qu'il avait pas été correct avec leur barde. Il lui avait manqué de respect. Pour avoir fait fumer Marteau à l'en rendre malade. Pour avoir tiré du douze dans le frigo. C'était pas couvert par la garantie prolongée, ça là. Fallait qu'il paye. Yannick aurait tiré dans le frigo que le monde aurait dit t'es too much, mon Yannick, mais le gars de Montréal, désolé, il avait transgressé trop d'interdits tacites. Sur la télé de la chambre des maîtres passait une scène de lynchage en noir et blanc. Une foule de paysans écartelaient un pauvre hère sur un air de ragtime mécanisé.

C'est de personnages comme Monti, pensait Laganière,

que la ville tire sa substantifique moelle. L'affaire de la maison le déprimait trop. Les yeux pétés, des gouttelettes de sueur jaunâtre au front, Steeve et Yannick complotaient en dessous de la hotte de la cuisine. La lueur surette de l'ampoule enveloppait leur caucus. Ils étaient en train de se crinquer. Marteau sur le plancher s'agrippait à leurs culottes pour qu'ils le remorquent vers la conscience. La boîte de cartron remuait sur la table.

— On va lui faire le tour de la belette.

C'est ça qui grouillait sous la boîte. Quand Yannick était revenu de son isolement, il l'avait capturée. La belette était là devant eux.

— Tout le monde a compris le plan ? a demandé Yannick.

— Dix-quatre.

— Récapitule quand même.

— Steeve, toé ta job, c'est de lever le coin de la boîte quand je dis go. Sitôt que la belette sort, moé je l'attrape dans le sac à sacs que voici. Perrault, tu te tiens prêt avec ton bâton de golf, pis tu nous expédies le rongeur sur Pluton au cas que je raterais ma…

— Fore !

— Ayoye ! Maudit sans-dessein du tabarnac !

Ça s'était passé vite. La belette se contorsionnait au fond du sac. Steeve, par contre, venait de se manger un sacré coup de fer sept dans le bacon. C'était ça, le mystère avec Perrault. Il avait son sourire de Joconde aux lèvres. Tu savais jamais trop s'il faisait exprès d'agir en haïssable, donc tu l'innocentais quand il fallait pas. Steeve a grimacé, levant son gilet sur un hématome en forme de

Minnesota. *Remarque,* a pensé Laganière, dans sa bulle, *c'est aussi de la faute aux Monti et consorts si t'es pas un homme dans ce village-là tant que tu peux pas boire une douze sans déparler.* Le gars de Montréal dormait toujours, mais les choses allaient se corser pour lui. Perrault est allé chercher un bout de tuyau de PVC dans le recyclage, un bon quatre pouces de diamètre. Yannick a topé sa cigarette. Il tenait à bout de bras le sac dans lequel se débattait la belette. Elle crachotait de haine.

— Y est quelle heure ? il raillait. Han ? Y est quelle heure ? Han, han ?

Steeve a déboutonné les culottes du gars de Montréal, qui a gémi « Jennifeuur ». Ils lui ont relevé le chandail et la camisole de gino qu'il portait en dessous. Le gourmand avait fumé autant que les autres et ça, malgré les patchs Nicorette qu'il avait de collées partout sur le torse. Les Gaspésiens ont introduit une des extrémités du tuyau dans ses culottes. Ils échangeaient des coups d'œil en silence. Le big bang, dans son expansion, continuait aux confins de l'univers à débloquer du néant. *Je me demande si François sait pour la maison,* a pensé Laganière. Il participait à rien de tout ça. Il cherchait encore l'aspirine à des places où il avait regardé deux fois déjà. Et voilà que Yannick a glissé l'autre bout du tuyau dans le sac où, presque aussitôt, plus rien a gigoté.

Un grattement invisible a couru le long du tuyau. La belette s'est déchaînée dans les boxers au gars de Montréal. Ça a pas pris de temps qu'il dansait le kazatchok au milieu du salon. Même Yannick s'est reculé dans le flou quand la gueule archidétaillée du mammifère a surgi par le collet de la camisole en se convulsant.

— C'est pas des gestes à faire ! a crié Laganière.

Un morceau de chair a revolé, pour retomber dans un verre à martini. La vodka a giclé. C'est en tout cas ce que les gars raconteraient plus tard, mais en vérité le verre était vide. Steeve s'est mis à rire de nervosité en réalisant ce qu'ils venaient de faire. Il a regardé Laganière, qui mordait, mais dans rien. Il se mordait les dents et le gars de Montréal déchirait de toutes parts. Yannick s'est tourné vers Perrault pour lui prendre le club de golf des mains. Perrault s'était éclipsé. On a entendu sa Civic démarrer dehors. Les feux arrière se sont aussitôt évanouis dans la poudreuse. Il avait évidemment des chaînes sur ses pneus. Le gars de Montréal s'est démené encore durant un tour de chronomètre, son linge taché de sang, jusqu'à ce que la belette finisse par lui charcuter un semblant de deltoïde. *C'est l'heure d'y aller,* il a trouvé le temps de penser. *Rock devrait arriver bientôt.* Il a pivoté sur son axe et il est tombé franc net à la renverse. La belette est venue toute plate.

— Oups.

Et dire qu'au même moment l'oncle à Laganière se la coulait douce en Floride, un collier de fleurs autour du cou, à faire la chenille sur la terrasse d'un bar tiki.

Une heure plus tard, Yannick et Steeve décompressaient dans le divan. Ils étaient partis sur un délire où ils sortaient des idées de mets et d'aliments tous plus absurdes les uns que les autres. Fesse béchamel. Muffin

269

aux dents. Des conneries de même. Banoune, noix de caca. Laganière riait pas depuis un bout.

— Arrête de te ronger le frein, a hoqueté Steeve en essuyant ses larmes.

— Y va déchoquer, a dit Yannick, une crampe dans le diaphragme, mais léger sinon comme un ballon d'air chaud.

Avec un mal de tête de plus en plus préoccupant, des nausées, du noir qui frisait en périphérie de son champ de vision, Laganière était à nouveau collé dans la fenêtre, le rideau tassé pour voir si le gars de Montréal s'en revenait pas. Sauf qu'on voyait rien, même à la clarté du matin. Il soufflait le pire blizzard de yéti. C'était le Nunavut dans la cour. Et Laganière se sentait responsable. Primo, il était chez eux, par intérim. Veut, veut pas, c'était lui, l'hôte. Ensuite de ça, il avait tellement prié intensément pour que le gars de Montréal meure dans un martyre indescriptible que ça serait quasiment de sa faute si jamais que.

— Boulettes au lait.

— Petzels.

T'avais pas besoin de sortir ton calendrier pour calculer l'espérance de vie d'un gars de Montréal à moitié pas habillé dans le bois, au paroxysme d'une tempête de neige de classe hollywoodienne, avec des émotions d'enfant et rien d'autre pour les gérer que la bouteille de fort qu'il s'était cachée dans la froc, un fusil de chasse deux fois plus pesant que lui et un médaillon de soldat.

— Je le connais quand même un peu, a rajouté Steeve, qui avait mal au ventre. C'est un hypersensible. Y va aller pleurnicher à un harfang que les autres le comprennent pas. Pis y va rappliquer icitte après nous avoir métabolisé sa tristesse en testostérone. Je te le garantis.

— Tartine à la marmelon, a lâché Yannick.

Le corps en charpie, le gars de Montréal avait ramassé une poignée de balles et la carabine la plus action de la panoplie. Le bourbon millésimé aussi, qu'ils avaient cherché toute la soirée. Yannick s'était fâché et Laganière vidait le bicarbonate de soude sur la belette imprimée dans le tapis.

— *Tartétine* à la marmelon, a réussi à prononcer Steeve, laissant Yannick étouffé de rire, la bouche grande ouverte sans un son qui sortait.

Le gars de Montréal avait enfilé ses ti-runnings en toile et son coupe-vent de rien du tout. «M'en vas chasser», il avait annoncé. C'était l'avant-dernière chose qu'il leur avait dite, avant de les traiter d'hippocampes. *Rock a dit qu'ils me suivraient d'une manière ou d'une autre,* il avait pensé. Aidé par le vent, il avait claqué la porte tellement fort que Marteau s'était relevé d'un bloc faire la vaisselle. Tout le monde s'était regardé.

— Ben là, a dit Laganière dans la fenêtre. Parti chasser, parti chasser.

22

PATAPON a été propulsé dans les éboulis d'un talus, expulsé des bois par où il avait coupé pour se raccourcir. *On approche, lâche pas.* Il a secoué l'exosquelette que la neige formait sur son perfecto, puis il a regagné le rang Saint-Onge après s'être presque noyé dans le fossé. La voix l'a sifflé quand, une fois l'autre bord, il a fait sa danse de footballeur pour célébrer sa victoire sur la forêt. C'était plein de clous rouillés là-dedans, de vieilles carcasses de chars qui sortaient de terre. Quoi qu'il en soit, il avait survécu. *Ben non, là, meurs pas tout de suite.* Il avait, reconnaissant, donné un petit bec à chacun des bouts de ruban jaune orange qui balisaient les sentes où il avait laissé de ses abattures. Sa balayeuse encore coincée sous le bras, il a longé l'accotement jalonné de canettes et de cartouches vides, pour sauter, comme dans les rêves où tu voles, par-dessus un coyote les tripes à l'air. Il s'est retourné pour le flatter, puis soudainement ça lui a tenté de courir, tiens. *Une, deux, une, deux.* Il était bien parti pour rattraper tout l'exercice qu'il avait omis de faire depuis ses cours d'éducation physique à la polyvalente, dans une autre vie, quand on le bavait dans le vestiaire parce qu'il se baignait en t-shirt pour cacher ses seins. Une Civic anthracite a pogné son virage à toute vitesse. *C'est le char à Perrault, ça,* a pensé Patapon. La voix se servait de sa tête pour penser à autre chose en même temps. Ses bajoues avaient suivi le déplacement d'air. Son bloc de cheveux aussi, dans une certaine mesure. Perrault redescendait des terres, où il devait être allé se battre avec d'autres rednecks. Patapon s'était allégé d'un poids en le pardonnant. Rien minerait jamais plus leur amitié nouvelle. La Civic s'était résorbée dans la tempête depuis deux minutes qu'il était encore planté là dans la neige mêlée de garnotte à lui faire des bye-bye. *Ça lambine, ça lambine.* Patapon s'est dit qu'il devait être presque rendu en Ontario. Il avait fait une bonne trotte déjà. *Vas-y, vas-y,* l'a encouragé la voix. *Le monde t'appartient.* Et c'est ainsi qu'il a repris son petit bonhomme de chemin, vers le viaduc sinistre au-dessus de la route un peu plus bas, en face d'un camp de vacances en faillite où t'envoyais tes enfants quand tu voulais plus jamais les revoir. Patapon attrapait dans les airs le plus de flocons qu'il pouvait, pour s'en remplir les poches en se réjouissant à l'idée de les observer plus tard au microscope. *Mais attends un peu,* il se serait dit si une sorte de gros bruit de fond avait pas enterré sa conscience. Pour Peawanuck, il aurait dû prendre par la 132. Ses yeux, à la hauteur de la cimenterie, s'agitaient nerveusement sous son masque de bonheur figé. *Veux-tu ben me dire ce que je fais là ?* il a pensé, pas capable toutefois de s'entendre à travers la voix à présent démultipliée dans son crâne, à des hauteurs pleines de reverb. Sans lâcher sa balayeuse, il a voulu ralentir. Revirer de bord pour aller prendre la 132. Sauf qu'il avait une misère de tous les diables à refréner son entrain, et il a pas eu d'autre choix que de poursuivre sa marche droit devant lui vers le viaduc. C'était comme plus *son* entrain. C'était de l'entrain qui flottait de même, à personne en particulier. Lâché lousse quelque part en lui. *Qu'est-ce qui se passe ?* Même perte de ses pensées dans l'embrouillamini vocal. Il faisait des enjambées de plus en plus exubérantes vers la structure mal bétonnée du viaduc. Sans jamais que son sourire s'efface tout à fait, en dépit de la sensation oubliée, depuis le temps qu'il sentait plus rien, de boule au ventre l'ayant gagné au milieu du parking de la station-service aux limites de La Frayère. Il voulait pas y aller, sur le viaduc. Tellement pas qu'il a tout relâché ses muscles, mais sans s'effondrer comme il l'escomptait. Ça marchait tout seul, ces jambes-là, d'un pas à la fois martial et pétulant. *Dépêche-toi, ils s'en viennent, vite, vite,* l'a pressé la voix. La caméra de surveillance au-dessus des pompes le filmait qui marchait comme s'il avait eu les pieds aimantés par l'asphalte en avant de lui. Ses mains s'accrochaient vainement à tout ce qui s'offrait à son passage. C'est d'ailleurs quand il s'est aperçu qu'il avait échappé sa balayeuse à côté du compresseur qu'il s'est mis à s'affoler pour de bon. Il se tordait le tronc sur le bassin, les bras tendus pour récupérer l'appareil ménager. Le bout de ses doigts s'en distanciait à chaque foulée. Les pieds lui arrêtaient toujours pas, et la première chose que Patapon a sue, c'est qu'il était debout sur le viaduc. *Rebienvenue,* a dit la voix. Il revenait à peine à lui après s'être évanoui dans un corps autonome, débranché du centre de commandement. Son corps s'est approché de la rambarde froide, concrète, plate à regarder. L'acuité de ses sens avait atteint un degré insupportable. Patapon voyait une fresque de la Renaissance italienne dans un nuage, une modélisation du génome humain dans un autre. Un jour blafard se levait sur tout ça. Son ombre s'est allongée derrière lui, sur la chaussée en contrebas, dans les phares agressants d'une Volvo qui fonçait vers le viaduc. La portière du conducteur était grande ouverte. Puis l'ombre à Patapon s'est étirée jusqu'à son point de rupture. *OK, je te laisse, moi,* a fait la voix. Patapon a basculé par-dessus la rambarde.

23

L A VOLVO longeait le cœur de La Frayère et François a vu le logo de pomme futuriste s'allumer sur l'écran du iPod. Deux petites pommes de lumière brillaient sur ses cornées. Il s'est tourné vers Rock, mais il y avait plus personne d'assis dans le siège du conducteur. La portière ouverte, le véhicule poursuivait sa course, sur son seul élan, et c'est là que le parebrise a volé en éclats. Le capot s'est replié en V, les roues d'en arrière ont levé de terre et la dernière cravate qu'il restait à François s'est toute tachée de petits morceaux de Patapon. Le véhicule a pris le clos dans un champ de patates infirmes. Puis les grincements de métal tordu ont cédé aux pépiements des mésanges et des gros-becs dans les branchages feutrés de neige.

VI

L'OR

24

SON Stetson sur la face, un pistolet chargé en dessous de son polochon, Monti se réveilla quelques mois plus tard, entortillé dans sa couverture de laine bouillie, d'où il se dégagea en pédalant comme un fou. Des djinns de poussière ocre se soulevèrent. Il battit furieusement son chapeau sur son genou, secoua ses combines. Sa bêche était appuyée contre un arbre strié par une gélivure. Il se frictionna la barbe, et en churent des brindilles et de la glaise sèche. *C'était rien qu'un cauchemar,* pensa-t-il. *Y en a pas, d'asticots. Dexter est pas là.* De la bave séchée aux commissures, les articulations mal huilées au milieu de son campement monté tout de travers, il vérifia quand même sous sa couverture. Pas de Dexter. *Ça va me passer. C'est des mauvais rêves.*

Il répandit ensuite la totalité de son or, à peine dégrossi, vidant ses sacoches toutes salies de terre sur la couverture. De l'or, en veux-tu, en voilà, dans lequel il se retrouva vite à se prélasser. Ils riaient, lui et l'écho. C'était là tout le fruit de son industrie. Et maintenant qu'il était sur son retour vers la Gaspésie, il se promettait d'y revenir en conquérant. Au son des fanfares, il lancerait des étrennes aux enfants, comme l'homme riche qu'il était devenu.

Ou l'homme tout court. Il avait pris du coffre, Monti, après des mois à exploiter le sous-sol, à perfectionner sa business en bossant des journaliers pas mal plus expérimentés que lui. Il avait fait sa fortune assez loin de son spot initial, à deux semaines de marche des opérations minières qui retournaient sens dessus dessous la région là-bas. Dans un ruisseau semblant correspondre au plan que Dexter lui avait dessiné sur le titre de propriété qu'il avait gagné le soir du poker. Ce qu'il lui restait de chair à lait avait épaissi, pas de doute là-dessus, et se vautrant dans son or il roula à côté de sa couverture parmi les braises du feu de la veille. Un plan de roc se décrocha au loin d'une aiguille en surplomb. Le dessus des trois chapeaux poilus qui le suivaient depuis des jours disparut avec le roulis des buissons.

La flamme se ranima au milieu du cercle de pierres quand Monti en tisonna les braises à mains nues. Elle avait dans l'aube encore noire quelque chose d'espiègle. Autour s'étendaient des miles et des miles de nature abrutissante, un paysage dessiné à gros traits, avec pourtant ses dentelles de frimas sur les crêtes, au fond des gorges, des chaudrons creusés par l'érosion. *Le col White doit être à, je sais pas, une demi-journée de marche, je dirais.* Son cheval remuait quelque part. Monti entendait craquer les branches, tasser les cailloux. Il rengaina sèchement son pistolet dans son étui. Il s'entraînait dix minutes par jour. Il dégaina. Puis rengaina en ricanant.

Un pouce sous sa ceinture, qui lui jugulait les entrailles, Monti mâchait son café. La vapeur blanche de son respir était assez dense qu'il aurait pu en couper des bouts au couteau, puis mettre ça en boîte pour s'en garder en souvenir. Il y avait sur le sol ses traces à lui et celles des fers. Il se dit que la bête magique le guiderait encore une fois, le moment venu. Il pensait à Joséphine et ça lui rappelait un autre rêve qu'il avait fait deux nuits plus tôt. Plus aucune Frayoise avait de visage. Elles parlaient sans bouche, de la voix étouffée de Dexter. Il dévissa sa tabatière. Il tendit la langue pour y déposer une chique.

Son Stetson accroché dans le dos par le cordon, il se rasait de frais devant un miroir de poche au tain écaillé. Sans mousse ni savon. La lame incroyablement tranchante de son rasoir crissait sur l'os élargi de sa mâchoire inférieure. C'était crucial de bien se raser. Monti se disait qu'il ferait bâtir à son compte le premier trottoir de Saint-Lancelot-de-la-Frayère. En chêne. De sa maison jusqu'à l'église. Il allait mettre son coin de pays sur la mappe. Glabre comme un bonbon, il recula pour s'apprécier le portrait. Il venait de piler dans sa gamelle. Son gruau renversé. Sa toast de graisse tombée du mauvais bord dans les cendres. Il jeta sur l'échine à son cheval ses lourdes sacoches d'or.

— Oui, dit-il à sa monture, toé aussi, t'es une bête

magique. Plus magique que William Dexter, je suis sûr de ça.

Il se frotta le museau au sien. Il se remit en règle d'une dose de rinçure qui l'aida à mieux nier les tremblements dont il souffrait depuis peu quand il buvait pas. C'était moins bon que du Yukon, mais il allait falloir que ça fasse en attendant. Sa gourde rangée, il dut s'y prendre à plusieurs fois pour monter en selle, avant de décoller dans une chire et de passer au trot. Le volume du cheval sous lui, sa plénitude lui donnaient satisfaction.

La route vers ce que Monti croyait être le col White se déroulait sans embûches. Le panorama tout en paliers, glissoires et crevasses papillotait du seul friselis des rares végétaux. Le poitrail du cheval bringuebalait, ses pattes torses dans la pierraille. Sur sa robe pivelée de lumière tombaient des rayons découpés par les ramures. Monti crapahuta de la sorte, un air de pondeuse dans la face, durant l'essentiel de la journée. Sans jamais se rendre compte qu'on le traquait. Il se laissait de temps en temps glouglouter une gourde perpendiculaire dans le parloir. Ça pensait à des investissements en dessous de ce Stetson-là.

Il avait fait peut-être un dix-millième du chemin. Les yeux perdus parmi les moustiques, il se désennuyait du mieux qu'il pouvait. Prenant un coup, il polissait des vers de sa composition. Il y allait fort sur les ô, mais c'était pas pire pareil, pour un galopin qui, le printemps d'avant, aurait pas su te conjuguer *Jean dit.* Le soleil au milieu du ciel blanc avait quelque chose d'émoussé. Devant un escarpement, Monti tira sur les rênes. Un vautour traçait son orbite au-dessus d'un point d'eau plus loin. Il se promit de se procurer, sitôt qu'il serait en disposition de dépenser, frais shampouiné sur des avenues aux vitrines dernier cri, une machine à écrire comme celle-là toute clinquante à la mairie. Et des patins à glace aussi, des habits taillés sur mesure. Une fois installé, il organiserait un événement de chasse à grand rayonnement dont il se sentait l'envie pour Saint-Lancelot-de-la-Frayère. Il lui manquait encore la vision, la forme à donner à ça, mais ça viendrait. Quand c'était trop plate, il sortait les carottes, qu'il utilisait pour apprendre à son cheval à dire « Bradley ».

— Hop, fit-il en dégainant son revolver.

Des boules de branches entremêlées rebondissaient parmi les galets de schiste glissant dans tous les sens sur le plateau. Monti fit halte en plein vent, rogna du bout de ses incisives une lanière de beef jerky. En mastiquant, il méditait sur les petites cartes, avec en tête l'image de Dexter et des frères Bead. Ça le faisait sourire. Les petites cartes, ça, c'était quand les joueurs gageaient pas d'argent. Quand ils pariaient des bravades, des gogosses. Les petites cartes, c'était pour les petites natures. Pour les gars comme Dexter et les Bead, qui buvaient pas, ou buvaient plus en tout cas. Parce qu'ils avaient pas d'argent pour le boire, leur argent. Et le problème, c'est que si tu buvais pas, tu pouvais pas jouer aux cartes de grandes personnes. Donc tu pouvais pas gagner d'argent. Pour jouer aux vraies cartes, fallait que tu voies grand.

— Tu peux pas voir grand si tu bois pas ! s'exclama Monti.

Il remballa sa viande. Au-dessus de lui, sur une des saillies qui ceinturaient le plateau, une botte éperonnée se posa. Un carambolage dans les nuages et il se mit à mouillasser. Il y avait quatre fois plus de moustiques que tantôt. Le sentier se dégageait moins nettement parmi les échancrures. « Dondaine la ridaine », chantonnait Monti, mais il faussait, et il connaissait pas le reste des paroles. Il se concentra plutôt sur sa beuverie, à la lumière dode-linante de sa lanterne accrochée au flanc de son étalon regimbant tout d'un coup.

— Torvisse, t'entends-tu des hennissements de fan-tôme ? demanda-t-il au cheval.

Il lui flatta le chanfrein pour le calmer. Mais quand t'as quasiment pas parlé de la journée, c'est ta voix à toi qui sonne fantomatique. Ils approchaient peut-être de la piste du Cheval mort. Monti, à s'entendre, décida qu'il en avait sa claque. Revenants de chevals ou pas, il s'ar-rêta. C'est là qu'il cantonnerait pour prendre du repos. Il y avait un escarpement argileux sur quoi s'accoter. Une flaque de lune où s'argenter le bout des bottes. Des ébrouements se perdaient dans l'obscurité où reluisaient deux naseaux mouillés, des reflets de mors. Il tituba bientôt d'une besogne à l'autre. Son feu qu'il lui fallait partir. Ses sacoches qu'il enterrait la nuit. Il était sour-cilleux là-dessus. Il se chicanait avec sa bâche et son cor-dage, remontait ses culottes à tout bout de champ. Assez paqueté pour s'en passer un de bord en bord de la main sans rien sentir, il enfonçait des piquets. À défaut de mar-teau, il y allait à coups de crosse de pistolet.

Embusqué derrière une butte d'argile qui s'était accumulée dans la pente, Charles Bead l'épiait sans grouiller. Quelques gorgées plus tard, et c'était comme si Monti glissait sur une pelure de banane à chaque pas. Le bandit se désola que Dexter rate un spectacle aussi attendrissant. C'est le genre de pitrerie involontaire que tu racontais plus tard et que c'était pas si drôle quand tu l'avais pas vue de tes yeux. Dexter avait passé la journée à récolter des herbes particulières, des minéraux qu'il raclait pour en prélever quelque poudre, puis il avait dit aux Bead qu'il les suivrait à distance, avant de se mettre à moudre les ingrédients collectés, son capuchon sur le crâne.

Charles pouvait se consoler quand même, son frère devait tout voir ça faire d'où il se terrait, de l'autre bord de la trouée que Monti avait élue pour se défatiguer. Il distinguait d'ailleurs une tache balourde qui se mouvait dans la noirceur. Donald débeula d'un affaissement et plongea dans des broussailles. Monti, lui, dans le halo rétréci de sa lanterne, se parlait tout seul en se grattant le fond de la tête.

— On se calme, on se calme, fit-il à l'intention d'un rocher qu'il méprenait pour son cheval.

Le bougre est soûl mort, pensa Charles. *Ou Dexter a sorti ses grimoires.* Le cheval piaffait plus loin, dans les ténèbres remuées. Charles entendit son frère, planqué dans la végétation, céder lui-même à la gaieté devant le vaudeville. La tente à Monti venait de s'aplatir quand il s'était affalé de tout son long dessus. Mais la liesse à Donald flamba vite. Monti l'avait entendu et il approchait. L'éclat de sa lanterne, accrochée à une branche, parvenait pas dans ce recoin-là de la nuit.

— Touti, touti, faisait Monti vers les broussailles.

Il roulait entre ses doigts gourds une grappe de baies à la texture cartilagineuse qu'il venait de cueillir avec la moitié de l'arbuste. Le gros Bead avait perdu son flingue aux petites cartes. Et c'était bien dommage. Ça aurait été plus commode de pratiquer un judas dans son homme que d'avoir à le démolir à bras.

— T-t-t-t, viens par icitte, ma bébête.

Les baies allaient virer en confiture à force que Monti les roulait dans ses doigts. Il avait l'autre main prête à saisir peu importe quelle chimère il s'imaginait à la source des bruissements.

— Je te ferai pas mal.

Il lança ses baies par-dessus son épaule. Radieux, obnu-bilé d'avance par ce qu'il allait découvrir, il frotta une allumette, puisée à l'une des deux cent quarante boîtes que le facteur Bradley lui avait livrées l'hiver d'avant.

— Hello, fit Donald dans la lueur.

Monti vint la face pareille à son foie dans vingt ans. Sa roulade d'esquive arracha des cerceaux à la pous-sière. Sauf qu'il y avait rien à esquiver. Aucun chapelet de pan-pan-pan. Nulle gerbe de calcaire sur les parois. Sa cascade l'avait laissé désorienté dans l'obscurité plus qu'autre chose. Donald se redressa, à quelques verges de lui. Il avait du chiendent de collé dans le dos. Empêtré dans ses culottes, Monti dégaina très habilement une poignée d'air. Son revolver était resté à côté des piquets, perdu plus loin dans la nuit. C'est là que Charles, au ralenti, bondit de derrière l'escarpement, la couenne fumante, en brandissant, au ralenti, une bêche, la bêche, repérée avant que l'allumette s'éteigne et saisie au passage. Les mâchoires flasques, il poussa un rugissement dans les graves et s'élança, technique cricket, comme à travers de la tire d'érable. Le clair de lune fit miroiter une seconde la tête de la bête dans son arc. *Toé, manque-moé pas,* pensa Monti. Son sang gicla en brume devant ses yeux, éclaboussant les rocs évanouis.

— Swell, fit Charles.

Il se passa deux doigts mouillés sur les sourcils après avoir rejeté la bêche contre l'escarpement. À califourchon sur sa victime, il tira de sa botte un peigne dont il se refit la raie. Quand Donald vint le rejoindre, les deux sacoches bourrées d'or en bandoulière, il en était à jouer avec un petit bâton dans l'escarboucle de pulpe palpitante sur le cuir chevelu de Monti dans les pommes.

— Pis là?

Ils finirent la bouteille dans un chassé-croisé de mains, bouteille qu'ils venaient de dérober à Monti en même temps que son futur. Une sainte brûlure sur le coup, mais ça te laissait vite au creux du thorax une sensation d'enneigement.

— C'est pas du Yukon, hein, dit Charles.

— Pis là? refit Donald.

Les frères se mesurèrent du regard, à la lumière que la lanterne de Monti jetait entre eux depuis sa branche. Ils débattirent par télépathie. Un vent fougueux s'engloutissait dans des brèches flûtantes.

— Je suppose, répondit Charles lentement, qu'on va rejoindre Dexter pour diviser le butin.

Donald lui fit d'une main le tour du biceps.

— Moi pis toi, on a été élevés dans un chenil. Nour-ris au navet. Sevrés dans les auges. Tu te pavanais déjà en ville quand maman a commencé d'être malade. C'est moi qui m'en occupais. J'étais rien qu'un enfant.

Charles cherchait pas à se déprendre. Le vent lui dis-persait la face. Il avait vu de quoi certain. Blanc comme un drap, qu'il était.

— La mère venait sourde-muette-aveugle sitôt que le bonhomme mettait le pied dans la maison, pis je l'ai même… Faque bon… Je sais plus trop pourquoi je te conte ça, ce que j'essaye de dire, c'est que tu… c'est que quand tu…

— Ce que t'essayes de dire, fit Charles, son effroi passé, c'est qu'au diable William Dexter, on a qu'à prendre la clé des champs et à empocher sa part.

— On a pas besoin de lui, que je dis.

La blessure qui laquait de carmin la rosette à Monti scintillait dans les ténèbres. Elle ajouterait, à l'aurore, une touche de couleur au Bouclier canadien.

— Tenons-nous-en à notre entente. On va aller rejoin-dre William. Toi tu vas aller à l'est acheter des terres et de l'équipement. Lui et moi à l'ouest pour rencontrer des investisseurs. Un marché, c'est un marché. Yukon. Yukon, Donald. On va tous être millionnaires bientôt.

Il serra son frère dans ses bras. Il y avait du spleen dans son regard, de la résignation. Il pigea ensuite dans une des sacoches et glissa, dans la poche de poitrine à Monti, une pépite en tortillon.

— Un pourboire pour Charon, dit-il en tapotant la

poche, et les frères se retirèrent par une déchirure dans les rocs environnants.

Trente ans plus tard, un magnat du pétrole de l'État du Texas, un big shot que le moindre cireur de souliers à Dallas avait la permission d'appeler par son petit nom d'Howie, fit signe à Charles Bead, à travers une foule lascive, de le suivre derrière un rideau de perles. Ils se trouvaient au Maroc, dans les salons privés d'un casino de luxe, en train de dilapider sans même y prendre plaisir des sommes obscènes considérant que l'ombre de la Deuxième Guerre enveloppait peu à peu la planète. « Dexter, il était où quand c'est arrivé ? » avait demandé Howie à Charles plus tôt cette semaine-là, alors qu'ils étaient en croisière au large de Rabat, à bord du *Belle Starr*. « Quelques miles plus loin. » C'est par entêtement qu'Howie depuis le début de la croisière s'évertuait à lui tirer les vers du nez, à lui extorquer, à force d'obstination, les détails les plus condamnables, les plus véreux de son histoire, de l'histoire de Yukon, la distillerie qui avait fait leur fortune à Dexter et lui. Un self-made-man milliardaire, haut comme trois pommes en plus, ça a le droit de savoir ce que ça veut savoir. « Faque toi pis ton frère, vous êtes partis sans Dexter après ce gars-là, Monti, même pas armés ni rien ? » il avait demandé plus tard, le soir du casino de Casablanca. « Exact. » Impeccable et de toute évidence lobotomisé, le croupier avait de nouveau lancé la roulette. Cent belles piasses par la chasse d'eau. « Je comprendrai jamais pourquoi vous êtes retournés rejoindre Dexter », se dépitait Howie en allongeant distraitement les jetons.

Pas de réponse. «Ou que vous l'avez pas zigouillé tout simplement.» C'est à ce passage-là de l'histoire que ça venait pas clair, et Howie, ça le turlupinait. Il en aurait quasiment signé un chèque en blanc pour que Charles déballe son sac. Mais Charles, il parlait pas de ce bout-là. Jamais. Après lui avoir payé depuis l'apéro tout le whisky, toute la mahia, toutes les houris du monde, le Texan l'entraîna à l'écart, loin des tables de jeu et du raffut, derrière le rideau de perles donnant sur un boudoir dérobé où il lui avait fait goûter à du hasch du Rif central, acheté au port de Tanger. Les draperies s'étaient mises à bouger, à se mélanger à l'arôme d'encens et de harem, pendant qu'Howie faisait en fumant des confidences compromettantes, sur certaines fosses creusées dans l'urgence, dans un certain désert en bordure d'El Paso, concurrence oblige. Puis il avait reposé la question à Bead, en chute libre loin au fond de sa personne : «Pourquoi vous avez pas abandonné Dexter ? Vous aviez l'or, c'était pas comme si vous aviez besoin de lui pour partir la compagnie, ce sorcier-là ! Ton frère aurait peut-être pas fini de même non plus si vous étiez restés ensemble, toi et lui…» Charles l'avait soudain empoigné par les revers de son smoking. La fumée qui lui sortait par la gueule rerentrait par ses narines. Il avait juré à Howie que, pendant que Donald et lui se regardaient après leur larcin en complotant contre Dexter dans le bivouac à Monti, il avait vu une, deux, trois couleuvres s'échapper de la bouche à son frère. Elles avaient aussitôt filé en serpentant dans la poussière, y laissant comme des traces de râteau flou.

25

LES TIGES de bambou du rideau s'entrechoquaient
encore. Le Chinois venait de quitter sa planche de
go et s'enfonçait dans une arrière-boutique encom-
brée de mobiles, de lampions et de cerfs-volants.
Sitôt que Monti se fut assuré que le brocanteur le zyeutait plus de derrière son monocle, il se mit à fureter, à
toucher à tout, les narines titillées par les effluves de
camphre qui régnaient dans la pénombre confinée. Il
plongea une main pleine de corne, où les engelures
avaient à peine fini de cicatriser, dans une des maintes
corbeilles posées à diverses hauteurs sur les étalages hétéroclites. Le grain lui coula entre les doigts, comme l'avait
fait huit millions de fois dans son tamis le lit de la rivière,
sur son lot. Il en gardait une sensation pour laquelle il
voyait pas de mot français. Il osa encore un regard vers
le comptoir enfumé dans le fond. Le brocanteur était
pas ressorti de son capharnaüm. Monti se pensait fin, là.

Il fourra son nez dans le grain pour humer ce qu'il réalisa trop tard être une variété d'écrevisses naines, séchées dans leurs carapaces et schlinguant le crisse.

Il eut un recul de dégoût et renversa une autre corbeille, débordante de fruits à la pelure hérissée de piquants. Les fruits roulèrent inégalement dans les allées, parmi la volaille qui caqueta en se dispersant. Mais ni vu ni connu, Monti fit l'innocent. Il se détourna cependant pour prolonger son élan d'un geste de ramassage en voyant dans un miroir que le Chinois l'observait d'un tabouret plus loin. *Il m'a vu juste à moitié,* se réconforta-t-il. Le brocanteur portait un monocle. Il se dérangeait pas, l'air intrigué ou perdu dans ses pensées. Son chimpanzé, nœud papillon, chapeau conique, avait vu faire Monti lui aussi depuis sa cage. Il huait le Gaspésien qui replaça vite fait deux ou trois des fruits mutants dans la mauvaise corbeille. Le poing refermé sur son argent dans sa poche, Monti indiqua de son menton rasé de frais une machine à écrire démantibulée sur une tablette. Chargée de même, la tablette avait besoin d'être bien vissée.

— Combien ? How much ?

C'est vrai que son *much* sonnait comme *mush.* Après avoir infiniment tiré sur sa longue et fine pipe aux braises irritées, les joues creusées dans un froissement de papyrus, le brocanteur saisit une jarre où tournoyaient, dans une sorte de bile, des fongus qui avaient pas tout à fait le jaune mou des chanterelles, ni l'éclatement suave des pleurotes, ni rien des idées croches que donnaient les bolets. La boutique était déserte à part eux deux. Plus le singe, occupé maintenant à s'épouiller.

— No, no… fit Monti, et il mimait de la dactylographie. The chose there, là, tlac-tlac.

Le commerçant tourna le cou, pire qu'une chouette. Sa fumée s'enroula autour de lui en suivant son mouvement. *Je parlerais chinois que ça serait pareil.* Monti pétrissait la poignée de change dans sa poche. La face ramenée du bon bord, le brocanteur porta sa plume à son encrier. Il écrivit de quoi dans un carnet tout écorné et le poussa vers Monti, avec plein de petits oui invitants de la tête.

— OK, m'as te la prendre, I taking it, décida Monti devant le chiffre encore humide sur la feuille.

Il se frappa le torse de l'index, puis s'alluma une cigarette à la flamme d'une chandelle dans ses derniers miles.

Le brocanteur grimpa pour descendre la machine de la tablette. Il avait les bras comme des fils de fer et la machine devait être aussi lourde qu'une ancre de bateau. Tu le voyais pas forcer. Pendant quoi Monti menaçait du feu de sa clope le chimpanzé trop confortable à son goût sur son perchoir. La machine à écrire était à peu près le seul artefact dans tout le bazar dont il devinait l'utilité. *Ça pis la chandelle.*

— Here, fit le Chinois.

Les seuls Asiatiques que Monti avait vus avant aujourd'hui, c'était des ouvriers sur le chemin de fer pancanadien. D'y penser, il se tâta d'urgence pour vérifier que son billet de train se trouvait encore dans sa veste. La machine à écrire était pas tout à fait clic-claquante. Pas aussi épais de laque que sur celle de la mairie chez eux. Mais il s'en satisferait en attendant de trouver de l'emploi, sur une pourvoirie, quelque chose. *J'ai pas perdu ça, j'espère,* s'impatientait-il en se tâtant de plus en plus vite. Le billet était plus dans la poche où il croyait l'avoir mis. Le Chinois, avec une minutie l'énervant encore plus, lui qui était en voie de faire sauter les coutures de ses habits, emballait sa machine dans une boîte à chapeau défoncée sur le côté. *Ben voyons, galère, où c'est que j'ai mis ça, je... fiou.* Il avait rangé son billet dans une poche de fesse, comme pour se faire peur. Jamais qu'il mettait rien dans cette poche-là.

— Bien le bonsoir, dit-il, sur le point de pousser dans la porte.

Il calculait ce qu'il lui restait d'argent pour être certain d'avoir de quoi se mettre paf solide demain dans le train devant les bourgeoises.

— Mister! Mister! le rappela le marchand de farces et attrapes.

Le Chinois disait *mister,* mais Monti comprenait *mystère.* Il en éprouva de quoi qu'il éprouvait pas souvent. De la perplexité, et il s'en revint vers le comptoir où, flanqué du petit rigolo de chimpanzé dans sa ripe pleine de chnoute, le vieux Chinois lui tendait à travers les exhalaisons une main affadie. Pas pour que Monti la lui serre. Non, non. Les doigts repliés. Pour un *baise-main. Une petite tape sur le paquet, avec ça,* se dit le Gaspésien, mais sans crier au meurtre non plus. Les ululements de singe, les signes dans la fumée. Il savait pas, lui. C'était pas dans ses us. Il saisit de manière impersonnelle la main du brocanteur. Une relique, un bout de momie d'où il approcha les lèvres.

— Your change, mister.

Quand il comprit que le Chinois voulait pas un bisou, mais qu'il lui tendait sa monnaie, Monti eut pour réflexe de lui serrer la main plus fort. Puis dans un cafouillage qui, avant que des voleurs le laissent pour mort dans une contrée sauvage, l'aurait fait se bidonner, il se mit à lui gratter un grain de beauté sur la peau, comme pour le lui enlever. Le change tinta platement dans le plateau d'étain prévu pour ça. Monti décampa, son estime de soi dix pieds devant lui et sa Remington dans les bras, ficelée pareil qu'un gigot de fonte. Il marchait un peu penché en arrière pour faire contrepoids. La clochette au-dessus de la porte résonna jusqu'au lendemain.

Toronto, Tkaronto. *Là où les arbres se dressent dans l'eau,* pensa Monti. Fallait sortir dehors dans la métropole, parmi la foule d'électrons libres, les jets de vapeur partout, les cravaches de caléchiers, pour se rendre compte à quel point c'était emboucané dans cette brocante-là. *Qu'est-ce j'ai dit là, moé, bien le bonsoir. On est en plein après-midi.* Des commerçants de toutes les couleurs et de toutes les formes vendaient leurs marchandises à la criée à travers les tramways qui fonçaient dans le tas dans des corridas de métal. « M'as rentrer me désencombrer, me rapailler un peu », murmura Monti, le profil bas. Il se lâcha sur une artère bondée, Queen Street, funambule parmi les rognures de potager laissées par des kiosques repartis depuis. Une gamine de quatre ans, en haillons, dessinait avec une roche sur les pavés pendant que son grand frère, aussi miséreux qu'elle, offrait n'importe quel service. *Je vas m'en trouver un comme lui demain pour traîner mes malles,* pensa Monti. Il se moucha noir, sans mouchoir. Vite assez, les buildings se mirent à converger au-dessus de lui, vers un point de fuite au-delà de la stratosphère. La Remington lui tranchait les biceps et les poignets. Ça pesait autant que tous les livres qui auraient pu être écrits avec. Il se posa contre une balustrade de fer forgé, sa machine sur des caissons vides, pour essayer de prendre son mal en patience.

— Do you understand what I'm saying ? lui demandait un roturier à terre.

L'homme le tirait par la manche. Il essayait de lui dire quelque chose. Monti sortit de sa rêverie.

— Qu'est-ce tu dis là ?

Le Gaspésien tira à son tour la manche du roturier.

— Do you speak English ?

— Yes, no pis Toronto, fit Monti.

Il reprit son colis, plus lourd que tantôt, et continua sa route. Les rues du carrefour se tapèrent comme dedans. Il en jaillit d'intarissables débordements de gens. Monti était pas trop sûr par où regagner sa pension. Il suffit qu'un falbala le frôle pour que ses yeux s'illuminent d'un mégawatt. Debout quelques minutes après devant son reflet dans la vitrine du Eaton sur Yonge Street, il se convainquit qu'il était beau garçon. Il paraissait bien, avec sa barbe faite, son costume à la mode. Sa machine à écrire lui donnait l'air d'un correspondant de guerre en permission ou d'un journaliste étoile. Mais l'affluence le fit se tasser d'un pas, et quand il se mira de nouveau dans la vitre, il était plus vis-à-vis du mannequin auquel il se superposait l'instant d'avant. Un reflet vermoulu

lui rendit son regard, le reflet d'un raté, dans ses frus-
ques à la corde, frottées trop de fois sur la planche à
laver. Avec ses moustaches félines, son manche à balai
dans le rectum, un employé l'invitait de l'autre bord de
la vitrine à débarrasser de devant son magasin. « Satisfaction garantie ou argent remis », il était écrit sur la
réclame. Monti se demandait en s'éloignant, les bras
morts, c'était quoi l'obsession de tout le temps redonner
de l'argent au monde dans la capitale.

Il savait peut-être pas qu'en ville, tu reprenais ton
change, ni que la capitale du Canada, c'était pas Toronto,
mais il reconnaissait en revanche une enseigne de
Guinness quand il en voyait une. Soit la main lui tremblait de moins en moins d'une lampée de stout à l'autre,
soit c'était le pub autour qui s'ajustait de mieux en mieux
à ses tremblements. Sa machine à écrire reposait sur le
tabouret en face de lui, à croire qu'ils prenaient un verre
ensemble. Les autres chalands dans l'établissement pico-
laient eux autres aussi à leurs tables, entre les tables, en
dessous des tables. *Your change ! M'as t'en faire, ton change.*
Monti ruminait là-dessus, une main sur son foie. Il asti-
quait les taches de la Remington quand il en spottait une.

Tenant sa fourchette comme un outil, il avait rejeté
sa cravate effilochée par-dessus son épaule, sa serviette
fourrée dans son col, quand l'armoire à glace qui faisait le service lui avait garroché le menu du jour. Son
voisin de table mangeait un bol de colle où flottaient des
feuilles de laurier pour faire cosmopolite. *Une pinte égale
un steak,* se dit Monti. Il boirait plutôt. *Pour la levure.*

Ses mains avaient cessé de trembloter à soixante-quinze pour cent de son deuxième verre, et il s'en recommanda plus pour le vingt-cinq pour cent qui restait. *Trente, moins deux pour l'écurie,* comptait-il, *plus les dix piasses que j'ai pour me rendre de Montréal au village.* Il étudiait, par-dessus le tintamarre, la clientèle huppée, se congratulant parce qu'en Gaspésie, ça portait peut-être pas leur haut-de-forme avec une dragonne assortie à la bride en maroquin de leurs bottes, mais ça comptait pas de même à la cenne près non plus. Il en revenait pas encore, de son Chinois. *Ton change, ton change.* En bas de vingt-cinq cennes, personne reprenait son change à l'est de Rimouski. Du plat de son couteau il enleva le col de mousse de la pinte qu'on venait de lui remettre. Un financier, qu'il soupçonnait depuis tantôt de porter une moumoute, se fendit d'un gros rire ombilical comme si tout le monde dans la place était venu exprès pour l'entendre. *Regarde-le,* pensa Monti. *Avec ses placements bancaires pis ses bajoues roses.* Il aurait aimé le voir au soleil tapant, à débardeauter une toiture avec les Canon par chez eux. *Ça fait son fendant devant l'autre hareng empaillé dans sa robe à crinoline.* Dehors s'alluma le bec de gaz du quadrilatère, plaqué de suie à l'intérieur. Monti lécha la lame de son couteau. *Ouf là, bois. Faut que tu dépompes.* Il entendait rien d'autre, malgré le charivari alentour et les commandes tonitruantes, que le citron du financier giclant sur ses huîtres. Bon, il l'entendait pas, mais il avait pogné le fixe dessus en se crinquant. Il se leva à la presse pour régler sa facture avant de tuer quelqu'un. *Quatre piasses pour une chambre à Montréal, plus deux pour le cadeau de Joséphine.* Il en était à prélever une à une les pièces dans sa poignée de change quand lui résonna entre les oreilles un bruit d'huître qu'on suce. Dérouté une fois de plus dans ses calculs budgétaires, le Gaspésien sacra tout ce qu'il avait de change sur le comptoir.

— Sir, sir! criait le serveur derrière lui tandis qu'il bousculait les clients vers la sortie, un fût de bière dans le gésier et sa machine à écrire sur les bras.

Sacristi, s'inquiéta Monti, *je me serais-ti égaré dans mes déambulations?* Des ronds de swing en dessous des bras, il tentait de repérer le clocher de cuivre verdi près de sa pension, l'Union Jack en format réduit dans le coin du drapeau sur l'immeuble en face, la statue d'un héros sur quoi s'orienter. Il avait comme des résidus d'efface noirs dans les paumes. La machine à écrire lui glissait des mains. Et c'était-ti laid pareil, la ville. Un banc libre se présenta dans un square. L'allant lui coupa sec. Monti s'accorda du délassement, assis sur son cul à lorgner à son aise les multiples Joséphine passant à différentes vitesses. Le ruban de tissu avait bruni sur le chapeau sans forme dont il se torcha la face. Le fil de ses idées se désembobinait le long de l'avenue qui lui partait de la tempe, jusqu'au bourbier de voitures et de piétons. Il se demandait s'il était plus proche de sa pension ou du bar de tantôt où il avait envie de retourner. Sur la chaussée s'imbriquaient les ombres de hauts monolithes troués de fenêtres. Il essayait de pas trop se laisser étourdir par la foule, doutant que ces citadins-là puissent avoir quelque certitude que ce soit sur qui ils étaient dans pareil zoo. *Tu pourrais aussi ben être le gars là-bas, ou lui, lui, lui, qu'est-ce ça changerait?* Et alors qu'il se promettait d'ici quelques semaines de s'empaqueter lui-même dans une caisse pour se faire livrer par Bradley chez la Guité, il partit à rire tout seul.

— I wouldn't mind enjoying myself as much as you, lui dit à ce moment-là un beau gros citoyen aux lunettes cerclées d'or.

Il était apparu à côté de Monti sur le banc. Sa cambrure lui ramenait la panse jusque sur le buste. L'homme tapotait vertement les manchettes de son journal, comme si c'était de la faute à Monti. *Je peux-ti régresser tranquille ?* pensa le Gaspésien. Il se tassa les foufounes tout au bout du banc. Mais le citoyen s'épanchait déjà. Avec ses grands airs législatifs. Sa canne était appuyée sur le dossier. Une couronne en relief en ornait le pommeau.

— Robert Borden, disait-il. Robert Borden. Robert Borden.

Il disait d'autres choses aussi, mais c'est seulement ça que Monti comprenait. Celui-ci avait de toute façon vite arrêté de suivre, après déduction que c'était pas le mangeur d'huîtres de tantôt. *À une couple de détails près.* L'auriculaire du citoyen se dressait quand il dépliait, feuilletait, défroissait, repliait son journal en s'assurant de mener le plus de vacarme possible. Jamais que Monti avait prononcé un mot depuis son apparition. Fallait qu'il se concentre pour que la claque en arrière de la tête lui parte pas toute seule.

— Sir Wilfrid Laurier, comprit-il aussi.

Mais il ignorait c'était qui, ces gens-là, et il se dit, pendant qu'il écoutait pas, qu'il pourrait peut-être à son retour au village faire accoupler son cheval à la jument de Maturin. *Si notre bon docteur l'a pas déjà engrossée lui-même.* Les bras croisés, les jambes croisées, nouées, il tournait le dos au citoyen, dont la faconde tarissait pas pour si peu. Ses membres et son cou s'allongeaient vers le Gaspésien. Son œil avait pris une qualité larvaire derrière ses lunettes. Monti saisissait plus amplement ses propos.

— Establishment. Robert Laird Borden. Frenchies. Laurier.

Un mot sur cent quatorze, en moyenne. Il se la fermait toujours, acquiesçant à tout ça. Il acquiesçait à tout casser. *Lâche-moé, par exemple,* pensa-t-il quand l'homme le toucha, en pleine envolée patriotique.

— Laurier. Frenchies.

Le citoyen en était à s'adresser à la nation. Les points noirs allaient bientôt lui juter des pores, tellement il forçait de la face. Une main sur le cœur, il déplaçait des populations entières de l'autre, redistribuait d'extraordinaires quantités de ressources naturelles, des provinces au complet pour redécouper le territoire. Les promeneurs dans le square faisaient un détour pour pas trop s'approcher du banc. Monti attendait juste que son père de la Confédération finisse de lui embarquer sur les genoux pour lui faire faire des ti-galops jusqu'aux nuages.

— Cheap labor. Establishment. Frogs.

— Je peux-ti te toucher? le coupa-t-il au mot magique.

Et là le citoyen fut quasiment pris d'apoplexie quand Monti lui imprima chacun de ses pouces partout dans les verres de ses lunettes. *Ça suffit, à un moment donné, le dépassage de bornes.* Un contrepoint accompagnait désormais les pas moites du Gaspésien qui s'éloignait.

— My cane! My cane! criait le citoyen.

Monti, déjà loin, eut pas d'autre choix que de se demander s'il criait «my cane» ou «my change». Il finit par identifier l'enseigne d'un grossiste en de quoi que t'avais pas besoin. *Nos grands-parents vivaient sans.* Il tenait à présent sa machine à écrire contre son flanc, d'un seul bras arqué comme un C à l'envers. Son foie avait métabolisé assez d'alcool pour que le manque recommence à se faire sentir. *J'ai dépensé six piasses pour la chambre, pis deux pour le laquais d'écurie, donc il devrait me rester… Bonjour, madame, bonjour, Joséphine, bonjour.* Le bras qui tenait la machine tremblait de l'épaule aux phalanges tandis que la canne qu'il avait confisquée au Canuck sans s'en rendre compte laissait des ronds concentriques dans les flaques d'eau. *Ah, si mon cœur était grenouille!* La pluie le mit d'humeur plus joyeuse, quoiqu'il fût à cran. Tout cabotin, il cheminait dans les flaques et ruisselets de par les ruelles où il s'imposa l'envie de turluter.

C'était ici, sa pension. Il pesa du pommeau sur la sonnette pour s'annoncer, ouvrit la porte du coude, referma la porte des fesses. Ses bottes firent seize fois le même bruit jusqu'en haut des trente-deux marches, avec autant de toc de canne. Il était sur le point d'échapper sa Remington quand il ouvrit l'autre porte sur le palier. Il referma pas derrière lui et se le fit dire en batèche.

— Bonjour quand même, dit-il à sa logeuse.

Aucune ressemblance avec Joséphine. Il avait pas dit un mot que la naine acariâtre le désapprouvait du chef, du fond de son châle drapé par-dessus son tricot des mêmes tons funéraires que ses lourdes jupes en serge. *T'es due pour aller faire ton tour au Eaton, toé.* Ce fut la porte de sa chambre qu'il ouvrit ce coup-ci. Il referma la porte. Il rouvrit la porte et la referma encore pour que la logeuse sache bien qu'il l'avait fermée. La logeuse entendit l'autre bord le bruit sourd de la machine à écrire que Monti venait de lâcher sur son grabat. Elle entendit son gémissement de soulagement. Puis elle entendit le cliquetis de la clé dans le verrou et le déclic d'un loquet par-dessus. Ne pas déranger.

Monti se releva bientôt de sur son grabat, avec l'impression que le ramancheur l'avait manqué. C'était nettement passé l'heure de son médicament. Sa barbe le fatiguait même s'il avait pas de barbe. De la moisissure montait du plancher sur le plâtre, et il disposa en tremblant ses effets par terre autour de sa machine à écrire. Mégots après quoi restaient une poffe ou deux, bouts de papier mouillés, canif dont certains des outils s'utilisaient plus. Et son titre de propriété. Au verso, la carte de sa rivière était marquée d'un X là où la bête multicolore lui avait révélé son gisement, le même X que celui dont il avait signé le formulaire à Bradley dans une vie antérieure, moins d'un an plus tôt.

La lame de son rasoir crissait sur ses joues à vif, badigeonnées à la va-vite d'une touche de savon sale avec une vieille débarbouillette toute rigide faute de mousse et de blaireau. Il était allé chez le barbier hier, mais ça faisait rien. Se servant d'un fond d'eau tiède dans la cuvette du pot de chambre, il se rasait la face. Pas la barbe, la face. Le tégument. Son pain de savon incrusté de grattures et d'étoupe lui glissait des mains jusque dans les airs quand il le serrait trop. S'il était pour revenir au village pauvre comme Job, au moins qu'il passe pas pour un pouilleux. La lame filait sur son cuir tanné. Il ouvrait la mâchoire pour en éprouver l'élasticité. Un œil à demi clos, l'autre exorbité, il affila le rasoir un peu plus sur sa pierre ponce. Il se disait que, s'il s'arrêtait jamais, la lame finirait par disparaître. Il rasa un autre bout de mâchoire aussi lisse que l'os en dessous. *Gontran Arsenault me devait vingt-cinq piasses avant que je parte, pour mes trappes à rat musqué.* Son torse basané, plus broussailleux qu'avant, contrastait avec sa frimousse bien décapée. La lame repassa, pendant que William Dexter et les frères Bead bourlinguaient à ses frais, pour lui enlever une autre couche de peau le long de la mandibule. L'eau s'empourpra dans le pot de chambre.

Une fois la face séchée, Monti s'étendit de nouveau sur son grabat afin d'y vacher. Les pensées se bousculaient tant entre ses oreilles que ça sortait à voix haute. Il se retourna à plat ventre, son menton rouge entre ses mains bientôt pleines de fourmis. L'estampe religieuse au mur le jugeait. Des fils de coton dépassaient de sa coupure, et il ouvrit devant lui le livre d'un prénommé Homère, son dictionnaire pas loin. C'était le seul livre en français dans la chambre. La naine acariâtre s'en servait pour tenir la fenêtre ouverte. Quand même pas pour décevoir Joséphine plus qu'il la décevrait déjà, Monti allait s'infliger un peu de lecture. *Jamais dans cent ans qu'une fille de cette classe-là acceptera astheure de m'accompagner à l'autel.*

«Chant I.» Rien que de lire jusqu'à là, ça avait pris pas mal de temps, parce que, même si Monti s'était enseigné les notions élémentaires de l'orthographe et de la grammaire pendant son exil, il lui manquait encore du mortier entre les mots, surtout qu'il savait pas comment ça marchait, un livre, et c'est avec un sérieux qui faisait pitié qu'il lisait tout ce qu'il y avait d'écrit, la page de garde, l'adresse de l'éditeur à Paris, tout. L'auteur, se disait-il, finirait bien par accoucher. Ça commençait. «Muse.» *C'est Joséphine, ça.* «Muse, chante cet homme souple, *divers,* fécond en ruses et en stratagèmes…» Stratagème. Substantif masculin. Ruse habile, bien combinée. *M'as l'avoir.* «Muse, chante cet homme souple, *divers,* fécond en ruses et en stratagèmes, qui, après avoir renversé les murs sacrés de Troie…» *Attends minute, là.* «Les murs sacrés de Troie…»

Je lirai ça plus tard, se dit-il en refermant le livre. Il se leva pour aller s'assir au minuscule secrétaire, fabriqué à l'échelle de son hôtesse. Il se mit à compter son change en piles d'une piasse, une, sept… *Je recommence.* Une piasse et quart pour la couchette, les pintes au pub puis… L'image de Joséphine dans son esprit vint l'égarer derechef dans ses calculs et il se remit à Homère. *T'es capable.* «Muse, chante cet homme souple, *divers,* fécond en ruses et en stratagèmes, qui, après avoir renversé les murs sacrés de Troie, erra long-temps, vit des peuples nombreux, et connut leurs esprits, leurs mœurs et…»

Le livre d'Homère avait atterri tout froissé en arrière

du pot de chambre dans un coin. Monti avait pas la tête aux histoires. Il se tenait debout dans le milieu de la chambre. Inspiré par une parade qu'il avait vue pas loin de la place Wellington hier sur les docks, il voulait de l'espace pour manier la canne prise au bloke dans le square. Il exécutait, après quelques minutes à niaiser avec, des figures pas pires pour un débutant, avec ses roulés, son jonglage de majorette. Et plus ça y allait, plus il se croyait. La canne fendait l'air, flippait, toupillait en vrille, et lui-même se déhanchait, de plus en plus vite, avec un jeu de pieds agile. Il battit des cils, tendit la jambe par en arrière pour l'arabesque, et l'estampe religieuse au mur fut transpercée d'une lame. Plantée dans le mur, la lame vibra avec un bruit de scie musicale. Monti regarda autour. Son rasoir était là à terre, son canif aussi. La lame était plus longue que ça, en convint-il, et la couronne sur le pommeau se précisa quand diminuèrent les trémulations du métal. Ça avait passé de bord en bord de la cloison. La naine acariâtre se mit à égrener de l'autre côté des chapelets à tue-tête. Aussi surpris qu'elle, Monti se détourna de l'estampe bigote et vit qu'il tenait plus dans sa main qu'une gaine de bois. Un fourreau vide. L'autre moitié, tiens tiens, d'une canne-épée.

26

TU TRAÎNES de la patte! reprochait Monti au porteur qu'il s'était embauché.

Ou plutôt au souffre-douleur qu'il avait dégotté dans le quartier où se trouvait sa pension. Le gamin avait l'air fait des mêmes matériaux que celui aperçu la veille. Monti était pas tout à fait sûr que c'était pas le même.

— Moé to have job pour toé, lui avait-il lancé de la fenêtre de sa pension.

Et il avait laissé tomber de là-haut une poignée de cennes noires sur le trottoir en guise d'avance, avec la promesse d'y rajouter une couple de piasses une fois arrivés à la gare.

— I'm your man, lui avait dit le petit gars.

Au pire je te ferai maller le reste de chez nous par Bradley, avait rajouté Monti par-devers lui. Le gamin avait pris l'accent du Gaspésien pour de la débilité légère.

— Your sister not avec yourself? lui avait demandé Monti quand il était descendu le rejoindre dans la rue avec son fourbi.

Il comprenait, bien sûr, que c'était pas tout à fait le même enfant que la veille, dont la sœur garnissait les trottoirs de ses dessins. Mais comme ils lui semblaient tous interchangeables, ces Torontois-là, jeunes et vieux, il avait voulu vérifier.

— I only have brothers, lui avait répondu le gamin.

À son arrivée à Toronto, le Gaspésien avait vu un jouet comme ça dans une boutique. Un personnage en bois à qui, grâce à des aimants, tu donnais une vie propre en y ajoutant simplement les accessoires et traits distinctifs que tu souhaitais.

— Sir, wait! appelait à présent le petit gars aux abords de la gare. Sir!

Il devait pas avoir plus de treize ou quatorze ans, et c'est bien juste pour que la mère chez eux puisse mettre du beurre sur les patates qu'il se laissait traiter en âne. Il peinait à haler la malle où Monti gardait son fourniment.

— Dépêche! lui lança le Gaspésien de l'autre bord de la rue, disparaissant sporadiquement derrière les voitures qui passaient.

Il courait vers la gare comme si elle était en train de se sauver de lui. Le petit gars l'aurait sans doute perdu de vue dans la cohue si Monti avait pas manqué de tomber sur le dos en franchissant, pas capable d'en détacher les yeux, l'arche de maçonnerie du bâtiment.

— Sir… souffla-t-il en rattrapant son employeur.

Mais Monti repartait déjà. *Demander au contrôleur*

de poinçonner mon billet avant de prendre mon siège, récapitula-t-il dans sa course folle. Autour de lui, les voyageurs filaient tous azimuts. Saint-Lancelot-de-la-Frayère, vite de même à l'œil, aurait pu rentrer en entier dans la gare. L'air ondulait dans la chaleur des machines, et c'est alors que Monti revit plus loin, à travers le ballet des bagages, la tache de couleur éphémère et zigzagante sur laquelle il réglait son pas depuis tantôt.

— Par là! Par là! pleurait-il en se tournant vers son porteur encore refoulé par la cohue vingt pieds en arrière. Par là!

Sauf que c'était pas par là, et Monti allait pas se tranquilliser avant de pouvoir s'abandonner dans son siège à un hébétement qu'il jugeait mérité. La présence de sa bête en ces lieux le déstabilisait. Le tumulte se réverbérait sous le dôme du plafond, où des pigeons s'étaient ameutés. Le Gaspésien fendait la foule en tenant son billet devant lui, bien à la vue de tous. Les sifflets de train, le trafic, les panneaux tout en anglais, les sifflets, l'anglais, il se revirait obsessionnellement pour s'assurer que le gamin suivait toujours. *J'aurais dû lui mettre des clochettes au licou, à ce garçon-là.* La malle restait tant bien que mal à flot au milieu de la marée humaine qui se refermait, se remélangeait sans cesse entre le porteur et lui en avant.

— Hue! Hue! criait Monti.

Il fouettait le gamin à distance avec son billet, perdant la trace de sa bête parmi les ciseaux des jambes et la vapeur qu'une locomotive venait de relâcher par les naseaux.

Il avançait à petits pas dans la file, montrait, décoiffé, son billet aux gens à proximité. Ses lèvres remuaient tandis qu'il articulait des mots tout bas. À mesure qu'il approchait, il fixait de plus en plus intensément le contrôleur, jusqu'au fond de l'âme. Le contrôleur lui lança une boutade, pour sympathiser. Mais Monti riait pas. Jamais de sa vie qu'il avait pas ri de même. Il suffit que l'employé tentât de lui poinçonner son billet pour qu'il le poussât dans le public. L'onde de choc avait soulevé des jupes, des blâmes. Monti leva les paumes pour s'innocenter. Il fredonnait une berceuse de sa composition pour les rassurer tous.

Une fois assis à sa place, aussi à l'aise à peu près que dans une plieuse à tôle, il essaya de somnoler sur son siège. Il comptait les moutons dans l'espoir d'en accrocher un par la queue, de se laisser entraîner au gré des sautillements jusqu'au wagon du bétail où il trouverait peut-être le sommeil, dans le foin avec son cheval et le reste de la crèche. Mais le sommeil vint pas, Monti avait plus de circulation dans les pieds. Il se releva en imitant la démarche d'un employé devant lui, et s'en alla explorer.

Il regagna un peu plus tard son siège en se tenant aux appuie-tête ou aux têtes appuyées dessus. Il s'endormit enfin, la tempe sur l'épaule de son voisin. Le bras lui faisait une anse d'amphore au flanc, l'extérieur de son poignet appuyé contre sa hanche. Un heurt dans les essieux et voilà qu'il dormait le fessier plus relâché, l'omoplate sur le point de lui sortir du dos. Un autre heurt, et il dormait les bras croisés serré et la bouche ouverte vers le plafond. Quelque chose remua, remonta le long de ses culottes entortillées autour de ses cannes plus pâlottes que le reste, quand un museau éclatant pointa d'en dessous de sa… Les gens autour de lui avaient le menton sur la poitrine, des ressorts en guise de cou. Monti se frotta les yeux, s'étira. Il se rinça la dalle. Reboucha sa flasque. Adressa un sourire d'évadé de l'asile à la riche chipie toute pas d'accord qui puait le parfum à côté.

— Bonsoir, fit-il, le bec en cul de poule.

Il entra pour la première fois dans le wagon-bar, vêtu d'un veston de bonne coupe, coiffé d'un chapeau sans nid d'oiseau dessus. Il les avait empruntés au passage à des dormeurs.

Tout aussi bien mis, gourmé derrière son comptoir de bois verni, le barman essuyait un verre d'une propreté telle que Monti crut qu'il pratiquait son coup de torchon dans le vide. Le Gaspésien cogna le plancher du bout de sa canne-épée, deux coups secs, et d'un clappement de son linge le serveur fit apparaître devant lui sous-verre et cendrier, ainsi que le verre qu'il venait de frotter. Tu pouvais même pas le voir sous tous les angles. Ça dépendait des stries de clarté. Monti passa une main sur sa face au vif, presque scarlatineuse. Il se promit de se raser sitôt qu'il en aurait l'occasion.

— Grand Marnier, dit-il avec son meilleur accent anglais.

Il avait repéré la bouteille parmi ses congénères, et la trouvait assortie à son déguisement de rupin. Même un spécialiste du morse aurait pas pu déchiffrer le roman qu'il était en train d'écrire de ses jointures sur le comptoir.

— Tout de suite, monsieur, dit le barman, en français, pas d'accent anglophone.

Le Grand Marnier monta dans le verre le long duquel il agitait ses doigts fluides. Trois cubes de glace s'enfoncèrent en silence dans la liqueur. Pareilles cérémonies, Monti voulait rien savoir de ça. Il repêcha la glace et la laissa à fondre dans le cendrier.

— Un autre Grand Marnier, dit-il, et il poussa son verre fini vers la bouteille.

Le Polonais au Klondike, il te servait peut-être pas sur des grands chevals, mais même avec sa langue de vis et de boulons et d'écrous, il savait murmurer à ton foie les paroles pour le rendre docile. Monti leva son deuxième verre à l'intention du barman et juré que ça leva.

— À ta santé, fit-il.

Il prit son coup d'une longue traite, suivie de quelques-unes plus courtes en succession rapide. Sa langue se délia ensuite. Il jasait au barman, dans ses vêtements chics, d'engrais, d'éperlan, de la famille Canon, d'une course de sac à patates à laquelle il avait assisté une fois. Il y allait peut-être un peu fort sur l'accent anglais. Il se mettait à parler plus vite et plus fort chaque fois que le barman se retournait ou s'éloignait un peu. Il le voulait tout à lui. Devant les rayons de bouteilles bariolées derrière lui, c'était un être de lumière.

— Tu m'en remettrais-ti un ?

Depuis un bout qu'il jasait, Monti commençait à avoir la mâchoire endolorie à force de parler en yankee. Le barman s'adressa à lui dans son français natif. Il lui expliquait en se donnant l'air de connaître toute l'histoire que

312

la société ferroviaire avait racheté un stock de liqueur à la White Star Line, la compagnie de paquebots. Le Gaspésien faisait semblant de pas l'écouter pour montrer qu'il savait déjà tout ça, mais ça l'intéressait et il payait des verres aux autres clients qui se présentaient. «Tu mettras ça sur mon running bill», disait-il chaque fois. Valait mieux feindre d'être cousu d'or pour s'assurer que l'archange aux manettes lui coupât pas le pipeline.

— Un autre, siouplaît.

Je me paque la fraise, à soir, pensa-t-il. Le barman, par peur de manquer de place, avait commencé à tracer ses petites barres de plus en plus près les unes des autres dans son calepin.

— On est-ti en train de dérailler, nous autres là? demanda Monti dans un cahot.

C'était aussi que le wagon tournait, et il voulut se lever pour remonter ses culottes le plus haut possible. Il appelait en même temps le Grand Marnier à lui, comme il avait appelé la bête dans les broussailles avant le coup de pelle qu'il s'était mangé.

— On vient peut-être de rouler sur une couple d'Indiens, fit le barman à la blague.

Monti le dévisagea fabuleusement. Pire encore que le contrôleur plus tôt. Rendu à son il savait plus combientième verre, il avait encore rien payé. Le barman fit des efforts considérables pour changer de sujet, mais dans l'heure suivante, Monti le ramenait constamment sur les Indiens. Il voulait savoir pourquoi il avait dit ça. Il voulait savoir aussi s'il connaissait un gars qui s'appelait Billy Joe Pictou. Quand il réalisa enfin que le barman était originaire de Limoilou, il laissa tomber l'accent qu'il s'était composé pour se donner un style.

— Je suis français moé aussi, dit-il, dévisageant toujours l'employé ferroviaire.

Il avait tellement la gueule engourdie que tout en sortait maintenant comme s'il revenait de chez l'arracheur de dents. Les fleurs d'oranger étaient à veille de lui pousser par les oreilles, son cerveau dirigeait plus ses commandes vers les bonnes parties du corps, il passait les doigts au-dessus de son verre pour essayer de le remplir lui-même avec des abracadabras.

— À un bon moment donné, raboudina-t-il au barman, tu viendras souper chez nous. M'as te raconter la fois au poker où ma bête inouïe m'a mené jusqu'à mon filon dans une rivière que je venais de rafler.

À partir de ce moment-là, le barman décida de lui couper, discret, ses Grand Marnier à l'eau. Sérieux comme un pape, Monti flinguait, du revolver qu'il faisait de son pouce et de son index, du monde qui était pas là pour vrai.

— On pourrait inviter Bradley aussi, fit-il en se soufflant sur le bout du doigt. Tu le connais-tu, toé, Bradley ?

Monti l'avait vu venir à des miles, le barman, avec son eau. Il acheta le reste de la bouteille de liqueur, qu'il téta au goulot. Pendant que le serveur cherchait une façon de se débarrasser de lui, lui-même cherchait le moyen de se déguiser en courant d'air quand viendrait le temps de régler la note. Parce qu'il avait vérifié en douce. Pas un rond dans les poches de son veston d'emprunt. La conversation volait pas plus haut que tantôt. Monti en était rendu à fanfaronner sur les sortes d'alcool et à tester les connaissances du barman. Quand celui-ci le mit au défi de lui nommer un alcool dont il ignorerait l'existence, le Gaspésien dit :

— Mon alcool à décerveler, t'as jamais goûté à ça.

Le barman lui fit répéter une couple de fois pour en conclure que non, il avait jamais goûté à ça. Ça tombait ben, fit Monti, il avait un restant de sa dernière batch sur lui. Pourquoi pas, pensa le barman, son shift achevait. Monti fit mettre deux verres à whisky en avant d'eux, chacun de leur bord du comptoir. Puis il y versa de cette substance en train de corroder le dedans de sa flasque. C'était sa tentative, pas commercialisable, de recréer le Yukon, à l'œil et au pif. Il avait cherché à disséquer le goût de ce suc divin quand il était encore dans le bois, pour en identifier les ingrédients, sauf qu'il avait pas le palais assez fin pour ça. Le barman, il en resta ébranlé. Une grosse larme lui coulait sur chaque joue. Son deuxième verre, ce fut au nom de la science qu'il le but. Il se rappela pas tout de suite ce qu'il partait pour faire devant ses bouteilles et ses quartiers de lime. La tête lui faisait comme un chat dans un sac.

— Mon tour, finit-il par dire.

— OK, ton turn.

Il leur servit un mélange, de quoi de dommageable, et là c'est vrai qu'en avalant ça Monti vit le décor sacrer le camp par la fenêtre quand le train piqua dans un ravin.

— Je t'ai eu, dit le barman.

Il fit son rapport en se frappant la poitrine, et tu voyais l'air onduler devant sa bouche comme au-dessus d'une chaussée trop chaude. Il commença à détacher son tablier derrière le bar déserté quand une main cuite par le soleil et pourtant pleine d'engelures mal cicatrisées surgit d'à terre pour s'agripper au comptoir, suivie d'une autre. Les tendons des poignets saillaient dans l'effort pour hisser le reste du corps.

— Commence pas à faire ton frais, avertit Monti, agitant un doigt mou.

Il lui fallut un moment pour retrouver son équilibre, arrêter de glisser de son tabouret sur le plancher. Il but le reste du Grand Marnier et s'essuya avec sa manche. Il poussa un ah désaltéré. *Satisfaction garantie ou argent remis,* se souvint-il. Il tendit la main par-dessus le comptoir pour ravoir son change. Son bras se reflétait dans le bois verni. Monti crut à un poisson ventre en l'air montant à la surface d'eaux mortes. Le barman, tout autant dans les vapes, lui remit sans réfléchir l'argent qu'il venait de puiser dans sa cassette. Puis il se retourna pour faire balancer les colonnes de chiffres qui saturaient sa page de calepin. C'est en rayant d'un trait oblique le dernier groupe de quatre barres verticales qu'il alluma qu'il avait pas d'affaire à redonner de change, l'autre plaisant avait pas encore payé rien. Il fit volte-face. Le tabouret de Monti tournait sur lui-même, sans plus personne d'assis dessus.

Monti était parti à courir, les lacets pas liés l'un à l'autre, mais tout comme, après sa bête qui venait de descendre d'un mur près de lui dans des cliquètements de griffes argentins. L'animal bondissait dans l'allée, plein de roucoulements cajoleurs, vers l'autre extrémité pour passer à un wagon de passagers. *Tasse-toé, ti-Joe.* Monti fonça dans un contrôleur qui en resta chagrin et ouvrit la porte au fond du wagon. Il enjamba l'attelage cahoté par la course des voitures. Éole lui arracha son chapeau. Le chapeau vola en tourniquant dans la nuit derrière le train. Monti traversa wagon après wagon. Son excitation se prolongeait jusqu'au bout de sa canne-épée. Il aperçut de nouveau la bête qui filait le long du fuselage, tantôt corail, tantôt translucide. Elle s'aplatissait pour passer en dessous des craques de porte.

— Où c'est qu'elle est ? demanda-t-il à une voyageuse.

Il stoppa net sous les crépitements du luminaire. La femme se recroquevilla loin de lui quand un filet de bave dégoulina de la bouche à Monti sur l'accoudoir. Une pile de valises cartonnées s'abattit au milieu de l'allée. La bête moqueuse jaillit d'une banquette, dans un méli-mélo de reflets mirobolants. Monti trouva le moyen de prendre une fouille dans les valises sans ralentir. *Peut-être qu'y a encore de l'or dedans.* Il s'ébaudissait déjà devant sa proie acculée contre la porte fermée du dernier wagon.

— T'es belle à croquer, toé, approche un peu par icitte.

Il avait la larme à l'œil. Les autres passagers étaient figés, plus personne bougeait, des statues de cire aux poses mondaines. La créature se fit toute craintive en se zébrant de lilas sous l'étreinte à Monti. Son panache aux pointes duvetées se rétracta sous son pelage angora qui se fendit d'orifices ourlés d'où tombèrent de longues et pelucheuses oreilles.

— Fais pas ta piteuse, lui dit Monti en la retournant de tous les bords pour voir comment elle était faite. Jamais sur ma vie que je te ferais du mal.

Ce fut au tour des pupilles de l'animal de se contracter, jusqu'à disparaître ou presque. Le ventre, sous un pis minuscule, se fendit d'un repli charnu sous lequel Monti aventura une main d'amoureux. Mais il trouvait pas le fond de cette chair tiède, qu'il faisait onduler de l'intérieur, la peau tellement élastique qu'il aurait pu s'en ganter. *Y a pas de viande là-dedans.* Il se sortit le poing de la bête aussi vite qu'il se sortait la main des culottes quand les prêtres de l'orphelinat rentraient sans cogner. Il recula de quelques pas, dès lors botté d'enclumes, questionnant la bête du regard. Elle était désormais grave et haletante contre la porte. Ses couleurs fragiles fluctuaient comme de l'essence sur de l'eau. Monti ouvrit le poing, pour y découvrir un bout de papier. La moitié poinçonnée d'un billet de train. Wagon 8, siège 12. La bête fit claquer en l'air une langue de reptile rose.

Monti revint à la conscience à terre dans le coin d'un wagon. Il vit que ses mains étaient beurrées d'encre noire. Recouverte de taches de doigts, sa flasque patientait contre des lambris tout éclaboussés de cervelle. *Je bois plus jamais de ça,* pensa-t-il. Quelqu'un avait tenté d'ouvrir la porte derrière lui. C'est ce qui l'avait tiré du sommeil. Il y avait une famille d'immigrants dans le wagon. Les deux camemberts qui lui servaient de pieds lui paraissaient très loin, à l'opposé de ses mains démesurées, qu'il regardait, incrédule, de ses yeux mouillés. *Beaux rêves d'illuminé que tu viens de faire là, mon Honoré,* pensa-t-il en se refourrant dans le crâne des blobs de matière grise par les trous d'oreilles. Il fit des étirements, les manches de sa veste roulées jusqu'au milieu des avant-bras. Le mur du fond s'éloignait et se rapprochait en même temps, le couloir s'effilait, gagnait en hauteur. Ça nécessitait des petits ajustements dans sa posture.

Monti rempocha ce qu'il avait éparé, sans se rendre compte qu'il essayait depuis deux minutes de se rentrer la canne-épée dans la poche. Il se demanda à quelle espèce d'escrimeur invalide une patente de même pourrait bien être utile. Puis il relut ce qu'il avait écrit sur sa machine avant de sombrer, jusqu'à ce qu'il se mette à canter sur le côté, salivant trop, des picots devant les yeux. C'était mal écrit en chien, mais pareil. Ça avait eu du bon de se priver d'autre chose pour se payer ce gadget-là. Il s'était amusé avec ça. Il finit ce qu'il restait dans sa flasque, léchant bien l'intérieur du goulot, et s'en roula quelques-unes. Sa mémoire lui jouait des tours, car il s'enfonça jusqu'au menton le chapeau volé qu'il se rappelait pourtant avoir perdu dans le vent le long du chemin de fer. *Emprunté,* pensa-t-il. *Pas volé, emprunté.* Les voleurs, il les portait pas dans son cœur.

Il trouvait plus le wagon-bar. Il avait dû fabuler. Dommage, parce qu'un Grand Marnier, ça lui aurait enlevé l'arrière-goût de térébenthine dont son alcool à décerveler lui avait placardé le dedans du caquet. Il sortit sur un des marchepieds dehors, pour se brosser les dents du bout du doigt dans le vent. L'arc de sa mâchoire ouvrait sur une plage mordorée, sous le soleil rougi de son œil. Son sourcil s'était changé en fou de Bassan, au-dessus d'une joue dont les vagues allaient se fracasser contre la tempe, cap de glaise dominé par la conque plus rapprochée de l'oreille.

Ses pensées se déprenaient plus de la souricière où elles s'étaient jetées pendant qu'il fumait sans savourer sous les étoiles. *Toujours partir du principe que le monde ont des mauvaises intentions.* Son tabac avait conservé le goût de l'hiver, et il se sentait vagabond, perdu dans la contemplation du champ de fleurs en noir et blanc que fendait la locomotive. Il se mit à fesser dans la rampe à grands coups de pied.

Il se réveilla une fois de plus, le palais irrité par ses ronflements. Quelqu'un lui secouait l'épaule pour lui montrer son bout de ticket, wagon 8, siège 12, et ainsi l'informer qu'il dormait dans son siège. *Ben oui, c'est-ti drôle.* Mais Monti resta assis, aux dépens de son semblable. Il s'épivardait même pas un peu. Il se demandait en fait si c'était des glaïeuls ou des phlox dans le champ tantôt. Si c'était de saison. Il resta assis. Le voyageur tendait le cou pour dénicher l'employé qui ferait s'enlever le têtu d'à sa place. Sous les serpentins, les confettis, sous les applaudissements et les hourras, Monti s'en alla enfin d'un pas de marionnette aux fils emmêlés. Ça faisait un bout de temps qu'il avait pas rêvé de Dexter.

Il se réveilla en riant tout seul dans le wagon-bar, la face oubliée sur une table pas assortie aux autres. Derrière le comptoir, le barman tapait sur une machine à écrire du même modèle que la sienne. Le barman haussa les épaules devant le Gaspésien qui patinait pour expliquer qu'il avait pas de quoi s'acquitter. Monti retraversa quelques wagons pour regagner son siège, son repos, une latitude plus adéquate. Sa canne-épée tambourinait contre les accoudoirs et les barreaux du porte-bagages.

Même dans un train, il tournait en rond. Car il repassa dans le wagon-bar. La porte au bout était obstruée par un corps mort, endormi au sol de l'autre côté.

Monti vira de bord, revint sur ses pas jusque dans le wagon précédent. Il y avait un autre garçon debout plus loin dans l'allée, en train de se faire rabâter par une voix à la fois rogue et truculente. Seuls un bout de chapeau et une main poilue dépassaient du compartiment où le grognon prenait ses aises. Le garçon encaissait les réprimandes sans broncher. Puis il pivota sur ses talons, un cabaret chargé posé sur ses doigts en pentagone. Il se dirigeait vers Monti en singeant l'air de bœuf du malotru. Monti se serait fait piétiner s'il s'était pas tassé. La porte se referma dans sa face après qu'il fit une demi-volte pour accrocher le garçon par la livrée. Il voulait des excuses, et rouvrit la porte. Le ballast, les rails filaient sous ses bottes. Il retourna de nouveau vers le chialeux à l'autre bout qui jouait une patience sur son plateau. Les cartes attirèrent naturellement Monti. L'homme plaça le valet de cœur à la suite de la dame de pique.

— Donald Bead ?

L'homme aurait jamais remarqué que Monti regardait son jeu par-dessus son épaule si le Gaspésien avait pas prononcé son nom.

Le cou de Donald Bead rentrait de peine et de misère dans le goulet de son col d'où cascadait l'eau fraîche d'une fraise en dentelle. Ses orbites lui creusaient la face de grottes venteuses que reliait, à travers les buissons des favoris, le canyon d'une bouche aux dents pareilles à des rochers sous la lune grenelée lui brillant sur le bout du nez. Alors qu'il aurait dû rejeter le pan de son veston pour dégainer, Donald enserra la sacoche d'or à côté de lui en se protégeant de l'autre bras. Sa chair fendit comme une tomate sous un premier coup de canne-épée. Monti se dit qu'il en avait peut-être rien qu'attrapé un des trois, mais qu'au moins il avait attrapé le plus gros. À son vingtième coup d'épée, il eut quand même la politesse de dire à son homme de laisser faire pour le bétail qu'il lui devait encore.

27

BEN OUI LÀ, ben oui, on t'a entendu, ta yeule à matin, rouspétait Xavier Melançon.

Le coq se prenait pour un ténor, perché sur un étai de son poulailler. Xavier sortit en s'enfargeant dans l'arrosoir sur le pas de sa porte, du papier journal à la main. Il fit le geste de tirer le coq au slingshot entre les claires-voies. Ses bretelles lui battaient les cuisses tandis qu'il traînait de la patte dans les herbes hautes vers les latrines au fond du terrain, où commençaient les sables de la plage. Les pages lousses du *Vivier,* comme un étendard, flottaient derrière lui parmi les libellules et les boubous blancs de pissenlits. La chaude-pisse qu'il s'était chopée chez la Dubuc lui donnait pas plus envie que ça d'aller faire ses besoins. La journée allait être collante, suffisait de voir le calme plat qui régnait sur la mer. Le soleil enflait de minute en minute. Pas tant pour ses ablutions que pour dégriser de la veille, Xavier se plongea la tête au passage dans l'auge à cochons pleine d'eau de pluie.

Le contremaître, sur le coup de huit heures, serait de toute façon pas plus recevable que lui ni qu'aucun des jobeux sur le chantier, et c'est pour ça que Xavier, même s'il était pas en avance, prit le temps de déjeuner de fleurs et d'un œuf cru. Revenu dans la maison, il suçait ça par un trou dans la coquille, avec un fond de vin de cormier qu'il avait dû transvaser dans une soupière pour remplir sa gourde au puits. Il se cogna entre deux succions l'orteil contre une latte déclouée, dans un élan pour agripper son matou à six doigts qui avait pas d'affaire à tourner autour du piège à côté d'un tas de linge où l'humidité avait pris. Une souris morte revola par l'ajour dans les framboises du voisin. Xavier ramassa une casquette vibrante d'acariens, sa boîte à lunch en fer dépoli, et il referma la porte en partant, gentiment, pour pas que s'effondre sa chaumine.

Afin de s'épargner trente-huit bonjours en chemin, il évita la route de l'église et coupa par le cimetière envahi par l'ivraie. Il s'y dressait des croix blanches, sous des frondaisons écrasantes. Toute une population de criquets stridulait là-dedans. Xavier décochait par-ci par-là des saluts de capitaine en direction des tombes dont il avait coudoyé de leur vivant les titulaires, quand le fossoyeur à l'autre bout s'arrêta de bêcher.

— Fera pas frette aujourd'hui ! lui cria Xavier.

— Ah, moé, répondit le fossoyeur.

Il avait une face d'Albert, mais c'était pas ça son nom. Xavier l'avait sur le bout de la langue.

— Tant qu'y fait clair dans le jour ! ajouta l'homme.

Xavier se dépêcha de se couler par une brèche tout éboulée dans une muraille où foisonnaient joliment les viornes. Ce fut en dévalant entre les pommiers qu'il s'aligna de justesse sur la passerelle un peu casse-cou qui avait été érigée en attendant qu'on rebâtît le vrai pont. La dernière crue avait emporté le précédent dans les flots de la rivière bistre mais poissonneuse à quoi le village de Saint-Lancelot-de-la-Frayère devait en partie son appellation.

— Comment que ça va pas, mon Agapithe ? fit Xavier une fois au chantier, sa chemise boutonnée en jaloux.

Agapithe Guérette, c'était ça, le nom du contremaître. Il avait ce matin-là l'air de son reflet dans un bac où viendrait de choir un granit. Réputé pour être mou du fouet, il avait fermé l'hôtel hier au soir avec ses gars. Passé une certaine heure, il avait plus tellement tenu droit dans sa chaise ni dans sa position d'autorité. C'était pas un alcoolique, Agapithe, juste un gars qui aimait boire. Xavier savait pertinemment que, même s'il était arrivé en retard, il avait rien à craindre du gros n'importe quoi que le contremaître gribouillait dans son pense-bête écorné en ronchonnant de désapprobation. L'un était le beau-frère au cousin de l'autre, et ils faisaient des mauvais coups ensemble depuis le catéchisme.

— Va commencer d'étalonner, enjoignit Agapithe à Xavier après qu'ils se furent raconté les meilleures passes de la soirée. Les raccords devraient nous être livrés dans pas long.

— C'est-tu Du Deux qui livre cet avant-midi? s'enquit Xavier.

Il avait posé la question en sachant déjà la réponse. Sa chemise lui collait aux reins. Il s'en alla rejoindre le reste de l'équipe, l'Abel à Gabi, Émilien, Skelling, Jacques Nault et d'autres encore, dans divers états de lendemain de paye. La mer au loin était comme de yogourt. Un chien bâtard pas de médaille se livrait à des cabrioles.

— Du Deux, ouin.

La Ville avait embauché Agapithe par miséricorde, pour rapprocher l'aqueduc des parcelles nouvellement dérochées et plus peuplées de mois en mois.

— Un, deux, trois!

— Attention.

— OK, lâche ton boutte, lâche, lâche.

— Oh, hisse! Oh, hisse!

Une journée d'ouvrage sans rien de trop rocambolesque. Ça manquait de hardiesse chez les travailleurs, conséquence de la veillée. L'odeur du varech saturait la brise imperceptible, que les gars recherchaient malgré leurs cœurs sur la flotte. L'aqueduc se construirait pas tout seul, et pourtant ils lanternaient dans le gazon sitôt qu'Agapithe avait le dos tourné.

— Au moins les heures passent pas vite, dit le contremaître. On va peut-être réussir à finir à temps.

— Va chercher, disait Jacques Nault au chien, qui essayait d'attraper les tuyaux chaque fois qu'un ouvrier en lançait un en bas de la charrette à Du Deux.

326

Les cloches de l'église sonnèrent douze fois. Un raccord roula près la rivière, dans la boue que tout ce voyageage avait engendrée. Le bruit des pioches s'estompait dans la rocaille. Les gars s'assirent sur le raccord, la langue à terre. Ils se posèrent dans la charrette, sur des pitounes limoneuses où ils s'épongèrent le front dans leurs mouchoirs. Personne parlait, mais tout le monde se comprenait. Ça faisait dix minutes au moins que c'était silence quand un bateau somnolent se profila au large sur la mer.

— Tiens, dit Skelling, scrutant la baie. Labillois qui revient de remonter ses filets.

— Qu'est-ce tu contes là, toé, le démentit Abel, les yeux presque fermés. C'est pas son chalutier pantoute, c'est le garde-pêche.

La pelouse poussait. Les gars croquaient des navets comme des pommes, grugeaient des pattes de crabe. Du Deux, c'était un pince-sans-rire. Il se leva d'un coup, à la surprise générale, pour aller chasser à gestes agacés les paresseux de sa charrette, et se prépara à repartir sans dire salut à personne.

— Tu t'en vas pas nous chercher d'autres raccords, j'espère ? s'inquiéta Émilien.

— Moé, répondit Du Deux, des obstinades de même pour un bateau, je suis plus capable.

Son vrai nom, à Du Deux, c'était André Saint-Onge. Ça avait été élevé par le père Fouettard dans le deuxième rang, sauf que le problème, c'est qu'il y avait un autre André dans le *premier* rang, André Lebeau, et que l'un comme l'autre, on les appelait le Dré. Pour les différencier, les élèves de la classe à madame Bujold, feu la mère à

Joséphine, les avaient rebaptisés à l'époque le Dré du Un
et le Dré du Deux. Du Un et Du Deux pour faire court.

Agapithe mangeait face à tout le monde. Pendant
que Du Deux se poussait, il se cassait les dents sur une
pointe de quiche qu'il avait essayé de se cuisiner. Sa
femme boycottait les chaudrons. Les gars se payaient
sa tête, et il jeta son dîner devant le chien, qui scènait
des restants. L'animal goba le cadeau tout rond, pour se
sauver après ça à l'ombre d'un orme où il se mit à se
licher la bonne place.

— Il se change le goût, lâcha Émilien.

— Le chien ou Agapithe?

Agapithe venait de s'envoyer la tête par en arrière.
Il descendait le vin d'orge qu'il s'était apporté afin de se
replacer le système. Il s'ébroua bientôt, et ce fut Skelling qui le premier se leva le cul de son siège en voyant
le contremaître faire ce qui semblait être une embolie.
Agapithe fixait la rivière devant lui, au-dessus des fronts
crasseux, en tâtonnant derrière lui comme pour toucher
l'église à deux cents mètres.

— Monti? lâcha-t-il, et tous se retournèrent.

C'était Monti assez, oui. En costume de ville, dans
la rivière jusqu'aux jarrets, avec sur son cheval un gréement deux fois plus haut que large. Aux hennissements,
les gars avaient cru que c'était Du Deux qui s'en revenait. Monti se battait avec une couverte pour cacher une
sacoche qui pendait à la croupe de sa monture.

— T'es pas… T'es pas mort dans une avalanche?

Sa lèvre en pelure de patate était agitée d'un tic.

Il avait la face écorchée vive, mais très propre. Pas le moindre poil rebelle. Un poisson sauta dans la rivière.

— Là-bas, là, dans le Nord où t'étais? Y a pas eu une avalanche? La lettre que Bradley nous a fait lire disait que tu...

Beaucoup de choses s'éclaircirent dans les regards échangés.

— Câlis... partit pour dire Abel, mais Agapithe le ramassa avant pour l'emmener à part, lui pointer l'église au loin.

— Maudit Bradley à marde, fit Émilien.

La stupeur retombée, il s'avança vers Monti, les bras ouverts.

— Wo, wo!

Il se chia des briques chez les ouvriers quand leur ami dégaina, devant Émilien rendu trop proche, un revolver tellement imposant que les gars pensèrent que c'est à cause de son poids que la main lui tremblait.

— Monti, c'est nous autres!

Ils en avaient pas, en Gaspésie, des pistolets de ces modèles-là. Ils avaient des carabines de chasse, et même des antiquités militaires sous verre dans le hall de l'hôtel de ville. Mais pas des bijoux de même. Un bruit d'os qui pète monta de la gorge à Monti.

— T'as-tu... T'as-tu soif? lui offrit Agapithe dans l'émotion, et il lui tendit son vin d'orge un peu en angle.

On raconterait plus tard qu'Honoré Bouge, dit Monti, avait glissé comme s'il volait un but pour que la goutte se détachant du goulot tombe pas au sol. Le canon de son flingue s'était abaissé, puis Monti avait pitché la bouteille vidée d'une traite dans le courant de la rivière à Frai. Et tandis que son sérail lui faisait des accolades, pour être sûr que c'était pas un revenant, il gloussait doucement. Ça chatouillait.

VII

LE DERNIER MATIN

28

I L Y A des ressuscités qui prétendent que tu revois le film de ta vie quand tu meurs. Il a dû y avoir des longueurs dans le cas de Patapon. Pas qu'il ait ressuscité, mais ses restes avaient disparu, ils étaient visibles nulle part quand François, sachant rien de ça, s'est relevé dans le champ où la Volvo avait fini sa course. Le pare-brise avait déflagré, et le miraculé en a déduit qu'il avait été projeté dans la neige quand le iPod avait déclenché l'explosion. *Je serais mort si je n'avais pas débouclé ma ceinture.*

Rock était plus là. La neige avait recouvert tout ce qu'il y aurait pu y avoir de traces. François, raqué, frissonnant, a ramené les pans de son veston contre ses côtes toutes ressorties. Il a reculé dans la neige, le dos arrondi. Coincée sous un des essuie-glaces, une sorte d'escalope trépidait au vent contre le capot en soufflet du taxi. Un bouton avait sauté des culottes à François. Rendu au milieu du chemin, il a évalué l'état du viaduc, confiant que la publication de son livre allait redonner du pic à la région. *Des subventions, des investissements privés.* Il renipperait le camp de vacances en face. Il avait froid aux orteils, à tout le pied gauche. Les culées du viaduc se désintégraient dans les hauteurs sous les bourrasques passionnées et les coupes budgétaires. Il avait hâte d'arriver chez eux. La gloire imminente allait pas lui faire snober les vieux compères, et il a rajouté à son horaire d'aller prendre des nouvelles de Patapon. Clopin-clopant, il a fait quelques pas pénibles.

— Le champ des Canon, il a dit.

Il a ramassé une patate minéralisée, perdue entre deux labours enneigés, qu'il a lancée contre la clôture. Un poc glacé a retenti. Le vent sifflait.

François est retourné vers le char en tenant ses culottes. *L'enfant prodigue, tout le monde,* il a pensé. *Jouez hautbois, résonnez musettes.* Il était une petite affaire désappointé. C'est pas qu'il était susceptible, mais il avait quand même eu la naïveté d'espérer un comité d'accueil plus recevant, une banderole, de quoi.

— Je suis l'élu, il a déclaré en voyant l'état auquel avait été réduit le taxi.

La bouteille de Yukon était cassée. François s'est enfoncé à mi-corps dans la carrosserie froissée pour récupérer sa mallette. Un bouquet de fleurs tranchantes avait spontanément poussé à la place qui avait été la sienne avant l'explosion. Les coussins gonflables pendouillaient

sur les sièges, pas gonflés. Sa survie tenait de l'interven-
tion divine. Humide dans la région du périnée, François
a contourné la Volvo. Il était soûl, mais ça paraissait pas.
Il venait normal quand il était soûl. La neige mêlée de
vitre croustillait sous ses pieds. Sous un de ses pieds
plus que l'autre. Il s'est étiré, contorsionné dans la carcasse déjà refroidie, son bras plié de partout à travers le
plexus de ferraille. Les vertèbres ont dû lui défusionner
à force qu'il s'est étiré, mais il a pu effleurer sa mallette
puis en agripper la poignée. Il a fini par être capable de
la déprendre. Il l'a secouée de gauche à droite entre les
dentures de tôle et les éclisses de plastique pour la tirer
jusqu'à lui. Les rafales s'attrapaient les unes les autres
pour se relancer à la lisière du champ à travers les arbres
chamboulés. Il y avait la réserve micmac à l'ouest, La
Frayère à l'est. François a pogné les nerfs et tiré tout ce
qu'il pouvait. Il est tombé sur le derrière dans la neige
et sa mallette s'est ouverte. Des pages de son manuscrit
sont parties en un carrousel aérien. Sur des rubans de
vent. Elles se sont dispersées au petit bonheur dans la
forêt. *Zut*, a pensé leur auteur. *Mais bon, puisqu'il fallait
que je coupe.* Le temps de boutonner son veston, il s'est
coincé la mallette entre les genoux.

— Tabarnac, il a dit.

François sacrait pas souvent. Mais là, il venait de voir
qu'il avait juste un soulier. C'est pour ça qu'il avait froid
de même au pied. Il avait dû perdre l'autre dans son
envolée. Ou le chauffeur s'était sauvé avec. En le cherchant il a repéré une espadrille qui contrastait avec la

pâleur de la neige. Une corneille la picossait, et ça devait pas être le premier épouvantail qu'elle voyait, parce que François a dû se battre avec pour la chasser.

— Victoire, il a dit. Retourne vers ton couvent de nonnes.

François avait pas gros envie de chausser ça. Son bas beige tranchait sur le lavande de sa cheville gelée. Il a sacré pour la deuxième fois cette année en retirant les bouts de lasagne humaine de l'espadrille sans lacet. François portait du sept. Il avait de très petits pieds. L'espadrille était un treize.

Sans enthousiasme aucun, il a décacheté l'enveloppe sortie de sa poche revolver. Les yeux lui tournaient à toute allure dans la tête, comme dans une machine à sous. À quelques secondes d'intervalle, les deux se sont arrêtés sur le signe de piasse. Mais quand il a regardé dans l'enveloppe, il a bien vu que c'était des bouts de papier journal qu'il y avait dedans. Il a eu un moment d'incompréhension. *Qu'ai-je fait de cet argent-là, moi ?* Des stalactites de givre s'accrochaient à ses sourcils. Il a essayé de remonter le fil des événements de la nuit pour comprendre où ça avait bogué. Il se nouait les bras l'un dans l'autre. Un peu gêné, il a fini par écrire son numéro de téléphone sur un faux billet, disant aussi à Rock de l'appeler plus tard, il le paierait quand il recevrait son à-valoir. Il a inséré le papier entre deux bistouris de plastique formés par les décombres du tableau de bord. Après quoi il s'est éloigné en souriant. La face figée de même dans le froid.

Il était à une couple d'heures de marche de la ville. Si Poupette avait été avec lui, ça aurait été moins plate. Une neige plus cendreuse tombait du viaduc. François avait oublié de se préparer mentalement à la possibilité de revoir Yannick. Puis il a stoppé net en dessous de la structure. Il a fait demi-tour vers la Volvo. Il se tenait toujours les culottes. Au printemps, des branches de chatons croîtraient dans le taxi et de la terre recouvrirait les sièges. François a relevé dans la neige des pistes chaotiques s'effaçant sous la poudreuse. Il les a suivies, qui partaient d'en dessous du char jusqu'à la lisière des bois. L'espadrille qu'il avait chaussée voulait pas lui rester dans le pied. Rendu au milieu du champ, il a regardé autour puis il est retourné au char pour reprendre son bout de papier. Il y a rayé son numéro de téléphone et a inscrit à la place celui de Poupette. Sa ligne était débranchée.

C'est là que la déneigeuse en bordure du champ a défoncé l'horizon. Le chemin de terre levait presque dans son sillage. *Vite! Vite!* a pensé François en se lançant par-dessus la clôture. *Ce sera Rock qui vient à ma rescousse.* Il faisait des signaux sur l'accotement quand les culottes lui sont tombées aux genoux. Le ti-oiseau est sorti. Maurice Foster dans son cockpit en est resté béant, pas certain de ce qu'il venait de voir là. Un rouet lui avait dit en rêve de commencer sa run par la route Sainte-Cluque et le rang Saint-Onge. Le véhicule lourd s'est dématérialisé dans un remous d'atomes blancs.

François a retraversé les labours. Il allait devoir faire sans le jovialisme à Rock et son goût des vraies affaires.

La soif se réimposait dans l'amertume. Il a roulé le haut de ses culottes pour qu'elles tiennent. Il a lancé sa mallette de l'autre bord d'une clôture peinte jadis avec plus de fierté que ça, puis il a sauté par-dessus. Il a gravi le terrain jusque sur le viaduc et s'est mis à marcher sur le rang Saint-Onge.

29

É TENDUE depuis la veille sur le sofa, ses bottines dépassant de l'accoudoir, Lorraine a décidé qu'elle en était revenue. Elle s'est redressée pour s'assir. Elle a lissé sa jupe sur ses cuisses, relevé la photo de couple qu'elle avait couchée à plat dans son cadre orfévré de fioritures et d'anges grassouillets. C'était la photo de leurs vacances aux chutes Niagara, où ils s'étaient promis de retourner passer leur lune de miel. La face à Laganière y était raturée au stylo. Au stylo qui écrivait plus. Poignardée au stylo. Mais là, les yeux monstrueusement bouffis, Lorraine venait d'envisager que peut-être il était arrivé quelque chose à son Joël. Que Joël était peut-être pas en train de dormir en cuillère avec une autre. *Qu'est-ce que Gwendolyn d'Artémios ferait ?* elle a pensé. Elle a ramassé le téléphone en se demandant qui elle pourrait bien appeler. *Le vieux*

Marcel, oublions ça. Pas le téléphone. Je veux dire, le bon-homme fabrique son linge. Elle a appelé la bibliothèque, mais la ligne était occupée. Si elle avait eu le char, elle aurait bravé la tempête pour aller mener son enquête sur le terrain, sauf que Joël l'avait pris pour aller travailler hier. Une demi-heure plus tard, elle rappelait à la bibliothèque pour la trente-septième fois. C'était encore occupé. Elle a appelé Cynthia.

— Salut, vous êtes bien chez Yannick et Cynthia. On est sûrement en train de faire quelque chose de full capoté, genre accoucher, mais laissez-nous un message, pis on vous rappellera peut-être un jour, si Yannick veut.

Elle a appelé chez les Perrault, et ça a décroché avant même que t'entendes sonner le premier coup.

— Oui allô ?

— Jacinthe ? C'est Lorraine.

Harmonium jouait en arrière. Lorraine s'est dit qu'elle aussi, ça lui ferait du bien d'écouter ça, elle l'aimait, cet album-là.

— Mon Dieu, cocotte, je t'ai pris pour un homme. Qu'est-ce qui se passe, t'es pas à la boutique, toi ? T'as l'air toute de travers.

Lorraine travaillait à la boutique d'homéopathie et de produits naturels des Perrault. C'était aussi leur meilleure cliente.

— Non, je suis pas rentrée. Ça va pas trop bien chez nous, là, y a Joël qui devait venir me chercher hier, tu te souviens, il avait une surprise pour moi, c'est pour ça que j'avais pris congé aujourd'hui. Mais il est jamais revenu de la bibliothèque, pis là, je sais pas où il est. Romain est-tu allé faire son tour en ville hier? Peux-tu lui demander s'il l'a pas vu quelque part?

On a mis quelqu'un au monde. On devrait peut-être l'écouter. Na-na-na-na, na-na.

— Ben non, là, écoute. Romain, il dort encore. Il est resté tranquille à la maison hier soir après son couvre-feu. Je vais… Écoute, je…

— Je suis inquiète, moi là, christifi.

— Regarde, je suis dans la crème Budwig jusqu'aux coudes, mais laisse-moi quelques minutes pis je vas appeler madame Foster. C'est Maurice qui faisait la gratte à matin, il a peut-être vu l'auto quelque part?

— T'es ben fine, bye.

Lorraine a raccroché, et le téléphone a resonné tout de suite.

— *Joël?*

— Non, scuse, c'est encore moi. Je voulais te dire. Rends-toi service, là. Une capsule de ginseng pis une cuillerée de gelée royale dans une tisane à la verveine.

— T'es fine, Jacinthe.

Mais Lorraine est plutôt allée dans le congélateur. Elle a sorti le bac à glaçons, qu'elle a tapé à répétition sur le comptoir. Elle l'a tapé jusqu'à ce qu'il soit vide et que tous les cubes de glace glissent à terre autour d'elle. Elle s'est effoirée sur le plancher. Elle a ramassé un des cubes pleins de poils et de saletés, et elle a croqué dedans.

30

OH, TICO-TICO, TIC… susurrait une voix légèrement névrosée dans le demi-sommeil où Laganière se délectait. C'était fini. Le cauchemar du
chalet était fini. Pas de bain vicié, pas de brûlure
au troisième degré, pas de belette mangeuse d'hommes.
Il restait couché à faire le veau dans le satin. La lumière
du jour filtrait à travers les petits capuchons de cello-
phane qu'il avait pour paupières. «Oh, Tico-Tico, tac…»
Pas prêt encore à ouvrir les yeux, il goûtait la chaleur,
la sécurité, le confort, la savoureuse monotonie du ber-
cail après des rêves un peu trop ardus pour sa sensibi-
lité et sa vie casée. Nonobstant son mal de bloc, pas plus
gros qu'un chas d'aiguille, il se laissait délicieusement
couler dans le matelas, absorber par le matelas, avant
de se mettre à se frotter le chanfrein dans les cheveux
de sa bichette, abandonnés sur le nuage des oreillers.
Ça se pouvait pas, bien de même. *Ô Lorraine, reine de*

l'orge, ma Guenièvre, viens-t'en par icitte. Laganière *deve-nait* le matelas. Il se trémoussait de manière à se coller plus contre la créature toute de moiteur et de palpita-tions à côté de lui, qui sentait quand même un brin le ranci à matin. *C'est parce qu'à un moment donné, je suis pas fait en bois.* Puis il s'est ébranlé le bassin pour cro-cheter la ceinture de chasteté de sa fiancée. Sa main lui a remonté la cuisse, a fondu le long de l'aine pour s'en-rouler en toute ergonomie sur un très concret péché de sept pouces.

— *Lorraine ?* s'est étranglé le bibliothécaire en revo-lant sur un coin de meuble à six pieds du lit.

C'est à ce moment-là que Laganière a constaté que c'était pas Lorraine. Et que les draps étaient bons pour l'incinérateur. C'était Marteau, moins endormi qu'as-sommé, et Marteau s'est retourné vers Laganière. Il avait les lèvres d'un rouge cerise prononcé, on aurait dit qu'il s'était maquillé. Il faisait des mamours où, plaqué contre le mur, le bibliothécaire était couché l'instant d'avant. Marteau s'était mis à rouler sa langue blanche et bouffie pour frencher le vide, répandant dans la chambre une haleine de foie décomposé. Le mal de bloc à Laganière a pris de l'ampleur d'un coup. Le bibliothécaire a levé les yeux au ciel pour demander pardon à Dieu, et pour se sortir Marteau du champ de vision, sauf que Mar-teau a continué à faire son langoureux dans le miroir au plafond.

Tout le monde était tellement fier que Laganière ait bu la veille. Lui le premier. Il aurait juste aimé ça que quelqu'un l'informe des réalités de la gueule de bois. Le linge dans les tiroirs de la commode s'est répandu sur le plancher, et le bibliothécaire a enfilé sa jambe braisée dans un pantalon de coutil à son oncle, ses bras dans une chemise beige rayée plus beige qu'il a pris soin de se rentrer dans les culottes. Mal, à, la, tête. Laissant Marteau à son alanguissement, dans une robe où sa tante pourrait découper des chiffons, il est sorti promener sa migraine dans le couloir angulaire, rigidité des coins, dureté des droites, frappé par l'opacité pas moins que contondante du gyproc dans sa face.

La première affaire qui a attiré l'attention de Laganière dans la cuisine, la *seule* affaire qui a attiré son attention dans le tableau automatiste en trois dimensions qu'était devenue la cuisine, ça a été le gros pot d'aspirine posé sur la table. Le bibliothécaire a geint de soulagement, se voyant déjà engloutir à la cuillère les mille comprimés flottant dans du lait au lieu de ses flocons d'avoine habituels. Sauf qu'il a été déçu quand il a ouvert le pot. Il y en a un qui avait été glouton, il en restait plus. Pas un seul cachet. T'entendais la mer au fond. Laganière était sur le point de s'abaisser à sucer la boule de ouate traînant sur la table quand le pot d'aspirine à l'étiquette tout arrachée de Perrault s'est révélé à lui en dessous du pouf. Il s'est quasiment débouché de lui-même, et les pilules ont jailli jusque dans sa bouche en une succession ensorcelée. Laganière en a mangé plein, et quand il s'est tourné vers la porte-patio, le spectre à Steeve lui est apparu debout dans le blizzard.

— Danny est jamais revenu, a dit le spectre.

Les contours en étaient éthérés, sa peau d'une transparence malaucœureuse.

— Qui? a demandé Laganière.

Le spectre s'est ôté de la vitre pour réapparaître à côté de lui, avec plus de densité, quoique toujours aussi cadavérique. C'était en fait le reflet de Steeve sur la porte-patio, il avait l'air d'être dehors par une illusion d'optique. Steeve avait lui aussi les lèvres rouge foncé. Il a passé les doigts sur la face à Laganière.

— Danny…

Steeve a dégluti quand il a vu le pot d'aspirine que le bibliothécaire tenait encore de toutes ses forces. Sa bouche souriait, mais pas ses yeux. Ses yeux pleuraient. Il y avait des étoiles au fond, de la matière noire.

— Ah oui! s'est exclamé Laganière en se tapant le front assez fort que ça l'a fait reculer dans les restes de la belette écrasés sur le tapis. Le gars de Montréal, tu veux dire. Notre coureur des bois des nouveaux développements.

Faudrait pas que tu te piques sur une aiguille, il a pensé, déduisant que c'est Steeve qui était tombé dans le gros pot d'aspirine. *Tu mourrais au bout de ton sang tellement que tu dois l'avoir fluidifié.* Il a considéré son pied dans les organes animaux couverts de poudre blanche. Puis il a balayé la place du regard, à la recherche d'une spatule, d'un sac en plastique.

— Est-ce que t'as dormi? il a demandé quelques minutes après.

Il tenait Steeve par les épaules, l'invitait à s'étendre

sur le divan. Mais Steeve résistait. Laganière avait pas les muscles pour ça.

— Vous avez pas entendu, vous autres, cette nuit. Il reviendra pas, Danny. Yannick a beau me traiter de chochotte tant qu'il veut. Qu'il reste icitte si ça lui tente, je suis pas sa mère, mais moé…

— Entendu quoi? Il est où, Yannick?

Le regard de Steeve suivait quelque chose sur son cou, sur le cou de Laganière, qui se tenait vis-à-vis de la fenêtre au-dessus du cygne. Laganière s'est envoyé une claque à cet endroit-là.

— Yannick cherche Danny dehors. Pis *non,* je me calmerai pas, je… je…

Pendant que Steeve reprenait son air, Laganière s'est défilé vers la rangée de crochets à quoi tu pouvais accrocher tes clés à côté de la porte de l'entrée, que son oncle avait vissés à la bonne hauteur, avec le bon outil, pour que l'hiver t'ailles pas trop à t'étirer le bras pour prendre ta clé de cabanon quand tu viens d'investir dix minutes de ta vie à ajuster les manchettes de ton manteau de goretex par-dessus tes gants de goretex. Mais la clé de la motoneige, toujours dans l'abri tempo, se trouvait pas parmi les autres sur les crochets.

— … c'est rien, ça, tout suite, déraisonnait Steeve de plus belle, et Laganière l'écoutait à moitié en se mettant à explorer ailleurs. Ça s'est calmé dehors. À six heures à matin, les arbres te dansaient une moyenne lambada, ça m'aurait pas surpris qu'on ressorte du chalet à Natashquan…

L'affaire, c'est que le bout des crochets en titane, pour

lesquels l'oncle à Laganière était monté à Chandler parce qu'ils en avaient pas comme il voulait, en titane, ici à leur quincaillerie « de deux de pit », comme il disait, le bout des crochets, donc, avait une circonférence d'un point huit centimètre, pile, ce qui représentait pour l'oncle le gage d'indestructibilité qu'il recherchait dans tout, surtout qu'un diamètre de même, ça laissait amplement de jeu pour accrocher n'importe quel trousseau de clé normal, double de char, clé de cabanon, clé de tracteur à gazon, clé du bonheur, tout ça pour dire que la clé de la motoneige, des fois, les Japonais, elle venait avec un petit mautadine d'anneau fif de genre un point *six* centimètre, ce qui fait que, cette journée-là, après que tout fut installé tout beau, elle avait pas fitté, sur son crochet en titane, et par chance que son épouse l'avait imploré, parce que le bonhomme arrachait non pas les crochets, mais bien le mur au complet.

— … pis le jeep a bougé itou, y est à moitié embarqué sur le tertre où ton oncle doit avoir l'intention de dresser son mausolée…

Sans s'arrêter de parler, Steeve se tapotait le pli du nez pour dire à Laganière qu'il avait encore de quoi là. Lui-même exhibait à cet endroit précis un magnifique clou bien juteux, cerclé d'une sorte de prépuce enflammé. Laganière avait l'impression que sa jambe brûlée était greffée à son crâne. Une douleur à faire breveter lui voyageait de l'une à l'autre comme dans un circuit fermé. Il savait plus trop ce qu'il cherchait, il cherchait pareil, dans l'espoir qu'un plan, une marche à suivre s'impose à lui pour la suite. Il cherchait à vide. Il était rendu dans le tiroir où il avait trouvé la veille la télécommande de ce qui était autrefois le système de son. Il s'équipait de tout ce qui pourrait servir, des piles, un chauffe-main, une carte de l'Amérique du Nord, un tee de golf, une lampe de poche et des… Une clé Kawasaki, scintillante, qu'il a discrètement empochée.

— … ça grognait pis ça se frottait les griffes dehors après le chalet. Je le sais pas c'était quoi, ce monstre-là, mais je l'ai entendu. Va voir par toi-même, ça a laissé des marques sur les rondins. On aur… Laganière, t'as de quoi là, sérieux, un point rouge.

Laganière a enfin vu ce que Steeve essayait de lui montrer depuis tantôt. Le trait rouge d'un laser se dessinait à travers la poussière et les particules en suspension. *Le viseur laser,* il a pensé. Il s'est reviré vers la fenêtre à temps pour voir Yannick se prendre pour un feuillu dans ses habits de camouflage et disparaître dans une acrobatie parmi le futur bois de chauffage.

— Je m'excuse de t'interrompre, mon beau Steeve, a dit Laganière. Je…

Il a pensé *pas* après « je m'excuse ». Les innombrables fois où il s'était fait brasser ou traiter de tapette dans sa jeunesse lui rejouaient en mémoire comme dans les films où t'as plein de scènes qui se déroulent en même temps dans des petites cases.

— Je te dis… a fait Steeve, se frottant lui aussi les tempes malgré une dose chevaline d'analgésiques. Sitôt que Yannick ressoud, on pitche Marteau dans une douche froide, on l'installe dans le truck avec une chaudière à sève entre les cannes, pis on décolle d'icitte en cinquième.

31

MAMAN ! a entendu crier Jacinthe Perrault de la maison.

Surprise comme tout le monde par la météo, elle se dépêchait d'entasser dans une caisse à lait le panais, le rutabaga, le topinambour de son potager.

— Romain est levé, elle a dit.

Le dedans de son foulard gelé, toute saine et équilibrée dans une veste doublée en mouton, elle a fourré son sécateur dans sa poche.

— *Maman !* a recrié Romain.

— Oui oui, Romain, j'arrive, là, je suis dehors.

Tu voyais qu'elle savait comment pas se blesser au dos. Elle a levé sa caisse pleine de légumes en position d'haltérophilie.

— Tu vas pas encore nous servir des racines jusqu'au

printemps, a dit Romain quand sa mère est rentrée dans la maison les bras chargés.

Il aurait pu lui tenir la porte, sauf qu'il avait pas demandé à venir au monde, lui.

— Je vas nous cuisiner un potage pour souper, avec le pumpernickel que ton père a fait. Idéal pour un temps de même.

— Le pumpernickel qu'il a *essayé* de faire, tu veux dire. Du manger normal, ça serait correct aussi, de temps en temps.

— Ah, arrête donc.

Jacinthe a enfoncé un doigt affectueux dans le bedon de son gars avant de mettre de l'eau à bouillir. Perrault était pas encore totalement revenu de sa virée d'hier, il restait là à léviter, fasciné par la sensation, espérant que sa mère lui replanterait un doigt dans le ventre.

— Des pizzas pochettes, il a dit, du Dixie Lee, des affaires au micro-ondes que tu bouffes devant la télé.

— Sauf qu'on a pas de télé, pis ça me rend triste quand tu dis des horreurs de même.

— T'as raison, maman. Pis ta soupe, c'est bon pour nos cacas.

Romain faisait faire des grimaces à sa mère en lui pesant sur les joues trop fort pour qu'elle trouve ça drôle.

— J'ai faim tout de suite, qu'est-ce qu'y a à déjeuner ?

— Ôte-toi de dans mes jambes, je vas te préparer de quoi.

Pendant qu'elle lui inventait une casserole campagnarde, où elle en profitait pour passer des restes, le téléphone a sonné, quelque part entre les boîtes d'œufs

350

vides empilées partout, les feuilles de papier d'aluminium défripées, les briques de cire d'abeille, les pots
de base à kéfir, la caisse à compost, les concombres et
les bettes, les pelotes de laine piquées d'aiguilles à tri-
coter, les bouteilles à l'envers qui s'égouttaient, d'autres
qui trempaient dans une vieille eau tiède et citronnée
censée les désinfecter.

— Allô, a fait Jacinthe après avoir viré son fatras
encore plus à l'envers pour mettre la main sur l'appareil.

— Salut, comment ce qu'elle va?

— Très bien, merci. À qui je parle?

— Ben voyons, Jacinthe, c'est Paule.

— Paule? Je connais-ti une Paule…

— Paule Foster, tu m'as appelée à matin, j'étais au
CLSC.

— Ah! Paule, ben oui, je m'excuse, je…

— Je t'ai rappelée une couple de fois, Romain t'a pas
passé le message?

— Non, non…

Elle s'est étirée pour jeter un œil à son fils dans le
solarium. Romain avait les sourcils en accent circonflexe
par en bas. Habillé comme hier, ses souliers au pied de
la fenêtre par où il était rentré en cachette peut-être
une heure avant que ses parents se lèvent, il faisait les
poches à tout ce qu'il y avait de manteaux autour, fourrageant en arrière des plantes, sous sa mandoline, dans les
paniers, les craques du divan. Son malamute dormait sur
le plancher. Ses rêves lui arrachaient des glapissements.

— En tout cas, c'est pas grave, a dit Paule Foster, je…

— En quoi je peux t'être utile?

— C'est toi qui m'as appelée, Jacinthe. Heille, t'es-tu correcte?

— Ah, oui oui. Je m'excuse. J'ai parlé à…

— Maman! a crié Romain.

— J'ai parlé à Lorraine Arsenault plus tôt, elle…

— Maman, je te *parle*!

— Attends-moi une seconde, Paule, Romain me parle. Qu'est-ce qu'y a, Romain?

— J'ai perdu un pot d'aspirine. Tu l'aurais pas ramassé?

— Non, je pense pas.

— Si jamais tu le trouves, regarde pas ce qu'il y a dedans, OK?

— Je regarderai pas, Romain, je te fais confiance. Paule? Oui, faque c'est ça, j'ai parlé à Lorraine à Joël plus tôt. Joël a découché dans les derniers jours, ça a de l'air. Elle voulait savoir si Maurice aurait pas vu leur char quelque part. C'est lui qui soufflait à matin, je pense?

— Oui, mais là, pareille bordée, il est pas revenu avant midi, une heure. Joël a découché?

— À ce qu'il paraît.

— C'est pas son style, non? Ce que je peux faire, je vas téléphoner à Nadine Chabot, je gardais ses petits hier. Je sais qu'elle est allée virer à la bibliothèque, peut-être qu'elle a…

— Qu'elle a…

— Tu penses pas que… la Nadine… Je trouvais qu'elle était arrangée fancy pas mal quand elle est revenue chercher les enfants.

— Joël pis Nadine?

— Tsé quand tu penses connaître quelqu'un.
— Joël Laganière, j'en reviens pas.
— Je sais pas, mais…
— Comment ce qu'ils vont, ses petits, à Nadine ?
— Oh my God, ma fille.

32

T ANDIS QU'IL augmentait la distance entre lui et le champ des Canon, François repensait à une fable que son oncle Baptiste racontait des fois. Baptiste, c'était le plus vieux des Bouge, de quinze ans l'aîné à Henri, et un des rares Frayois à s'être battu en Europe contre les nazis, mais pas le seul non plus. Il savait pas trop comment c'était arrivé, mais un peu avant l'armistice, il s'était ramassé dans la même brigade que Jumbo, un des quatre fils à Onésime Canon, lui-même fils à Pancras. Les quatre devaient pas cumuler ensemble plus qu'une douzaine d'années de scolarité au total, mais c'est pas ça, l'histoire. Quand la victoire des Alliés avait été annoncée, leur commandant de peloton, à Baptiste et Jumbo, avait décidé que ses troupes avaient hâte au champagne et que, dans le maquis jusqu'au cou, personne avait plus intérêt à garder prisonniers les deux mangeurs de choucroute qu'ils traînaient depuis trop longtemps. Il avait donc donné l'ordre aux Gaspésiens de les emmener en forêt, et de pas revenir avec. Mais quand en chemin Baptiste s'était mis à travailler Jumbo pour le convaincre que la guerre était finie, que personne le saurait jamais s'ils relâchaient les Allemands qu'ils tenaient au bout de leur baïonnette, Jumbo, malendurant en partant, l'avait empoigné par la mentonnière et lui avait dit :

— Fais ce que tu veux avec le tien, moé je tue le mien.

Ceci était une présentation de Patrimoine Canada, a pensé François comme il continuait sur le rang Saint-Onge, égaré dans sa remémoration patriotique et les souvenirs honnis qui lui restaient du monde de la télévision. Il skiait plus qu'il marchait. La poudrerie recouvrait au fur et à mesure les empreintes asymétriques qu'il laissait derrière lui. Il se considérait plus chanceux de pas être tombé sur un des Canon dans son champ que d'avoir survécu à l'explosion du taxi. Il se surprenait à crier de temps en temps le nom de Rock. « Rooo-ooock ! » il criait. L'enseigne de la station-service où Patapon était passé en sens inverse durant la nuit s'atténuait derrière lui, pâlotte pour quelque chose d'aussi vorace en énergie. Le ciel contenait comme trop de nuages pour sa capacité, ça débordait sur les côtés. François a croisé, qui gisait dans le fossé, le même coyote que son ami quelques heures plus tôt. Il a eu en voyant ça un fantasme dans lequel on lui demandait l'infinitif du verbe *gisait* dans un jeu-questionnaire où il y avait de l'argent à gagner. Puis il a retourné l'animal à moitié enterré, regoûtant à rebours son boire de la veille devant les entrailles que la froideur avait plastifiées.

Il est reparti. Son haleine traînait derrière lui en un panache blanc. Il a dépassé les cartouches vides, les canettes, les bouteilles. Elles étaient disséminées sur l'accotement, remontées mystérieusement à la surface malgré les précipitations toujours en cours. S'il existait un second point de congélation en dessous du premier, François en approchait. Ses vêtements pliaient rien qu'aux articulations avec un bruit de croustilles sous les molaires. Il s'imaginait Rock en train de se faire dorer le mou en retournant des boulettes sur le charcoal pendant qu'Elvis à côté grattouillait un ukulélé dans son hamac. Plus il marchait, plus il gelait, et plus il gelait, plus il avait le désir de se mettre plus chaud encore. Trente mètres plus loin, il s'est arrêté. Sa circulation sanguine s'est arrêtée aussi. Il s'est balancé d'un pied sur l'autre avant de revenir sur ses pas jusqu'aux canettes. *Tu parles d'un gaspillage,* il a pensé. *On crève de soif partout dans le monde.* C'est par humanisme qu'il a fini les fonds de bière pas encore virés en popsicles. C'est pas que François refusait d'affronter son père à jeun, c'est pas ça, seulement, il avait besoin de calories s'il était pour… *Mais pourquoi je me justifie ?* il a pensé. La neige avait pris des allures de meringue.

— C'est la malédiction, il a ajouté tout haut.

— Malédiction, malédiction, malédic…

Il y avait de l'écho à la place où il venait de déboucher, amplifié par des vaux replets, des collines fessues. Il a pris pendant une seconde la carrière de la cimenterie pour la baie, puis s'est rappelé qu'il était pas sur la 132. T'aurais pu insérer dans la carrière, au centimètre près, le météorite à l'origine de l'extinction des dinosaures.

Un sentiment de légèreté, pas conseillé sous pareil vent, s'était emparé de lui malgré l'angoisse qui l'étreignait à l'idée de revisiter le nid familial après il savait pas combien d'années. Advienne que pourra, son livre achevait, le reflet de sa vie, il se réalisait enfin. Il allait faire un colleux à maman. Serrer, le dos droit, la pince à papa. Très touchantes seraient les retrouvailles. Ils auraient tous ensemble une discussion féconde sur son ouvrage, devant des albums photo ou un jeu de société. Tout le monde serait de bien bonne humeur. Ils vivraient un moment familial sans la moindre tension. La ferveur dont il ferait preuve pour l'écriture aurait quelque chose de communicatif, et François recevrait assez de bénédictions pour se payer une suite au paradis avant de passer le reste de la soirée dans les collections de disques et de livres à son père en se bourrant de tout ce qu'il y aurait dans le garde-manger. Il s'installerait le lendemain au secrétaire, devant sa tablette de feuilles lignées. Il poserait une bouteille de Yukon près de lui, à laquelle il toucherait pas. Juste pour comprendre. Puis il plancherait sur les retouches finales de son livre pendant que sa mère lui ferait son lavage et des biscuits. Pour l'aider à mieux se concentrer, son père garderait un silence fier et protecteur, qu'il romprait à l'occasion pour lui murmurer des choses gratifiantes, des suggestions à tout coup constructives.

Il a marché, marché, marché. François a marché. Ou bien il avait réussi à se perdre en ligne droite, ou bien il avait fait le tour de la terre, parce que la station-service qu'il avait mise derrière lui tantôt était maintenant revenue devant. Il la devinait à son enseigne couleur de flamant rose, à travers la neige sans deux flocons d'identiques. Il s'est demandé un peu plus tard si ce qui était rose pour lui, l'enseigne de la station-service, par exemple, pourrait être bleu pour quelqu'un d'autre, tout en se frayant une piste à coups de machette fictive dans le boisé par où il venait de piquer. Les bois étaient tissés serré, peu praticables, visuellement complexes.

— *Gésir,* s'est enragé François sans cesser ses moulinets. Pour un million de dollars, gésir, gésir, gésir.

33

T OUT DE SUITE après son coup de fil à Jacinthe Perrault, Paule Foster a sorti l'agenda plein de coupons-rabais à découper le long des lignes pointillées dans lequel elle notait ses numéros de téléphone. Puis, avant de se mettre à barbouiller la face d'un gagnant sur une des vignettes publicitaires à l'intérieur, elle a composé le numéro de Nadine Chabot. Elle peaufinait dans sa tête, alors que ça sonnait, les subtilités de l'interrogatoire auquel elle s'apprêtait à soumettre cette casseuse de mariage là.

— Allô, a fait une voix prépubère à l'autre bout de la ligne.

— Allô, c'est mon Sébastien, ça?

— Oui.

Sébastien, c'était le fils à Nadine, onze ans. Paule les gardait après l'école, lui et sa sœur Manon. Elle avait déjà senti le jeune plus réveillé que ça. Son jeu préféré, quand il était pas chez eux à se muscler les pouces, c'était de grimper dans les cadres de porte en se prenant pour un ninja ou de glisser dans les escaliers sur les gros coussins du divan.

— C'est madame Paule, tu vas-ti venir me voi… T'as-ti déjeuné, Sébastien, messemble que t'as le timbre clair ?

Pauvre Nadine, sur le bien-être toute seule avec deux enfants sur les bras, rien dans le frigo les trois quarts du temps. *Ou t'as déjeuné au Ritalin,* a pensé Paule, pas gênée plus que ça de radoter partout en ville que ça faisait dur chez les Chabot, quand elle-même, pour «aider» pendant que Nadine se cherchait de l'emploi, lui rognait au noir un pourcentage non négligeable de son chèque en frais de gardiennage. Sébastien a pas répondu. Il porterait probablement le même suit de jogging toute la semaine et il était bien parti pour doubler son année. Un jeu de guerre en réseau l'absorbait trop là tout de suite pour de quoi d'aussi social que de parler au téléphone.

— Tu vas-ti venir voir madame Paule aujourd'hui ?

— Je le sais pas.

Sébastien jouait autant avec sa bouche qu'avec son joystick. C'était pas le dernier ordinateur sur le marché, mais en tout cas le plus récent qu'il y avait dans les magasins de La Frayère.

— On fera des bonhommes de neige, peut-être, ou de la peinture à doigts comme l'autre fois.

Parles-y donc en gagagougou, rendue là. C'était plus un bébé, ça là. Ça venait de démembrer une escouade tactique avec une mine antipersonnel.

— C'est plate, la peinture. C'est plate, chez vous, je veux plus y aller.

— Ta mère est-ti là, Sébastien ? J'ai affaire à elle.

Silence.

— Sébastien, t'es-ti encore là ?

— Non, est pas ici.

C'est pas vrai que sa mère était pas là. Nadine avait passé une entrevue la veille et elle venait d'apprendre qu'elle avait pas la job. Pendant qu'elle faisait des boîtes de toute urgence, elle avait demandé aux enfants de dire qu'elle était pas là si elle recevait des téléphones, à cause des agences de recouvrement qui lui couraient après.

— Elle est où ? Elle revient quand ?

— Je sais pas.

— Tu sais pas. C'est-ti toi qui t'occupes de Manon ?

Manon avait six ans. Manon était seule dans son monde. Habillée en fée sur le plancher plein de litière à chat de la salle de lavage, elle faisait jouer une chicane de ménage à sa poupée borgne et au robot de son frère, qui allait manquer de batteries avant longtemps à force de varger tout partout.

— Je le sais pas, a dit Sébastien.

— Elle est-ti par hasard avec le monsieur de la bibliothèque ?

La neige, un peu plus, digérait la maison. Le gel laissait ses broderies dans les vitres. La tonalité du téléphone était en la.

— Sébastien ? a fait Paule. Sébastien ?

34

Y A-TU quelque chose que je peux faire? a demandé Laganière, sa propre voix perdue dans les réverbérations de son crâne fissurant de partout.

Il y avait de l'énergie dans l'air. Des préparatifs à finir. Ça s'activait dans le chalet. Il y avait des embouteillages dans les cadres de porte. Plein de priorités à gérer. Ils étaient trois, on aurait dit qu'ils étaient dix-sept. Laganière était dans les jambes à tout le monde. Il trépignait sur place. À comme attendre que quelqu'un lui fasse une passe. Pour partir en échappée. Seigneur Jésus qu'il avait hâte que sa poignée d'aspirines embarque.

— Tasse-toé, lui a conseillé Yannick quand il a voulu se faufiler entre le mur et lui jusqu'à la boîte à bois.

Les armes y étaient étalées pareil que dans des photos de saisie policière. Laganière s'est ôté de devant Yannick pour rentrer dans Steeve, qui l'a poussé contre l'horloge grand-père à côté du divan en suède taché de vin. Les pupilles à Yannick lui empiétaient pas mal sur les iris. Il avait la face creusée de rides que le monde ont pas d'habitude à cet âge-là. Il a lancé un douze à pompe à Steeve à travers le salon. Steeve l'a attrapé, nerveux, émotionnel, et après le douze ont suivi plusieurs armes de poing et des boîtes de munitions. Il fourrait ça sur réception dans un sac de sport en toile ou dans ses poches.

Quand il s'est désincrusté de l'horloge, les barniques croches, Laganière avait un plan. *Lorraine attendra, viande à chien.* Les deux cousins se criaient des ordres. Se faisaient des signaux. Ils avaient l'air d'être sur la même fréquence, guidés tous les deux par une entité supérieure. Ils déplaçaient tout ce qu'il y avait d'air ici dedans. *J'ai le droit de vivre un peu moi aussi,* a pensé Laganière.

— Je le sais pas qu'est-ce qui a pogné ton chum, gueulait Yannick à Steeve. Mais je te garantis qu'on va le pogner avant que ça nous pogne nous autres avec.

Dans les ignobles fééries que l'acide engendrait en lui, la bête qui avait croqué le gars de Montréal dans la nuit, Yannick s'était persuadé de ça, était la même abomination qui avait dévoré Thierry Vignola quinze ans plus tôt. Steeve avait entendu des grognements. Un plus un égale deux. Yannick se faisait accroire qu'il avait attendu sa vengeance toute sa vie. Laganière vérifiait s'il pouvait capter la radio à l'aide des pièces restantes du système de son. Il tournait la roulette du syntoniseur de chaque côté, l'oreille contre le diaphragme d'où s'échappaient des crépitements et des flatulences fatiguées.

— Chut, il a fait.

Il s'efforçait d'identifier ce qu'il percevait dans le haut-parleur. Des notes de synthétiseur se répétaient en boucle à travers une friture intersidérale. *Du progressif,* il a pensé. *Ça a pas le choix d'être Marcel.*

— Lâche-nous BSAC, a dit Steeve en entendant le disque qui sautait pendant que le bibliothécaire se disait que son vieil ami avait dû s'endormir ou s'embarrer dehors, ça aurait pas été la première fois.

— C'est CBSA, que ça s'appelle.

Laganière a suivi Steeve aller-retour dans le couloir pour le sermonner sur la valeur de nos institutions, en lui expliquant qu'elles étaient là pour nous, que c'est nous qui les avions créées, qu'il fallait les respecter. À chaque coup que Yannick donnait de ses bottes sur le plancher se déclenchaient des avalanches dans leurs mals de bloc respectifs. C'est à croire qu'il faisait exprès de laisser des marques noires partout sur le prélart avec ses semelles. Steeve leur préparait maintenant des cafés pour emporter. La crème allait finir en crème fouettée là-dedans, à brasser comme il brassait.

— OK, est-ce que j'ai l'attention de tout mon monde ? a crié Laganière.

Le charisme d'un parcomètre. Il se disait qu'il aurait aimé ça rencontrer d'autres cultures, dans la vie, voyager dans des aéroports tout bien signalisés, des hôtels qui acceptaient toutes les cartes de crédit. Il aurait voulu être libre.

— Là, ce qu'on va faire, il a poursuivi, c'est que Steeve, tu vas rester ici pour surveiller Martin, pendant que Yannick et moi on va prendre le skidoo jusqu'à la station de CBSA. Ils viennent de changer de programmation, mais j'ai des raisons de croire que c'est Marcel qui est là ce matin. On va prendre une chance. On va aller le réveiller pour qu'il avertisse la population de tout de ce qui se passe sur les ondes, et après…

— Laganière, a dit Steeve, une boule dans la gorge.

Il était en train de refaire des cafés, parce qu'il venait de caler les deux premiers. Il s'est interrompu pour se tourner vers le bibliothécaire.

— Le vieux Marcel est sûrement mort.

Yannick aussi, comme les autres, avait les lèvres rouge sang. C'est à peine s'il pouvait bouger les yeux, comme montés sur une barre transversale qu'il aurait eue de bord en bord de la tête. Il a constaté à son tour, en se tournant au niveau du bassin, que quelqu'un s'était gâté dans le gros pot d'aspirine.

— Sacrament, Steeve, t'es pas tout seul.

— On est tous seuls, a dit Steeve.

— T'aurais eu beau m'en laisser *une*. C'est pas des Tic Tac.

Yannick s'est mis à graviter autour de l'autre pot d'aspirine, celui de Perrault. Il savait pas trop de quel côté l'attaquer, et ça a fini qu'il était en position de tireur couché sur le plancher. Quand il a enfin regardé dans le pot et qu'il a vu qu'il était vide, il a compris de quoi il retournait. Il s'est reviré vers Steeve. La bouche en *o*, les yeux tout ronds, c'était le portrait craché d'une boule de quilles.

Tout de suite Steeve s'est empressé de dénoncer Laganière. Yannick est parti à rire d'un rire efféminé.

— Attache-toé après de quoi de solide, mon Laganière, tu vas décoller taleur.

Déjà que, dans son opinion, le cerveau des intellectuels avait tendance à déraper d'avance.

— Je peux te prêter du linge, a offert le bibliothécaire à Steeve la minute d'après.

Lui-même se préparait à se préparer. Il cherchait de
quoi écrire. Il voulait noter que dans le fond, à La Frayère,
c'est comme s'il fallait toujours que tu rajoutes « façon
de parler » après tout ce que le monde dit.

— Non, m'as être correct, a répondu Steeve.

Il portait sa veste d'aviateur, pas de cache-cou, pas de
mitaines. Faisait moins vingt-cinq. Il avait une tuque sur
la tête au moins. Les fibres en étaient étirées sur son front
d'homme des cavernes. *Bouge-toi, mon Joël,* a pensé Laganière. Yannick relaçait ses Doc, le plus serré possible. Il
serrait tout ce qu'il y avait de cordons, de ganses et de
nœuds sur son équipement et le linge de survie qu'il
avait revêtu. C'était tellement serré à la fin qu'il pouvait
plus se tenir tout à fait droit. *Reste pas là à te décortiquer
la migraine de même,* a pensé Laganière en l'observant.
Ils étaient sur leur départ, eux autres là. De plus en plus
enlisé dans la neige, le chalet brassait pas moins dans le
vent pour autant. *Première étape, bien se chausser.* Laganière s'est précipité sur les couvre-chaussures en caoutchouc de son oncle dans le garde-robe.

— T'es pas assez habillé, toi.

Il brandissait l'index vers les zones de nudité à Steeve,
abasourdi tout à coup de voir qu'il avait le doigt bleu.
Il avait tout le bras bleu, le corps au complet, avec son

bonnet blanc en forme de chaussette à l'envers, ses culottes blanches, ses grosses lunettes à montures noires Pepsi où Yannick, qui avait appris ça d'Henri qui l'avait lui-même appris de Monti, a étampé ses pouces en passant.

— Schtroumpf, alors, il a fait.

Yannick marchait dans la traînée de bouffe et de contenants en morceaux et d'emballages déchiquetés s'écoulant du frigo, charognard en quête de provisions. Steeve suivait ses pas, hagard et inutile. Trois bons pouces qu'il manquait à Laganière pour remplir les caoutchoucs.

— Une paire de bas de laine, et le tour est joué.

Cap vers la chambre des maîtres, il s'est dit, et il s'est dirigé vers la commode où t'étais servi en matière de bas de toutes sortes, jusqu'aux socquettes en nylon que tu mettais pour essayer des souliers dans un magasin quand t'étais nu-pieds.

— Notre barde sur la pinotte, se réjouissait Yannick.

À mi-chemin dans le couloir, Laganière gambadait plus tant que ça, alarmé soudain par les gargarismes de noyé qui lui parvenaient de la chambre.

— Au secours ! il a crié.

Il a couru de son mieux malgré la peau de poulet frit sur sa jambe et son syndrome du côlon irritable.

— Les gars ! À l'aide, vite !

Au beau milieu du baisodrome cauchemardesque que la chambre des maîtres était devenue, la dégueulure giclait de tous les orifices que Marteau avait dans la face. C'était digne d'un exorcisme. Le gars allait bientôt se mettre à parler à l'envers dans des langues mortes. Et parce qu'il était couché sur le dos, et que dans la vie il existe quelque chose qui s'appelle la gravité, son reflux était sur le point de lui occlure les voies respiratoires. Plus loin, la porte d'entrée a claqué. Le bruit du vent avait décuplé pendant trois secondes avant de se feutrer à nouveau.

— Attendez-moi ! a supplié Laganière.

Ils vont finir par la péter, l'ostifie de porte. Il dansait une bizarre de danse du soleil au bord du lit, s'efforçant de pas se purger lui avec.

— Attendez-moi ! Je viens avec vous autres !

Le silence régnait dans les aires de séjour. Il y avait des trophées de golf et de curling partout dans la chambre. Le bras jusqu'au coude dans la tuyauterie de Marteau, pour le drainer au moins de son liquide et de quelques mottons de civet, Laganière a pas pu s'empêcher de trouver que c'était plus pareil entre Lorraine et lui. Il y avait rien alentour pour s'essuyer qui appartenait pas à son oncle. Mais quand il fallait, il fallait, et Laganière s'est enveloppé la main dans ce qui devait être, à ce stade-ci de ses déboires, la Toison d'or.

Lorraine s'inquiétait à cause des prétendantes qu'elle s'imaginait toujours faire la file au comptoir de la bibliothèque pour lui voler son « mec ». Elle avait voulu qu'il porte un jonc lui aussi.

— Mon jonc.

Soit le jonc avait glissé de son doigt dans le bain plus tôt, soit il venait de rester coincé dans l'œsophage à Marteau. La mariée faisait plus de buée sur le petit miroir. Le cadre de fenêtre, dans la chambre, devait être en frêne. Il y avait des poneys sur l'imprimé des rideaux. Ou des poulains, plus. Un cordon à glands les ramenait sur le côté pour faire pénétrer un maximum de lumière naturelle. Un oiseau, mêlé dans ses saisons, est passé devant la fenêtre tigrée de vomi. Yannick est passé tout de suite après, avec Steeve sur les talons. Laganière en avait pas voulu, de jonc, une dépense superflue encore. Il s'est penché avec horreur sur Marteau pour lui faire le bouche-à-bouche.

En remontant ses lunettes de paintball par-dessus son passe-montagne, Yannick s'est quant à lui penché sur des traces. Il avait décidé que c'était des traces. Il s'est frotté les doigts ensemble après les avoir passés sur le bord d'une des empreintes.

— Affirmatif, il a dit.

Puis il s'est reviré vers Steeve parce qu'il entendait des gémissements. Mais les gémissements ont aussitôt cessé. Steeve avait la face rentrée pour se protéger de la neige, le cou et les poignets déjà rougis par un froid assez saisissant merci. Sa tuque de cambrioleur était déjà toute blanche. Yannick s'est repenché vers l'empreinte. Les gémissements ont repris. Il s'est reviré vers Steeve et ça a arrêté. Ça a continué comme ça. Le jeep était resté là, à l'abandon, de travers sur son tertre hivernal. Une des portières d'en arrière était encore ouverte, alors qu'il y avait rien que la portière du conducteur qui s'ouvrait du dehors. Le gars de Montréal avait dû se réfugier dans le char en passant par le toit, c'était ça l'hypothèse, puis ouvrir la porte de l'intérieur pour s'enfuir après avoir accidenté le véhicule. La bête l'avait alors happé. Pas de danger que Steeve et Yannick aillent nulle part avec le jeep eux autres non plus. Yannick avait le doigt rentré dans une des nombreuses lacérations découvertes dans un de ses pneus.

— Va checker dans le shed pour un jack pis un tire de spare, il a ordonné à Steeve.

Les gémissements de celui-ci, que plus rien venait entrecouper, sonnaient comme une mauvaise nouvelle sur un moniteur cardiaque. C'est pas comme si de toute façon ils rouleraient bien loin dans pareille couche de neige. Sauf que les lois de la physique étaient devenues pour eux extrêmement relatives et malléables. Steeve a donc obéi, sursautant au moindre petit bruit, tant il redoutait que Yannick parte sans lui. Il est rentré dans le shed, qui était en fait l'abri tempo. Pelle carrée, pelle ronde, bidon de plastique avec un bec. Plusieurs sacs de différents mélanges de graines. Poche de sel, poche de terre. Des avirons et des raquettes. Des tubes flexibles pour le projet de cabane à sucre de l'oncle à Laganière. Du matériel de pêche. Une scie mécanique. Il y avait une tondeuse à gazon, et même un vieil avion téléguidé. Un barbecue au propane encore inutilisé. Le minifrigo pas branché, mythique du temps de la jeunesse au barde, à cause des revues cochonnes en piles sur les tablettes. Et surtout, la motoneige. Steeve est ressorti à reculons pour estimer la taille de l'abri. Il lui paraissait plus grand du dedans que du dehors.

— Pas de cric ni de pneu de secours, il a crié à Yannick qui récupérait son cellulaire dans son jeep.

— Quoi?

Steeve s'est rapproché de la motoneige, une Kawa-saki. Il a enlevé le bouchon, pour constater qu'il y avait presque pas de gaz dans le réservoir. Il a tiré tout ce qu'il pouvait sur le cordon de démarrage. Tu sentais que c'était génétique, parce qu'il maîtrisait le geste même si c'était pas de quoi qu'il devait pratiquer souvent à Montréal. L'oncle à Laganière, de tristesse, d'indignation, un sui-cide par la pensée, serait mort sur-le-champ s'il avait vu, comme c'était le cas là, quelqu'un essayer de faire partir son bébé sans même que la clé soit dans le contact.

— Ça starte pas? a demandé Yannick dans l'entrée.

Il suçait un glaçon. Il avait cru que Steeve battait quelqu'un à terre à coups de poing.

— Veut rien savoir, a dit son cousin. Quasiment pas une goutte dans la tinque, de toute façon.

— Je prends les bleues, a dit Yannick.

Il venait de voir les deux paires de raquettes en poly-propylène derrière les sacs de graines. Une paire bleu de cobalt. Une paire fuchsia métallisé.

35

MADAME FOSTER avait raccroché en se promettant que la Chabot s'en tirerait pas aussi facilement, et voilà que le téléphone sonnait déjà.

— Allô? elle a répondu, son excitation mal contrôlée.

— Cibole, Paule, ça va-tu?

— Ben oui, là, ben oui. Qu'est-ce qu'y a, Maurice? T'es sur ton heure de dîner pis tu sais pas quoi faire de ta personne?

— Je voulais savoir, combien j'étais supposé faire chauffer ça de temps, mon lunch?

— Bon. T'as encore perdu les instructions que je t'avais collées sur ton plat.

— Pour moé, tu t'en viens alzheimer, ma femme. Tu m'en as pas collé d'instructions, sainte Anne.

— Heille. Je viendrais-ti comme de verser une larme.

— Faque je voulais que tu saches que, par cette belle

journée ensoleillée, quand je déblaie depuis quatre heures et demie à matin, ben je l'ai mangé frette, mon lunch. Merci, Paule. Pis qu'est-ce t'avais à répondre énervée de même ?

— Je pensais que c'était Nadine Chabot qui me rappelait, parce que tu sauras que ça se peut qu'on...

Elle lui a raconté tout le mélodrame du matin, deux ou trois fois en détail, avec plein d'implications plus tirées par les cheveux les unes que les autres, de sorte qu'elle-même ignorait où elle prenait tout ça, pour finir par lui demander, lui qui avait jamais pu glisser un mot avant que sa femme lui mette ça clair que c'était à son tour, s'il aurait pas aperçu quelque part dans les rues le char des Laganière, peut-être avec deux jambes pas à Lorraine dans les airs sur le siège arrière.

— Je crois pas, non, mais tu me fais penser. Je grattais aux petites heures le long du champ des Canon, quand j'ai aperçu de quoi de saugrenu. La visibilité était pas bonne, ça poudrait, mais debout sur le bord du chemin, devine quoi ? À moitié à poil, toé. Un méchant animal.

— Comme dans « animal méchant » ?

— Le boss arrive, je me sauve.

36

C'EST les images de la station-service de La Frayère qu'ils visionnent. Les pompes à essence sous la neige, et la route à peine discernable, presque en dehors du champ de la caméra. C'est le stationnement qu'a traversé Kevin Plourde, que tout le monde sur l'enquête a fini par appeler Patapon, le stationnement qu'a traversé Patapon vers l'ouest la nuit des événements, et que François Bouge a traversé vers l'est quelques heures plus tard. Les propriétaires de la station-service avaient installé une caméra de sécurité quand c'était devenu la mode au village de se sauver sans payer son pétrole.

— Recule, recule, dit l'enquêteur. Encore une coche. Il regarde quelque chose en arrière de lui. Je veux savoir c'est quoi.

Le technicien zoome sur l'image figée de François dans les airs. François vient de sauter par-dessus une balayeuse dans le stationnement. Son veston lui flotte dans le dos, sa cravate derrière l'épaule. Un de ses genoux lui tape quasiment en dessous du menton tandis que son autre jambe fait un crochet derrière lui. François se retourne en vol, protégeant sa mallette, pour regarder quelque chose à terre qu'il a l'air de fuir. Pas moyen de zoomer plus pour voir c'est quoi. L'image se défait toute en gros pixels carrés. L'enquêteur donne une claque de mécontentement sur le bureau et ça repèse sur PLAY tout seul. François disparaît alors dans la forêt aux abords du stationnement, la bête aux muscles roulants à ses trousses. Des plaques goudronneuses aplatissent par endroits son pelage, et elle siffle comme une théière quand le vent ressort par ses orbites vides.

37

À GENOUX à côté du jeep, Laganière toussait et crachait dans la neige folle. Il avait à ses pieds un bidon rouge, avec peut-être un pouce de gaz au fond, et tenait dans son gant le tuyau de plastique souple dont il s'était servi pour siphonner le réservoir à Yannick. Il venait d'avaler une gorgée.

Après avoir réussi à réanimer Marteau, il avait enfilé une combinaison d'hiver toute d'une pièce, avec de cousus dessus un tapon d'écussons de clubs, de tournois ou de commanditaires plus ou moins prestigieux. C'était lui, le maître du donjon, il était sorti dans la tempête. Il savait pas trop comment, mais il allait faire partir la motoneige, dût-il excaver des gaz fossiles autour. Il avait toujours la clé, sauf que la tinque était presque à sec. Laganière avait inspecté le contenu de l'abri tempo et son ramassis d'objets essentiellement inutilisables sans mode d'emploi pour un liseux comme lui. Pourtant, tout de suite, dans sa tête, ça avait fait bidon, tuyau, tuyau, bidon. Il avait dû apprendre ça dans un roman d'espionnage. Sans hésiter, il s'était saisi du contenant de plastique à bec et d'un bout de tuyau que le bonhomme se gardait pour le jour où il découvrirait un érable sur son terrain. Jamais que l'idée aurait passé par l'esprit à Yannick de siphonner son propre jeep pour fouler le réservoir d'un autre. Le gars était pas du tout partageux là-dessus. C'était la chance à Laganière.

Étourdi par les vapeurs, il s'est remis à sucer son tuyau inséré dans la tinque par le volet du gaz. Il a recraché une autre gorgée dans le bidon. Au prix que ça coûtait au gallon, il allait pas recracher à côté ni en avaler plus. Ça a pris du temps, mais le bidon s'en venait assez plein sûrement pour qu'il se rende jusqu'à CBSA, ce qui allait lui permettre, s'il se rendait, d'appeler des secours pour sa jambe, de signaler à la police la disparition du gars de Montréal et peut-être de se placer lui-même sous la protection de la Sûreté contre la vendetta qui l'attendrait au retour à son oncle. Il verrait plus tard s'il portait plainte contre les gars.

Dans sa combinaison de compétition, jamais utilisée si on se fiait à sa raideur d'armure de plates et à l'intensité solaire des bandes réfléchissantes sur les côtés, Laganière s'est acheminé vers l'abri tempo. Il marchait comme un scaphandrier égaré en territoire inuit. Il regardait le bidon dans sa main et il aimait ça. Il se sentait homme à mort. Par contre il s'est pas enhardi jusqu'à regarder la motoneige tout de suite. Laganière en savait plus sur les motojets de *La guerre des étoiles*.

Avec toute la misère du monde, t'aurais pas pensé, pareils gants bioniques qu'il portait, il a débouché le bouchon sur le fuselage. Mais il voulait pas faire une gaffe et vider ça dans le mauvais trou. Il est ressorti de l'abri, scrutant les bois de derrière ses verres embués.

— Yannick ! il a appelé, comme en se retenant. Steeve !

Bon, pas trente-six possibilités. Il a introduit le bec de son bidon dans le trou et il a versé le carburant. Il se le niait à lui-même, mais il avait une crotte sur le cœur. Le liquide claquait dans le bec. Il aurait aimé ça, Laganière, que les cousins l'attendent, parce qu'au fond il les enviait, ces gars-là. Le réservoir se remplissait. Steeve et Yannick, ils avaient de quoi que lui-même aurait jamais. Et ce qu'il avait, lui, qu'est-ce que tu voulais qu'eux autres fassent avec ça ? Les dernières gouttes se sont écoulées du bidon.

Le moteur a démarré en dessous de la bâche alourdie de neige et le mal de tête à Laganière lui a redémarré en même temps. Il a coupé le contact en souriant dans les émissions d'hydrocarbures. *Je vais aller chercher mes affaires.* Il allait se prendre un verre de jus de raisin aussi. Il en restait au moins une boîte intacte dans le garde-manger. Comme il refaisait le tour du chalet dans neuf pieds de neige, il se disait qu'il fallait aussi qu'il avertisse Henri Bouge de surtout pas léguer sa maison à Yannick s'il voulait pas que le peu d'héritage à Monti aille pourrir chez la descendance à Bradley. L'heure était plus aux tabous. Le vieux Marcel serait là pour confirmer. Il voulait en outre profiter de son passage sur les ondes pour remercier ses parents, ses collègues, dire à Lorraine qu'il l'aimait malgré tout.

— *Thierry ?* il s'est écrié.

Des fois, tu croises quelqu'un en dehors du contexte habituel et il te faut une grosse seconde avant de le replacer. Laganière a fait le saut, pour finir par reconnaître Marteau nu-pieds entre les arbres. La reine des goules. Longue chevelure croûtée. Robe lépreuse. Le bibliothécaire venait de le prendre pour quelqu'un de mort depuis quinze ans.

— Martin, tu vas attraper la crève.

Marteau était toujours aussi déconnecté. Mais il restait docile, et il a opposé aucune résistance quand Laganière l'a ramené dans leur soue à cochons d'un quart de million. Fallait que t'en ressortes et que tu y retournes pour mesurer à quel point ça sentait le cadavre et le fond de tonne là-dedans. Marteau, dans sa mollesse, se serait effoiré sur le paillasson de l'entrée si son sauveur l'avait pas retenu in extremis. Le cœur lui battait encore, au moins. Laganière l'a reconduit à pas de bébé dans la chambre des maîtres. Mais le ménage s'était pas fait tout seul, et il était quand même pas pour recoucher Marteau dans un lit aux couvertes pleines de régurgit. Il l'a installé sur le plancher, accoté dans des oreillers devant l'écran géant du cinéma maison. Le menton tourné à gauche, le bassin tordu à droite, ça tenait en équilibre à peu près tout seul. Laganière a pesé sur douze boutons avant de trouver le bon. Des nappes de xénon se sont bientôt mélangées aux mouvements de l'argon sur l'écran. Mais il est pas né d'univers dans le téléviseur. Laganière avait fuckaillé en pesant sur n'importe quoi les réglages préprogrammés du décodeur, qui s'étaient effacés. Il s'est rabattu sur un DVD de poursuites de chars et d'explosions avant de s'éloigner sur la pointe des pieds. Marteau s'émerveillait intérieurement, ou dormait la gueule ouverte.

Un peu plus et Laganière s'enfonçait dans le plancher du salon quand il s'est hissé sur le dos le sac qu'il s'était préparé. Il a fait sacrer le camp à une lampe en se retournant, mais rendu là. Les gars avaient oublié leur sac de toile sur la table. Il est ressorti sur le perron, poings sur les hanches. Ses caoutchoucs luisaient dans la neige.

Quand il est repassé pour la troisième fois sur le côté du chalet, le mystère du mal de bloc incurable s'est élucidé.

Heille, c'est dangereux, a pensé Laganière. Il avait trop neigé depuis la veille, et le vent avait tellement repoussé la neige haut le long du mur que le conduit d'aération était bouché. Le bibliothécaire se rappelait avoir déjà lu quelque part que les lèvres peuvent te virer de la couleur des canneberges en cas d'intoxication au monoxyde de carbone. Si c'était le cas, ils avaient été mardeux. Il avait oublié que les détecteurs marchaient pas, et rien qu'à respirer de l'air frais il avait soudain l'impression que ses méninges s'éventaient un peu. Des touches de vert émergeaient dans les bruns, du bleu dans les gris. Il se félicitait pas d'avoir oublié le conduit. Son oncle avait insisté là-dessus, en le regardant dans les yeux comme s'il lui confiait ses dernières volontés. «Joël, m'as te le dire en trois mots. Déneige le conduit pour le monoxyde de carbone.» Sept mots. Attends, huit mots. «C'est pas du zèle, là. Faut que tu y penses. Je veux pas vous retrouver toé pis Lorraine tout séchés, enlacés tout nus dans le satin jusqu'à la fin des temps.»

Laganière a approché sa main gantée du conduit. Il aurait fallu qu'il s'attache Marteau au corps avec de la corde s'il avait voulu l'emmener sur la motoneige, ce dont il avait aucune intention, mais il pouvait pas pour autant le laisser mourir empoisonné ici. Quoique. Sa main s'est arrêtée. Il se représentait, en train de débattre, un ange en vieille tunique crayeuse au-dessus de son épaule gauche, avec ses arpèges de lyre désaccordée, et sur son épaule droite un diablotin rouge qui mesurait quelque chose comme une tête de plus. Laganière était pas légalement responsable de Marteau. Marteau l'avait kidnappé, cagoulé, menotté. Et le bibliothécaire avait rien à voir avec cette tempête-là, lui. Act of God, comme on dit. S'il voulait se venger, c'était maintenant. Mais en même temps, Marteau, il avait pas eu de mère. Et ça prend un village pour élever un enfant, non? Les Frayois avaient-ils vraiment fait leur part? Laganière avait jamais rien fait d'autre pour un flo que lui donner un collant de la bibliothèque quand il lisait un livre au complet sans chialer. *Le monde lisent pas,* il a pensé.

Il a débouché le conduit, puis est retourné en dedans. Il a monté le chauffage au maximum en bloquant son oncle de ses pensées, et il a ouvert la porte-patio pour laisser l'air entrer. Les pages du calendrier au mur et les rideaux, tout flottait dans le vent. Il est allé dans la chambre pour dire salut à Marteau et lui mettre le châle de sa tante Sylvaine sur les épaules. *T'es mieux de survivre, que je t'aye pas fait le bouche-à-bouche pour rien.* Pour être sûr d'aérer assez, il a cassé la fenêtre au-dessus du lit, en lançant le décodeur. Il avait pas pu l'ouvrir avec la petite manivelle. Il s'y était formé trop de glace.

38

APRÈS avoir raccroché d'avec monsieur Rancourt du centre d'appels, qui avait lui-même parlé à monsieur Guérette de l'hôtel à la Guité, qui venait d'avoir avec madame Foster une conversation qu'il aurait pas su lui-même résumer, une certaine madame Gingras a décidé qu'elle avait besoin d'attention. Elle a composé le numéro du salon de coiffure.

— Coiffure chez Ginette, bonjour. C'est pour un rendez-vous?

— Salut, Ginette, c'est Guylaine. Bonne idée, tiens. T'as-tu de la place mardi prochain?

— T'es-tu déjà due pour ta teinture, toi?

— Oui, pis j'aimerais ça aussi des mèches mauves, tout le monde a ça ces temps-citte.

— Attends, je vas te dire ça.

Musique d'ascenseur.

— Non, je suis bookée mardi, mais j'ai de la place

là, si t'as le temps. Madame Plourde s'est pas présentée. Ou sinon…

— Oui. Non. Une autre fois. En fait, j'appelais pas pour ça, tu me croiras pas, j'ai…

Ginette de Coiffure chez Ginette allait pas commencer à avoir des secrets à son âge et elle a mis madame Gingras sur le haut-parleur pour continuer le brushing qu'elle était en train de faire pendant que l'autre racontait l'histoire d'à matin à tout ce qu'il y avait de clientes et de visiteuses et de maris dans son salon. Lorraine Arsenault et Joël Laganière, c'était fini.

— Les hommes, y sont toutes pareils.

— Il serait parti avec Nadine Chabot, mais personne sait où c'est qu'ils sont.

— On se doute de ce qu'ils font, par exemple.

À ce qu'il paraissait, l'auto à Joël avait été aperçue dans le parking de la bibliothèque, sauf qu'il était pas là. Et Nadine avait abandonné ses petits.

— Ah, celle-là.

— Ouaip. Deux enfants, deux pères.

— Remarque, je les aurais abandonnés moi avec, ces démons-là. Pis depuis longtemps à part de ça.

— Mais le plus inquiétant, a dit madame Gingras, c'est que Maurice Foster, en soufflant à matin, s'est fait attaquer par une manière de grosse bête féroce humanoïde sur le bord de la route.

— De quoi, une bête féroce?

Comme équipée de neurocapteurs dans la chaise où elle se laissait friser, la mère à Thierry Vignola voulait savoir.

39

L A FRAYÈRE, c'était le paradis sur terre. Il aurait fallu être borné pour pas le reconnaître et avoir envie d'aller ne serait-ce qu'en vacances n'importe où ailleurs sur la planète. Sauf peut-être en Floride. Vite, au patrimoine de l'UNESCO, La Frayère. Avec son muret de pierres de lest enguirlandé de plantes grimpantes le long de l'ancien chemin pavé du moulin recyclé en musée qui sinuait à travers le domaine plein d'arbres centenaires aux capuchons argentés avant de disparaître plus loin sous le pont couvert de bardeaux de bois gris-vert pour ceindre de l'autre côté le versant pastoral d'un coteau plein de têtes de violon au printemps où quelqu'un avait dû passer la balayeuse entre les toits où perçaient sous la couette de neige les cheminées fumantes au sujet desquelles on aurait très bien pu se faire accroire qu'elles appartenaient à des chaumières d'antan si on avait pas su pertinemment que c'était le parc de roulottes. Pas un champignon qui avait pas l'air d'avoir été collé à la main sur sa souche aux racines artistement enchevêtrées ou son poteau de clôture plein d'âme. Pas un seul flocon de trop dans cette carte postale à cent piasses là. C'était un peu plate à la longue, mais ils aimaient ça de même dans leurs campagnes. Quand soudain le trapèze noir que formait l'entrée du pont couvert s'est illuminé. Il s'est hérissé de lumière, comme si le soleil était près d'en sortir. Mais le tunnel a recraché plutôt une Oldsmobile brune, au volant de laquelle se trouvait madame Turcotte, la vieille usagère chialeuse de la bibliothèque. La portière du côté conducteur était pas du même brun que le reste de la carrosserie. Même si madame Turcotte en perdait des bouts des fois, elle avait jamais désenragé contre Laganière depuis qu'il avait voulu s'emparer de son esprit par téléphone pendant la prise d'otage dont il avait été victime à son travail. Madame Turcotte s'était fait arracher sa portière dans le trafic l'autre jour parce qu'elle avait pas regardé avant de partir pour débarquer. Sa fille Edwige, pas encore aussi gâteuse qu'elle, quoique ça s'en venait, l'avait appelée tantôt après être allée se faire coiffer. Elles se téléphonaient chaque matin, pour se parler d'affaires comme de qui qui était malade de quoi, de qui qui avait gagné au bingo dans la semaine ou du char au bibliothécaire resté dans son parking toute la nuit. Edwige avait pas voulu inquiéter sa mère avec les autres rumeurs, mais elle lui avait dit pour le char. Sachant pas trop s'il neigeait encore ou bien si c'était ses cataractes, madame Turcotte était pas à veille de remarquer le pèlerin déconfit qui avait sauté à la débandade par-dessus le muret dehors pour sprinter vers son auto dans les ornières imprimées sur la blancheur. La Ville avait pas salé encore, et l'Oldsmobile roulait à une vitesse d'escargot. Madame Turcotte a pas entendu non plus la portière ouvrir en arrière, pas plus qu'elle a vu passer la mallette dans son rétroviseur ou qu'elle a entendu la portière se refermer. Elle a pas senti l'odeur de frigidaire subite partout dans l'habitacle. Les traits durs, elle serrait sa sacoche contre elle en se disant qu'il allait bien finir par revenir chercher son char, l'autre gourou à lunettes de la bibliothèque, toujours à essayer de l'endoctriner en lui commandant des livres qui lui disaient rien pantoute.

— M'en vas t'attendre, elle a dit.

Elle tripotait quelque chose à travers le cuir de sa sacoche.

— Je vous demande pardon ? a fait François, les dents qui claquaient, la face avancée entre les sièges.

Madame Turcotte s'est revirée vers lui. Pas sûre, mais pas désemparée non plus. Puis elle s'est revirée vers la route. Puis encore vers lui, et là François a dû lui retourner la tête par en avant. Il était peigné en para-chutiste, un petit nuage de pluie au-dessus du crâne. Il avait pas pris son Nescafé.

— J'avais oublié que t'étais là, toé, a dit madame Turcotte.

40

L'HISTOIRE de Laganière et de la Chabot avait continué à circuler de foyer en foyer à travers la ville, avec toutes sortes de détraquements, d'épi-phénomènes, de règlements de compte. Elle avait pris des proportions telles que c'était surprenant que personne se soit encore garroché pour en acheter les droits et faire un film avec. C'était rendu que Maurice Foster avait pris le reste de sa journée, parce qu'il avait été agressé dans son chasse-neige par une bête à dents pointues et à longs bras jaunes, qu'il aurait dû écraser dans le chemin quand la chance s'était présentée devant le champ des Canon. C'est en tout cas la version que son épouse avait racontée à ses superviseurs. C'était rendu qu'Untel avait dit à Untel, avec qui il devait jouer au bridge en soirée, qu'il avait vu de quoi en septembre, sur le camping municipal, de quoi qu'il avait jamais vu

dans le bois. Des yeux fendus l'autre bord du mousti-
quaire de sa maison mobile, un dos touffu, fuyant dans
les faisceaux croisés des lampes de poche. C'est le lendemain à la clarté qu'avait été retrouvée, en décomposition
dans l'abreuvoir au milieu du camping, une casquette
des Expos comme celle que Thierry Vignola portait sur
la photo qu'on voyait de lui à l'époque sur les pintes de
lait. Tout le monde se racontait ça partout, en rajoutait. Ça se comptait chanceux que Maurice Foster ait
pas fini en festin d'andouilles, évaché qu'il était devant
les sports, à redemander une frette à sa Paule qui lui en
ramenait pas. Paule a fini par venir à lui, oui, mais pour
qu'il signe la carte qui circulait pour Lorraine. Parce que
là, Joël Laganière et Nadine Chabot, plus personne donnait cher de leur peau. Dans les ménages enfiévrés, les
commerces, on se demandait s'il valait mieux appeler la
police ou pas. Jean-Guy Saint-Onge était d'opinion que
non, la police à Bilodeau avait pas à être mêlée à ça. Il
disait que c'était une grosse farce, la police de La Frayère,
et que c'était un complot contre lui s'il s'était fait saisir
ses licences à sa sortie de l'hôtel à la Guité.

— On est en train d'organiser une battue, il a dit,
moé pis d'autres gars.

Après quoi Ruth Leblanc a renchéri que ça serait pas
elle qui se donnerait le trouble d'aller faire dessoûler
Gaétan Bilodeau au commissariat, avec sa moustache en
brosse à porte-poussière, sinon peut-être pour la satisfaction de le réveiller à coups de verres d'eau en pleine
face et de câlisse et de claques sur la gueule.

— Ça se promène en char de patrouille à nous faire la morale pis ça a jamais été capable de payer sa pension alimentaire, pauvre Céline.

— Faque bon, qu'est-ce qu'on fait?

— Ben, on attend.

41

J E NE VOUS le cacherai point, a dit François à madame Turcotte. Vous me rendez un fier service. Il gèle à pierre fendre, comme va l'expression. J'espère que vous aurez l'obligeance de rentrer vous réchauffer, je vous assure que maman se fera un plaisir de nous servir le thé, des grignotines.

— Pis ta tite blonde, a voulu savoir madame Turcotte, quand est-ce qu'elle est due pour accoucher?

Ils se rapprochaient, en première vitesse, du cœur de La Frayère. François avait embarqué dans plus de chars en vingt-quatre heures que durant ses trois dernières années à Montréal. Il aimait pas ça pour autant, surtout qu'il croyait entendre, quelque part entre le carter d'embrayage et le différentiel en dessous de l'Oldsmobile, le grugeage et la respiration sifflante de son prédateur. *Elle va finir par me faire perdre la boule,* il a pensé. Impossible de la tromper, cette bête-là, mais François faisait bien ça. Il se forçait pour pas y penser. Il se concentrait sur l'osprit de mesure de synthétiseur qui sautait depuis le milieu de la nuit sur les ondes de CBSA. La permanente de madame Turcotte défiait l'entendement. François avait aucune idée de ce que sa bienfaitrice disait, ça fait qu'il parlait par-dessus comme si ça comptait pas. La mâchoire était en train de lui fondre tandis qu'il frottait entre les sièges ses mains transparentes vis-à-vis de la chaufferette. Du pain en tranches dans du lait, saupoudré de sucre brun, ce que sa grand-mère appelait de la panade, il avait ça dans le goût. Il a remarqué sur le siège passager une pile de livres de bibliothèque. Tout de suite il a vérifié, voir s'il y aurait pas quelque chose de lui dans le tas malgré qu'il ait encore jamais publié.

— Vous êtes sans nul doute au courant que c'est ma grand-mère du côté paternel qui fonda la bibliothèque de La Frayère?

— C'est-ti un ti-gars ou ben une tite fille que vous attendez?

Madame Turcotte s'est retournée vers lui. Sa permanente lui vibrait sur la tête. François voyait bien qu'en plus de le prendre pour un pouceux, elle le confondait maintenant avec une autre de ses connaissances. Elle lui avait demandé tantôt s'ils restaient toujours sur Jacques-Cartier, après que François lui eut laborieusement rafraîchi la mémoire et dévoilé être le garçon d'Henri Bouge. Mais là, il cherchait pas plus que ça à éclaircir la situation. Les rues de son enfance monopolisaient son attention, les modestes maisons de plus en plus délabrées, les girouettes pas affolées sans raison dans pareille marée de préfabriqué. Ils avaient quitté la zone des cartes postales. Les anciennes devantures au pinceau avaient fini de céder la place aux panneaux d'affichage où tu changeais toi-même les grosses lettres carrées pour annoncer ta liquidation de fermeture.

— Attache-toé, a dit madame Turcotte quand elle s'est aperçue qu'il avait pas mis sa ceinture.

— Je préférerais m'abstenir, a fait François. Si cela ne vous indispose pas trop.

La ceinture, dans le taxi, l'aurait coupé en deux.

Un agent immobilier qui lui disait pseudo de quoi avait l'air de régner en démiurge sur le village. Sa tronche idéalisée se multipliait tout partout sur les pancartes à vendre. *Des croque-monsieur au minifour avec des tranches de bacon et du Velveeta,* rêvait François. La phrase de madame Turcotte tournait maintenant autour de son chat qui les avait quittés. Elle portait sa photo auréolée dans un macaron sur le parka que sa fille lui avait refilé après élagage de son grenier. Pour tester sa vue, François lui faisait des grimaces, incapable de trancher toutefois si oui ou non elle les lui rendait. *Voyons donc,* il a pensé. Il a mis sa ceinture, finalement.

— En tous les cas, le petit Romain Perrault avec qui tu rôdes des fois, il est-ti assez fin ? C'est donc de la belle jeunesse, ce Romain-là, il me fait toujours mon ménage de sacoche quand il me voit.

Elle était partie sur un dithyrambe, Romain Perrault par-ci, Perrault Romain par-là, amalgamant bénévolat et travaux communautaires. À la radio se répétaient toujours les mêmes six notes. Alors que défilaient par les fenêtres les chaînes de restauration rapide les plus célébrées, madame Turcotte a sorti de sa sacoche, non pas un treize onces de Yukon, mais un Taser. La pile de hamburgers que François érigeait mentalement jusqu'à la lune s'est écroulée. Madame Turcotte papotait sans se tanner. Elle a tâté sa permanente en se regardant dans le rétroviseur. *Du tact,* François a pensé. Il savait ce que c'était, ce joujou-là. Poupette en ville devait se faire électrocuter deux fois par semaine par les coches. Mais il a pas eu le temps de se tourner plus qu'une fois et demie la langue dans la bouche avant de demander à la dame ce qu'elle faisait avec ça que l'arme a disparu dans les replis du parka.

— C'est bon de revenir à ses origines, il a improvisé. Croyez-m'en, c'est le joyau de la province ici, moi qui...

Ça semblait une bonne idée de la flatter dans le sens du poil.

— ... de chez la pharmacie, disait madame Turcotte en même temps. Mais là j'ai dit, je serais due pour aller faire mon ti-tour chez Carole...

— ... et je vois aux livres ici que vous êtes une lectrice tout aussi boulimique que moi. Vous savez sans doute que j'écris à l'heure actuelle un ouvrage sur...

— ... ça faisait longtemps que je m'étais pas faite, comment tu dis ça, tirer aux cartes, faque j'y vas, pis là je dis, comment ce qu'elle va, la Carole, heille, pis elle était contente, j'y avais amené un pot de rhubarbe...

Leur dialogue de sourds se serait poursuivi jusqu'à destination si les notes de clavier s'étaient pas interrompues à la radio dans un fondu précipité. La voix du vieux

Marcel a commencé à se répandre en excuses, et tu sentais qu'il se retenait pour pas fendre de rire, et qu'il y avait dans le fond du studio d'autre monde crampé, ça avait l'air d'être le party là-dedans.

— Rebienvenue sur les ondes de BSAC, a dit le vieux Marcel, nous nous excusons des difficultés techniques.

Il a pouffé pour de bon. François avait un sourire pensif aux lèvres.

— Ah mon Dieu, s'est emballée madame Turcotte, il a tellement une voix envoûtante, cet homme-là.

Suivi d'un commentaire auquel François savait pas trop comment réagir. Puis madame Turcotte a voulu monter le son.

— On enchaîne avec un des plus oubliables succès de Maxophone, a tinté, très haut, le vieux Marcel en riant encore.

C'est là que François a constaté que sa conductrice avait pas monté le volume, mais le treble.

— Euh, madame Turcotte ? il a fait.

L'Oldsmobile amorçait un virage dans le stationnement de la bibliothèque.

— Je crains que vous ne soyez pas à la bonne adresse. Ou dans la bonne décennie. Je ne vous l'apprends aucunement, le bâtiment ici a jadis appartenu à ma famille, avant que ma grand-mère ne le transforme en institution publique pour en faire don à la municipalité, qui s'appelait à l'époque Lancelot-de-la-Frayère…

Le souffle lui a coupé quand le pare-chocs a tapé dans la rampe pour handicapés. Le gars de Maxophone chantait son chef-d'œuvre dans un auditorium vide, la tête dans un chaudron. Madame Turcotte a mis les phares sur les hautes, pour voir par les fenêtres si quelqu'un se cachait pas dans la bibliothèque. Laganière avait certainement pas pris le temps de barrer les portes ou d'éteindre avant de partir, mais personne était venu depuis. Puis, sans jamais vérifier que la voie était libre, madame Turcotte a reculé en ligne droite, le gaz au fond, jusqu'à l'autre bord du chemin, pour aller se parquer dans une poche de nuit restante le long du garage Pagé en face. Elle a baissé la musique, mais pas complètement. Elle a coupé le moteur, ressorti le Taser de son parka, rabattu son capuchon. Elle attendait.

— Madame Turcotte ? a fait François.

La vieille a rebondi sur son siège, le Taser au bout du bras. *M'as t'en faire, des madame Turcotte.* Elle avait oublié ça, qu'il y avait quelqu'un dans le char. Les fenêtres ont flashé bleu. L'habitacle s'est rempli d'une fumée parcourue d'arborescences électrifiées. François a réussi à se sauver avant de se voir le squelette à travers le steak. Il a sauté une clôture pour piquer par les cours, pilant comme un peu partout sur des râteaux.

Madame Bradley qui vivait à côté a tout vu ça faire d'en arrière de son rideau. Ou vu à peu près, parce que c'était rendu dehors qu'il tombait des sections de bonhomme de neige au complet. Ça l'a mise sur les nerfs de voir la créature détaler. Il a fallu qu'elle aille se médicamenter au sherry dans l'armoire avant même de se souvenir que ça existait, un téléphone, et que tu pouvais appeler du monde avec ça.

— *Joël ?* s'est étranglée Lorraine à l'autre bout.

Madame Bradley, pendant une seconde, a eu envie de se faire passer pour Laganière et de la faire marcher.

— Ben non, Lorraine, c'est pas Joël, elle a dit. C'est Micheline Bradley.

— Je veux mon Joël, s'est mise à brailler Lorraine.

Micheline regrettait décidément de pas lui avoir joué son tour.

— Là, reprends sur toé, barre tes portes pis écoute-moé. Je viens de voir de quoi de badtripant dans ma cour. J'étais dans ma fenêtre, quand j'ai…

Elle lui a raconté ce qu'elle avait vu, romançant, y allant pas de main morte sur les effets spéciaux. La fumée parcourue d'arborescences électrifiées, c'était elle, ça.

— Mais là, a dit Lorraine, sa boîte de mouchoirs et le pot de vaseline dont elle se graissait le dessous du nez à portée de main. Une bête, une bête… Tirez-moi ça sans hésitation ni remords !

VIII

LA FRAYÈRE

42

I L ÉTAIT interdit au village de s'interroger trop en détail sur la façon dont Monti avait mené sa barque pour accéder à pareil train de vie pour lui et les siens. Les villageois cancanaient, mais pas sur tous les toits. On entendait pas parler de ça dans les soirées de danse en ligne et les épluchettes de blé d'Inde. Sur une chaloupe au large, oui des fois, dans le poisson des chenaux jusqu'aux chevilles. Ou à demi-mot dans des funérailles, en dessous d'une couronne de fleurs plus garnie que les autres, que la famille Bouge avait fait livrer. Monti lui-même jasait pas de ça, de ses histoires de cherchage d'or, et il y avait un paquet de Frayois, lui inclus, qui auraient pas su te pointer sur une carte où ses pérégrinations l'avaient mené. T'en avais qui pensaient que le Manitoba, t'allais là en bateau par la route des épices, tandis que d'autres avaient entendu dire de quelqu'un qui avait entendu dire de quelqu'un qui était sûrement Victor Bradley que tu pouvais prendre le train ici en arrière de Campbellton pour te rendre dans les Europes en une couple d'heures. Les plus jeunes générations s'étaient habituées à plus appeler Monti Monti. Monsieur Monti, qu'ils l'appelaient, lui témoignant par là la déférence qui revenait à un si bon samaritain.

Bon samaritain, car Lancelot-de-la-Frayère, c'était beaucoup lui qui faisait virer ça maintenant. Le «Saint» avait été retranché de Saint-Lancelot-de-la-Frayère, mais ça tenait moins à des raisons de laïcité que de place sur les pancartes. L'endroit prospérait plus qu'avant. Pas dur à battre, mais n'empêche que Monti déboursait souvent de sa poche les fonds de départ nécessaires à plein de projets. Le moulin, ça avait été lui. L'aménagement de la promenade aussi, le long de la grève. Les toutes premières infrastructures de sports d'hiver. Sans parler de la baraque qu'il s'était fait bâtir pour son épouse et lui-même. «Une adresse de plus pour Bradley!» disait Monti. Il l'aimait, son Bradley.

La montagne et la baie, avant qu'il prenne les choses en main, avaient surtout servi à la satisfaction des besoins. Se nourrir, se loger, être entre mâles. Avant Monti, chacun faisait son petit bout. Tu donnais le temps ou t'avançais l'argent que tu pouvais, selon ta prodigalité. T'avais pas de parts dans rien après, c'était pas pour ça que t'investissais. Personne parlait dans ce temps-là de rendement à long terme en Gaspésie. De spéculation foncière ou de capital-risque. De fluctuation des cours. Les affaires se concevaient pas ainsi. Bref, dans son désir de relever le jeu d'un cran, Monti plantait ses drapeaux partout.

Il engrangeait de la richesse, pas gêné de ça, arrangeant toutefois le plus souvent ses affaires pour que ça profite à d'autres aussi.

Il arrêtait jamais d'apprendre son industrie, de la même manière qu'il avait appris dans le Nord les rudiments du poker. Peut-être bien que dans une grande ville on l'aurait dévoré tout cru. Dans son coin de pays, il passait pour un visionnaire. Puis pas mal mieux habillé que la moyenne des hommes, à part ça. Son épouse faisait pas intégralement ses emplettes chez les Berthelot, elle. La tête enflait pas à quelque Bouge que ce soit pour autant. La preuve, Monti portait la même taille de chapeau que le gars d'à côté. Son chapeau, il était plus beau, mais ça dérangeait rien, ça. La différence tenait à ce que ça pensait pas en lignes droites, en dessous de ce chapeau-là. Ça pensait en dominos, par corollaires, en nuées. Monti semblait avoir toujours plusieurs coups d'avance et dans son sac une réserve de tours inépuisable. Il y allait au gré de ses intuitions, avec des combines que la concurrence comprenait pas avant que la chance leur soit passée sous le nez.

En dépit de quoi il faisait rire de lui les fois où il parlait d'organiser au village un événement monumental, quelque chose dont la population se souviendrait, où toutes les ramifications de la vie des Frayois convergeraient, se cristalliseraient dans des festivités totales qui leur permettraient de s'appartenir. Il se vendait de la bière chez la Guité quand il partait dans de tels discours. Ou d'autres fois il décidait qu'il faisait zoner des places auxquelles les gens normaux trouvaient aucune utilité.

Ça rapportait toujours au bout du compte. Car plus il dépensait, Monti, plus il venait riche. Ce qui était pas à la portée de tous comme logique. Le maire Pleau l'invitait à souper chez eux pour qu'il lui explique.

Comme il se l'était promis, Monti se fit construire un trottoir. De chez eux jusqu'à l'église. Une moitié en cèdre, l'autre en pin, quand la scierie avait plus fourni. Il avait mis ça clair auprès des villageois que c'était à lui, mais tout le monde pouvait marcher dessus pareil. Les aînées le bénissaient-ti, tu penses. Elles avaient plus à lever leur robe le dimanche pour pas en salir les fanfreluches dans la poussière. L'église au bout du trottoir bénéficiait aussi à l'occasion de dons anonymes. Une couple de fois l'an, à la Pentecôte, l'Action de grâce. C'était Monti, ça, dans le fond près du bénitier, à trouver le tour de faire passer ses concitoyens pour des gratteux en grignotant ses hosties. Il avait ses aises dans la maison du Seigneur, et ce serait longtemps un petit Bouge qui incarnerait le bébé Jésus dans la crèche de la messe de minuit.

Le nouveau curé, le curé Isidore, il était pas si pire. Barbe pas faite, cheveux frisés, il fendait lui-même le bois du presbytère, vêtu de son gros chandail de laine à col roulé bleu marin avec des patchs de cuir aux coudes. Elles étaient plus d'une Frayoise à l'admirer au passage et à déplorer son choix de vocation. C'était une paroisse en santé que le curé reprenait. Même si le marié était pas pour ça, la barbe pas faite, ce fut quand même le père Isidore qui eut le contrat de célébrer l'hymen entre Honoré Bouge, dit Monti, et Joséphine Bujold, dès lors Joséphine Bujold Bouge. Un mariage écrit dans le ciel.

— Vous pouvez embrasser la mariée, avait dit le curé, et Monti avait demandé à ce qu'on le pince, et leurs dents s'étaient entrechoquées à son épouse neuve et lui.

Le récit de leurs retrouvailles avait fait la première page du *Vivier,* qui en comptait quatre ou cinq depuis que la rédaction avait découvert le principe de la publicité. Le jour où Monti était revenu du royaume des morts, près du chantier de l'aqueduc, sa promise était chez elle, dans la maison de son père, à préparer des pâtisseries pour pas perdre ses bleuets. Elle allait porter des victuailles à l'occasion chez des malades, au magasin général, pour se sauver au retour dans une mansarde où, avec Flavienne et Coraline, elle fumait les cigarettes subtilisées dans le paletot du docteur Bujold, sur son crochet dans l'entrée. Si le curé Isidore guérissait les âmes, le docteur Bujold guérissait les corps, et il y avait des madames dans le village qui avaient parlé de mettre une pétition en circulation pour que ce soit le contraire. Bref, le docteur Bujold était le seul médecin autorisé au village. Le seul. Si tu venais en visite, de Notre-Dame-de-Liesse de Rivière-Ouelle, mettons, et qu'en cours de séjour les angines te faisaient des misères, t'avais intérêt à faire attention. Quelqu'un d'autre au village se réclamait d'Hippocrate. Il s'agissait du docteur Maturin, et tu devais prendre garde à pas te retrouver par erreur dans son étable. Que ce soit l'anatomie d'une génisse ou d'une duchesse, pour lui, c'était tout sur le même modèle.

Joséphine avait disposé ses pâtisseries dans son panier à pique-nique, sur un mouchoir carreauté bleu et blanc en dessous duquel elle avait glissé un roman en français

de France que le clergé du Québec tenait pour véné-
neux et qu'il avait pour cette raison mis à l'index. Que
son médecin de père l'avait donc trouvée aimable quand
elle lui avait annoncé qu'elle se rendait au chevet de
la Madeleine à Godefroi. Avec ses lunettes sur le bout
du nez, le docteur Bujold dressait à sa fille une liste de
recommandations contre les coliques.

— Tu lui diras, je t'en prie, que je vais passer l'examiner après la sieste. Et s'il te plaît, tu me la fatigues
pas trop.

— Je serai de retour pour ma leçon, père.

Casquée d'un canotier sous son ombrelle, Joséphine
avait descendu l'allée d'ormes chez elle en laissant sautiller ses escarpins à leur guise par les chemins bordés
de fleurs pas plus sauvages qu'elle. Les cloches sonnaient
au loin. Les casquettes se soulevaient sur son passage,
avec une politesse un peu superstitieuse, et c'était plus
qu'une quantité d'hommages de chez elle au cimetière.
La résurrection de Monti sur le chantier y avait causé
de la commotion, et Joséphine avait vu, passé la brèche
dans le muret, que les gens s'attroupaient sur les berges
de la rivière. Les pâtisseries avaient pris le bord dans
leur panier quand elle avait aperçu son galant parmi les
badauds. Ses chaussures à la main, dévalant la côte à travers le pollen qui flottait partout, elle était pas rendue
en bas qu'elle avait déjà un pain dans le four.

Les traits éblouis par une lueur caramel, le docteur
Bujold s'était penché sur la sacoche entrouverte de son
futur gendre. Il avait quasiment coupé la main de sa fille
au-dessus de l'évier pour s'assurer que Monti reparte avec

quand il la lui avait demandée. Que ça avait donc été des belles noces. Quoique Skelling, Sicotte et Labillois, Langis Allard, ce monde-là, ils savaient plus où se mettre en présence de leur copain Monti. Il s'était imposé de surprenants standards en matière de protocole. Pas de pédanterie là, pas une once d'outrecuidance de sa part, mais pourtant, le mariage avait pas été au goût de ses amis. Pour ceux de son entourage qui l'avaient connu flo, la flûte à l'air dans les vestiaires de l'orphelinat, ou à plonger, une corde autour de la taille, dans l'eau salée pour détacher au couteau les clams des pilotis, c'était comme si seule son enveloppe corporelle était revenue de voyage. C'était plus Monti qu'il y avait dedans, mais plutôt un surplus d'allant, un génie coincé, une mixture, une solution qui avait clairement pas pu être brassée dans la région. C'était comme, tassez-vous de là, moé je vois grand.

Monti travaillait sans relâche, il travailla sans relâche durant des années, connaissant pas d'autre manière d'être, pendant que sa femme faisait rayonner la maison de son influence. Il y avait toujours des visiteurs là, de la marmaille à couettes fauves, armée d'épées de bois. Joséphine leur donnait du lait frais, et des jardinières bourrées de fines herbes décoraient chaque marche de son perron. Les ti-culs couraient entre les draps, fantômes de corde à linge. Leurs ombres frivoles se texturaient dans le lilas. Madame Bouge cochait dans les catalogues des grands magasins et le mobilier arrivait par train de Montréal ou de Toronto. Elle cherchait, pour ces choses-là, le regard approbateur de son mari, mais Monti, lui, tant que ça marchait. Redevable à son épouse de ses enchantements domestiques, il restait insensible au confort et à la jouissance. En plus que tout le chatouillait. Et quand tu le chatouillais, lui répondait plus de sa personne. Donc l'amour, c'était dans le noir, par un trou dans la jaquette. Ça lui arrivait de garder ses bas.

Joséphine sentait à des nuances de son mal de cœur que le bon Dieu lui donnerait une fille en premier. Elle se trompait. Son Baptiste vint au monde avec de la barbe. On prit le temps de regarder ça grandir. L'enfant apprenait à marcher, à nommer les animaux sur le terrain, à boire des gorgées d'alcool sans ciller. Il lâchait des cris de guerre quand le facteur montait la butte vers la maison. Un enfant suffisait pas, et l'entourage mettait entre-temps de la pression sur le couple. Mais les Bouge procréeraient à leur rythme. Ils comptaient faire les choses à leur manière. Et puis Monti avait pas fini de s'établir dans le village comme il l'entendait. Avant de trop agrandir la famille, il voulait donner vie à quelques-unes des visions qui l'avaient habité durant ses mois de tamis et de pioche et de cailloux dans le Nord. Dans ses visions, des gens accouraient de toutes les directions vers Lancelot-de-la-Frayère, attirés par des présages, des promesses, par un grouillement prodigieux. Et ses projets, ses visions, eh bien, il les planifiait sur trois cents ans à peu près. Il avait plus de vitalité que la moyenne, Monti, et se dépensait sans trêve au grossissement de son empire. Un empire de région, bâti dans des élans industrieux, un peu extravagant, mais un empire pareil, et pour les Frayois, ça s'appelait respect. Joséphine maternait donc son Baptiste sans d'autres de sa sorte ni aucun souci pour faire obstacle à leur attachement. Le garçon procédait au pied de sa mère, dans une toilette androgyne, à l'exécution des déserteurs parmi ses soldats de plomb.

Quand elle décelait le soir, dans les humeurs à son mari, un début de marasme, Joséphine l'encourageait à aller virer à l'hôtel, qu'il s'y grise avec les larrons. C'est des appétits que tout homme se devait d'assouvir, elle avait pas de problème avec ça. Elle tolérait des gestes autrement plus discutables. Mais fichtre, Monti atteignait plus ce qu'il y avait eu de transcendant dans l'ébriété. Pire, la soif lui passait jamais tout à fait. Jamais ce que tu lui servais manquait de le laisser bredouille. Il buvait son aquavit, oui, quelle lessive, ou des vermouths, que d'ersatz. Il buvait pour s'entraîner dans l'attente de la seule boisson susceptible de lui cliquer un jour au palais pour de bon. La seule boisson qu'il savait apte à lui rétrécir le dedans du crâne, où il y avait trop place à délibérations.

— Je vas te casser, je vas te casser, se fâchait derrière son bar la Guité en lui concoctant des poisons.

Mais Monti cassait pas de même. Les animaux, ça par exemple, ça le rendait doux. Pas de la même façon que Maturin, sauf que c'est ça, les entrepôts qu'il avait troqués, sur la côte du Nouveau-Brunswick, commençaient de rapporter. Monti louait des terres à des cultivateurs, et avec l'argent du fermage il s'était construit une étable dans ses temps libres, derrière chez eux. Il leur avait mis ça beau là-dedans. Sa pouliche, sa vache et ses brebis lui passaient la langue sur la bouche. Il s'était informé pour des autruches, un lama. Au demeurant, l'entretien des installations lui donnait la chance d'embaucher de plus démunis que lui, dont des vétérans de la Première Guerre. Fallait leur voir la face, à ceux que Monti appelait ses palefreniers, quand il retontissait dans l'étable pour les bosser en massacrant le style de Racine dans une tirade où il leur donnait à grand-peine des recommandations pourtant simples comme bonjour. C'est que Joséphine lui tendait des pièges. Elle disposait des classiques de la littérature partout sous les coussins, sur les chevalets, les tables d'appoint, des fois pour l'amener à lire de quoi qui ferait qu'il se rendrait compte qu'elle avait eu raison sur un point de litige antérieur, mais, avant tout, pour donner à leur foyer sa dimension spirituelle.

Heureusement que Monti trouvait de l'agrément, un exutoire à sa tension, en l'auguste crapule qu'était plus que jamais Victor Bradley. Toujours titulaire des fonctions postales, le Paspéya était devenu une institution. Si tu voulais en apprendre plus sur l'utilité de battre des cloches quand venait le besoin de chasser des pestilences ou sur les risques de déplacer des plaques tectoniques durant un dynamitage, c'était ton homme. Le gars lichait la colle sur les enveloppes rien que pour le goût. Et si les représentantes de la gent féminine se récriaient contre son manque de classe et l'inconvenance des tournures qu'il employait, les poupons roux proliféraient de plus en plus dans les galetas et les maisons frappées de veuvage ou de rut sur le territoire que le facteur couvrait.

Les hostilités avaient pas tardé à reprendre entre lui et Monti. L'un faisait un coup de cochon à quoi l'autre contre-attaquait par un coup de chien. Bradley, c'était un fourbe, un irrécupérable. Il hantait les tavernes et il avait donc plus d'amis, des comme lui, mais naïfs et influençables. Alors que Monti, foncièrement, il était seul. Pour ses récréations, il lui fallait sa némésis. Peu importe à quoi il s'occupait, il y avait toujours une sournoiserie qui s'échafaudait en travaux de fond dans son esprit. Ça le gardait en forme, et ça émoustillait la multitude, les gens suivaient ça. Surtout qu'il s'était instauré entre les adversaires une forme d'éthique, une obligation morale, un code d'honneur qui manquait pas de ridicule. Non seulement ils se relançaient sans cesse, mais la moindre provocation de l'un s'interprétait chez l'autre comme un défi impossible à pas relever. Pas utile de dire que ça avait défrayé la chronique quand Bradley s'était pointé avec un paquet chez les Bouge, par une matinée qu'il avait faite bien grasse, pour s'apercevoir que Monti avait recloué sa boîte aux lettres à une hauteur de vingt-cinq pieds.

Il aurait fallu que Bradley, quelque part au village, s'emprunte une échelle. C'est pas que c'était rare, des échelles, dans pareil patelin de manuels. Seulement, pas personne avait confiance en lui, même pas les tarlas avec quoi il se tenait. Le facteur avait fini, son échelle, par la chercher chez la Guité, au fond d'une bouteille de liqueur aux prunes, en cogitant sur sa raison d'être et son rôle au sein de la communauté. Il était retourné chez Monti dans l'après-midi, pas en goguette rien qu'un peu, avec une *partie* d'échelle. Un des deux montants, avec juste quelques barreaux, pris au rebut. Dans un angle praticable, il avait appuyé ça contre la façade, en calant une des extrémités dans un interstice du perron. Il roulait ses manches, ses yeux tristes levés vers la boîte aux lettres dans les nuages, quand Monti, la tête sortie par une fenêtre au grenier, lui avait adressé un rictus goguenard. Le facteur lui avait répondu en faisant dans le cul. Il s'était pas rendu très haut.

Après une semaine de convalescence environ, Bradley faisait un cauchemar dans le fauteuil où la Dubuc le serrait la nuit quand il était pas du monde. La mousse en sortait par gerbes à travers les déchirures du revêtement. Le facteur se réveilla, dans des grincements de ressorts, ses bonbons surets qui roulaient sur le plancher autour. Il avait toujours le cou aussi raide. Le docteur Bujold lui avait mis un carcan afin de lui ménager les lombaires, et conseillé de garder pour la vermine l'espèce d'antiphlogistique maison dont il s'était enduit à la grandeur. Tout ce dont le facteur se souvenait de son rêve, c'est qu'il se démenait face à des complications de job, à des forces absentes.

S'il était pour travailler en dormant, tu pouvais être sûr qu'il allait facturer des heures supplémentaires. Il rota en se levant, las de son oisiveté, péta par l'autre bout. La bougeotte l'avait repris malgré le mal de cou, et il irait travailler ce jour-là, prétexte pour boire en con, loin de sa blonde. Ses pieds laissèrent des traces poisseuses jusqu'au miroir style Empire sur le déclin qu'il y avait d'accoté au mur. Bradley l'avait jamais accroché, les outils traînaient à terre. De voir son reflet tout bien cadré de même, il en conclut que ça bûcherait sur un timbre. Le Paspéya gratta le tartre sur ses dents en se lissant de l'autre main les cheveux par en arrière. Il trempait son peigne édenté dans une barquette de graisse où des moucherons s'engluaient depuis qu'il en avait égaré le couvercle. Une twist du poignet particulière, qu'il avait mis longtemps à développer, et la vague voyoute qu'il avait dans le toupet monta comme une mayonnaise. Sa pécore dormait toujours, une portée de rouquins contre elle.

Le facteur enfila ses bottes, déformées du fait qu'il prenait jamais la peine de les délacer. Il se fraya à coups de pied dans des jouets un chemin jusqu'au milieu de sa cour clôturée croche. Un carré de bayou, sous un climat continental humide. C'était plein de scrap et de feuilles mortes, avec par endroits des tas de broussailles qu'il observait des fois cramer dans ses sabbats. Ses chiens lui jappaient après en tirant sur leur chaîne. Ils mordaient leurs gamelles vides pendant que leur maître se livrait à sa physiothérapie, prenant soin de bien s'aérer partout. C'était de même qu'il se lavait, debout au vent, bras ouverts et jambes écartées. Le tendon des cuisses lui élançait depuis qu'il avait tenté de prouver à une couple de gars, dans le champ où ça jouait au baseball, qu'il était capable de faire le grand écart.

— Madame Berthelot, monsieur Berthelot, dit-il en poussant la porte du magasin général.

Les lattes de bois un peu lousses tressaillirent sous ses semelles pleines de terre, trop orgueilleux qu'il était pour marcher sur le trottoir à Monti. Il fit bien attention de laisser le plus de dégâts possible derrière lui comme il se dirigeait vers le réduit où la malle s'était accumulée tout au long de sa semaine d'arrêt.

— C'est pas de sa faute, dit monsieur Berthelot.

Perché sur son escabeau, d'où il rangeait sur les étagères son éternel cannage, le commerçant se retourna d'un bloc vers sa collègue, qui s'adonnait à être sa femme, pareil que s'il portait lui aussi un collier cervical.

— Je croirions qu'il aura pas reçu assez d'affection quand y était jeune, rajouta madame Berthelot devant ses colonnes de chiffres et un boulier.

Pour Bradley, les gens de leur espèce, c'était des figurants. Il se souciait d'eux comme de colin-tampon. Il vaqua à ses obligations, classant son courrier, à commencer par le plus léger, parce qu'il était pas de la race qui se débarrassait du pire en premier. *Ah, tiens donc,* pensa-t-il. Un peu plus, le cou lui recraquait en place. *Encore un colis pour Monti.* Ça venait de lui revenir. Une voix lui avait parlé dans son cauchemar. Bradley regarda derrière lui d'un œil mal intentionné, le brun. Madame Berthelot comptait sur ses doigts quelque chose pour quoi il lui en aurait fallu quelques-uns de plus. Le facteur secoua le colis contre son tympan, cherchant à deviner ce qu'il contenait. Ça venait des USA, qu'il était indiqué sur le bordereau. Il se rappela que les ordres que la voix lui criait dans son cauchemar étaient en anglais. Il se renvoya encore l'œil par-dessus l'épaule, son œil bleu, pour apercevoir monsieur Berthelot jongler une seconde avec ses cannes, sur le point de perdre l'équilibre en haut de son escabeau.

Bradley avait rêvé qu'il s'obstinait, dans son anglais créatif, avec ce qui s'avérait être un rouet parlant. Le rouet lui commandait, même si le facteur résistait en disant que la maison de Monti se trouvait dans une autre dimension, d'aller y livrer le colis se tissant un peu plus à chaque tour de roue.

À la dérobée, le facteur sortit de son étui cartonné le cutter à molette dont il se servait pour le ruban adhésif trop robuste. Il coupa la ficelle du colis, lequel s'ouvrit. La voix lui avait promis qu'il trouverait son dû par l'effort. Une bouteille de quelque chose du nom de Yukon respirait dans la boîte. *Un rêve prémonitoire, que j'ai vécu là.* Il devait y avoir des vérités d'écrites sur la note qui accompagnait ça, parce qu'elle était en anglais elle aussi. *Comme la voix.* Le Paspéya se mit à faire plein de liens avec d'autres songes qu'il avait déjà eus et des affaires qui s'étaient passées. Il remit la bouteille dans la boîte, et là, il hésita. Mais pas longtemps. Il ressortit le Yukon pour, en se revirant une tierce fois avant de le déboucher, tomber nez à nez avec madame Berthelot. Elle avait pris une pause de comptabilité afin de venir couper court à son manège. Bradley fit semblant d'avoir échappé de quoi dans le fond de la boîte, où il replaça, pour de bon cette fois, la bouteille dans le papier de soie. Il rafistola le tout sans chichis.

— T'as reçu ça, dit Joséphine en coup de vent à Monti comme elle déposait le colis sur le bureau dans son étude.

Monti tapait à sa machine à écrire. Il avait revêtu une robe de chambre en cachemire par-dessus son pyjama pas en denim mais pas loin. Direct sur la peau, le tissu de la robe de chambre le chatouillait trop. Sans arrêter de mâchouiller sa lanière de porc salé, il était parti là-dessus ces temps-ci, il eut un seul et unique éclat de rire quand il prit connaissance de l'étiquette sur la bouteille qu'il avait sortie de la boîte.

— Ah ben, ah ben. Du Yukon. Tu me diras, toé.

Il souriait, sans la moindre âcreté, comme tu souris à te remémorer les hauts faits de mécréants qui t'ont jadis donné bien de la joie. Quelles raisons, de toute façon, aurait-il eues d'être en sifflet ? Il gagnait de l'argent. À l'instant même, il en gagnait. Il lut la note qui accompagnait la bouteille, où tenaient quelques formalités. Charles Bead y disait honorer, par cette gracieuseté renouvelable hebdomadairement, sa dette de cartes. « *Le goût de l'or* », pensa Monti. *C'est ça, ouin. De mon or à moé.*

Le petit Baptiste le tirait par la manche pour lui montrer l'avion de guerre qu'il avait dessiné. Il aurait aussi bien pu s'adresser au presse-papiers. Monti avait humé le bouchon du cadeau et venait de se transformer en un troupeau de bisons parcourant la prairie. *Jamais plus que j'aurai soif.* Il cria à Joséphine de venir le débarrasser de Baptiste et de bébé Toine. Le poupon construisait une marina à l'aide des blocs que son père avait faits avec les retailles de son trottoir.

— Ça va m'en prendre une tourie, de ça, dit Monti.

Une fois fin seul, la porte barrée, il s'étira vers la console qu'il gardait près de sa chaise. Il s'empara de deux verres à fort, d'une main entraînée par des années de dépannage en arrière du comptoir à l'hôtel. *C'est ça, mon Dexter, ton mauvais sort ?* Sans se douter de la gravité du geste, il versa deux verres de Yukon identiques, et en fit glisser un vers la chaise inoccupée devant lui.

— Ben, cheers, mon Donald ! dit-il au verre neutre et immobile.

En s'adossant, les jambes croisées, Monti avala ça comme une pilule, aussitôt recroquevillé par un frisson de plaisir.

IX

LE GRAND ŒUVRE

43

FRANÇOIS a tenté de s'arrêter dans sa course sur l'allée tortueuse au bout de laquelle se dressait la façade défigurée de la maison que Monti avait fait bâtir au siècle dernier, avant que son fils Henri la redébâtisse bout par bout pour la mettre à son goût. Les crocs de la bête spéciale ont claqué derrière lui, à travers une poudreuse entrelacée de phosphorescence. Il a pas pris le temps de se questionner plus longtemps devant les mutations de la propriété familiale, sise le plus loin possible de tout trafic sur sa butte. Ses godasses dépareillées ont glissé sur les pierres plates déjà pelletées et plus salées que les cochons des Canon même s'il neigeait encore, et il est tombé sur les genoux comme s'il venait de scorer. Il lançait derrière lui, au petit bonheur la chance, des mottes de glace vers la bête.

Il s'est relevé, s'est secoué les membres dans un chant de singe après l'avoir refoulée sous les haies taillées au fond du terrain, à la vue desquelles il s'est pris à s'ennuyer des punks de son quartier montréalais. Des roulottes se serraient derrière la muraille de verdure dans des rues cadastrées au poil près. Le tuyau d'arrosage était parfaitement enroulé, un orvet de trente pieds de long, parfaitement domestiqué. La maison était méconnaissable. François a dû aller fouiller dans la boîte aux lettres pour s'assurer qu'il débarquait pas, comme un cheveu sur la soupe, dans un laboratoire de drogues dures ou de quoi de même. Il y avait dans la boîte aux lettres, déménagée au bord du chemin, quelques factures, une offre de crédit, *Le Vivier* de la semaine, avec entre les feuillets des dizaines de circulaires. C'était le courrier de la veille, bel et bien au nom des Bouge. Il y avait aussi au fond une bouteille de Yukon, viré en granité. François a dû mâcher plutôt que boire sa lampée. Les yeux lui ont roulé dans le blanc. Il avait des cristaux sur le bord de la bouche.

— Allô! il a lancé en marchant vers la maison.

C'est à cause que Croquette jappait trop après le facteur que la boîte aux lettres avait été déplacée. La poche de sel reposait sur les marches de la galerie, où l'ombre de François devançait François, comme pour montrer qu'elle était pas avec lui. Il y avait plus de marteau avec quoi cogner à la porte. *Qu'est-ce qu'on a fait à la maison?* La nouvelle sonnette aux carillons programmables, François voyait pas ça. La porte était barrée. Il a poussé dans le panneau, en vain. La bête restait tapie plus loin, à demi enterrée dans une neige qu'il allait falloir exporter sous peu. François est redescendu de la galerie. Il a reculé sur le terrain pour mieux embrasser le bâtiment, apprendre à l'aimer.

— C'est affreux.

Peut-être bien, mais on vivait plus non plus dans l'ancien temps. La toiture coulait au moindre redoux, ça coûtait une fortune à chauffer, de même au moins c'était propre et ramassé.

— C'est que... C'est parce qu'on... tentait de se justifier François.

Il a fait le tour de la maison, pour s'indigner derechef en constatant qu'il manquait aux fenêtres les volets d'époque qui leur donnaient tant de personnalité. Il a passé une main irritable sur le parpaing recouvrant la maçonnerie du solage d'origine, sur le stucco récent des murs qui étaient en briques avant ça. Une excroissance entière, toute une aile s'était développée sur le côté, d'où les bacs à fleurs avaient été enlevés pour l'automne ou l'éternité. Il y avait un titanesque utilitaire sport garé dans l'entrée.

Ça l'aurait arrangé, une fois grimpé dans le saule pleureur, que passe une patrouille de moineaux pour l'aider à couvrir le reste du chemin jusqu'à la fenêtre. Le saule de la cour arrière, à force d'émondages et de queues d'ouragan, pleurait plus beaucoup. En bas entre les racines, la bête dérangeait la neige en lâchant ses raclements pas naturels. Elle était revenue pourchasser François, sa langue d'une verdeur alcaline, en pleine métamorphose, comme la maison. Le gazebo avait disparu. François était même plus sûr s'il y en avait déjà eu un. Du bout du pied, il a réussi, centimètre par centimètre, à pousser une fenêtre à l'étage jusqu'à ce qu'elle s'ouvre. Il s'est toute-fois retrouvé, la jambe dans un angle obtus, bloqué en position d'homme-araignée, avec sa mallette entre les dents et huit points d'appui sur différentes branches. Une des cornées de la bête est tombée tant elle s'épivardait.

— Peut-être que si je me dénouais le bras pour opérer une translation du pied vers…

La bête a sauté. Dans des éclaboussures d'écume, sa gueule s'est refermée sur le fond de culotte à Fran-çois. Les branches où il était juché l'instant d'avant ont continué de s'agiter une minute. Leurs dernières feuilles partaient au vent.

C'est en arrachant le store et le film de plastique dont la fenêtre était isolée que François a atterri sur le dessus d'un classeur en métal. Il a roulé ensuite une coche plus bas sur une table en mélamine, puis sur le tapis, avant de se relever aussitôt dans un atchoum, comme si tout ça avait été chorégraphié. Il a reculé de surprise. Ça avait tout l'air que le bureau était rendu au premier. La bête restée dehors s'est envolée en une kyrielle de coléop-tères versicolores.

— Atchoum, a refait François.

C'était ses allergies, on aurait dit. Étonnant, parce qu'ils avaient jamais eu d'animaux dans la famille. « Ah, moi, oui oui, je veux bien, j'aime ça, les chiens, lui répon-dait son père quand François le suppliait sous le regard méprisant de Yannick. Médium saignant sur le char-coal. » Ou Henri lui disait d'aller demander à sa mère, qui lui disait d'aller demander à son père, qui lui disait d'aller demander à sa mère, à l'infini.

L'écran de l'ordinateur, en émettant le même bruit que ce que goûte le crème soda, s'est allumé quand François a flatté la souris. Il y avait un chiffrier d'ouvert dans Excel, où François s'est mis à changer des virgules au hasard. Une rumeur polyphonique montait du rez-de-chaussée, en provenance de plusieurs télévisions à divers emplacements dans la maison, entrecoupée de vibrations plus ou moins hostiles. François fourrait son nez coulant dans la paperasse, factures d'outillage acheté à Plattsburgh, soumissions à demi rédigées, chéquier vide où seuls palpitaient dans le courant d'air de la fenêtre les talons encore fixés aux anneaux. Le Yukon enterré dans le classeur, sous toute une cartomancie d'entreprise, à côté d'un cube Rubik et d'une vieille puck avec des marques de dents dessus, est pas resté enterré longtemps. C'est fou pareil, le design d'une bouteille, tu tiens ça là, il y a un goulot ici, tu bois ça de même. Tout de suite François s'est senti plus souple et en famille. Il cherchait de quoi à chercher. Le cendrier sur la table de travail avait depuis longtemps été rentabilisé. Il y avait un post-it collé parmi d'autres aide-mémoire sur le moniteur de l'ordinateur. *Un papillon adhésif,* a pensé François. D'une main inconnue, une calligraphie à glacer le sang, il y avait les mots «Comprends ton comptable» d'écrits dessus. *Cinquante hertz,* a estimé François quand ont repris les vibrations dans le plancher.

— C'est pas ce que je cherche, il a dit.

Il a manipulé l'acte de transfert de la maison, notarié, tout le tralala, sans rien remarquer. Il avait rien vu. Ça lui piquait dans la gorge, dans les yeux. Serrant et resserrant la boule antistress qu'il avait prise il savait plus où, il parcourait un poème raturé à mort, trouvé entre les pages d'un atlas servant aussi d'herbier. Henri y exprimait, au rythme d'une métrique défaillante, que plus il vieillissait, plus il se sentait jeune. De faibles couinements plaintifs s'échappaient de la boule antistress.

L'étage était pas divisé de même avant. Désorienté, François s'est aventuré par le couloir traversant désormais l'aire ouverte. Il y avait tout plein de boîtes pliées contre les murs. S'acheminant à pas marécageux sur la carpette, François a perçu derrière la cloison le frôlement de la bête dont il allait bien falloir qu'il se débarrasse pour travailler. *Qu'est-ce que c'est que cette pièce ?* Toutes les télévisions de la maison essayaient de lui dire de quoi en même temps. Il a ouvert au hasard une porte énigmatique à la recherche de l'escalier qui descendait au rez-de-chaussée.

— Oh, pardon, il a dit au croque-mitaine debout devant lui.

C'était une chambre de bébé bleue. Il y avait pas encore de bébé dedans. Le croque-mitaine, de surprise, s'est retiré en même temps que François dans la pénombre, parmi les meubles frêles de son enfance, à côté d'une couchette d'ébéniste au-dessus de quoi tintinnabulaient des mobiles pleins de guedis pour te développer et que tu pouvais pas t'étouffer avec quand tu te les mettais dans la bouche pour te faire les dents dessus. François allait pour refermer la porte, mais il s'est aperçu que l'autre en face de lui dans la chambre imitait ses gestes, en toute synchronisation. *Est-ce que ça se pourrait que…* C'était lui dans un miroir. François s'est rapproché de son reflet. Il avait le même menton que les autres Bouge de la dynastie, la même fossette qui dans son cas pelait en gales à travers des tales de barbe comme du velcro plein de fibres, plus forte d'un côté que de l'autre, jusqu'à son œil attaqué de tics, mis en relief par un croissant rose au-dessus des cernes caverneux qui s'arborisaient pour s'embrouiller dans des pommettes crevées sous un front à l'ossature mamelonnée lui donnant l'air d'un crapet-soleil.

— Ma foi, il a dit, et il s'est étiré la peau du visage avec ses mains.

Ton foie, aussi. Il a abandonné son reflet à lui-même et il a continué dans le couloir. Son lifting retombait lentement, sa face reprenant sa forme normale. François a enfin trouvé l'escalier qui menait au rez-de-chaussée. Il a posé le pied sur la première marche. Sa mère est passée en bas, avec une hache.

44

S TEEVE et Yannick étaient rendus trop creux dans la tempête pour que Steeve puisse regagner de lui-même le chalet des Laganière sans boussole. Devancé par le canon de son fusil, il allait de l'avant dans la forêt âpre et sifflante, la face enfouie dans son col. Il se débrouillait pour transpirer malgré le processus de glaciation, et c'est avec l'envie d'être chez eux dans ses affaires, l'envie que tout le monde lui sacre patience, qu'il a regardé son fusil, puis autour de lui, puis le dos à Yannick disparaître entre des sapins comme entre les rouleaux d'un lave-auto. *Je te gage cent piasses, il a pensé, que Danny est retourné dans le chalet pis qu'il se la coule douce sans jamais s'être demandé une seconde où c'est qu'on est passés. Il doit être en train de rebondir dans le fauteuil vibromasseur en criant au secours pour que quelqu'un vienne le débrancher.* La face à Yannick est ressortie des branchages sans avertissement.

— Fais donc plus de tapage, crisse d'éléphant.

Son passe-montagne était tout piqué d'épines. Steeve sentait le sang lui pulser dans la carotide.

— Je… T'es-tu sûr qu'on marche dans la bonne direction ?

— Non, mais vas-y fort, barris tout ce que tu peux, qu'y nous entendent venir jusqu'à Cap-Chat.

Steeve se voyait dans les lunettes de paintball à son cousin, et il a pris son reflet en pitié. Le cœur serré, il a coincé son fusil sous son aisselle. L'ombre de ses mains nues projetait des accidents dans la neige. Ses mains criaient chaleur, vêtements, doublure. Il y avait plus rien qui pliait trop là-dessus. Il s'est recourbé pour se protéger du vent. Son petit doigt durci a plongé dans un sachet de poudre qu'il avait oublié de partager.

— Excuse-toé, il a dit à Yannick.

La dope venait comme de lui envoyer une claque en arrière du bulbe rachidien. Il a recalibré sa masse dans ses habits insuffisants.

— M'excuser pourquoi ?

— De m'avoir traité de pachyderme.

— Traité de quoi ? Ah pis checke. Tu vois le terrier, là ? Va donc hiberner dedans quatre-cinq mois.

— Attends-moé ! Attends !

Steeve a glissé sur la croûte glacée en voulant récupérer ce qu'il avait échappé de coke pour s'en frotter les gencives. Mais blanc sur blanc, bonne chance. Il s'est relevé en sacrant. Les arbres avaient gagné en définition, leurs branches trouées d'ouvertures pâles et mouvementées. Yannick, lui, était dans son habitat naturel, un périscope en guise de cou, à s'orienter au-dessus des hautes herbes vitrifiées dans le vent ou ployées par endroits sous les accumulations. Chaque fois que leurs raquettes s'enfonçaient dans la neige, ça faisait le même bruit que quand tu jettes un aliment dans l'huile chaude.

— Ça aurait pu être n'importe quoi, a lancé Steeve par-dessus les rafales une fois ses facultés réégalisées.

Les grattements qu'il avait entendus dans la nuit, les traces qu'ils avaient peut-être hallucinées autour du chalet, les griffures sur les rondins, ils savaient pas ce que c'était, dans le fond, ni même si c'était quelque chose.

— C'est ton existence qui est n'importe quoi, a crié Yannick en avant de lui.

Lui, de la façon qu'il voyait ça, il rendait service. C'était pas sa visite à lui qui était allée se perdre dans la nature. Ses raquettes lui frôlaient les oreilles à chaque foulée. Steeve avait du mal à suivre, plus à sa place dans un wagon de métro ou un cinéma Imax. Il se rappelait pas grand-chose de son passage pourtant remarqué dans les scouts, qui se rappelaient de lui, eux.

— Ça aurait pu être n'importe quoi, il a redit.

Il a fait son possible, malgré un surcroît d'acide lactique, pour rattraper la tête costumée, les camouflages ondoyant devant lui. Il avançait la mâchoire flasque, un peu disloquée, les bras en V pour écarter les branches. Il s'occupait même plus de la neige qui tombait le long de son cou, dans les manchettes orange de sa veste d'aviateur déchirée sur le côté. Il allait se mettre à pleurer s'il débouchait pas à l'instant sur un sentier, une clairière. Les cocottes tremblaient aux branches. Puis, dans une trouée, il a heurté le dos de Yannick, qui venait de s'arrêter sans rien dire. Yannick lui a annoncé qu'ils étaient perdus.

— Hein?

Steeve s'est mis à piétiner lourdement, il cherchait une échappée quelque part à travers la végétation et les galaxies de neige harcelante, prêt à charger de n'importe quel côté. Une crampe lui a tordu la cuisse. Il est tombé sur un genou.

— Calme-toé, ostie, je te niaise.

Chaque fois, dans leur marche, que les arbres redevenaient brouillés et se délavaient, chaque fois que la neige perdait de son pétillant sous leurs raquettes, les cousins se dédommageaient de la peine qu'ils se donnaient en reniflant une clé de coke. Steeve se serait effondré sinon. Criant presque au bout de sa voix, il était en train de rappeler à Yannick tous les bonheurs de leur enfance. Yannick a arrêté assez sec que la poudreuse a levé comme quand tu freines en patin.

— Qu'est-ce qu'y a, encore? s'est inquiété Steeve.

Yannick a enlevé ses gants, à la manière d'un joueur de hockey, en secouant les mains. Il a fléchi du pied un jeune arbre encore impressionnable, avec tout son poids dessus, pour s'y casser une baguette. Puis il s'est prosterné, dans la neige creusée sur le pourtour d'un anneau brun, devant une adorable crotte entortillée, hérissée de pépins et de bouts d'écorce pas digérés.

— C'est quoi, ça? a fait Steeve.

— Ton frère jumeau.

Yannick a retourné la crotte de son bâton.

— Non, sérieux? a redemandé Steeve.

— Tu chies pas ça, de la marde?

— J'ai rien faite, je le jure.

Ça les a fait rire quelques secondes. *C'est mon cousin*, a pensé Steeve. L'arbre où Yannick avait pris sa baguette s'est jamais redressé tout à fait.

— C'est de la marde de quoi, tu penses?

— De quoi de moyennement gros qui sent pas bon.

— C'est-ti frais?

— C'est mou, a dit le bâton.

— Mais c'est-ti chaud?

Yannick fixait son parent.

— Oublie ça tout suite, s'est défendu Steeve en ajustant sa pogne sur son fusil. Jamais de la vie que je vais me mettre le doigt là-dedans.

45

L E VENTRE parsemé de poils grisâtres, Henri Bouge était couché dans l'armoire en dessous de la vanité de la salle de bain. Les vibrations que son fils avait perçues étaient celles de sa perceuse au lithium-ion. L'engin refroidissait à côté de lui dans un coffre à outils rutilant. François s'est approché en secret, pour aussitôt prendre note du treize onces de Yukon couché dans le coffre parmi les clés Allen et les rondelles et les douilles. Le rez-de-chaussée, à première vue, avait lui aussi subi son lot de transformations. François a tapoté le genou à Henri, qui avec une plainte de didgeridoo s'est arraché la moitié du dos à vouloir se sortir d'en dessous du cygne.

— Bonjour, a fait François, les yeux plissés par le faisceau de la lampe frontale à son père. Eh bien, c'est moi.

Il avait le bras tendu à cent quatre-vingts degrés vers la sortie la plus proche. Sa mallette pendait au bout. Il a levé le regard sur Henri debout devant lui. Henri s'est donné un coup de poing sur le cœur. Son fils l'aurait pas reconnu si ça avait pas été de son visage au relief délicatement façonné, que la joie emportait sur une tête en montgolfière.

— Ça adonne bien, a soufflé le père, le sourire en zigzag, une poussière dans l'œil. J'avais besoin d'aide.

Les voix télévisuelles, aucune au même poste, se concurrençaient partout au rez-de-chaussée.

— Liette ! a beuglé Henri avec émotion.

Il a embrassé François qui a juste eu le temps d'inspirer une dernière fois avant de se faire comprimer. Les scories du perçage à la drille ont pénétré dans ses poumons. *Mon bebé,* a pensé Henri. *Merci, Seigneur. Mon bebé.* François a étendu un peu de morve sur l'épaule à son père, pas assez long de bras pour joindre les mains dans le dos du colosse. Il a inscrit en lui-même : *François, un, Henri, zéro.*

— J'ai pensé, ça doit être Yannick. Qu'est-ce que… Viens-t'en nous…

Un museau fouineur s'est replié plus loin au fond de la bouche de l'aspirateur central dans le couloir. François espérait que c'était pas sa mère qui jappait de même au salon.

— Liette ! a crié Henri. Liette ! Viens par ici un petit peu, là, viens voir la grande visite !

Comme tirée par la manette de la télévision, dans un frottis de chaussons suivi d'un cliquètement de griffes excitées, la mère a tourné en virant de sour le coin du corridor, quand même battue dans le sprint final par le

434

chien l'accompagnant. Un prisme rectangulaire monté sur quatre cure-dents, bâtard pure race d'où ressortaient des airs à ses maîtres. Liette avait la clope au bec et portait une blouse géométrique qui te changeait les pupilles en astérisques. Elle a trouvé le tour de voiler la demi-nudité de son mari d'une chemise au passage.

— Ah mon Dieu, ah mon Dieu, elle répétait.

Le chien s'est roulé aux pieds de François, pour lui montrer comme il avait un beau bedon lisse. Il est ensuite allé se poster en grondant, assis ou debout, l'angle variait si peu, devant le trou de l'aspirateur central. La mallette du manuscrit à terre était en train de se pousser incognito, à trois millimètres à l'heure.

— C'est François ! gueulait Henri par-dessus sa femme, et il secouait son gars comme pour en faire sortir tout ce qu'il y avait de François dedans.

Toujours aussi fière de sa personne, Liette avait les ongles violets, des chandeliers pour boucles d'oreille. *Comme ils ont vieilli,* a pensé François. *Le pistil et l'étamine.* Sa mère lui souriait, dans la mesure du possible. Complètement paniquée.

— Ah mion Deu !

Fallait qu'elle le touche, fallait qu'elle touche son François. OK, c'est beau, là. Tu peux le lâcher.

— T'as-tu mangé ? lui a demandé son rouge à lèvres.

Le gars portait un costume de l'Armée du Salut. Une espadrille ensanglantée et ce qui restait d'un autre soulier. Il avait des coulures de wasabi séchées sous chacune des narines. Un vingt-six onces et plus dans le corps depuis la veille. De la purée lui faisait des bulles par une plaie de couteau et il avait des plaques de suie partout après être passé proche d'une électrocution au Taser. « T'as-tu mangé ? »

— Je…

— Mais Henri, y est ben que trop maigre ! a dit Liette.

— Saint citron, Liette, mettons pas ça pire que c'est. Il mourra pas de la peau courte à soir, mais on va l'engraisser, ma femme.

Liette est passée à travers François, pour se sauver dans sa cuisine d'où est sitôt montée la pétarade ménagère de dix-sept appareils mis en marche en même temps dans un nuage de cigarettes.

— Penses-tu que tu vas avoir le temps d'aller voir ta tante Mireille ? elle a hurlé depuis son tapage à l'autre bout.

— Laisse-le arriver, cette affaire ! a poussé Henri. Et c'est pas sa tante, c'est sa cousine !

— Y a ton cousin Steeve qui est dans le coin itou, pis Yannick va tellement être content de te voir !

— On peut-ti l'avoir pour nous autres une minute, calvâsse ? Hein, ça serait-ti correct, ça ? Et tu sauras que Steeve, c'est son petit-cousin, pas son cousin !

Il y a eu un silence entre les deux hommes. Manquait rien que le souper et les chandelles pour un souper aux chandelles.

— Je… Je ne sais pas quoi dire, a dit François.

Henri lui a fait signe de s'approcher pour le défriper, lui rajuster son nœud de cravate, la posture. Il l'a contemplé en le tenant à bout de bras. C'était peut-être contagieux.

— Économise ta salive. Tu vas en avoir besoin pour baver devant ton souper tantôt. Liette ! Mets à dégeler le gibier interdit que Yannick nous a apporté, veux-tu ?

Il s'est baissé pour feindre de ramasser sa perceuse, en profitant plutôt pour refermer son coffre à outils, clencher les fermoirs, mettre seize cadenas dessus avant de l'enterrer six pieds sous terre dans un coffre-fort plein de coffres-forts de plus en plus petits. Il a refermé, bref, son coffre à outils sur la bouteille de Yukon qu'il y avait dedans.

— On se fait un souper tranquille. Pas tellement légal, mais on est pas obligés d'inviter le garde-chasse non plus, qu'est-ce tu dis de ça ? Écoute, je m'apprêtais à percer le dedans de l'armoire pour passer le tuyau là.

— Asseyez-vous donc, papa, a dit François en guidant son père vers la toilette.

Henri s'est assis sur le couvercle. Un autre coup de poing sur le cœur.

— Mais mon mandrin est parti à rouler quelque part par là, je l'ai cherché partout. T'es pas gros, toi, t'as des doigts de fée, rentre donc en dessous voir si tu le trouves pas.

Mandrin, mandrin… François connaissait le mot. *Un emprunt à l'occitan.* Mais c'était tout, aucune idée à quoi ça ressemblait. Il s'est penché en dessous du cygne, pour se hasarder entre les intestins de la vanité. Ça ruisselait moins de goémon qu'en dessous des lavabos chez eux. C'était plus la même salle de bain que dans sa jeunesse. Henri s'est remis debout. Il avait jamais été capable de rester assis plus longtemps que ça. Il bavardait rêveusement, trop heurté dans sa logique de bonhomme par la disparition paranormale de son outil. Le téléphone s'est mis à sonner dans la cuisine. Henri, pris de crainte, reculait d'un pas contre le mur à chaque coup. Ils avaient trois mètres carrés à fouiller. Pas de mandrin nulle part.

— C'est toujours bien pas tombé dans un portail multidimensionnel, sainte bénite.

Solennel dans la mission dont il s'était lui-même investi, avec sa queue en plumeau et son envie de pull à losanges, le chien montait toujours la garde à côté de l'aspirateur central. François aurait eu tendance à mettre la disparition de l'outil sur le compte d'une certaine sénilité ambiante. Le téléphone sonnait, sonnait, et la sonnerie s'amplifiait.

— Ben voyons, là ! a crié Henri à Liette.

Il s'est essuyé la face dans sa chemise, qu'il a examinée pareil que le saint suaire. François avait seulement *téléphone rouge* à l'esprit.

— C'est qui ça, qu'est-ce que ça dit sur l'afficheur ? Pourquoi tu le prends pas ?

— C'est le salon de coiffure, a gueulé Liette. Je rappellerai tantôt !

François entre-temps s'était exhumé d'en dessous de la vanité. Il tenait ce qui avait tout l'air d'un collier de perles, une antiquité, mais neuf comme au premier jour.

— Montre-moi donc ça par ici, a fait Henri. C'est le collier de ta grand-mère, ça. On l'a donné à Yannick l'autre fois. Pour Cynthia. Mais j'allais te demander, comment t'es descendu ?

438

François avait pas tellement envie de rentrer dans les détails. Il voulait pas inquiéter ses parents avec l'accident, encore moins se faire juger sur ses dépenses. Liette est réapparue dans le couloir au troisième bip du micro-ondes. Des étincelles cuivrées lui sautaient du chignon, de ses mèches mauves. Elle tenait un cabaret d'infopub, où un demi-litre de crème glacée écrasait la dernière pointe de tarte au sucre.

— J'ai d'autre chose aussi, elle a dit à François ou à quelqu'un derrière lui.

— Je n'aime pas la crème glacée, il a répondu.

Il a déposé l'assiette sur le bord du bain, et le chien, Croquette, a tout de suite délaissé sa vigile pour son dessert de prédilection. Liette a fait une roue latérale, de quoi. Ça s'habillait en douairière à l'âge vert. C'était habillée en cégépienne à l'âge mûr.

— Comment t'es descendu ? a redemandé Henri.

— Laisse-moé le temps de faire une pâte ! a dit Liette. M'as te faire cuire une autre *tarte.*

Sa voix s'est estompée alors qu'elle s'éloignait. Elle est revenue quelques minutes après au pas de course dans la salle de bain, même frottis de chaussons dans le virage, même cabaret où tout cantait dans les croches.

— Tenez, mes hommes… Ben voyons, où c'est qu'y sont ?

Elle allait finir par l'user de bord en bord, ce bout de plancher là.

— On est dans le salon, guimauve !

Ça jasait des conditions routières, des prévisions de

pluie verglaçante après la neige. Des avantages d'un glossaire, aussi. De certaines difficultés de cruciverbiste. François éternuait rien qu'à regarder le chien. Croquette était couché, dans une pose de sphinx, sur les genoux de son amour avec un grand A, Henri, qui répondait une fois de temps en temps quelque chose d'évasif à son gars. Le père avait l'esprit ailleurs, il analysait l'espace autour. Il en revenait toujours pas de la disparition de son mandrin.

— Trandolapril! s'est exclamée Liette comme elle rentrait dans la pièce.

Elle a donné d'un geste aérodynamique un verre d'eau à son mari, accompagné de sa gélule.

— On était dans le salon, l'a remercié Henri.

— Pour le cœur à ton vieux père, a expliqué Liette à François en lui servant quant à lui sa deuxième pointe de tarte au sucre.

Il en aurait bien gobé une couple lui aussi, François, des gélules de même. Sa pointe de tarte au sucre était plus généreuse encore que la première. Elle goûtait la cigarette, avec l'autre moitié du pot de crème glacée dessus. Il a envoyé rebondir l'assiette sur la table basse, sans faire attention, pour survoler plutôt les tablettes, vissées à même le plâtre, et garnies de livres et de vinyles. Sur le plancher le long des moulures, une partie des disques, beaucoup d'opéra, avait été rangée dans des boîtes en carton identifiées «musique» au feutre. Il y avait des rouleaux de papier collant par-ci par-là, d'autres boîtes partout, tiens donc, avec toutes sortes de choses entassées dedans. Les boîtes s'empilaient en édifices plus stables que celui dans lequel habitait François. Il a été subitement frappé par une certaine nudité de décor, par les formes au pochoir que l'absence des objets avait laissées sur les meubles et aux murs.

— Café? a éructé Liette en revenant encore de la cuisine.

Elle avait toujours à la main l'assiette à dessert prise sur la table basse, nettoyée par Croquette, qu'elle avait ramassée pour la mettre au lave-vaisselle.

— Ah, c'est pas trop tôt, a dit François.

— Décaféiné pour moi, très chère. Et épicé pour François, ce serait de bon aloi?

Liette est partie à rire. Comme si c'était l'affaire la plus drôle qu'elle avait jamais entendue. Ça la faisait rire quand ça rimait, et elle a fait un clin d'œil à Henri. Elle a fait un clin d'œil à François.

— T'as mis le gibier à dégeler? lui a demandé Henri.

— Oui, oui, oui.

La mère a de nouveau filé dans sa cuisine, immaculée sinon pour une infestation de mouches à fruits.

— Apitchoum, a fait François, piqué de voir son père bichonner une boule de poils.

— À tes souhaits.

La mallette s'était fondue dans le décor. La présence de Croquette, petit cerbère, avait ça de bon que la bête polymorphe avait pas l'air de vouloir s'attarder dans les parages. Les images débridées qui sortaient de la télé irritaient François. Elles lui râpaient le coin de l'œil peu importe où il tournait son regard.

— J'ignorais que les chiens ronronnaient eux aussi, il a dit.

— Regarde ça, a fait Henri. Je vais le rendre fou. Croquette, ti-chien. Regarde papou, Croquette. Le facteur Bradley a-ti volé ton nonosse? Le facteur Bradley a-ti volé le nonosse à mon Croquette?

Croquette a eu zéro réaction. Mais Henri s'ébahissait néanmoins comme s'il venait de se passer quelque chose d'historique. Dans une corbeille à côté de François gisait un tricot pour nouveau-né. Le poupon avait besoin d'être constitué bizarre s'il voulait fitter là-dedans. À observer ses parents, François avait des idées pour un deuxième livre. Je te dis qu'il prenait ses aises, ses souliers sur la table, à autopsier son père des yeux pour éclaircir les causes de sa mort cérébrale. C'était le confort malgré tout, et logé-nourri en plus. Ça allait prendre une pelle carrée pour le décoller de dans le divan. Mais il a bien sûr fallu que Liette lui réchauffe son café. Ça a débordé dans sa soucoupe. Juste assez pour le faire tilter.

— Je vais aller voir à la malle, a dit Henri, tiré du somme qu'il aurait catégoriquement nié si quelqu'un lui en avait parlé.

Les mains sur les reins, il a louché, en se levant de son fauteuil, vers le café brandy à François. Beaucoup de brandy qui calmait. François regardait les livres sur les rayons.

— Le facteur est pas encore passé, a dit Liette. Croquette a pas jappé.

— Je m'en vais voir s'il y a de la malle, a dit Henri.

— Il aime ça, Croquette, ce programme-là, a dit Liette.

Elle a posé une fesse sur l'accoudoir de son fauteuil. Elle a monté le volume dans le salon pour enterrer les téléromans qu'elle écoutait dans la cuisine. Les cuillères tintaient dans les tasses et les tasses cliquetaient sur les soucoupes.

— J'attends un colis! a lancé Henri de l'entrée.

Presque vingt ans de moins que son mari, Liette. Comme en extase devant le miracle des saintes cathodes. C'était brillant pourtant quand c'était jeune. Elle aurait eu le cerveau moins desséché que ça si elle avait pas passé sa vie captive sous le toit de Monti Bouge. Il passait sur la chaîne une émission de cuisine fusion, que le chien suivait avec assiduité.

— Oui, oui, a fait François. Je vais très bien, merci, maman.

Henri est passé dehors dans la fenêtre. Les vaisseaux sanguins lui pétaient dans le nez rien qu'à penser au colis qui l'attendait. François se doutait de quel colis, oui.

— Non, il a continué. Pas ce semestre-ci, non. Je n'ai pas de charge de cours. Merci de vous en informer, maman. Ni non plus au semestre suivant, non. Oui, je suis toujours célibataire. Ah, vous, là. Je vous dis que vous faites dur. Je travaille à l'écriture d'un opus. Oui, c'est cela. Une vaste étude. Je fais des progrès. Merci. Je…

— …vous revient tout de suite après la pause publicitaire, a promis la télévision.

— Faque là… a dit Liette, comme de retour d'un voyage astral. Yannick a dû te dire que Cynthia était enceinte?

François avait pas parlé à Yannick depuis l'ère paléolithique. *On devient ses parents,* il a pensé. Dans sa furibonderie, il s'est redressé pour passer le doigt le long des Pléiade alignées sur la tablette du haut. L'or en avait tout été gratté. Un des volumes manquait. Puis François s'est oublié devant le mur de livres à son père. Sa collection d'éditions de *Moby Dick* avait pris des proportions bibliophiliques. Henri s'était toujours promis de retraduire le chef-d'œuvre de Melville comme du monde s'il allait un jour en prison.

— Là, dis-y pas que je t'ai dit ça, a fait la mère en baissant le ton très bas. Mais ton père… Il a arrêté de boire.

Elle a ouvert très grand la bouche pour dire *boire*.

46

L E CHAMBRANLE du shack qu'ils venaient de trouver tremblait durant trente secondes à tous les coups de pied que Steeve donnait dans la porte.

— Ça, c'est pour Danny, il a postillonné, des picots blancs sur les joues.

Il s'est réélancé, et tout le bâti du shack a tremblé. La neige est tombée du bord des fenêtres. Une tornade de poudreuse s'envolait du toit. La porte était barrée du dehors, par un câble antivol, un modèle à combinaison. Quand ils étaient jeunes, personne aurait jamais barré un shack dans le bois à l'est de Rimouski.

— Ça, c'est pour mon beau-père.

Il s'écoulait, à chaque impact, des filets de poussière dans la pièce noire de salissures qui les attendait. Ça pleuvait sans témoin des étais. La sciure dansait sur les poutrelles. Yannick bâillait.

— Ça, c'est pour Thierry.

La chaîne a pas pété, mais la porte, oui. Elle a sauté de ses ferrures, laissant instantanément entrer dans la pièce une lumière de batteries trop faibles mêlée d'une poudreuse excitable.

— Tu rentres-tu, coudon ! s'est impatienté Yannick.

Il a poussé Steeve par-dessus les dentelures de bois cassé dans l'embrasure. C'était pas le chalet de l'oncle à Laganière là-dedans et peu importe. Le simple fait d'arriver quelque part, d'être en contact avec de quoi de fabriqué par des humains, Steeve a dû se pincer l'arête du nez pour retenir ses larmes de soulagement. Quand même, on voyait pas dans le fond du campe, et il est resté à faire le pied de grue proche du seuil. Il a empoigné Yannick par la froc quand il est rentré à sa suite. Mais la prise a échappé à sa poigne engourdie. Son cousin l'a bousculé pour allumer une chandelle plantée dans une bouteille de Jack Daniel's à l'aide du briquet à fille tout nue qu'il avait dû voler par mégarde à Marteau. Steeve a fermé les yeux, il redoutait ce qui pourrait se révéler à la clarté. Parce que tu savais jamais, à La Frayère. T'avais toujours une chance, quand tu rentrais de même dans un campe, de te cogner la face dans l'obscurité sur les souliers d'un pendu.

— C'est le campe à Chénard icitte, a décidé Yannick.

Steeve a rouvert les yeux. La flamme de la chandelle s'étirait, fumant noir, très haute et toute mince. Pas de mort nulle part. Steeve a tiré un rideau de mousseline fossilisé qui s'est dissous le long de la tringle.

— Qui c'est ça, Chénard ? il a demandé. Je le connais-tu ?

Il s'est mis à ranger la vaisselle laissée à sécher sur le rack depuis peut-être les années cinquante.

— Un poil de Saint-Omer, a dit Yannick. Y se tient avec Perrault.

Quel cachet, pareil. T'avais rien qu'à marquer MAISON CANADIENNE-FRANÇAISE TYPIQUE sur une pancarte plantée en avant, et tu faisais la piasse à louer ça à des Parisiens.

— Je vois pas comment tu peux être sûr de ta shot de même.

Après avoir mis un chaudron de neige à chauffer sur le genre de réchaud qu'il lui aurait fallu dépoussiérer avec une petite brosse d'archéologue, Steeve a entrepris de se déshabiller. Il allait se rajouter des couches, puisant sans se priver dans un sac de linge qui pourrissait dans un coin.

— T'es en train de me dire que je sais pas où je suis? a dit Yannick.

— Y en a quatre au kilomètre carré, dans cette calvaire de montagne-là, des campes qui ressemblent à ça.

Il a enfilé un débardeur en tricot sépia, avec l'impression de se costumer pour une reconstitution de la vie des premiers colons. Il a pas pu retenir un cri quand Yannick a tiré de sa gaine un couteau de Rambo.

— Je le sais, a dit Yannick. C'est icitte qu'y stashe son weed, Chénard.

Il a fendu le matelas du lit de camp sur toute sa largeur. Il a jeté en l'air des mottes de duvet toutes pognées ensemble, de plus en plus hors de lui à force de pas trouver ce qu'il cherchait.

— C'est pas le campe à Chénard, a murmuré Steeve.

Yannick était debout dans le plumage à côté du lit, en même temps que dans le bois vingt pieds plus loin. Hors de lui à ce point-là.

— On est perdus, a continué Steeve, moins fort, les bras serrés contre lui à se balancer comme dans une camisole de force.

— Crisse, s'est illuminé Yannick.

Il a sorti le cellulaire de la compagnie pour appeler sa blonde.

— Qu'est-ce tu fais? Penses-tu que tu peux…

— Marie-Jeanne, ça aurait faite un crisse de bon nom pour une fille.

Mais il y avait pas plus de réception que la veille dans le secteur. La tempête, si ça se trouvait, avait couché la tour des télécommunications. Steeve a ressorti son sachet de cocaïne. Il en a reniflé assez pour se prendre pour un demi-dieu. Il s'est frotté du doigt les résidus sur les gencives.

— C'est pas le doigt que t'as mis dans la marde tantôt, ça?

Cinq minutes après, Yannick relaxait sur le lit éviscéré. Steeve restait debout, pas capable de se tenir tranquille une seconde. C'était un besoin. Fallait qu'il touche, tâte, caresse chacun des objets de musée de la civilisation qu'il y avait dans le campe. Fallait qu'il s'approprie les objets. Ils allaient à partir d'aujourd'hui vivre en chasseurs-cueilleurs. C'était peut-être à cause de la position couchée, mais Yannick était parti sur une jasette. Ça avait commencé par des souvenirs que son cousin lui

avait rappelés plus tôt, les folies qu'ils faisaient quand ils
avaient encore moins froid aux yeux que là, avec leurs
autres cousins, les atrocités qu'ils mettaient sur le dos à
François. Steeve écoutait pas plus que si ça avait été un
dentier mécanique qui caquetait dans le dégât de rem-
bourrure. Ça lui rentrait par une oreille et ça lui ressortait par l'autre, trop occupé qu'il était, malgré l'intérieur
minimaliste, à refaire la décoration. Ils avaient été perdus.
Là, ils étaient plus perdus. *Question d'attitude,* il a pensé.
Maintenant, ils vivaient ici. Yannick, en l'observant sans
le voir, continuait son monologue. La psy de la polyvalente aurait donné cher dans le temps pour assister à ça.
Il ressortait des oubliettes tout ce qu'il se rappelait de
Thierry Vignola. Il allait pas brailler, mais jamais qu'il
s'était ouvert autant que ça. Steeve s'enfonçait dans ses
propres scénarios. Le propriétaire du campe débarquait.
Il voyait qu'il y avait du monde qui squattait chez eux.
C'était un violent. Il a jugé bon, Steeve, de tout replacer
les artefacts où il les avait pris. Il a réaligné les quatre
pattes de l'unique chaise dans les quatre ronds pas de
poussière sur le plancher. Moins concentré d'un coup,
il était à veille de se boucher les oreilles en faisant des
la-la-la pour plus entendre Yannick. C'était les cabales de
Laganière, avec ses contes de minuit, qui avaient ramené
tout ça, comme un noyé, à la surface de l'esprit en plusieurs points disloqué de son cousin. Steeve raboutait
tant bien que mal les morceaux de porte ensemble pour
que plus rien paraisse. Yannick parlait des premiers gros
trips de dope à Chose, des cauchemars à plus finir d'un
autre, d'ambition perdue, de projets reportés à d'autres

vies. Un vrai bon gars, Vignola, il disait, et là ses mots commençaient à se graver en Steeve. Un boute-en-train de dernière rangée de salle de classe, le Thierry. Il traumatisait les suppléantes. Yannick a eu le temps de passer à travers leur album des finissants avant que son cousin se rende compte que c'était de sa propre expérience qu'il se vidait. Steeve a fini par venir s'assir à côté de lui sur ce qui restait du lit. Les mains jointes entre les cuisses, il faisait de profonds oui de la tête, laissant transparaître par son maintien tous les stéréotypes du mentor, du grand frère, du coach de baseball. Il y avait dehors un très lointain bourdonnement. Une motoneige sûrement, ou un maringouin géant.

— Tsé, a fini par se confier Steeve lui avec. Moé itou, quand mon beau-père s'est pété en Cessna, tu l'as pas connu trop, toé, mais ma mère, t'a connais, c'est ta marraine, tu t'imagines comment que c'était l'ambiance chez nous après l'accident. Je dis l'accident, mais entre toé pis moé… Toé t'es là, t'essayes de rester toffe, faut que tu t'occupes de ta mère qui est sur le dos, pis…

Yannick s'est levé sans dire un mot et il a ramassé son équipement, ses flingues et ses raquettes. Il était rendu dehors avant même que son cousin finisse sa phrase.

47

L AISSÉ à lui-même dans l'exploit de rénovations que représentait la salle de bain, François apprivoisait à son rythme, explorait en cambrioleur toutes les commodités qui manquaient si cruellement à son demi-sous-sol en ville, vingt mille étages en dessous de la croûte terrestre. Porte-savon en forme de lotus. Sent-bon que tu branchais direct dans la prise murale. Produits de synthèse pour toutes les parties du corps, jusqu'aux follicules. Chasse d'eau que t'avais pas besoin de te rentrer le bras dans le réservoir pour en lever l'obturateur. François a enlevé son veston, il a déboutonné sa chemise en éprouvant en même temps du bout des doigts le velouté du papier de toilette double épaisseur dans son dévidoir en coquillage. Ça l'inquiétait presque de se sentir bien. *Tout va comme sur des roulettes,* il a pensé. *Je suis chez moi.* Semi-bien, qu'il se sentait. Il a mis l'eau du bain à couler, avec dedans quatre litres de mousse à l'eucalyptus et un petit canard en plastique jaune. *Je pense que je suis chez moi.* Il s'est assis sur le bord de la baignoire, pour tirer de toutes ses forces sur ses bas avant de réussir à s'enlever ça des pieds. Les voix de la télévision se laissaient percevoir de l'autre côté des cloisons. *Des ombres sur les parois de la caverne,* a pensé François. Un peu plus et ses culottes se mettaient à courir en rond quand il les a enlevées. Un chef-d'œuvre, la salle de bain, de design et de fonctionnalité. Les médicaments étaient classés par ordre de date d'expiration dans la pharmacie. Les efforts que ça avait dû nécessiter à Henri en termes de gestion de la colère, pour manier sous l'influence de l'alcool tous ces outils potentiellement dangereux sans mutilation grave. *Ce n'est pas de ma faute,* se disait François. Le gars avait dix pouces aux mains. Ça refluait souvent chez eux, mais c'était pas de sa faute. Toute sa vie son père s'était débarrassé de lui en l'envoyant se perdre dans des missions de fantaisie sitôt qu'il s'installait pour faire de quoi de pratico-pratique. François s'est débattu dans son «gaminet», comme il disait, dont il trouvait plus la sortie. Le t-shirt est allé se crucifier dans un coin, et tout de suite l'environnement s'est réveillé, s'évertuant à expulser ce corps étranger. Le café commençait à exercer son effet dans un certain côlon. Pareille chaudronnée que sa mère l'avait contraint à avaler. Le thème d'ensemble de la salle de bain? Les grandes explorations. La température du bain était contrôlée. François savait pas par où ça s'attrapait, la maladie de ses parents, mais il allait pas prendre de chance. Du papier cul a été disposé tout le tour du bol. L'eau de la toilette était plus bleue que l'eau du lac Louise. François a «tiré la chasse», même s'il y avait rien dans la cuvette, pas de numéro deux, rien. Jamais il aurait dit «flusher». Le niveau d'eau a baissé, au lieu de monter comme chez eux. Puis, les cuisses tremblantes, François s'est assis. Son premier moment de relâche depuis que la bête s'était manifestée à lui. Il pouvait ouïr Croquette exister l'autre bord de la porte, avec plus loin dans la cuisine le tintouin du téflon, des ustensiles spécialisés. Ça soupait de bonne heure, ce monde-là, une matinée à se retrouver, et déjà les parents étaient dans les préparatifs. Enfin, son père. Ah, les affres de la création. Culinaire ou autre. Henri était malpatient d'avance du fait qu'il trouvait rien de ce dont il avait besoin pour ses recettes, la moitié des instruments étant déjà paquetée dans des boîtes. François l'a entendu chapitrer Liette.

— On a de la visite, bonyenne! Je... Maudit aria, mes endives. Non! Arrête! Donne-moi ça, donne-moi le tablier! C'est délicat, ces légumes-là!

Les mains à Liette devaient lui battre comme pour s'envoler. Elle a prétexté quelque magasinage pour prendre la fuite.

— Et ta charge de cours, a crié plus tard Henri à François de la cuisine. Ça se passe comme tu veux?

Henri, l'homme à seize mains, huit doigts sur chaque. Le bisouneur en chef, capable de te dresser une structure intérieure dans un après-midi. Ou en tout cas de te dire comment faire. Le bonhomme te remontait des arbres de transmission, t'évaluait un gisement, te halait

453

n'importe quel bateau ensablé dans des hauts-fonds. Et c'était capable de cuisiner en plus, sans complexes. Face aux pires fines gueules. Pour des Européens. Pendant que Liette devait brandir ses coupons-rabais en courant dans d'infinies allées blanches aseptisées, lui leur montait some belles assiettes. Des roses de saumon fumé en entrée, avec tiges et verdures de fenouil et cresson, des câpres là-dedans, place à l'artiste. Il portait le tablier de sa femme.

— Ton ancienneté doit commencer à… Parce que je veux dire… À un moment donné… Une charge de cours… C'est un peu…

Même si pour bien des gars de sa trempe, pas très greyés côté diplômes, mais avec assez de cordes à leur arc pour pouvoir jouer de la harpe avec, les universitaires comme François étaient des espèces de blobs protozoaires qui se reproduisaient à coups de grands discours… Même si des fois les gars plus près des choses concrètes comme l'étaient souvent les Frayois avaient tendance à mépriser la sorte de «travail» à quoi François se consacrait, eh bien, pas Henri Bouge. Jamais. Henri Bouge, il méprisait pas ses enfants.

— J'espère que tu trouves le temps de te concentrer sur ta thèse, au moins?

— Eh bien, a crié François lui aussi, depuis son bain. C'est un peu pour cette raison que j'ai fait le voyage. Je voulais vous parler de ce qui…

De la même façon qu'il avait abandonné, il y avait des années de ça, ses ambitions doctorales, il a abandonné la conversation. Dans la mousse et les clapotis, il a continué à feuilleter plutôt, avec une connaissance du corpus qu'on lui aurait jamais soupçonnée, une des revues qu'il avait découvertes dans le porte-magazines à côté de la grosse brosse à dents debout près de la toilette. Il y avait un message dans une bouteille. Une caravelle en modèle réduit sur une tablette.

— Oui, non, le doctorat, j'ai fini ! il a crié, et Croquette a lâché un jappement combatif de l'autre bord de la porte.

Dit de même, c'était pas une menterie, et François feuilletait sa revue, avec toutes les précautions du monde pour éviter son horoscope. Puis il a jeté le pauvre *7 jours* sur son gaminet, qui s'est tout de suite mis à le digérer. Il s'est étiré vers le porte-magazines, sauf qu'il lui manquait quelque chose comme trois pieds de bras. C'était plus fort que lui. Il en a conçu à nouveau du ressentiment contre sa mère. C'est elle qui avait dû placer le porte-magazines aussi loin que ça du bain. Lui, c'était *Paris Match* qu'il aimait. Il a fallu qu'il se lève. Il a mis de l'eau partout. C'est en fourrageant pour trouver sa revue qu'il est tombé sur un mégalithe d'un tout autre ordre. La Pléiade qu'il manquait sur les rayons du salon. Cuir pleine peau, papier bible et tranche rouge Churchill. Le volume se laissait compulser, dans le plus complet désintéressement, par les mains de François qui avait retrouvé à ce contact une grâce pleine de surprise. *Le Père Goriot, Le Colonel Chabert, La Messe de.* Peu importe *La Messe* machin, c'était clair que c'est *Le Père Goriot* ou *Le Colonel Chabert* que son père lisait. C'était clair aussi que c'est son père qui lisait ça. *Papa ne griffonne point dans ses livres.* Il y avait des papillons adhésifs un peu partout, les mêmes que dans le bureau en haut, noircis d'annotations et de codas, de réécritures, de bribes d'une œuvre mort-née.

— J'écris un livre ! a jappé François, et là, c'est Croquette qui a crié.

— T'écris un livre, a répété Henri dans la cuisine.

Il a piqué une fourchette dans sa pièce de viande. Elle dégelait dans une assiette champêtre et sanglante. Une heure plus tard, Liette rentrait avec dans les bras trente-six sacs dont son époux l'a débarrassée. François avait vidé la tinque au sous-sol à force de réchauffer son bain. Sa peau était toute ratatinée. Un peu plus, il lui poussait des branchies. Des bulles montaient de sa plaie de couteau pour éclore à la surface.

— Tu portes pas ton manteau neuf, toi ? a demandé Henri à sa femme.

Il était plus fâché. Se rappelait même plus qu'il l'avait été. Plus gentilhomme qu'au soir de ses noces.

— T'as-tu enregistré mon programme ? a demandé Liette. François ! François !

Henri a goûté la marinade qu'il avait préparée pour sa viande.

— Ben voyons, où c'est qu'il est, François ?

— Pis je veux que tu mettes tes lunettes, a dit Henri.

— Je les aime pas, mes lunettes, faut que j'aille les faire changer.

— Tes lentilles te font mal aux yeux, tu disais.

— François ! Où c'est qu'il est, François ?

— Imagine-toi donc qu'il se détend dans le bain. Là, moi, je vais aller voir à la malle.

Henri a ouvert la porte, et il a appelé Croquette de la galerie. Mais Croquette venait pas.

— Ferme la porte, maudite marde, a fait Liette. Les courants d'air ! La grippe !

— La grippe, c'est un virus ! a crié François de la salle de bain.

— Rien à voir avec les courants d'air, a rajouté Henri.

Il est vite revenu de la boîte aux lettres, dans la gaieté et les effluves de Yukon. Il s'est mis à examiner les emplettes de sa femme dans des froissements de sac en plastique. Il allait comme pour se réjouir des vêtements qu'elle lui avait achetés, quand elle lui a chipé la pile en dessous du nez. Henri a eu un regard mauvais pour le gâteau de centre d'achats sur le comptoir. Liette a filé d'un pas d'aéroglisseur dans le couloir où le chien montait toujours la garde.

— François ? elle a susurré sensuellement contre la porte de la salle de bain. Je te mets du linge propre ici, OK ?

— Est-ce que ce serait *possible,* a fait la voix étouffée de François, d'avoir *une* minute d'intimité ?

Il a entrouvert la porte, assez pour se sortir le bras et s'emparer des habits aux différents tons de beige que Croquette reniflait encore trois secondes après qu'ils étaient plus là.

— Et il me semble, a recrié François, que ce serait la moindre des choses de recoudre le bouton là-dessus.

La porte de la salle de bain a rouvert et son pantalon de costume, sale et élimé, a tapé dans le mur du couloir. Il a glissé sur le plancher en laissant une traînée de limace. Henri a interrompu la contre-vérification des factures à sa femme pour s'approcher d'elle en la voyant revenir bouleversée dans la cuisine.

— Ben oui, mais guimauve. Il vient d'arriver, citron, c'est pas utile de nous l'étrangler de ton cordon ombilical.

Il a enlacé son épouse avec tendresse, en prétendant lui fermer les vannes qu'elle aurait eues au coin des yeux. Puis il lui a enlevé le fouet avec quoi elle s'en allait battre sa sauce. Il avait une technique spéciale à lui.

François a reposé le Balzac, dont il avait lu une centaine de pages à présent toutes gondolées. Il est sorti du bain, enveloppé de vapeur et de parfums. Ou c'était sinon son aura qui s'évaporait. Puis ça a été le tour de l'hygiène dentaire. Un vigoureux brossage, à la brosse à dents électrique. Il a recraché à moitié dans le lavabo, à moitié sur la vanité, distrait par la lecture des ingrédients derrière le plus gros tube de dentifrice qu'il avait jamais vu. Il lui en était resté comme de fines barbes d'émail sur les dents. L'écume lui faisait un bouc. La débarbouillette dont il s'est débarbouillé a fait du parachute à côté de la malle à linge. Puis place à la soie dentaire, place au sang. Il s'est rebrossé les dents pour chasser le goût du fer et des bactéries. Garamond corps 9. La police de caractère des Pléiade. Il en avait les pensées toutes fluidifiées. Ça te cliquait sur les neurorécepteurs, des beautés de même, et François a pris une gorgée de rince-bouche pour tuer les rares survivants parmi les germes en lui. Mais c'était pas du rince-bouche qu'il y avait dans la bouteille. C'était du Yukon, bingo. *Coquin de papa,* il a pensé. Il se sentait plus lucide que le meilleur processeur sur le marché. Ses cotons-tiges se sont agglutinés sur la paroi de la toilette, collés par le bout jauni d'assez de cire pour fabriquer un cierge. Il tétait son rince-bouche pendant que les ciseaux se prenaient pour Pac-Man. Il s'est égalisé le toupet, pas égal. Il a joué dans ses bobos du bout de la lime à ongles pour en arracher les gales. Une fois bien purgé de ses impuretés, il s'est pesé sur la balance. L'engin était habitué à pire charge que lui, mais François se voyait déjà comme Rock dans son taxi, ventripotent, bonasse et mollasson. Il avait l'esprit frais recharpenté par les divines proportions de la mise en page de la Pléiade. Se sentait plus Rastignac que jamais. Une immense porte s'était ouverte dans son intelligence. Il aurait cassé des mots croisés de tournoi sur ses genoux. Pas plus photogénique pour autant, malgré les faces d'intellectuels connus qu'il prenait dans le miroir. Il s'est rebrossé les dents, la langue et le palais, presque dans un cri de guerre. Il brossait les organes qu'il avait en dedans, redoublant de vigueur, jusqu'au pancréas, inapte à dissiper les miasmes de dromadaire qui lui montaient des tréfonds. Le savon l'a écœuré. Il y avait un poil frisé de collé sur le pain. Le gars dormait, au quotidien, dans une colonie de punaises. Il se lavait des fois avec du savon à vaisselle. Poupette était le seul ami qu'il lui restait. Mais pas touche au savon. Il y avait un poil dessus. Une autre gorgée de rince-bouche. Il dévissait les bouchons de toutes les lotions autour. Bouteilles et pots tapaient dans des paumes. François, passionnément, s'est crémé l'épiderme. À coup de pelle dans le beurre de karité. Les pores épanouis par l'aloès et les émollients. Ses cheveux revitalisés ont gagné en volume au séchage. Peut-être que sa bête, pour l'atteindre, nageait à l'instant même dans les tuyaux. François a rebouché le bain et il a mis le bouchon dans l'évier.

La télévision de la cuisine dissertait, après une vague d'actes de sauvagerie, sur la révision des standards dans les abattoirs porcins. Un couteau faisait de longs tchlaques sentis, soyeux, sur la planche à découper qu'utilisait Henri sur l'îlot pour débiter en médaillons ses steaks d'animal en voie de disparition. François, dans ses vêtements neufs, véritable arc-en-ciel de beiges sur deux pattes, a pris place à table. Sa mère fumait en déchaînée. Comme en punition, sans raison d'être dans une cuisine où elle avait pas le droit de toucher à rien, Liette a pris la main de son bébé en chassant de l'autre l'escadron de mouches à fruits au-dessus d'un bol en noix de coco. Quelques bananes y dominaient. La télévision sur le comptoir montrait à présent un couple de septuagénaires zen et sportifs dans le soleil couchant, leurs petits-enfants sur les épaules, tellement blindés par leur forfait d'assurance-vie qu'ils allaient exploser à leur mort pour retomber en pluie de billets de banque verts, rouges et bruns.

— Je te ressers un café, a dit Liette.

Le couteau à Henri s'est buté sur une masse dure.

— Sers-y épicé, il a dit.

Sa disparition dans le bain, l'eucalyptus, le rince-bouche, François s'en était trouvé débilité. Mais la quantité de café ingurgitée depuis la matinée le gardait sinon en pleine forme. Ses nerfs l'auraient empêché de s'écrouler si tout le reste avait lâché.

— Ça va me prendre la hache, a dit Henri, luttant contre la viande.

— Je l'ai serrée tantôt en faisant des boîtes, a dit Liette.

Les autres télévisions dans la maison s'harmonisaient à celle de la cuisine dans une ambiophonie schizophrénique. Henri badigeonnait la viande, dont il était venu à bout. Il assaisonnait, scientifiquement. Il a réglé la minuterie à deux heures. Mis le plat au four à feu très doux. Le tapis poussait dans le salon, dans les couloirs.

— Je vais aller voir à la malle, moi, il a annoncé, et il est sorti avec sa toque, son tablier, pas de manteau. Viens-t'en, mon Croquette! Viens faire ton pipi!

Il est sorti. Mais Croquette est resté en dessous de la table, à reprendre où il l'avait laissé tantôt son reniflage des nouvelles culottes à François. Pantalon cargo de plein air, avec huit poches et des poches dans les poches et des clips, tissu de marque déposée, plus léger qu'un gaz, au revêtement moiré, hydrofuge, ignifuge, tout ce que tu veux, plein d'œillets de ventilation partout et divers cordons de serrage pour ajuster la coupe et les ourlets, question que les couleuvres viennent pas te rentrer par l'urètre quand tu dors à la belle étoile dans le bois parce que t'aimes ça.

— Penses-tu avoir le temps d'aller voir Kevin à côté? lui a demandé Liette.

— Laisse-le arriver, citron! a crié Henri de dehors.

Les secondes s'égrenaient sur la minuterie. Elles faisaient comme des clous de finition tout le tour de la calotte crânienne à François. La migraine, les obsessions, les bibittes allaient se remettre à chauffer là-dedans, ça serait pas long.

— Seigneur, il va attraper sa mort, lui.

Dehors au bout de l'allée, le père était en pleine conversation avec Monique Plourde justement, la mère à Patapon. Du four s'échappaient des fragrances fines et illicites. Croquette se rentrait le museau dans les culottes à François. Torturé par des picotements, François a lâché au centre de la table ce qu'il croyait être des bananes en se relevant en belle peur parce qu'il savait plus où il avait laissé son manuscrit.

— Monique me disait, a dit Henri en se déneigeant quelques minutes après dans l'entrée. Paraît-il que Kevin manque à l'appel.

En se déchaussant, il a regardé François maintenant assis avec sa mallette contre lui. Henri a regardé la mallette. Il a regardé la laisse du chien sur son crochet en titane d'un point huit centimètre. Il a regardé la mallette.

— Attache-la, il a dit à François, si t'as peur qu'elle se sauve.

Il a ensuite confisqué le thermomètre à viande à sa femme. Il a entrouvert la porte du four et contrôlé la cuisson. François, gratuitement, a lâché de quoi à sa mère, de quoi de plate qu'on aurait honte de répéter ici. À n'importe quel âge, Henri aurait dit la même chose à sa mère à lui devant Monti, il aurait fini en engrais dans le jardin. François a arraché une des bananes de la grappe, qu'il a épluchée pour en prendre une bouchée.

— Tu manges ça de même, toi, du plantain? lui a demandé Henri.

Il avait entre-temps réquisitionné la télécommande. Il cherchait les nouvelles et, comme il changeait de poste, il est tombé sur un acteur en sarrau, avec son stéthoscope, son carnet d'ordonnances, sa crédibilité à deux sous.

Liette a décoché à ses hommes le sourire de la victoire quand le docteur à l'écran a déclaré que le virus de la grippe s'activait dans les courants d'air.

48

Laganière, de son bord, passait une journée autrement captivante.

— Youpi ! il avait crié en matinée, alors qu'il négociait un virage en cascadeur, pas tellement loin du campe où Steeve et Yannick avaient fait halte.

Sa visière s'était embuée et le bolide était retombé sur un ski et puis sur l'autre. Les fesses au bibliothécaire lui avaient ratterri sur le siège de sa motoneige pour tout de suite se remettre à tressauter. Il y avait un écran de guipure, un demi-cercle de neige qui fusait en permanence devant le pare-brise. Les chenilles damaient en arrière du véhicule une piste incrustée de feuilles jaunes et de petites crottes rondes. Depuis qu'il était né que Laganière faisait attention à tout et à tout le monde. Il comptait à la cenne près. S'inquiétait pour des bagatelles. Voulait pas déranger. Se laissait microgérer. Il avait donné du gaz, et les pensées qui le rongeaient s'étaient désagrégées dans l'accélération. Arc-bouté sur son siège, il fonçait en direction d'un embranchement plus loin devant lui. Touchant à sa machine à peu près juste par le guidon, il se repassait les étapes du plan qu'il avait élaboré. *Première étape. Siphonner le camion à Yannick pour remplir la tinque de la motoneige. Coché.* Son mal de tête avait fondu sans qu'il s'en aperçoive. Il avait plus le cervelet dans un étau. Soit il y avait bel et bien un problème de monoxyde de carbone dans le chalet, soit c'était les pilules qu'il avait croquées qui avaient commencé à faire effet. Il s'était pas senti en vie de même depuis que la Ville avait décidé de léguer ses archives à la bibliothèque. La motoneige avait bondi vers l'avant avec une voracité renouvelée. Une neige cinglante grésillait sur le plastique de sa visière. Les atomes de la carrosserie, surexcités par la friction, allaient se reconfigurer en guépard d'une seconde à l'autre.

— Flûte ! s'était exclamé Laganière en donnant un coup de guidon.

Les yeux, si ça avait pas été de la visière, lui auraient fait comme deux yoyos quand il avait presque percuté le pin au bout de la piste se séparant en Y. *Ressaisis-toi,* il avait pensé. *Où est-ce que t'étais ? Concentration.* Il avait à peine eu le temps de prendre à gauche par le muskeg. S'il avait pris à droite, il aurait fini dans le champ des Canon. Il avait décéléré d'une coche. *Deuxième étape. Je clenche jusqu'à CBSA voir Marcel. Si ça se trouve, il dort encore, la table de mixage étampée dans la face.* La station était assez isolée sur le versant de la montagne pour être accessible par les pistes. Il avait mis les fourmillements qu'il se sentait dans le corps sur le compte du froid, des vibrations de la mécanique, de sa posture d'équitation maintenue trop longtemps. De toute façon, sais-tu, il haïssait pas ça. *Le gars s'en vient, la gang, le gars s'en vient.* Il avait redonné du gaz en chantant à tue-tête les notes du disque qui avait sauté toute la nuit sur les ondes. C'est là qu'il avait détecté les perturbations initiales dans son euphorie. La vitesse faisait glisser sur les côtés de longs méplats diamantés qui allaient se rompre à la base des arbres. Quelque chose pulsait sous la neige, partout dans la forêt. *Troisième étape, je réveille le vieux Marcel, je m'empare du micro, et j'avertis les Frayois qu'il se passe des affaires pas catholiques.* Son kidnapping, la disparition du gars de Montréal, deux tueurs dans un état second lâchés lousse en pleine nature. Les arbres autour de lui avaient gagné en plasticité. Les feuilles restantes avaient pas l'air vraies. *Pis c'est une question de patrimoine, va falloir que je convainque Marcel de dévoiler la véritable identité du père à Yan… Voyons, que c'est ça ?* Il s'était écarté la tête d'un mouvement sec. Il y avait rien. Peut-être aussi qu'il devrait dire de quoi à Lorraine. Le capot de la motoneige s'était tacheté de noir. Ça remuait comme du muscle en dessous de l'acier. *OK, il rentre trop d'oxygène, je pense.* Il avait ralenti pas mal et récapitulé son plan. *Premièrement. Siphonné Yannick pour mettre la tinque dans le camion de la motoneige. Ensuite. Clencher sur ma radio, assez isolée sur les ondes pour être acces-*

sible par le mont des stations. Quelque chose allait pas. Il avait cligné une couple de fois des yeux, très fort, pour se replacer les esprits. Ça avait rien fait que de décupler les fourmillements. Il avait ralenti encore, puis coupé le moteur avant même que le véhicule soit immobilisé. Le demi-cercle de neige en avant de lui était lentement venu s'abattre sur son casque. *Animé le vieux disque sur son Marcel, le sommeil mixé sous la table des faces parce que c'est l'heure qui saute.* Il avançait plus, mais sentait son corps qui continuait, propulsé dans plein de directions en même temps. Il avait enlevé la clé du contact, et il l'avait échappée dans la poudreuse. La clé arrêtait plus de tomber dans la poudreuse. Laganière s'était ébroué derrière sa visière. Il s'était penché pour la chercher, et c'est en se redressant, plus de blanc dans les yeux, plus d'iris, seulement deux pupilles abyssales, qu'il avait aperçu la branche qu'il avait de bord en bord du flanc. Il savait pas pourquoi, mais il tenait un mandrin dans sa main. De la peinture bleue, verte, turquoise, suintait de la plaie qu'il hallucinait. *Trop d'oxygène,* il avait pensé. Il avait modéré sa respiration, mais les ballons dans son thorax s'étaient quand même mis à gonfler. *Annoncer aux mains de Yannick que les catholiques ont kidnappé le micro du village à cause du patrimoine des disparitions d'affaires dans le gars de Montréal.* Comme de loin, il assistait avec un mélange d'épouvante et de curiosité à l'écroulement de sa personne. Attiré par des glyphes sur l'écorce, il était descendu de son siège. Il avait fait quelques pas d'astronaute et s'était mis à caler dans la neige, jusqu'aux genoux, au nombril, aux dents. Les arbres alentour, la forêt, le sol, tout ça levait tranquillement dans les airs, bientôt perpendiculaires à l'orientation normale, et s'enlisait à sa suite comme un tapis tiré par en dessous dans un trou sans fond.

49

DANS la noirceur naissante de cette fin d'après-midi, les pattes décharnées de la table lançaient des ombres illogiques sur le carrelage de la cuisine. Il y avait pas de vin dans les coupes, mais de l'eau gazeuse. Le pétillement du liquide, à chaque gorgée timide des parents, avait quelque chose d'insupportable. Liette avait le nez dans son assiette. Henri riait pas. François disait rien. Les chaises grinçaient sous les fessiers qui se replaçaient à tout bout de champ. Les dîneurs suçotaient, broutaient, déglutissaient les fleurs poissonneuses de leurs entrées sur lit de feuilles verdâtres aux veinules plus diaphanes. Une coccinelle tranchait sur la verdeur croustillante de la laitue iceberg à François. Le robinet gouttait dans le cygne avec un vacarme épouvantable. Dans son cadre sur le bord de la fenêtre, le portrait à Monti habillé en skieur fixait les siens de ses yeux globuleux, dignes d'un trouble de la thyroïde.

— C'est-ti à ton goût, mon beau ? a demandé Liette à François.

Manquait juste les rires en canne d'émissions drôles. François tâtait de la langue le pétoncle qu'il venait de se découvrir dans la bouche. Il a répondu à sa mère en séparant les uns des autres, dans une assiette au design côtier, ses différents aliments pour être certain qu'ils se contaminent pas mutuellement. Il faisait crisser les dents de sa fourchette contre la porcelaine du service à grand-maman Joséphine. Ses parents sortaient ça du vaisselier une fois aux dix ans.

Yannick enceinte, et qui prenait la maison. François digérait pas le scoop. Ni non plus la quantité de bouffe dont sa mère le farcissait avec un zèle débridé depuis qu'il était arrivé. Une arrivée pas tout à fait advenue encore, pas entièrement consommée. « Laisse-le arriver ! » répétait Henri à sa femme depuis ce matin. « Je suis arrivé », disait François. Il avait fallu que Liette lâche ça de même à froid, pendant qu'ils mettaient la table en équipe. Un bouquet de couteaux dans les mains, elle avait annoncé à François qu'ils déménageaient, elle et le père, dans quelque chose de pas mal plus petit, mais de propre, et sans trop d'escaliers.

— Ah bon ? avait dit François.

Il avait placé une cuillère là où aurait dû aller une des deux fourchettes. Ça s'était gâté quand Henri lui avait appris que Yannick reprenait la baraque avec Cynthia, parce qu'ils avaient envie, Liette et lui, d'occuper leurs vieux jours à autre chose qu'à faire tenir une maison debout.

— C'est rendu trop, avait dit Liette.

— C'est mon héritage à moi aussi, s'était rebellé François. La maison de grand-papa!

Après avoir repassé un torchon dans chacune, Henri avait versé le Perrier dans les coupes. Tout de suite il s'était mis à en monter un bruit d'insectes.

— Nous aurons autre chose pour toi, il avait promis, avec une bonhomie de théâtre d'été. Lorsque nous allons mourir. Ou que tu auras fini ton cursus.

— Et Yannick, a-t-il même fini son secondaire? avait dit François.

— Ou bien quand que tu nous donneras un petit-fils, avait rajouté Liette.

Elle avait le sourire douloureusement large. C'est là que François avait compris pourquoi une des pièces à l'étage avait été réaménagée en chambre de bébé.

— T'as dû recevoir l'invitation au baptême, non? avait dit Henri.

— On m'invite généralement à m'en aller, dans le courrier que je reçois.

— Je ne t'apprends sans doute rien, mais as-tu déjà réalisé, toi, que dans *toute* la famille il n'y a que Yannick et toi qui puissiez transmettre le nom de Bouge? Charline n'a pas eu d'enfant, Lucie a eu Mireille qui a eu Steeve, mais il en est ainsi que tous mes frères ont eu des filles.

— Ou un gai, avait glissé Liette.

— Mais qu'est-ce que cela peut bien faire! s'était énervé Henri. On est au vingt et unième siècle… Tiens, regarde, ton neveu.

Henri avait décroché de sur le frigo une des photos

471

de la dernière échographie à Cynthia. Il y avait aucune ambiguïté sur le sexe.

— C'est prêt, là, assoyons-nous, il avait ensuite suggéré une fois ses entrées servies.

Les autres étaient déjà assis. Ils attendaient après lui.

— On l'aime assez, la Cynthia, avait dit Liette.

— Cynthia que Yannick aura gardée sous sa semelle, avait complété François, à force de tyrannie, d'humiliations plus viles les unes que les autres, jusqu'à ce que le bucket lui élargisse assez pour qu'elle soit disqualifiée sur le marché des cœurs, et là, bien sûr, raison de plus pour lui de la tyranniser, de l'humilier, d'aller courailler de Dalhousie à Matane et de nous revenir avec des maladies vénériennes en l'accusant *elle* de l'avoir trompé.

— François, s'il te plaît. Pas devant ta mère.

— Pas devant ma mère, qu'il dit, l'autre !

Il s'en était suivi le long silence asséché qu'on sait. Les trois déposaient qui sa coupe, qui ses ustensiles, dans des clics nerveux ou gauches.

— C'est-ti à ton goût, mon beau ? a fini par demander Liette.

Henri observait son gars en train de saccager son entrée. Il a passé le doigt qu'il venait de faire licher à Croquette en dessous de la table sur le rond de sa coupe pour la faire chanter platement, sans modulation. *Pas devant ta mère,* a repensé François, et il a profité de ce que son père le regardait dans les yeux pour pousser de son couteau tout ce qui s'appelait cresson hors de son assiette. *Plutôt commode, comme leitmotiv. Pas devant ta mère !* Il avait eu le temps depuis le matin de cartographier le circuit en détail, de relier les points dans la maison, sur le terrain, où son père s'éclipsait toutes les vingt minutes pour aller étancher sa soif pas si guérie que ça dans le dos de sa femme.

— Ta mère te parle, François. Est-ce que c'est à ton goût ?

François a planté une dent de sa fourchette dans un câpre. Il a ouvert la bouche, le plus grand qu'il pouvait, puis s'est tourné vers Liette en exagérant sa mastication.

— Maman, quand même… a exhalé Henri.

— Je suis pas ta mère, a dit Liette.

— Tu aurais pu lui servir sa laitue dans un bol à part de son saumon fumé ! Il n'y a point pénurie, à ma connaissance, de savon à vaisselle à l'épicerie !

Parce qu'il buvait, la gestuelle du père était brumeuse, mais sa diction, par contre, gagnait depuis tantôt en arêtes. Et en élasticité aussi. Quand il commençait à te mâtiner ses phrases d'« il n'y a point » et d'« il en est ainsi que », c'est qu'il avait franchi le stade du simple chaudette. *Il gagne en puissance,* a pensé François.

— Si je suis venu vous rendre visite, il s'est alors avancé, c'est en partie en raison du projet qui m'occupe, et dont je souhaite vous faire part.

— C'est *toi* qui as monté les assiettes, a marmonné Liette.

Ses orteils se tortillaient sous sa chaise.

— Ce n'est nullement la question, s'est défendu Henri.

Avec le coin de sa serviette, il a vaguement épongé la salive qui lui moutonnait aux commissures.

— La question, c'est que ça le débecte, notre François,

quand ses aliments se touchent. Tu disais, François ? Ton projet de thèse ?

— Non, non, la thèse, non.

Liette s'est levée dans des éclaircissements de gorge forcés pour sortir, avec d'immenses mitaines couleur de bronze, le plat de résistance laissé à réchauffer. François se fourrait au même instant dans la gueule la feuille de laitue iceberg où la coccinelle lui criait mange-moi pas.

— C'est de ses affaires d'école qu'il parle, là, a dit la mère, pas de tes patentes de thèse…

Et c'était parti. Pendant plusieurs minutes, des minutes de désespoir, Henri a expliqué à sa femme qu'une thèse, tu faisais ça dans une école. Croquette couinait en dessous de la table, la queue entre les pattes, apeuré par le branle des six pieds autour. *Enfuis-toi loin d'ici,* a pensé François, le menton retroussé, position décollage.

— Je ne vais plus à l'école, il a voulu clarifier pardessus la polémique.

Il était de plus en plus importuné par l'écran silencieux mais resté allumé de la télévision sur le comptoir, où les précédents passages courbes d'un torchon se devinaient dans l'irradiation.

— Bon ! Tu vois, c'est son doctorat qu'il fait, a dit Henri, rendu couetté d'un bord.

C'est pas clair s'il avait dit ça pour s'amuser au détriment de son épouse ou s'il avait réussi à se mêler lui-même. François regardait ailleurs, l'écran l'irritait trop, sauf que c'était ça ou bien la diode clignotante de la cafetière à quinze cents piasses. Liette s'est arrêtée, tenant au bout de sa spatule une tranche de viande qui dégoulinait

sur son autre main placée en dessous, et qui dégoulinait
à son tour sur son chausson.

— Je pensais, elle a dit, que c'était plus des domaines
plus, comment dire, comme mentals, dans quoi que t'étu-
diais. Parce que regarde icitte, là, le grain de beauté que
j'ai dans le cou, je trouve un peu trop qu'il a la forme
d'un…

— Pas docteur *médecin*! s'est fâché Henri. Docteur
doctorant, carrosse!

Il s'est mis la face sur la table et les bras sur la tête.
François est ressorti de sa méditation. Croquette lui
reniflait les pieds. Une boule d'herbes sèches est passée
dans la cuisine.

— Excusez pardon? s'est indignée, au sortir de son
assiette, une lèvre rubiconde à l'ombre d'un nez gaulois
au rhizome de capillaires éclatés.

— Je n'ai rien dit! s'est cabré François.

— Mais tu l'as pensé, par exemple, a dit Henri, ramené
droit.

— Bon, a fait Liette, à moitié couchée dans la face
à François en le servant. On peut-tu dîner sans se chicaner? Attention, c'est chaud.

On diffusait, à la télévision, très sobre et codifiée, une
scène de hara-kiri.

— On *soupe,* les a corrigés Henri, les deux, même si
François avait rien dit.

— Dîner-souper, là. Fait encore à moitié clair.

François derechef a trié les aliments dans son assiette.
C'était assez parcimonieux, trouvait-il, pour un plat prin-
cipal. Deux ou trois légumes bouillis, plus ou moins déco-

ratifs. Un accompagnement d'orzo. Un bout d'animal juteux, assaisonné au quart de tour. *Du lynx ?* il a pensé. Le père a fait non de la tête.

— Croyez-m'en, s'est vanté Henri. Vous êtes les seuls en Gaspésie à manger cela ce soir. De la gastronomie de chez nous !

— Vous êtes ivre, papa.

Le sourcil à Liette est allé taper dans le plafond. La charpente de la maison travaillait plus loin dans le couloir.

— Ivre d'amour, ma femme, ivre d'amour.

François, du dos de sa fourchette, a pesé sur sa viande. Des bulles d'un liquide brunâtre ont gonflé entre les dents, et le téléphone a sonné. Ça a sonné de nouveau. Dressé à moitié, Henri a soufflé :

— Enfer et damnation, nous dînons, là, peut-on ?

Il s'est tout de suite mis à imiter le cri du poisson en jetant des regards n'importe où pour de quoi à boire.

— On dîne-soupe, lui a rappelé son épouse.

Sauf que le père l'écoutait pas. *C'est sa frayeur du téléphone rouge,* a pensé François. Henri écoutait le silence entre les sonneries, dans l'espoir d'une interruption, les yeux fixés sur une poignée d'armoire. Croquette restait imperturbable.

— Qui cela pourrait-il bien être ?

L'espace, à chaque sonnerie, se recassait un peu plus le long de lignes en dents de scie. Une sentinelle de luxe, ce chien-là. Tout droit sortie de chez le taxidermiste. Henri a tenté d'arrêter Liette pour pas qu'elle se lève.

Elle était déjà debout. Elle restait là, pantoise, devant le numéro sur l'afficheur.

— Ben, je cré ben que c'est la job à Cynthia, ça.

— Le travail à madame *Bouge,* a fait François, et quand il a dardé son steak, le steak a esquivé dans l'assiette. *Madame* Bouge, la *maîtresse* de maison.

Liette a pas répondu, ni au téléphone ni à François. La dernière sonnerie a coupé en plein milieu.

— Je vais aller boire à la malle, a annoncé Henri, et il s'est dirigé vers les chapeaux, parapluies, cannes, lampes de poche.

— *Boire* à la malle, a ri Liette. Ouin, tes vieux travers te ressortent par la déparlure, mon homme.

— *Voir* à la malle, très chère. Voir à la malle, pardonne mon pataquès.

Il a appelé Croquette en sortant, mais le chien est resté posté là, en dessous de la table à côté du pied de François. Liette en a profité pour donner à ce dernier quelques nouvelles de parents reculés ou morts. Elle lui a avoué aussi qu'elle avait pas le moral par les temps qui couraient, qu'elle avait comme le goût de rien et que ça lui faisait un bien fou de voir son garçon là devant elle, même si elle aurait aimé qu'il ait plus de chair sur les os. François pensait à autre chose, et Henri est vite rentré, recouvert d'une neige plus ou moins gazéiforme. Il l'a méthodiquement fait disparaître à l'aide d'une balayeuse portative après s'être secoué. Puis, du tapis de l'entrée, il s'est lâché vers la table en chancelant, comme s'il revenait d'un séjour en mer prolongé.

— C'est vraiment z-excellent, a dit Liette, la bouche pleine.

François, inconsciemment, se brassait la jambe pour se débarrasser de la masse chaude qui venait de l'envelopper.

— Je viens de voir trois chasseurs camouflés dans le fossé en face, a dit Henri. Leurs canons dépassaient d'entre les joncs. Je les ai hélés. Ils se sont mis debout. Je suis rentré.

L'affairement taciturne des ustensiles révélait peu à peu le paysage idyllique illustrant le fond des assiettes. Un pêcheur à la ligne en toque caca d'oie, la pipe heureuse, peinturé au pinceau à un poil au milieu de l'équivalent nord-atlantique d'un atoll sous un voilier d'oiseaux hybrides, entre goélands et colombes. *C'est peut-être du cheval,* a pensé François tandis que la conversation pataugeait entre les sujets du jour, l'emploi à La Frayère, les politiques locales et les dernières farces à la mairie. De fil en aiguille, Henri en était rendu à monologuer sur le déclin de nos régions. À évoquer le souvenir d'une Gaspésie plus authentique et de party. Il avait un fado en puissance dans la voix, s'insurgeant contre le fait que le seul nouveau projet que le gouvernement finançait ce trimestre-ci dans le secteur, c'était le site d'enfouissement plus loin au bord de la baie. C'était dur pour François de l'écouter. La séquence des images sur l'écran, en lisière de son champ de vision, lui emportait la moitié du visage. *Décolle,* il a pensé. Il se secouait la jambe.

— Les États-Unis pourraient s'organiser avec leurs propres immondices. On n'est pas une poubelle, ici.

François, sa serviette sur les genoux, a coupé un morceau de viande enfin affaiblie pendant que sa mère déplorait de son bord la fermeture récente de ses boutiques. Même si elle adorait le Walmart de Campbellton, eh bien, c'était à Campbellton, et ça faisait loin des fois pour aller acheter de quoi que t'avais besoin vite.

— Ce n'est pas seulement nos magasins, a repris Henri. C'est tous nos artisans. Le centre de ski. Le centre de thalassothérapie. Les Fêtes Aquamer. Tous les fleurons de notre identité. Nous ne sommes pas sur le point d'avoir notre Festichasse quand même l'église est à vendre ! Parce que ça s'est jasé, tu sais. La Frayère va finir comme Murdochville, une ville fantôme, et je vais te dire quelque chose. C'est beaucoup à cause de l'exode des cerveaux. Les gens d'ici moindrement éduqués, ils partent à Montréal en se disant que l'argent est là-bas.

— Bon, ça y est.

Au grand dam de sa femme, Henri s'était encore une fois arrangé pour réunir dans un même souper toutes les conditions requises pour se choquer, sans même se rendre compte que c'est de François qu'il parlait, lequel a recoupé en plus petit, pris d'un sursaut final, le morceau de viande qu'il venait de couper. *Ou c'est de l'autruche d'élevage ?* Le père énumérait en boucle les quatre institutions culturelles, dont *Le Vivier* et CBSA, au sein desquelles François lui-même et l'intelligentsia gaspésienne auraient pu travailler à La Frayère, s'ils avaient fait preuve de moins d'égoïsme et du peu de patience qu'il aurait fallu pour attendre quinze ans que le plus ancien de la place parte avec sa pension ou pète. François avait enfin piégé sa bouchée de steak vaincue entre ses asperges et son couteau. Il l'a achevée de sa fourchette, qu'il tenait comme un micro.

— On n'est plus à l'époque des maire Pleau et des Monti, il a rouspété.

Liette est partie à rire.

— Elle est trop bonne ! elle a dit.

Pas fini de manger qu'elle avait déjà allumé sa cigarette de digestion. La masse chaude en dessous de la table a rembarqué sur la jambe à François, sur laquelle elle s'est mise à zigner. Henri sondait son fils, une salle de torture miniature au fond de l'œil.

— Je veux dire, a dit François en repoussant Croquette de sa jambe non souillée. Mon désir n'est point d'être défaitiste, surtout que je vous reviens moi-même avec mon lot de stratégies pour redresser la situation. Mais c'est un peu fini, non, les développements majeurs, les visions totalisantes ?

— *Plein,* a fait Henri de loin, très loin. C'est *plein* d'or dans nos montagnes.

— Qu'est-ce tu nous radotes là encore ?

Il faudrait peut-être l'exploiter, dans ce cas, a pensé François. Il flairait très bien l'épisode auquel son père faisait référence.

— L'exploiter pourquoi ? a demandé Henri.

Il lit dans mes pensées.

— Qu'il soit dans la terre ou non, il est à nous, cet or-là ! Qu'on en jouisse, c'est tout.

François a pris sa bouchée du bout des dents. Ça goûtait pas si pire. Il s'est forcé à déguster, à mastiquer le nombre de fois recommandé par l'obscure autorité qui lui en avait toujours imposé en la matière. Bétail, gibier, volaille ? Il a donné sa langue au chat et mastiqué sa question en la posant.

— C'est du placenta ! a lâché Henri.

Liette a posé une main roucoulante sur l'avant-bras de son homme. Il avait l'avant-bras plus gros que la cuisse à François. La mère s'enroulait les doigts dans le poil, la tête légèrement inclinée, avec de la gastronomie de chez nous partout entre les dents. Un certain steak est allé claquer en douce sur le plancher.

Henri débarrassait la table en revisitant le mystère du mandrin dans sa tête. Il a lavé les assiettes dans l'évier, à la perfection, avant de les mettre au lave-vaisselle. Puis, comme du bout du pied, il a pesé sur le piton de la cafetière pour la partir. Il a versé de la crème dans le crémier et s'en est envoyé quelques cuillerées en se félicitant de pas vider la pinte au complet. *J'ai mon médecin dans ma poche, de toute façon.*

— Qu'est-ce qu'elle voulait tantôt, Cynthia ? il a demandé à sa femme.

— De quoi, qu'est-ce qu'elle voulait Cynthia ?

Liette avait au bec une autre de ses cigarettes à filtre blanc taché de rouge à lèvres. Croquette léchait ses contusions devant le steak à terre. La viande restait là, agitée des infimes trémulations qui montaient de la fournaise à travers le plancher. *Pas plus de dix hertz,* a estimé François, distrait par la fumée toute dans sa face.

— Est-ce qu'on peut éteindre le téléviseur ? il a dit en se frottant une tempe où il avait trop de peau.

— C'était pas Cynthia, a dit Liette. C'était sa job, pis j'ai pas répondu. Comment tu veux que je save ce qu'ils voulaient ?

Elle remuait son café avec sa cuillère à dessert.

— Est-ce qu'elle a dit à quel moment elle allait passer ? a redemandé Henri, et là, il a arraché la cuillère à dessert à son épouse pour lui tendre l'instrument approprié comme s'il lui tendait une rose. Elle a promis de m'aider à intégrer ma collection de records à mon bidule portatif.

— J'ai *pas* répondu, Henri. Youhou. Henri ?

— Votre collection de records dans votre bidule portatif ? s'est inséré François.

— Mon iPod, a dit Henri, non sans fatuité.

Il avait prononcé le *i* comme un Anglais d'Angleterre. Le *pod* en gros queb.

— Toé pis tes machines.

— Il faut être de son temps. Je suis rendu sur le numérique. Je te montrerai la salle d'écoute dont je me suis doté au sous-sol. Je n'y ai pas encore fait de boîtes. Ah, je crois que le facteur est peut-être passé.

— Croquette a pas jappé ! a fait Liette.

— Donc, a dit Henri en se rassiant au retour de la malle.

Le café qu'il avait apporté dehors jusqu'à la boîte aux lettres était revenu plus plein.

— Ben c'est ça.

— Est-ce que je vais finir par le savoir, pourquoi Cynthia appelait ?

Elle appelait, a pensé François à travers les bouillonnements de son âme, *pour vous informer qu'elle vous a dégotté un charmant nid douillet dans un hospice de personnes âgées, et que le temps est venu de préparer vos baluchons et de foutre le camp de sa maison, pour aller vous faire sous-nourrir et traiter comme des bébés mal lavés tout en cherchant votre argent de poche disparu pendant que vous agressent des professionnels des soins de santé.*

— Yannick et Cynthia… a commencé à répondre son père, voûté sur son napperon. Yannick et Cynthia habitent dans un chenil au-dessus d'un gang de trafiquants. Ils vont avoir un enfant. Et nous, nous n'avons plus les capacités qu'il faut pour faire virer la propriété comme il se doit. Ta mère voudrait que je prenne ma retraite, bon. Pas question que je prenne ma retraite, jamais. Mais nous avons toujours été généreux avec toi. En temps voulu, nous…

Plus capable, François a quitté sa chaise et il est allé peser tellement fort sur le bouton de la télévision qu'elle s'est pas éteinte, parce qu'il pesait en fait sur le bouton du volume. Il a pitonné sur n'importe quel bouton pour rebaisser le son. Henri qui cognait des clous devant les fromages durs, froids et maussades que Liette avait sortis *après* le café a rebondi comme sous l'effet d'un réanimateur cardiaque. Il a carrément débranché l'appareil, qu'il a fait mine de soulever pour le jeter au bout de ses bras. Mais c'était trop lourd, ça lui tentait plus.

Dehors, la brunante était tombée, et en dedans tout le monde s'était rassis.

— Parlant de générosité, a repris Henri.

Du bout de son couteau, il s'est servi une lichette du beurre posé à côté des fromages en train de revenir, si on se fiait à l'odeur, du royaume des morts.

— Ah oui, a dit Liette. T'es bon de penser à ça.

— Mon comptable me faisait remarquer récemment. Les chèques de ristourne que la compagnie t'envoie chaque année, ne les as-tu donc jamais déposés?

— Quels chèques de ristourne? s'est étonné François. L'huissier m'appelle par mon petit nom. Si j'avais reçu quelque chèque que ce soit, je l'aurais déposé. Ou je l'aurais encaissé au magasin, car je ne sais même plus si j'ai encore un compte en banque. Dans le livre auquel j'œuvre, j'expose d'ailleurs certains liens dérangeants entre la poste de Saint-Lancelot-de-la-Frayère et la société Yukon qui, à une époque…

— Tu arrives, avec tes charges de cours? Je veux dire, les loyers à Montréal…

L'ampoule a grillé dans le luminaire au-dessus de la table. L'éclairage rétabli, Liette a applaudi.

— Où as-tu pris ça, toi? a demandé Henri à François, dont les yeux se réajustaient jamais très vite à la lumière.

Le père était debout sur sa chaise, son ventre débordant de sa chemise trop courte. L'ampoule brûlée dans une main, il pointait l'index de l'autre vers la bouteille de Yukon que son fils venait comme de sortir d'en dessous de son napperon.

— Un petit peu partout, a répondu François.

Liette avait rien entendu de tout ça. Elle voulait pas entendre et fixait la télévision. La télévision débranchée.

— Comme j'ai dit déjà, a attaqué François en même

484

temps qu'il s'est servi un fort, je n'ai aucune charge de cours cette session-ci. Et d'ailleurs je n'en aurai jamais plus. En passant, cher papa, « pataquès » ne s'emploie pas comme vous l'avez fait tout à l'heure.

— Ah, mais je t'assure que si, a dit Henri.

Les épaules par en arrière, il a repris sa place, sans jamais quitter la bouteille des yeux. Il avait l'air harassé par plus d'exercice que d'habitude en une journée.

— Je pense pas, Henri, a dit Liette, distante.

— Je jouais ce mot-là dans un Scrabble hier encore ! Triple pontage sur le *q*.

— Pontage ?

— *Pointage,* triple pointage. Mais là, François, je sais que je n'ai nul besoin de te dire ça, mais avec les prêts et bourses, la prudence est de mise.

— *Quels* prêts et bourses ? Allô. Est-ce qu'il y a quelqu'un qui m'écoute ? Je, ne, suis, plus, aux, *études.* Sur quel ton vais-je devoir vous le chanter ? De toute façon, il y a longtemps déjà que j'ai atteint l'endettement maximal.

— Les médecins, a fait Liette, aux salaires qu'ils gagnent.

— L'endettement *maximal* ? a sursauté Henri, vingt-cinq secondes en retard.

Tout sur la table a sursauté avec lui quand les genoux lui ont tapé en dessous.

Liette s'est dépêchée de replacer les ustensiles désalignés. Il est alors descendu sur la famille Bouge un nouveau silence, plus lourd que l'air ambiant. Ça rôdait au niveau du sol, où Croquette jappait sans un son.

— J'aurai bientôt terminé mon livre, a risqué François.

C'est pour cette raison que je suis ici avec vous. Mon éditeur me versera une avance, un *à-valoir,* pour être exact,
et vous connaissez ma fureur à la table des négociations.

Il a fait comme s'il jouait des coudes dans une foule.
Ou une danse des canards.

— On passe-ti au dessert? a suggéré Liette, et Henri
s'est redressé dans sa chaise en bâillant.

Du chocolat partout, François hoquetait au-dessus
des documents qu'il tirait au fur et à mesure de sa mallette dans un arc ample du bras. Le moulin à paroles
lui avait débloqué pour vrai, et il exposait enfin à ses
parents, très ému, la nature de son livre. Maman s'enfonçait dans son siège, les cheveux qui frottaient sur le tissu
du dossier. Papa se demandait pour sa part pourquoi
son gars pleurait presque, avec devant lui une pointe de
gâteau en technicolor, qu'il disséquait de sa fourchette à
entrée, en partie parce qu'il aimait ça savoir comment
les choses étaient faites.

— Quelle découverte capitale? a demandé Liette. De
quoi tu parles? Dis-moi *tout.*

Pour dessert, gâteau pitch noir triple styromousse
chocolat cognac, le tout nappé d'un coulis de polyester.
Henri a mangé uniquement la partie cognac et fini celle
de sa femme. C'est non sans une certaine lubricité qu'il
ressortait la cuillère de sa bouche, pour lisser la mousse,
sensiblement réduite mais plus luisante et fuselée après
chaque pénétration. Il écoutait avec une politesse amollie
les phrases alambiquées de François. C'était pas inintéres-
sant, pour lui si féru d'histoire. Il plaçait même sa petite
question par-ci par-là pour ramener son gars quand il se

perdait après trop de parenthèses ouvertes. L'intelligibi-
lité de l'exposé avait vite été sacrifiée au profit du genre
d'enthousiasme que t'es mieux de médicamenter. François avait au moins le mérite d'avoir ressorti des boules à
mites quelques documents parcheminés que lui-même,
Henri, avait jamais eu le loisir de consulter au sujet de son
père. Parmi lesquels il y avait l'acte de propriété d'un lot
situé au Klondike. Un dénommé William Dexter l'avait
cédé à un dénommé Henry Bouge, avec un *y*.

— Ce qui est intrigant, a avancé François, c'est que
monsieur Dexter, pour une raison qu'on ne connaîtra
jamais, a cédé à grand-papa une concession qui lui avait
appartenu quinze ans plus tôt. Mais bien sûr, rien dans les
archives de Dawson City ou des municipalités alentour
n'atteste la présence d'un Henry ou Honoré Bouge. Ce
glissement dans le prénom laisse suspecter chez grand-
papa une dimension qu'il me reste à explorer.

— Eh ben, a dit Liette, les cheveux flottant dans les
airs à cause de la statique sur le dossier de sa chaise. Tu
me passerais-ti le lait, mon loup, c'est sucré, ce gâteau-là.

— Ce n'est pas dit, a annoncé François, que je n'irai pas
moi-même dans le Grand Nord enquêter sur le terrain.

Henri a passé, d'un geste glissant, le lait à sa femme
par-dessus la table. L'armada de mouches à fruits s'est
soulevée dans des formations anarchiques. Elles sont
vite revenues, l'œil farouche, se masser sur le gâteau resté
sur la table et le plantain à demi épluché où François
avait pris sa mordée. Les tendons du cou sortis, Liette a
dévissé le bouchon du bidon, qu'Henri vissait toujours
trop serré. Henri affichait maintenant une morosité qui

présageait rien de très festif. Liette s'est versé une larme de ce bon gros lait bien gras de ferme à peine écrémé là. Elle a bu, puis en a versé aussi à François. Une blancheur ouateuse s'est dépliée paresseusement dans le Yukon qu'il lui restait dans sa coupe.

François leur lisait des bouts de chapitres, des mots dispersés, écrits de la main gauche sans ordre particulier à travers des flèches qui pointaient vers rien sur des feuilles toutes raturées, encore à mettre au propre, cernées de vin rouge ou de café, qu'il déchiffonnait au fur et à mesure qu'il reformulait ses théories. Il y avait des affaires là-dedans écrites dans d'autres vies, il se souvenait pas tout le temps de ce qu'il avait voulu dire. Sa prose disjointe et tarabiscotée arrangeait pas les choses.

— Je n'ai pas terminé, n'est-ce pas.

Il se retournait des fois pour décocher une droite de décompression dans son dossier de chaise. Lui qui avait pourtant toujours affirmé que le seul travail dans lequel t'avais le droit au désordre, c'était le travail intellectuel, Henri regardait son fils réfléchir tout haut comme il regardait les matchs moustique qu'il commanditait quand ses enfants étaient encore à la maison, avec de temps en temps une échappée inquiète en dehors du pullulement, un tir dans le mauvais but, dévié vers des estrades dépeuplées.

— Et ton avance? il a interrompu. Quel est ton éditeur, François? Que prévois-tu, c'est quoi le calendrier de production? Il faut prévoir.

— Ah, moi, c'est Gallimard, a déclaré François en s'excitant les doigts en dessous du menton pour suggérer une collerette. Le Seuil. Les grandes collections de sciences humaines.

— On va t'aider, a dit Liette.

— Non, mais l'affaire du Klondike, a bifurqué Henri, c'est l'élément qui manque à ton roman. Je vois mal où le Yukon s'insère dans ta trame.

— Tout d'abord, il ne s'agit pas d'un roman, a dit François. Mais regardez, papa, regardez, c'est ce que je cherchais.

François a détaché deux feuilles, collées ensemble par ce qui avait tout l'air d'une marmelade de coquerelles, et s'est lancé dans une sorte d'incantation devant le peu de texte restant autour des déchirures. *Peut bien être maigre,* a pensé Henri. *Il écrit.* Ce qu'il disait, François, c'est que c'était quand même une bizarre de coïncidence que le Dexter en question, qu'il tapotait du doigt sur une photo mal faxée où il était difficile de distinguer les trois hommes des arbres alentour, ait cédé son lot à Monti, et qu'il s'avère aussi être, tiens tiens, le fondateur de leur marque de boisson préférée.

Il désignait la bouteille sur la table comme dans une émission où des blondes de six pieds dix présentent les prix que tu peux gagner.

— C'est passionnant, s'est écriée Liette.

Henri s'est servi un fort lui avec.

— C'est donc là, comme vous dites, que le Yukon s'insère dans ma trame, en a remis François tout en cherchant un passage dans une partie de son manuscrit qui avait pas l'air d'exister finalement. Écoutez, je ne trouve pas ce que je cherche, mais regardez ici, en revanche : à

la *même* date, tiré du registre de la *même* société ferroviaire, deux billets enregistrés respectivement au nom
d'Honoré Bouge et de Donald W. Bead.

Exultant durant une seconde d'une gloire un peu pré-
coce, François a caressé d'un doigt l'homme en question
sur la photo des trois Américains. Attriqués de même, ça
pouvait qu'être des Américains. Donald était celui devant
le feu, qui tenait une poignée d'écureuils par la queue.
Il avait pour face un embrouillamini de pliures pâlies et
de gros grains. Henri s'est resservi un fort, double. Triple.

— Donald Bead, attendez. J'ai une copie de son baptistaire, que j'ai commandé du Vermont, j'ai dû me faire
passer pour un… Je vous épargne les complications, mais
voilà, c'était un fils de fermier, connu de la loi pour ses
combats clandestins en Nouvelle-Angleterre. Je ne sais
plus où j'ai rangé l'autre attestation, mais ce que je voulais dire, c'est que Donald Bead était le frère de Charles K.
Bead, celui-là ici. Charles K. Bead a investi, avec William
Dexter, dans les débuts de la distillerie.

— Mais encore? a dit Henri.

— Le lendemain du voyage en train de grand-papa
et de Donald, regardez ici, c'est incroyable : l'acte de
décès de Bead, Donald, signé par un médecin légiste
canadien. Il a dû mourir dans le train, dates obligent.
Passons outre les détails plus macabres devant maman,
mais le rapport d'autopsie porte à croire qu'il n'est pas
mort de sa belle mort.

— Mais là, ça va-tu être correct? s'est effrayée Liette.

Une longue échelle était apparue dans ses collants.
Henri avait le front si plissé que la cuillère dans son

poing menaçait de se mettre à tordre toute seule. Son fils a sauté de sa chaise pour se promener un peu.

— Donc, si je te suis bien, tu insinues que grand-papa Monti aurait tué ce Donald Bead?

— Je n'insinue rien du tout, a dit François en revenant s'assir à la table, où il a replacé sa serviette, dans son col ce coup-là, puis il a arraché tout ça et s'est relevé avec son lait pour aller le vider dans le broyeur et le broyer. Les faits parlent d'eux-mêmes. Regardez ici, quelques semaines avant. Une déposition de grand-papa dans un poste de la Gendarmerie royale à Timmins. On lui avait volé son or!

Liette a approuvé d'un hochement de tête. Elle s'est tournée vers Henri, et elle a hoché la tête. Elle comprenait absolument rien. Henri a reversé un fort à François en faisant fi du fond de lait dans sa coupe.

— Et ce n'est pas tout. Tenez, ici. Coupures de journaux. En veux-tu, en voilà. Tralala. Seattle, 1919. Il y a des accusations de… J'espère que les batteries de votre pacemaker sont neuves, papa. Il y a des accusations de *sorcellerie* portées contre William Dexter devant le tribunal de l'État de Washington. De sorcellerie! Rien de moins!

Liette avait les mains sur la bouche, des yeux de manga, les jambes droites et les genoux barrés.

— Tout est dit, a soupiré le père. Voilà qui ajoute encore au ridicule de ton ouvrage.

Il avait soudainement l'envie de bâtir quelque chose vite. *Au ridicule de mon projet de vie,* a pensé François la tête basse.

491

— De ton projet de vie, oui. Ce n'est pas impossible, ce que tu affirmes. Papa aura été associé d'une manière ou d'une autre à ces hommes-là. Ils ont pu collaborer, mettre leurs ressources en commun.

— Faux. J'ai ici la preuve…

— Que grand-papa a voyagé seul jusqu'à Toronto, et qu'il a voyagé avec très peu de moyens.

— Oui, mais ce n'est pas tout, ce n'est qu'à…

— Je sais ce que tu t'apprêtes à dire. C'est rendu à Montréal que les hôtels chics ont commencé. Bref, grand-papa, selon toi, aurait retrouvé son or dans le train. Une partie de son or, en tout cas. L'autre partie aurait sans doute voyagé sur la côte Ouest pour financer Yukon à ses débuts.

— Je… Mais… C'est que…

— Cela ne prouve rien du tout, a continué Henri.

Il avait les bras ouverts dans toute leur envergure. Le bélier dont la laine avait servi à tisser sa chemise avait l'air de vouloir en rejaillir.

— Je ne suis pas sans éprouver quelque inconfort, il a repris. Je te sens sur la défensive. Je vois que tu as toi-même du mal à recoller les morceaux de ton casse-tête. Et encore plus à nous justifier le pourquoi d'un tel ouvrage. Tu nous arrives ici, après toutes ces années, avec ton complot de bouts de ficelle…

— Une malédiction, a lâché François.

Il se donnait une contenance qu'il aurait voulue aussi décontractée que prophétique.

— Une malédiction?

— Ou un complot, là. Appelez cela comme vous voulez.

— Tu arrives ici en essayant de nous faire accroire, avec tes piles de papiers pleins de microbes et tes vapeurs de liquid paper, que *mon père* a pris le train avec l'individu qui l'a volé, et que ce même individu a été assassiné durant le trajet. C'est ça? Et que la distillerie Yukon serait mêlée à ces événements? Le «goût de l'or», c'est ça? Appelle le docteur Dugas, maman. On a quelqu'un ici qui a besoin de soins.

— Je suis pas ta mère.

— Pourquoi, dans ce cas, et là ce n'est qu'un des mille points qui achoppent dans ton amphigouri, les gens de Yukon nous auraient-ils pour ainsi dire offert un approvisionnement à vie? Il me semble qu'il devait y avoir de l'amitié quelque part, parce que quand on tue quelqu'un, d'habitu…

— Eh bien, papa, cela nous amène au facteur Bradley.

Le reste du gâteau a revolé sur le mur. François a jeté un bref coup d'œil à la tache grasse, éblouissante, que ça avait laissé sur le plâtre. Puis à la chaise à son père. Vide. La table a tassé. Les pieds à Liette étaient là où elle avait la tête l'instant d'avant. François est parti à virevolter. Le téléphone a sonné. *Téléphone rouge,* a pensé François.

50

LES MAINS de Steeve étaient cliniquement mortes.
Il tremblait malgré la catalogne brodée de moisissures qu'il avait empruntée dans le shack plus
tôt pour s'en faire une cape, et là il essayait d'enlever le cran d'arrêt de son fusil pendant que Yannick
enchaînait les roulades dans une neige mauvâtre où
filaient des ombres biscornues. Les deux cousins avaient
entendu des bruissements avides dans un boqueteau
plus fourni. Ils pensaient avoir détecté une bête qui
aurait établi sa ouache là. C'était pas de la sauvagine, à
en croire les bruits. Yannick s'est plaqué le dos contre
un arbre, un peu trop fort. La neige qu'il y avait dans les
branches lui a poudré le dessus du passe-montagne. Son
camouflage fondu aux feuillages les plus tenaces, il voulait débusquer la bête par le flanc, pour que Steeve fasse
un homme de lui et plombe ça dans les règles de l'art.
Il a ululé comme une chouette sur les stéroïdes pour

attirer l'attention de son cousin. Les yeux pris dans des cercles de chassie gelée, Steeve arrivait plus à rien repérer dans la broussaille. Il a retenu un cri de joie quand il a vu Yannick ramper vers le boqueteau en tenant son arme en soldat. Yannick lui a indiqué de se taire. De son gant comme renforcé d'une main de squelette fluo, il a lancé des signaux de receveur. Rien à comprendre, et Steeve a contourné une espèce de dolmen accidentel pour mieux préparer sa fuite si jamais un chat sauvage ou quelque chose leur...

L'animal dans une bourrasque a *sauté* d'une branche à une autre et là ça a flingué. La catalogne était un carré suspendu dans les airs. Les joues gonflées, la bouche en cœur, Steeve a plongé sur le côté en tirant un coup de douze au vol. Un geyser de neige a fusé du sol, mêlé d'ocre et de feuilles changées en chips. La cartouche brûlée lui a passé à côté de la face au moment de repomper et le second recul lui a enfoncé la crosse dans le gras du ventre. Ça a fait une vague et Steeve a atterri dans les toques. Il criait en continuant de tirer même s'il rentre juste deux balles dans un douze. Sur l'autre flanc du boqueteau, les coups de feu à Yannick se sont interrompus eux aussi. Steeve s'est redressé sur les genoux, sans arrêter de gueuler jamais. Il fouillait dans ses poches à la recherche de munitions. Mais ses doigts voulaient rien savoir, il avait des clés à molette à la place des mains, et les sachets de ketchup et de moutarde et de relish qu'il avait volés le jour de son arrivée au restaurant du terminus d'autobus tombaient tout autour dans la poudreuse avec ses cartouches. Il a saisi son douze par le canon et t'a swigné ça dans le boqueteau.

— Viens voir ! l'a hélé Yannick. Viens voir ça icitte !

— On l'a-tu tué ? a demandé Steeve. Fuck, fuck, fuck. On l'a-tu tué ?

— Checke ça, le monstre, mon homme.

Tu parles d'une bête féroce. Ils venaient de faire la passe à un sac à poubelle gonflé par les rafales, empêtré dans des branches. La fusillade avait déchiqueté le sac et l'écorce. Yannick a tiré un autre coup de douze sur les lambeaux. Une sirène d'ambulance s'est déclenchée au fond de Steeve qui a décidé de retourner au chalet se cacher dans les jupes à Marteau. Il a pris une direction au hasard. Il pleurait des cubes de glace en calant à chaque pas.

— Où ce tu t'en vas ?

Yannick l'a rattrapé en quelques enjambées. Il l'a poussé à terre d'un coup de raquette. Steeve, à quatre pattes, cherchait à décamper tant bien que mal, ses pieds tout pognés dans les fixations de ses raquettes roses, l'une rendue à l'oblique sur le côté de sa jambe, l'autre droite le long de son mollet. Yannick lui a envoyé de la neige dans le dos, sur la peau nue entre sa ceinture et l'élastique de sa veste d'aviateur. C'était un peu pour jouer au début. Ça a rapidement viré plus agressif. Steeve démêlait plus rien. Il s'efforçait de tasser d'en avant de lui la raquette high-tech qui le persécutait, en fouettant l'air comme s'il chassait des mouches. Toutes sortes de souvenirs, de choses refoulées, de rebuts d'instincts se formaient et se déformaient dans le stroboscope de sa conscience.

— Je m'excuse! il a dit en même temps que lui partait le poing.

Ses lunettes de paintball déplacées, moins sonné que surpris, Yannick a laissé le sang couler de sa pommette fendue à travers des polyèdres de buée. Il a rien fait pour stopper l'hémorragie.

— Tu viens-tu de me *taper,* ostie de blé?

— Tu peux me recogner! Je vas me laisser faire!

Steeve lui offrait une joue dont tu voulais pas forcément.

— Ah, va jouer dans le trafic.

Yannick a ramassé les sachets de condiments au sol, la mâchoire du bas ramenée par-dessus les dents d'en haut.

— Je vas me laisser faire! a geint Steeve. Yannick, crisse, je m'*excuse,* lâche-moi le ketchup pis la moutarde, pourquoi tu ramasses ça?

— Pour te manger avec.

— T'as dit... T'as dit qu'on était pas perdus.

Il y avait, dans les arbres alentour, plein de bouts de ruban orange de noués partout. Ça a motivé Steeve. Il a emboîté le pas à son cousin déjà reparti.

— On est-ti perdus? il a recrié plus tard, à la traîne loin derrière, érodé par les flocons qui le cinglaient.

Yannick lui parlait plus, claquemuré derrière son masque guerrier, dans une noirceur peu réjouissante. Il balayait de temps en temps la forêt du laser de son viseur. Le rayon butait contre les obstacles dont le terrain se semait toujours plus. Les ouvertures entre les arbres étaient parcourues de rafales aux plaintes de fantômes. La face à Steeve se réduisait à un trou bleu au

497

fond de la catalogne dont il s'était capuchonné. Il avait perdu tout espoir. Yannick, par son silence, s'obstinait à nier, mais ça devait pas être pour rien qu'il s'accordait des pauses à tout bout de champ, toujours plus rapprochées à mesure que le soir les enveloppait, pour évaluer la possibilité d'une cache, l'humidité du bois, la comestibilité de quoi que ce soit d'autre que son cousin, en faisant un spectacle de toutes les techniques de survie qu'il avait apprises dans les films d'action, chez les scouts, dans son voisinage avec des trafiquants de free base. *Fanfaronnade,* pensait Steeve. Ils allaient pas survivre ni l'un ni l'autre. Steeve aurait au moins dû se gâter avant la fin et casser une bonne fois pour toutes la gueule à Yannick. Il aurait voulu l'accrocher par le col à une branche très haute en veillant à lui prendre ses gants avant de l'abandonner aux prédateurs. Mais il était trop couard de nature pour se défendre, ça partait mal pour se venger. Le va-et-vient de ses raquettes l'avait comme assommé, et il a suivi Yannick sans volonté propre, jusqu'à ce qu'ils aboutissent dans un cul-de-sac.

Sans doute que n'importe lequel des chemins qu'ils auraient pu emprunter aurait débouché là, l'immensité de la forêt convergeant vers le goulot rocailleux où serpentait devant eux une passe plus escarpée. Ils s'y sont avancés, pour bientôt s'apercevoir que le sentier coupait sec. Il cédait à une corniche vraiment pas large qui longeait, au-dessus du vide, une paroi de pierre. Steeve avait pas envie de s'aventurer là-dessus, il y avait aucune pogne sur la paroi et il avait peur que ça s'écroule sous son poids. Mais il y avait pas d'autres possibilités et le sentier recommençait de l'autre bord, à quelques pieds, en hauteur sur un plateau s'étalant aussi loin que le dénivelé leur permettait de voir. Un amateur d'alpinisme avait eu l'amabilité de fixer une chaîne à des pitons sur la paroi, à laquelle on pouvait se tenir au moment de grimper sur la corniche pour rejoindre l'autre côté de l'abîme. Bon, c'était peut-être pas un abîme, mais il y avait quand même assez d'altitude pour s'éclater gaiement sur les rochers en bas. En plus que, de la façon dont c'était fait, à cause de la rotondité de la paroi rocheuse, il était pas tellement possible, si ça débouchait nulle part, de franchir le vide en sens inverse une fois en haut sur le palier.

— Bon, a dit Yannick.

Il a sorti la petite lampe de poche qu'il avait de glissée dans un passant sur son torse. Il a éclairé le vide, puis au-delà du vide le sentier qui montait. Il a enlevé ses raquettes et les a lancées là où le sentier recommençait.

— Ouin, grelottait Steeve dans sa catalogne, les mains rentrées du mieux qu'il pouvait dans sa veste dont les manchettes de tricot côtelé pendaient avec mélancolie. On revire de bord.

À chacun ses choix. Quelques bonds de chèvre, et Yannick prenait déjà pied de l'autre côté de la chaîne plus haut sur la corniche. Il s'étirait le bas du dos sur le plateau. Steeve a soupiré, aveuglé par le faisceau de la lampe de poche que son cousin tenait au-dessus de son épaule, le bras à angle droit, de la même manière que lui-même rêvait de tenir la barre horizontale du métro pour rentrer chez eux et s'enfermer tranquille à l'abri de la vie. Il s'est approché de l'abîme qui en était pas un mais en tout cas. Il a éprouvé la fiabilité de la chaîne. Saint jériboire que ça faisait du bien de toucher de quoi de fabriqué en usine.

— Attrape ça, il a dit à Yannick.

Au compte de trois, il lui a lancé sa catalogne roulée en boule. La couverte a pas fait le quart du chemin qu'elle s'est déployée dans les airs comme un parachute pour aller épouser en bas le relief des rochers. *Tant pis.* Il allait se reprendre avec son douze, qu'il a lancé lui aussi à trois. Mais sûrement que Yannick savait pas compter jusque-là, parce qu'il a même pas commencé à peut-être penser à esquisser un geste pour l'attraper. L'arme est allée se coincer vingt-cinq pieds plus bas entre les pics.

— Heille, merci.

Puis ça a été à son tour. Il a même pas pris la peine de lancer ses raquettes, il s'arrangerait sans. Il a saisi la chaîne à deux mains et s'est concentré pour serrer les doigts. Il se voyait déjà en train de matraquer Yannick avec sa lampe de poche quand ses chairs ont basculé au-dessus du vide, roulant contre la paroi. Sa semelle a chiré sur le plateau l'autre bord, sauf qu'il a pas lâché la chaîne sur son allant. Il l'aimait trop. Pour pas repartir en sens inverse ou se déboîter les coudes, il a dû se laisser choir dans des roches branlantes. Le gros de sa masse a atterri sur sa jambe en S. Il a pas eu le temps de se demander comment il avait fait son compte que Yannick avait les bras croisés devant lui à examiner son gros tibia plié où c'était pas censé.

— C'est beau, il a dit.

L'os fracturé avait percé les culottes à Steeve. Il avait

bien réussi son coup, en effet. Les flocons, en approchant de la déchirure, fondaient dans la chaleur du sang noir.

— Laisse-moi pas tout seul icitte, a supplié Steeve d'une voix sans force, plus blanc que la neige dans l'étoile jaillissant du poing de son cousin. Yannick, tu me niaises, ciboire. Yannick! Ciboire! On est du même *sang*!

Faux, et Yannick s'est dissous à reculons dans la tempête, les derniers photons avec lui. Les paupières veinées à Steeve se sont bientôt fermées sur une face où la congélation empêchait toute expression. La lune au-dessus des cimes a suivi son arc en poussant à travers les nuages qui changeaient de forme en accéléré.

— Réveille-toé, le flanc mou, a dit Yannick à son retour.

Il piquait son cousin du bout de son canon.

— Hein? a fait Steeve, à demi enseveli. C'est qui, ça?

— Je sais pas, ça doit être Monti.

— Je suis-tu mort?

Yannick lui a pas donné le temps de ressusciter. Il a sorti son couteau de Rambo pour trancher trois lanières dans les culottes à son cousin, qu'il a utilisées pour lui bricoler une attelle qui servait à rien. Steeve hurlait atrocement. Il avait quasiment aux poignets des pointillés où il était écrit «coupez ici». Yannick a tenté de le prendre en poche de patates sur son épaule. *Plus vingt ans, moé là,* il a pensé.

— Va falloir que tu t'aides un peu, il a dit par-dessus des sanglots. Tiens-toé après moé. Je suis allé voir en éclaireur. On est pas loin du champ des Canon.

51

FRANÇOIS s'est accroché à la nappe pour pas être emporté. C'est tout ce qu'il y avait sur la table qui a été emporté. Henri le tenait par la face, une bombe à retardement au fond du poitrail. François sentait les gros doigts en voie de lui broyer les os du crâne. Liette a sauté sur le dos d'Henri à travers les pages du manuscrit volant partout. Une hydre à trois têtes, pantelante et cracheuse, qui pilait dans des restes de dessert, des brisures de porcelaine, de la coutellerie, pendant qu'une meute de chiens de chasse constituée du seul Croquette tournait autour, et poc.

Poc. Des trous sont apparus dans le plâtre du mur. Henri a paré, avec la mallette à son fils, un coup de fourchette de service. Puis il a appliqué toute sa force à faire fitter François tête première dans l'armoire à côté de l'évier, où ils rangeaient huiles et vinaigres, et les sauces piquantes dont madame mangeait pas à cause de ses brûlements.

— Couché, papa, couché, marmonnait François, la bouche amanchée comme un poisson-nettoyeur.

Tout ça était un peu raide sur la digestion. François a réussi, à tâtons, à ouvrir le robinet derrière lui et à se saisir de la douchette. Il a aspergé son assaillant. C'est là qu'il a découvert un autre vingt-six onces de Yukon, scellé, entre un vinaigre balsamique et des réserves de Sriracha. Il a commencé, tout en se faisant tuer, à essayer de déboucher le fort de ses seules lèvres. Ça marchait pas, mais il a dû boire par osmose, parce que c'est tout revigoré, et armé de la guenille un peu poisseuse et mouillée qui dégouttait sur le robinet, qu'il s'est mis à flageller sa mère à l'aveuglette.

— Ayoye donc, elle a dit.

François allait devoir s'agripper à quelque chose. Dans une torsion de corps, il a empoigné les cheveux à Liette, avant de partir à glisser sur le plancher, style curling et pose pensive, vers l'escalier du sous-sol. Le collet de son polo neuf étiré, la tête en cube tant il avait visité de près tous les coins de l'armoire, il cherchait son respir dans les marches, incertain de l'ordre dans lequel rabouter ses os.

— Toi mon bon à rien, a fait Henri en haut des marches.

Liette, des coulisses de mascara sur les joues, nettoyait déjà les dégâts dans la cuisine. François a remonté quelques marches, un peu repentant. Il venait de découvrir dans son poing gris et crevassé une touffe de cheveux à sa mère. Sans trop savoir quoi en faire, il a regardé Liette qui s'affairait sans le moindre son.

— Toi mon *ingrat,* a dit Henri. Ma fausse couche. Toi mon *erreur.*

— Maman, a soufflé François à contrecœur. Je m'excuse, maman, d'accord?

Depuis l'escalier, il tendait à Liette sa touffe de cheveux pour la lui redonner. Mais Henri lui bloquait le passage. Il lui a fait signe de s'en venir. Aussi accueillant qu'un douanier.

— Taper sur sa mère.

Sur la pointe des pieds, François a regardé encore une fois derrière son père, par-dessus le boulet de son épaule. Liette à genoux pleurait à présent, et pas pour elle, pour ses hommes.

— Vous ferez le ménage plus tard, lui a lancé François.

Il la voyait, entre les jambes d'Henri, ramasser des pages de manuscrit, sûr qu'elle allait les chiffonner d'un instant à l'autre avant de jeter ça dans un sac à vidanges sans jamais penser que c'était peut-être important pour lui.

— Laissez-moi passer, François a sommé son géniteur dans un murmure autoritaire.

— Viens, l'a encouragé Henri sur le palier. Passe. Passe dans la machine.

— Laissez-moi *passer,* a répété le fils.

Il s'est hissé dans les marches en se tenant à la rampe, pour donner de l'élan à sa charge. Henri, petite larme, a campé tout son poids dans ses bas de laine en position sumo.

— C'est pour ton bien, jeune homme.

Une main de fonte s'est fermée autour d'une gorge de poulet. Au bord de l'évanouissement, plus capable de faire la mise au point sur sa mère embrouillée qui criait avec de grands gestes d'arbitre excédé que personne écoute plus, François a eu l'heur de débouler les marches. Il a eu une illumination dans sa chute. Les secrets de l'univers lui ont été révélés. La solution de tous les sudokus du monde. Sauf qu'il a toute perdu ses idées en retombant parmi un tas de pépites en polystyrène comme tu mets dans tes boîtes quand tu déménages. Puis c'est son souffle qu'il a perdu quand son père lui a atterri dessus. Croquette avait les pattes trop courtes pour descendre à la suite des pugilistes. Il se courait après la queue dans le cadre de porte en haut.

— Yanni… Croqu… Henr… a fait Liette en tâtant du pied la première marche. Voyons, m'as-tu le dire. François ! Tu vas le faire mourir d'une infractus !

Elle s'est accrochée à la rampe. Ses minuscules chaussons à brillants descendaient à toute vitesse, un peu de biais. Elle arrêtait pas, même s'il y avait rien qui faisait mal, de lâcher des ayoye en se surpassant pour séparer ses hommes. Elle ressoufflait par-ci François pour qu'il reprenne une forme à peu près normale, guidait par-là son mari dans ses exercices de respiration.

— *Un* infractus, a dit Henri au milieu de l'échauffourée.

— Un in*farc*tus, a dit François.

Ça a été l'éruption. Liette a revolé dans un genre de misty flip. Henri ricochait partout sur les murs. Croquette en haut des marches se tenait lui-même dans la gueule jusqu'à mi-corps. Des plaques de doigts dépigmentées sur la gorge, François partait pour arracher une feuille de gyproc quand sa mère a dit :

— Ouch, mon œil. Heille, là, c'est vrai tout le monde. J'ai perdu un verre de contact. Ouch, là. Câline. Mon œil.

François s'est assis lourdement sur une marche, plus de forces en lui. Ça aurait été le temps pour un réchaud de café.

— Je n'en peux *plus,* comprenez-vous ? il a crié, la tête entre les cuisses.

Les mauvaises énergies étaient retombées. Henri et Liette passaient au peigne fin le plancher à la recherche du verre de contact. Après quelques échanges anodins, des pardons timides, François s'était affaissé dans l'escalier.

— J'en ai plein mon *casque* ! De tout ! Ce qui, remarquez, n'est pas grand-chose dans mon cas… C'est certain que c'est aéré dans mon appartement, hein. Beaucoup d'espace. Longtemps déjà qu'il n'y vient plus de blondes. Mais cela me convient. J'aime cela ainsi. J'ai de la place pour mes promenades, de la chambre au salon. Des cloisons vierges où me projeter. Suffisamment de jeu entre les meubles pour mes ratiocinations. Parce que moi, c'est quand je les vois, avec leurs diplômes, leur carrière, leur crédit. Ils ne le rentreront jamais, l'univers, dans leur ordinateur. Saviez-vous que les calculatrices que les étudiants achètent à la coop de leur cégep sont plus puissantes que la technologie employée pour envoyer les premiers engins dans l'espace ? On vit dans nos palais climatisés, dans des condominiums grands comme des hangars, avec des murs en brique donnant sur le Vieux-Port. On se fait l'amour avec des objets. Mais c'est pourtant dans ta tête que tu vis. Arrange ça beau là-dedans. Parce que c'est facile, de tout le temps cliquer sur des icônes. Vous allez voir, quand je vais me décider. Moi aussi, je suis capable de marquer des points. Je vais me glisser dans des têtes, bientôt. Un jour, ma vie va commencer. Vous ne m'avez pas vu aux nouvelles? Ah, les nouvelles! Moi, j'ai arrêté. Je ne suis pas un réceptacle à bruit de fond. J'achète *L'Itinéraire* pour encourager des connaissances. Les poubelles en ville débordent. Je ne trouve nulle part où jeter mon journal sur le chemin quand je rentre chez moi. Cela s'empile et se renverse et moi, eh bien, je tente de rester à flot quand la vague approche. Mais ce n'est pas seulement cela. Je ne me lève même plus le matin. Ce sont les choses autour de moi qui se dressent à la verticale et se mettent à défiler pour me donner l'illusion que je marche. Pourquoi? Allez-vous me dire cela, vous? Je les vois passer en autobus, lorsque je travaille sur le terrain, avec des X à la place des yeux. Le Canadien m'a déçu, cette année. François pour président. Même quand tu veux être en santé, tu te fais fourrer. Quand je bois, par contre, ah là. Je suis un homme saint. Poupette habillé en moine qui parle en langues. Ivre, j'ai de la consistance. Sinon, la transparence me gagne. On se fait blanchir au septième match. Le problème, c'est que plus rien ne me soûle. J'ai perdu l'ivresse. Je suis immunisé. Vous connaissez le bon vieux paradoxe, n'est-ce pas. Si un arbre tombe en forêt, sans personne pour l'entendre, est-ce qu'il fait du bruit? L'arbre

ne fait même pas de bruit quand il tombe devant moi.
Je vis dans une autre époque. Je vis dans un point figé
du temps. Dans une seule dimension. J'étais perdu près
d'une école, il y a peu de temps. Les enfants me passaient à travers sur le passage piétonnier. J'étais encore
au milieu de la chaussée quand le brigadier a baissé sa
pancarte pour que les huit autobus qui s'en venaient
me roulent dessus. C'est pour cette raison que je bois. Je
bois dans le ciel, dans l'affluence à la sortie des métros.
Dans l'émotion brute. Je donne des cours aux bêtes dans
les parcs, moi. C'était au programme de toutes les émissions de variétés de Montréal. Dans un filet de l'édition spéciale du *Vivier*. Je ne sais plus ce que je dis et
je m'en excuse. Je ne sais même plus pourquoi j'écris ce
livre-là. Qui disait cela, « moi au moins, je n'ai pas besoin
d'écrire pour boire » ? Quelle drôle de machinerie que
la mémoire. Pourquoi nous ont-ils fait ça ? C'est nous,
les Blancs, qui avons amené l'alcool aux peuples amérindiens. J'ai trop creusé. Comme Monti. Avec mes crayons
de plomb, mes blocs de feuilles lignées. Avec mon aigui-
soir, ma gomme, mes ciseaux. Je voulais avec mon outillage faire circuler l'air à ma manière, abattre quelques
méchants, creuser mes propres galeries. Je me suis trop
enfoncé. J'avais trop d'ambition. Sans rien ni personne,
je me suis perdu dans mes dédales. Il n'y avait que mes
échos pour me tenir compagnie. Je voudrais mourir,
mais je suis mort déjà. J'ai l'impression parfois d'avoir
regagné la surface à un endroit du monde où les gens
et moi ne parlons pas la même langue. Ils sont où, les
gens ? Ai-je manqué quelque chose ? J'ai trouvé de l'or.

J'en ai plein les veines, moi, de l'or. Est-ce que cela m'a rendu heureux ? « C'est une langue belle, à l'autre bout… Ta-la-la, la… De chez nous, na-na. » Je bois et je me rapproche de la vérité, sans jamais l'atteindre, et j'ouvre une autre bouteille pour ne pas me perdre, pour continuer à écrire. Il y a des choses qui dans mes pattes de mouches veulent émerger. La feuille se déchire. Je perds la suite de mes idées. Je perds mes amis. J'ai l'esprit empoisonné, disent-ils. Je refuse de faire l'autruche, et je ne dis point cela pour me penser bon. On reçoit une bouteille de Yukon par semaine depuis trois générations. Ce qu'il en reste, du moins, de nous, de nos vieux gènes secs qui s'enfoncent dans la brume les bras en avant. Jouir a ses limites. Ce n'est pas que ce soit si *bon* que cela, du Yukon. « Le goût de l'or. » J'ai vu leurs agents. Un jour, quelque part, il y aura concordance des faits. La bête merveilleuse rejaillira d'entre les vides. Êtes-vous suivie, vous aussi, maman ? Qu'est-ce qu'on vous a dit, papa, ce jour funeste où vous avez décroché le téléphone rouge ? Ayez donc au moins le courage de me voir pour ce que je suis. Vous nous disiez tout le temps, à Yannick et moi, que nous allions en reparler quand nous serions grands. Je ne grandirai plus, là. Nous sommes mûrs pour une très longue conversation. « Tu vas comprendre quand tu seras grand. » Je ne comprends rien ! J'ai voulu écrire ce livre-là pour… J'arrive, là, j'arrive. J'erre dans les champs en hurlant, dans mes hardes et mes chaînes. Je repousse à coups de pied les sorts qu'on me jette. Poupette me disait qu'il allait m'aider. Il comprend, *lui*. J'ai beau lui devoir de l'argent, je suis venu ici pour finir et j'ai fini.

Je n'ai même plus besoin de l'écrire, mon livre. Je suis libéré, je pense. Vous me direz que j'étais trop jeune, mais je me souviens très bien de grand-père qui aiguisait un couteau sur une queue-de-rat. Il disait que, s'il continuait sans s'arrêter jamais, le couteau finirait par disparaître. On n'ouvrira pas la valise pour vérifier, mais il y a dedans un beau volume à reliure souple et pages non massicotées, avec mon nom dessus imprimé en capitales. Un bandeau où sont mentionnés les prix que je gagne à l'instant même. Je suis célèbre, mais je m'en fiche. Tout ce que je voulais, c'était dire quelque chose de vrai.

Liette, tétanisée, avait dû reculer à dix mètres de François. T'entendais voler les mouches à fruits dans la cuisine en haut.

— Tous les Gaspésiens sont des menteurs, a conclu Henri.

— Qu'est-ce qu'il a dit ? a demandé une Liette pas borgne mais pas diable mieux.

Elle lançait des regards implorants à son mari puis des sourires gênés à son fils.

— C'est pas seulement moi, d'abord, a dit Henri. C'était pas clair, hein ?

Il avait au bout du doigt le verre de contact à sa femme, qu'il a glissé dans sa poche en filou. Il a fait signe à François de s'en venir avec lui.

— Bien là, c'est parce que moi…

— Moi, moi, moi. Viens-t'en, je te dis.

— C'est-ti ses affaires de doctorat, tu penses ? persévérait Liette, sur leurs talons dans le couloir.

— Et amène-moi mon chapeau aussi ! lui a crié Henri quand elle est ressortie de la salle d'écoute la minute suivante pour aller enlever son verre de contact restant et enfiler du même coup de quoi qu'elle voulait montrer à François.

Assis dans le coin du divan modulaire, François se faisait mettre, dans l'indifférence la plus flagrante, des records de collection entre les mains. Son père le boguait solide, à manipuler ça comme si c'était du plutonium. Henri lui posait entre les disques des questions hyper tatillonnes sur son exposé de tantôt, passant évidemment à côté de l'essentiel. Les deux avaient l'air de sortir de la sécheuse. Il y avait des brûlures de clope sur le revête-ment du divan, sur la carpette. C'était plus qu'un fouillis, ce musée-là. *Une capsule temporelle,* a pensé François en évaluant la salle d'écoute. *Ou un pandémonium sur pause.*

— Tiens, tu te souviens-tu de ça ? a digressé Henri, interrompant sa série de conseils sur la façon dont son fils aurait pu mieux structurer son argumentation, puis il lui a passé un vinyle qu'il tenait de ses paumes par les côtés, en le bougeant sous la lumière pour lui montrer à quel point il y avait pas d'égratignures dessus. J'avais ça en cassette dans le temps. On écoutait toujours ça quand je vous emmenais à Shédiac en vacances, tu dois te souvenir ? C'est plus trouvable en vinyle. Faut tuer pour acheter ça.

François était encore moins allé à Shédiac dans sa vie qu'Henri avait pris des vacances dans la sienne, et à part de ça, tous les musiciens sur la pochette que son père lui tendait, ouverte pour qu'il y remette le disque, avaient la même coupe de cheveux, des vestons de satin, d'infimes variations faciales les uns par rapport aux autres.

— Je l'ai en double, a dit Henri.

Il avait aussi acheté le juke-box qui servait plus rien qu'à manger des coups de pied chez la Guité. Le juke-box, au premier roulement de toms, faisait sursauter les soûlons qui le confondaient jour après jour avec une machine à sous ou une distributrice à cigarettes.

— Mets pas tes empreintes sur le disque, s'il te plaît.

— Ta-dam! a poussé Liette en rentrant dans la pièce.

Le *daaaaam* s'est éternisé dans un point d'orgue. La mère était revêtue du manteau de vison tigré que son homme, par goût de la dépense et parce qu'il voulait surtout pas que sa femme gèle en hiver, lui avait offert en cadeau plus tôt dans la semaine, en même temps que le pull à losanges à Croquette.

Aveugle comme une taupe, Liette s'est avancée en s'appliquant à bien mettre un pied devant l'autre, comme si elle marchait sur une ligne. Elle a tourné sur elle-même, un peu bancale, bancale, très bancale, son talon aiguille près de céder sous sa jambe encore belle.

Sur les murs, au plafond, partout sur la carpette, papillotaient les feux d'une boule disco qui avait dû appartenir à Yannick autrefois. Coiffé d'un casque de poil à la russe, en vison lui aussi parce que les familles, il faut pas séparer ça, Henri était maintenant derrière son « bar sec ». C'était comme ça qu'il appelait le meuble au matelassage de cuirette cloutée sur lequel il avait installé une table tournante branchée dans une console, et d'autres appareils électroniques là pour faire beau, et d'où partaient tout un tas de fils. «Je vous mets de la musique à soir», il avait dit. Il buvait en prince, croonant sous les taches argentées qui lui passaient dessus, sans même plus avoir à se cacher tellement que Liette, contente de la paix retrouvée, voyait rien pantoute.

Enveloppée de son long manteau de vison, elle dansait un slow, collée sur son François. Leurs pieds se piétinaient maladroitement au son d'un poignant solo de sax. Ça s'appelait pas des talons aiguilles pour rien. La condensation perlait sur les cadres de porte. François a replacé, non sans tendresse, quelques mèches à sa mère pour couvrir le carré de peau blanche fraîchement épilée qu'elle avait dans le fond de la tête. *Le fil noir à côté du jaune,* il pensait en démêlant du regard les connexions qui débordaient du bar sec. *Où est-ce qu'il… Non, là c'est l'entrée de la table tournante, mais lui, le jaune, il va…* C'était doux, le manteau de fourrure. Une pulsation langoureuse déformait l'espace devant les différentes enceintes du système ambiophonique. Liette y mettait du feeling, la joue contre la poitrine à son gars dont elle entendait le cœur battre à contretemps.

— Je rêvais de ce moment-là, elle a dit. Toé aussi, hein, t'en rêvais?

Elle l'a serré contre elle.

— Je ne me souviens jamais de mes rêves, a répondu François.

Henri, un unique écouteur plaqué sur son oreille, a

esquissé un geste à la Sinatra. Il a pris une superbe gorgée de son Yukon alors que François continuait à isoler des yeux la course de chacun des fils branchés à la console.

— Et maintenant… a annoncé le père en changeant de disque.

Il apparaissait, sous le jeu d'éclairage, tout habillé de blanc, les cheveux blancs, les ongles vernis en blanc.

— Un classique éternel pour faire bouger la jeunesse.

Liette a enlevé ses talons. Ses passes de pieds sacca-dées se sont accélérées. Elle s'est tapé dans les mains en se déhanchant.

— Fais suer ta mère, elle a dit à François, pas mal plus basse sans ses chaussures.

Des poils de vison sur la langue, François parvenait pas totalement à se lâcher lousse, lui qui maîtrisait pour-tant des pas de danse assez olé. Liette a levé les yeux vers lui. Le plafond tacheté de lumières tournait au ralenti derrière la pleine lune qu'il avait sur les épaules. *L'autre fil noir est rattaché à l'enceinte au-dessus de la plaque des pompiers volontaires. Le fil bleu à côté va jusqu'au…* Sur un rythme en quatre-quatre et des vocalises plagiées, François a enfin dénoué du regard l'enchevêtrement, suivant le fil rouge qui longeait un des murs et passait derrière le juke-box puis tout près de lui. Liette a sou-piré de contentement quand il l'a poussée dans le divan aux modules qui se touchaient plus tout à fait. Entre une marmotte empaillée et l'enseigne au néon d'une marque de bière, sur une tablette faite avec des rames, reposait à l'autre bout du fil rouge le bidule dont Henri avait parlé plus tôt. Un iPod tout juste sorti de sa boîte, inséré dans une sorte de rampe de mise à feu. François est sorti de la pièce en vitesse, balbutiant des excuses incompréhensibles. Il s'imaginait derrière lui l'écran qui s'allumait d'un coup sur un compte à rebours. Ses parents l'ont entendu grimper les escaliers au pas de course.

Une cigarette pas allumée entre les doigts, Henri savourait son ivresse. Il somnolait dans le sofa inclinable du salon, devant un reportage mortifère sur rien de trop précis, des requins dépecés par douzaines dans le ressac, un minaret affleurant à marée basse sur son étoc, des gens pas comme nous. Il était « malade », il avait dit, aussi soûl qu'un moine, quand Liette lui avait demandé après leur fiesta ce qui allait pas.

— On va te cocooner, elle a dit alors, dans sa robe de nuit déjà, mais remaquillée, et elle a troqué le casque de poil sur la tête à son mari contre une bouillotte d'eau chaude.

Son homme avait pas besoin de rien d'autre pour l'instant, ça fait qu'elle en a profité pour remonter s'assir en paix deux minutes dans la cuisine, devant le mot croisé du *Vivier* que son fils avait complété sans difficulté. Presque aussitôt d'ailleurs, l'odeur de François qu'elle connaissait si bien est venue lui faire palpiter la narine, un peu moins translucide sous son fond de teint. Liette s'est tournée vers sa fenêtre habituelle, dont le cadre délimitait pour elle l'univers connu.

52

AVEC STEEVE ACCROCHÉ à lui, dans un effort héroïque à quoi manquait juste la musique d'un film à grand déploiement, Yannick a remonté la pente d'un fossé d'irrigation rempli à ras bord d'une eau arborisée de cristaux. La neige tombait encore plus résolument. Elle explosait un peu partout dans le noir en particules instables au-dessus du champ effrité des Canon. Ça faisait longtemps que l'hypothalamus à sec de Steeve produisait plus d'endorphines. Le halo de chaleur persistait autour de sa fracture, à proximité duquel les flocons se liquéfiaient avant d'avoir eu la chance de lui cribler l'épiderme.

— Essaye de pas me serrer le cou de même, a silé Yannick.

Il finissait, fourbu, de se dépêtrer des joncs durcis.

Le taxi à Rock disparaissait sous la neige. Ça passait dans l'obscurité, avec la distance, pour un de ces ballots de foin qui ressemblent à des guimauves géantes et que les fermiers laissent des fois sur leurs terres. Les traces de l'accident avaient depuis longtemps été recouvertes et ni l'un ni l'autre des gars a remarqué quoi que ce soit d'anormal.

— Je te lâcherai pas, mon sale, a exhalé Steeve.

— Crois-moé. Si je veux que tu lâches, tu vas lâcher.

Ils avaient presque atteint la lisière du champ, ils commençaient à voir la route, quand un point jaune est apparu dans le soir. Le point clignotait à intervalles inégaux. Il grossissait derrière les arbres.

— C'est la lumière au bout du tunnel, a dit Yannick.

Le point débordait entre les troncs. Il s'est étiré jusqu'à former un cône, de plus en plus grand, un entonnoir vers lequel Steeve s'est senti aspiré. Il attendait que la main de Dieu en surgisse pour venir le ramasser par la peau de la nuque. Yannick lui a fait lâcher prise avec une passe d'autodéfense.

— Heille !

Yannick courait vers la route. Étendu dans la neige, Steeve vivait le moment au ralenti, comme dans les cauchemars. Toute sa personne voulait lui rejaillir par la plaie. Laganière et lui avaient une seule bonne paire de jambes à deux maintenant. Va pas vers la lumière, qu'il aurait voulu crier à son cousin. Puis il a compris que la lumière était celle de motoneiges. Yannick a bondi et s'est laissé basculer par-dessus la clôture qui longeait la route.

— Heille ! Icitte ! Arrêtez-vous !

Les motoneigistes ont freiné sur des dix cennes. La face à Steeve lui a toute fendillé quand il a souri. Il a reconstruit autour des phares au loin des silhouettes en mouvement. Deux gars venaient de débarquer d'un des véhicules. Ils accouraient vers Yannick. Une bavure, une coulée d'encre noire prolongeait l'ombre d'un des gars. *Une carabine,* a pensé Steeve. *Des chasseurs.* Une troisième motoneige est bientôt arrivée, avec un seul cavalier dessus. Steeve a cru deviner Yannick qui buvait quelque chose au goulot. Il y avait autour des machines toute une opération en train de se mettre en branle. Yannick, l'avant-bras devant la face pour se protéger de la neige, pointait l'autre bras vers lui, vers Steeve. D'autres canons ont passé dans les feux et les émanations. *C'est fini,* a pensé Steeve. Il a remué sa jambe cassée pendant que Yannick embarquait avec un autre sur une des motoneiges. Il devait y avoir un réacteur après ça, pour que ça décolle de même. La neige projetée dans leur sillage se mêlait à celle qui tombait du ciel. Un des trois chasseurs qui restaient parlait dans un CB pendant que les deux autres enjambaient la clôture. Ils avançaient à travers le champ dans la direction générale du blessé. *Je suis rien qu'un maudit peureux,* a pensé Steeve encore. Des faisceaux de lampes torches balayaient la neige devant les gars. *Une civière, s'il vous plaît. Un hélicoptère.* Les chasseurs progressaient vers l'invalide en pilant dans les traces qu'avait laissées Yannick.

— C'est fini, a dit Steeve à haute voix.

Juste de parler, ça lui a élancé dans la jambe. Les gars l'appelaient. Ils apportaient une couverture qui avait l'air en papier d'aluminium. Un des deux a tiré une fusée de détresse. Ils étaient pas encore sur lui que Steeve, se traînant dans la poudreuse, a heurté quelque chose de dur avec sa jambe valide. Il s'est retourné vers sa trouvaille, les traits distordus.

Il y avait une tête dans la blancheur. Sans comprendre, Steeve l'a remuée du bout du pied. La tête a roulé, des flocons accrochés aux cheveux gominés de rouge. Une face dodue, tuméfiée, s'était figée dans une expression stupéfaite.

— Patapon ? a dit Steeve.

Rock avait oublié de ramasser ce bout-là dans la neige quand il était ressorti du champ des Canon avec quelques membres sous le bras. Les chasseurs ont pressé le pas quand Steeve s'est mis à hurler sans plus aucun contrôle. Il avait voulu lancer le plus loin qu'il pouvait la tête à celui qu'il avait tyrannisé toute son adolescence, mais un bout de face venait de lui rester dans les mains.

X

BILLY JOE PICTOU

53

Ç A DEVAIR FAIRE trois quarts d'heure que Yannick attendait son père dans la fourgonnette de la compagnie. Le pare-brise avait la largeur d'une baie vitrée, et un soleil spectaculaire irradiait dans l'habitacle. Yannick osait même plus bouger, de peur que des petits bouts de sa personne restent collés sur les sièges recouverts de cuir noir. Il avait essayé de se faire accroire qu'il profiterait de la commission à Henri pour s'assoupir, relaxer de sa semaine de tonte de gazon et de cours de rattrapage en notant d'un à dix les femmes crémées qui passaient en maillot de bain sur la grève après leur saucette, mais pour ça, il aurait fallu qu'il vive dans le déni. Parce qu'à moins d'avoir un pouvoir d'auto-suggestion pas nécessairement bon pour toi, tu pouvais pas tellement manquer le mautadit centre d'achats que le privé avait eu l'ingénieuse idée de bâtir en mai dernier en plein devant la mer le long de la 132, et en face duquel, à la poissonnerie Chapleau, la fourgonnette de Bouge & Fils était stationnée. Tu les voyais plus, les bikinis, du parking de la poissonnerie. Tu voyais des mononcles et des matantes pousser des paniers d'épicerie ou des parents cernés jusqu'au menton derrière des poussettes. Tu la voyais plus, la mer. Tu voyais un magasin Rossy devant la grève, dont le revêtement épousait les limites du champ de vision à Yannick. Il devait avoir quoi dans ce temps-là, quatorze, quinze ans? Acné, pinch mou. Il avait pas envie, pareille belle fin de semaine, de rester assis dans la fourgonnette à son père à faire le méchoui dans une canicule record.

— J'arrête à la poissonnerie trois minutes, avait menti Henri il y a trois quarts d'heure de ça.

Le soleil tapait en angle sur la tôle chauffée à blanc du centre d'achats, un prisme d'énergie pure. Même avec les fenêtres ouvertes, Yannick aurait pu essorer le t-shirt collé sur le ruban tue-mouches qu'il avait pour peau. Tout ce qui l'empêchait de s'évanouir, c'était le vent de charnier, les relents dommageables pour le cerveau, l'odeur apocalyptique de poisson triste cherchant à se fuir elle-même par l'évent de la poissonnerie jusque dans la fourgonnette. *De deux morts la moins pire,* il s'était dit. Il s'apprêtait à remonter les fenêtres pour se laisser suffoquer par la chaleur dans la fourgonnette où s'étaient depuis longtemps dissipés tous résidus de climatisation, quand tout à coup les portières s'étaient barrées toutes en même temps, puis débarrées, et le système d'alarme avait poussé une couple de bips désabusés. Les lumières du tableau de bord s'étaient allumées, s'étaient éteintes. Les portes s'étaient rebarrées. Le moteur avait démarré. Les portes s'étaient redébarrées. Yannick avait vu Henri surgir dans le rétroviseur de la fourgonnette, la face rougeaude, les dents d'une blancheur de pastis. Des ronds de sueur mouillaient sa chemise à la poitrine et sous les bras. Le père avait mis un coffre de ciseaux à bois dans le compartiment en arrière puis s'était installé derrière le volant, tellement brûlant qu'il l'aurait touché avec un peu de salive au bout du doigt que ça aurait fait *tss*. C'était son premier démarreur à distance, il était pas habitué. Et là, sérieux, quand ton gars a déjà perdu la moitié de son samedi à virailler dans le village avec toi pour magasiner les rouleaux de rechange de ta chenille de convoyeur, tu pourrais avoir la décence de pas empester un peu plus la boisson après chaque arrêt.

— Bon, t'es-tu prêt, le copilote ? avait demandé Henri après avoir ravalé un rapport qu'il a soufflé sur le côté.

Il avait classé une facture dans le duo-tang où il gardait tout ce qui était déductible d'impôt, envoyé un bec à sa médaille de saint Christophe, puis embrayé doucement en première, tout doux, mollo, fallait pas la battre, sa fourgonnette. L'asphalte coulait par torrents épaissis. Yannick voyait des mirages.

— Je viens de parler à monsieur Perrault, avait continué Henri.

Moyen blé d'Inde, monsieur Perrault, avait pensé Yannick. *Avec ses lunettes rondes pis sa conscience universelle.*

— Et assis-toi comme du monde, à part de ça. Tu t'arranges pour te ramasser avec une scoliose à vingt ans.

Henri avait rien compris de ce que son gars avait

répondu pour sa défense. Il y avait rien à comprendre aux monosyllabes mal oxygénés qui se bousculaient de temps en temps entre ses dents serrées. *Un invertébré.* La coupe Longueuil à Yannick faisait le pendule au gré des imperfections dans la chaussée. *Défais des chars dans les dunes tant que tu veux,* se disait Henri, *pète-toi la face à treize ans. Lâche l'école. Mais tiens-toi les cheveux courts.* Il avait soupiré de découragement. Quelque part au centre-ville de La Frayère tournoyait la spirale bleu, blanc et rouge de l'enseigne au barbier.

Henri s'était mis à fouiller de dépit dans le sac d'épicerie qu'il avait ramené de la quincaillerie plus tôt en matinée. Il s'était fourré, en aspirant, un bourgot dans la bouche. Il mastiquait avec des bruits d'amour. C'était toujours de même, avec Henri. Il rentrait dans la poissonnerie pour en ressortir avec des outils. S'il passait devant une quincaillerie, il tournait dans le stationnement. C'était systématique, il était programmé de même. Et à tout coup, il revenait dans la fourgonnette avec de quoi d'improbable, un esturgeon à museau court, disons, enveloppé dans une livre et demie de Saran Wrap. Cette fois-là, ça avait été des bourgots.

Il en avait offert un à Yannick, mais son gars s'était enfoncé deux doigts derrière la luette comme pour se faire vomir. *Pauvre tite bête,* avait pensé Henri. *Serait ben mieux morte.* Il avait rajusté son miroir de manière à pouvoir admirer sa nouvelle coupe en brosse tout en lisant les mots Bouge & Fils qu'il avait peints au latex sur les flancs de sa fourgonnette. *Tiens-toi les cheveux courts,* il avait insisté, dans sa tête. C'est seize ans que

Yannick avait. Il venait de passer son permis. Le jeune était pas bavard, mais il prenait des notes, par exemple. Son père les avait parfaits, tous les gestes qui te font fantasmer sur la conduite quand t'as pas encore le nombril sec. Le bras autour de l'appuie-tête du passager quand tu recules, tout ça. *Cent piasses qu'il va se répéter,* avait pensé Yannick en lui jetant un coup d'œil.

— Je viens de parler à monsieur Perrault.

Henri se répétait tout le temps, et en plus, il avait un verre dans le nez. *Quitte ou double qu'il va sortir la même farce plate que d'habitude,* avait pensé Yannick.

— Je le sais, il avait dit, tu viens de me…

— Batinse, ça parle !

Le père avait rajouté quelque feinte de crise cardiaque par-dessus ça, à quoi Yannick avait répondu d'un bâillement. Un long bâillement qui s'était étranglé vers la fin, avant de virer en geignement de frustration. Le poing lui était parti tout seul dans le polymère au-dessus du coffre à gants.

— On se calme les transports, avait dit Henri.

La fourgonnette roulait pépère vers l'intersection de la rue Principale. Zéro pour cent de probabilité d'averse. *Le ciel est bleu, la mer est calme,* avait pensé le bonhomme.

Yannick en revenait pas. Son père avait pas le droit. Il lui appartenait pas. Pendant que sa jeunesse à lui se gaspillait dans l'esclavage, ses amis eux autres préparaient leur trip de camping. Ils s'en allaient au Malin, une rivière en arrière de Bonaventure. C'était les perséides, ça allait être fou raide. Vignola avait le char à sa mère. Et à quoi ça lui avait servi, à Yannick, de passer son permis? C'était ça, le pire. Le géniteur le laissait jamais chauffer.

— Monsieur Perrault m'a assuré qu'on trouverait pas de rouleaux comme ça nous prend à Chandler. Il est allé faire son tour par là avant-hier pour une trayeuse pis des étagères.

Quoi? avait pensé Yannick. *De quoi?* Ça voulait-tu dire qu'ils y allaient plus, à Chandler? Quelqu'un avait dû allumer un cierge pour lui, parce que rendue au coin de la rue, la fourgonnette avait pris à gauche. À l'ouest égalait maison. À l'est égalait Chandler. Après un calcul rapide, un peu biaisé par une excitation mal contrôlée et ce qui commençait à ressembler à une insolation, Yannick avait déduit qu'il était peut-être pas trop tard. *J'ai peut-être pas raté mon lift. M'étonnerait pas que Marteau soit pas encore prêt.* Son samedi, tout à coup, venait de prendre des allures d'annonce sur le bonheur de vivre dans une communauté saine. Un joggeur joggait sur place en attendant la verte pour aider une aînée à traverser le chemin. Des enfants désertaient leur lave-auto improvisé ou leur stand à limonade pour courir après le camion de crème à glace sous des arcs-en-cieux surgis d'arrosoirs à pelouse. Yannick se voyait déjà faire la bombe depuis les rochers pour se purifier le système dans les flots du Malin, et c'est là qu'avait retenti dans l'habitacle la pire sonnerie d'alerte rouge à te jeter à terre les mains sur la tête en cherchant la sortie d'urgence la plus proche.

— Oui bonjour, Bouge & Fils, Henri Bouge lui-même à l'appareil, comment puis-je vous aider? Ah, c'est toi, très chère, j'allais t'appeler.

C'était le cellulaire. Dans les premiers modèles aussi. Ça pesait vingt-deux livres, méchant gréement. Quinze cents piasses chez RadioShack.

— C'est ta mère, avait chuchoté Henri à son gars, la main recouvrant l'acoustique.

Mais Yannick nageait déjà dans son siège en attendant de rejoindre sa clique de «flibustiers», comme les appelait son père pour le taquiner. La main sur l'acoustique, c'était un pli de cachottier. Les rares fois où il décrochait le téléphone, méfiant qu'il était quand ça sonnait, Henri était tout sauf un parangon de concision, surtout qu'il venait d'acheter ça, cette technologie-là, et qu'il avait pas encore trop eu la chance de s'en servir pour justifier la dépense. À en juger par le ton de la conversation, Liette avait été à jamais séparée de son homme par la tragédie de son départ de la maison à matin. Yannick s'imaginait ses amies Kim et Marie-Pierre allongées sur leurs serviettes chaudes, à se faire bronzer égal, sur le bord de la rivière, avec le char de la mère à Vignola pas loin en arrière-plan. La grosse vie. Ça allait pas mal mieux monter que la Chevette tout cancer à Patapon. *Mais tiens, regarde donc ça, toé.* Henri savait plus où est-ce qu'ils habitaient. Il avait comme omis quand c'était le temps de tourner à droite sur Jacques-Cartier, pour plutôt se revirer par la rue Pleau et prendre en filature un Winnebago, immatriculé en Nouvelle-Écosse, en direction ouest sur la 132. *Mayday, mayday.*

— On reviendra pas tard, ma guimauve, disait Henri. Faut que je monte aller-retour à Rimouski pour mes rouleaux, parce que sinon va falloir que lundi au chantier…

Oui, c'est ça, on va luncher quelque part passé Escuminac, je pense bien, nourrir le jeune.

Tout en ignorant magistralement Yannick, en pleine crise d'épilepsie à côté de lui, Henri avait raconté deux ou trois fois en détail à sa femme le délicat lundi qu'il risquait de passer s'il réglait pas ses histoires de rouleaux avant. *Rimouski,* avait pensé Yannick. Il l'avait pas vue venir, celle-là. Et il savait de quel casse-croûte son père parlait. C'est toujours là qu'ils arrêtaient manger, une place qui avait pas l'air d'avoir ça, un nom, mais sur l'écriteau de laquelle on lisait SPÉCIALITÉS CHINOISES, ITALIENNES ET CANADIENNES. Henri mangeait chaque fois ses deux egg rolls en laissant son hamburger caruso refroidir devant lui dans sa sauce en canne. Il s'enchaînait des cafés brandy au-dessus du mot croisé du journal pendant que lui, Yannick, suçait sa galvaude ou sa pile de crêpes prédigérées dans du sirop de poteau. CANADA'S OCEAN PLAYGROUND, ça disait sur la plaque d'immatriculation du Winnebago qui roulait devant.

— Et bonne partie de bridge à soir, tu diras à Gaston que je l'attends pour sa revenge.

Henri le savait pas, mais sa guimauve avait déjà raccroché depuis trois minutes.

— Tu pourrais pas, avait fait Yannick, demander à François d'aider une fois dans sa vie ?

Henri, la main sur l'acoustique, avait louché vers son gars l'air de dire François, tu y penses-tu.

— Je parle à ta mère, il avait murmuré.

— Chanceuse.

— Tu diras à Gaston que je l'attends pour sa revenge,

pis faque c'est ben beau, très chère, je te vois plus tard, bye bye, je t'embrasse fort, comment va notre François aujourd'hui ? Je te reparle bien vite de toute façon, bye là.

Incapable de le replacer sur son socle, Henri avait fini par caler le téléphone entre ses cuisses pommelées de boubous bleus, le clavier vers lui, comme s'il s'apprêtait à pitonner un autre numéro. Il s'était allumé une cigarette avec le briquet de la fourgonnette. Les vacanciers alentour roulaient sur une route blanchie, qui se prolongeait dans le panorama jusqu'à un soleil dont le diamètre pouvait rien qu'être arrangé avec le gars des vues. Henri tenait sa clope par le milieu, entre ses gros doigts mal articulés. Sa main lui masquait la moitié de la face à chaque fois qu'il prenait une poffe.

— Peut-être qu'au moins si je pourrais chauffer…

— Ça parle !

Des chatons écrabouillés dans l'étau, avait pensé Yannick. *Des lapinous tout trognons travaillés aux vieilles cisailles ébréchées. Des poussins disséqués dans des…*

— Et les *scies* mangent les *raies,* a repris Henri. J'ai pas changé d'idée, mon grand. Tu peux pas conduire pis tu sais pourquoi.

Le onzième commandement. Le véhicule paternel point tu ne conduiras tant que coiffé comme un chien barbet tu seras.

— L'attelage va s'étirer dans les passages droits.

Henri pointait plus loin sur la route une remorque dans l'autre voie. Il voulait dire par là qu'il faisait chaud, mais ce qu'il voulait vraiment, c'était rompre un silence dans lequel il voyait rien d'utile. Une pancarte indiquait

328 kilomètres avant Rimouski, un chiffre auquel Yannick s'accrochait tandis que la fourgonnette frayait parmi de plus en plus de familiales, de minivans, de VUS, avec des fois un kayak sur le toit, des bicycles à peu près jamais utilisés, plein de villégiateurs à coupe dégradée ou champignon ou peignés sur le côté qui s'en allaient sûrement passer la fin de semaine dans des rivières jaillies tout droit du *Lagon bleu* avec leurs blondes et leurs amis et les amies de leurs blondes et de la bière en masse et des frisbees et tout plein de paquets de saucisses à faire griller sur le feu.

Depuis un bout de temps déjà que Yannick sentait ça s'en venir. En plein bulletin de nouvelles, Henri avait baissé le volume de la radio.

— Comment ça va les cours d'été ? il avait demandé, et il avait offert en même temps à son fils la cigarette qui dépassait de son paquet.

— Ça va scolaire, avait répondu Yannick.

Il était pas trop sûr si son père le testait ou non.

— Voyons, qu'est-ce que je fais là, moi, avait dit Henri.

Il avait sorti du paquet la cigarette de la tentation, qu'il avait écrasée dans le cendrier même si elle était pas allumée. Il y avait pas une goutte de ressemblance entre son fils et lui. Même qu'il y avait pas, dans tout La Frayère, deux personnes qui se ressemblaient moins. Henri avait pris une grande respiration. Sa ceinture s'était tendue. *Pitié,* avait pensé le fils quand les poumons du père s'étaient mis à dessouffler.

— Mon gars, des fois dans la vie, il faut faire des choses

qui nous tentent pas. Parce qu'à quelque part, c'est bon pour nous.

Henri réajustait maladivement son miroir. C'était du malaise, et il touchait à une couple de boutons ici et là sur le tableau de bord en se donnant l'air de connaître ça. Yannick tâtonnait en dessous de son siège, comme à la recherche d'un levier d'éjection.

— Ça nous forge le tempérament. Oui, je le sais. Tu te demandes comment.

Je me demande surtout quand est-ce que tu vas me sacrer patience, avait pensé Yannick.

— Prends monsieur Turcotte, par exemple. Ça lui tentait pas, de se faire remplacer la hanche.

— Il a jamais remarché, non plus.

Rimouski, 341 kilomètres. Yannick venait de voir ça sur une autre pancarte.

— C'est pas la question, avait dit Henri.

Les douleurs les plus profondes sont parfois les plus silencieuses.

— Ah, pis hein, avait marmonné Yannick. Pige deux cartes pis passe ton tour.

— Comment tu dis ça ?

Yannick s'était recadenassé la trappe. Il y avait plus la moindre auto sur la route, pas un tacot en vue. Des montagnes avaient surgi du sol. Une vallée se creusait devant la fourgonnette.

— Une bonne journée, il avait dit, je m'en rappellerai toujours, mon père m'a dit quelque chose. Il m'a dit que tout ce qu'il possédait dans sa vie, son argent,

ses propriétés, le gros char dans la cour pis les poignées
de main lucratives, il aurait tout échangé ça, n'importe
quand, pour un arrêt de la mitaine devant l'attaquant
des Crolions de Paspébiac qui lui avait volé un bout de
son destin dans un tournoi de hockey quand il était flo.
Billy Joe Pictou, qu'il s'appelait, le gars. C'était un Micmac.

Une fine soie noire, l'ombre coulante d'un stratus,
avait glissé entre-temps entre des faîtes en bataille
jusqu'au pied d'un versant de montagne où le vent avait
l'air d'être fabriqué. Ils pénétraient dans la vallée de la
Matapédia, pareil à Monti quelque soixante-quinze ans
plus tôt, sur le cheval qu'il avait usurpé au facteur de
Saint-Lancelot-de-la-Frayère devant toute la compagnie
à l'hôtel. C'était le cheval que Monti avait gagné dans
une gageure mythique, personne avait jamais su comment. Il avait réussi son trucage, en tout cas, parce que le
cheval s'était pas téléporté. Il avait fallu d'une manière
ou d'une autre que quelqu'un le soulève et le rentre dans
l'hôtel à la Guité par une fenêtre à l'étage. T'avais des
versions de la légende qui se transmettaient encore tout
le tour de la péninsule chez les aînés. Les jeunes comme
Yannick connaissaient l'anecdote aussi, leurs parents ou
grands-parents la leur racontaient depuis qu'ils étaient
aux couches. Mais cette génération-là en pouvait plus
des histoires du genre. Pour Yannick et ses amis, c'était
rien que des fabulations, des délires de gars chauds, des
coups montés qui comme tant d'autres choses avaient
pris une ampleur irréversible par le bouche-à-oreille.

— Les avoirs, ça comble pas tous les manques, avait
dit Henri. Il y a de la vérité dans les clichés.

Songeur, il avait ouvert la console de la fourgonnette. Sans même avoir besoin de regarder, parce qu'il les classait par ordre alphabétique, il en avait extrait la troisième cassette à partir du fond. Puis il avait soufflé sur le ruban magnétique, mis ça dans le ghetto et rock on. De l'opéra.

— Je t'ai-ti déjà raconté comment ça a commencé, Bouge & Fils ?

Sept cent quatre-vingt-dix-huit fois, avait pensé Yannick. Une carrière un peu plus haut dans le nord-est. Les transferts de titres pour mettre ses affaires en ordre à la Ville. Le rachat des parts à Pleau et Labillois. Des pépines à rabais chez des entrepreneurs de Murdochville. Et boum. À chaque dynamitage, une pluie d'investissements retombait sur les nuques rougies par le soleil et le travail.

— Le *vrai* commencement, je veux dire. Quand grand-papa Monti est venu me réveiller en pleine nuit, une fois où j'avais formidablement besoin de sommeil. J'avais ton âge à peu près. J'étais pas reposant, à part de ça. Ou j'avais quelques années de moins que toi, je pense, plus comme treize ans. Baptiste était parti à la guerre en tout cas, ça je me souviens. Le père, cette nuit-là, était-il venu me réveiller pour me punir ou pour me récompenser ? C'était pas moi à l'époque le plus capable de la fratrie chez nous.

Henri avait confessé que ça avait été là la première brosse de sa vie.

— Pis pas une petite.

La journée dont il parlait, ses parents avaient amené les enfants en visite chez l'oncle Gédéon, dans l'arrière-

535

pays où il avait son érablière pas loin de Saint-Elzéar. Gédéon était pas l'oncle à personne, mais ça lui plaisait néanmoins de gâter les sauvageons que lui-même avait jamais eus. Il avait une grosse personnalité, et Monti se soupçonnait quelque amitié avec. La famille le visitait en dépit de ces sentiments que le père trouvait d'habitude trop accaparants. Parce que Monti savait pas dire non à sa progéniture, qui haïssait pas ça aller se sucrer le bec dans le bois. Il y avait toujours matière à indigestion là-bas, même quand le sucre était pas tout à fait de saison.

Mais fallait ce qu'il fallait, et ce dimanche-là, Henri avait dû se contenter de regarder s'éloigner par le judas la Ford Super Deluxe qui passait encore pour une machine du diable auprès d'une partie de la populace. La voiture soulevait une poussière roussâtre dans l'allée, les laissant derrière, Toine et lui. Charline, la petite dernière, eue sur le tard, se consolait derrière le volant sur les genoux à pôpa. Pôpa avait dû taper trop fort, parce qu'Henri se souvenait plus très clairement. Il lui semblait que c'était à cause de quelque histoire avec elle qu'ils étaient restés derrière, son frère et lui, en punition avec une liste de corvées longue de même. Monti, ses deux filles, c'était pas touche à ça.

En plus, ça avait bien l'air qu'Henri aurait pas d'aide pour étaler toute cette granule-là par-dessus la pollution des clapiers. Toine s'était donné le droit de fainéanter, sans repentance, dans la barouette pleine de mottes de terre et de gazon encore gelés, où il lisait des ti-comics à l'ombre d'un chapeau de paille ajouré par les souris. Sa carcasse dégingandée reposait là comme sans vie et ses grandes cannes dépassaient d'un des brancards. C'était une de ces journées de début de printemps qui te donnent l'illusion de transpirer, et Toine avait ordonné à son cadet de lâcher sa besogne une minute pour aller en dedans lui remplir un pichet d'eau, dans lequel il ajouterait une mesure de cassonade et des quartiers de pomme surette, en faisant très attention de rien renverser en parcourant au retour les quarante verges qui les séparaient de la maison, à moins qu'il tînt à en manger une maudite. Mais alors qu'Henri, après avoir pulvérisé ses pommes plus qu'il les avait tranchées, remettait le kilo de cassonade cristallisé sur la dernière tablette de la dépense, le téléphone s'était mis à sonner dans la maison. Il sonnait avec d'énergiques tressaillements. Henri s'était approché de l'appareil, un peu plus entre chaque sonnerie, tout embarrassé de sa personne sans trop savoir pourquoi.

— On va s'arrêter gazer.

Il venait de mettre son clignotant. Ils étaient rendus à Lac-au-Saumon. La tinque était à la moitié.

— Une moyenne conversation que j'ai eue au téléphone ce jour-là. J'ai pas le cœur à parler de ça, tu vas comprendre quand tu seras plus vieux. De toute manière, je me souviens surtout de ce que j'ai fait après.

Henri avait raccroché l'acoustique rouge. Il avait oublié l'eau sucrée. À la place, il avait sorti une chaudière, des guenilles et l'escabeau. Dans son abasourdissement, il avait, savon de graisse et brosse à crin, lavé tout ce qu'il y avait de fenêtres dans la maison, les carreaux des lucarnes, l'œil-de-bœuf, jusqu'à ce que tout fût spic and span.

Voilà que Toine assoiffé se tapait la paume du poing dans le cadre de porte derrière lui. Henri l'avait regardé, d'un regard éteint, s'en détournant pour ouvrir l'armoire interdite où leurs parents conservaient le vin et les spiritueux, ainsi que le cruchon gris de ce que Monti appelait son « alcool à décerveler ». C'est pas le cruchon qui était gris. Le cruchon, il était transparent. C'est l'alcool qu'il y avait dedans. Il avait pas fallu beaucoup de temps après qu'ils l'eurent débouché pour que les frères, des giclées sur deux pattes, se tombent dans les bras l'un de l'autre en s'exclamant d'incrédulité. Ils avaient comme déboulé l'escalier par en haut, jusque dans la chambre qu'ils partageaient à l'étage selon un rapport de force formellement établi. Ils avaient sombré dans le coma sur leurs matelas respectifs, Toine dans l'intimité de son alcôve, Henri contre une cloison glacée même en août.

Il avait su que le reste de la famille était revenu de Saint-Elzéar quand, roulant à côté du cerne livide qu'il avait laissé sur sa couche, il avait entrevu dans son tournis Charline qui le considérait. Bouche sale, lulus, sa sœur était assise sur un tabouret à côté du lit. Ses bottillons de cordonnerie se balançaient tandis qu'elle dardait de sa langue circonspecte un cornet à l'érable.

— Pas fort, elle avait dit.

Monti vint ensuite réveiller fistounet d'un bécot dans les bouclettes, lui apportant son repas au lit pour se faire pardonner de l'avoir querellé avec autant de passion plus tôt en matinée. Pas trop, non. Monti arracha les couvertes de sur Henri en se mordant l'autre main au sang pour pas le tuer. Puis il arracha Henri de sur le matelas, et le flo tomba sur le plancher où il adopta aussitôt la position fœtale. La bouche lui ouvrait et lui refermait comme une poule à qui tu viens de couper le cou. Des étoiles filantes pleuvaient au ralenti par la fenêtre derrière son père.

— Déguédine.

C'était pas une suggestion. Monti, dans sa maturité, avait plus rien du freluquet des clichés argentiques pris avant son départ au Klondike et qu'on voyait sur les murs de son antichambre. C'était une bête, le monsieur.

— Tu t'en viens avec moé.

Henri opina. Ça t'y jouait des maracas dans le cabochon.

— Avec *moi,* se corrigea lui-même Monti.

Jamais Henri avait vu le père aussi énervé. Il était-ti arrivé de quoi à Baptiste sur le champ de bataille ? Monti était ressorti de la chambre et passait et repassait dans le couloir en patinant sur le cirage dans sa flanellette. Il tenait un bougeoir en airain et la flamme vacillait terriblement. Henri inséra la jambe gauche dans la jambe droite de ses culottes et se prit la face dans une manche de son chandail. Il réentendit son père passer, qui luttait pour rouler une poche de canevas. La maisonnée se désengourdissait au rythme des catastrophes. On apercevait depuis la pelouse la façade s'éclairer ici et là, en un damier irrégulier, au fur et à mesure que les lampes s'allumaient par les fenêtres d'une propreté pour laquelle personne avait cru bon de dire bravo Henri.

— La mère ! cria Monti.

Et il repassa encore une fois en trombe dans le cadre

539

de porte de la chambre à ses gars, une bonne longueur de corde bien urticante enroulée autour du bras. Sa face explosée vint perturber le rectangle de l'embrasure quand il refit trois pas de reculons. Henri souriait à son père, les yeux révulsés. Il serrait les dents pour retenir les grumeaux.

— Toi, lui dit Monti, descends dans le cellier nous chercher toute ce qu'on a de provision de porc salé. La mère !

Les culottes aux genoux, Henri se rendormit pendant une seconde sur son tabouret. Monti réapparu l'attrapa par le biceps et le leva quasiment au-dessus de sa tête en le secouant. Il lui hurla dans le pavillon de l'oreille d'aller chercher le chariot dans l'étable, et Henri s'exécuta d'urgence sans prendre le temps de monter ses culottes avant d'être dans le corridor.

Ça allait mal à la shop. Les plus petits sanglotaient sous leurs doudounes. Toine, dans son alcôve, se prenait dans son rêve pour une baleine échouée, de quoi de même.

— Oublie pas le porc salé ! cria encore Monti à Henri qui dévalait l'escalier d'un pas lourd. Pis ramasse cinq ou six vingt-six onces de Yukon en même temps.

Quand il remonta du cellier, avec ses paquets de porc et l'alcool, le limaçon de l'oreille encore débobiné par le cri de son père, Henri surprit un échange au rez-de-chaussée.

— Mais qu'est-ce que tu vas faire, rendu dans la montagne ? disait Joséphine.

540

Il y avait quelque chose d'exaspéré dans son ton, elle d'ordinaire si douce et tolérante. Jamais Henri avait vu sa mère à ce point pugnace devant son mari. La flamme était morte dans le bougeoir que Monti tenait toujours.

— Je vas le tirer moé-même, Joséphine.

— Tu vas le tirer toi-même ?

Joséphine, encore en robe de nuit, eut envie de rire.

— Ben oui, qu'est-ce tu veux je te dise !

Henri avait pas fait le lien sur le coup. Mais il sortit de son somnambulisme en sacrifice quand il remarqua, dans le salon où il s'apprêtait à se recoucher, l'absence du fusil au-dessus du manteau de la cheminée.

La corde. La poche. Le fusil.

Les pigeons dans les combles se rentrèrent le cou entre les ailes. Henri savait pas, lui, que ses parents parlaient du chariot. Son père voulait pas emmener le cheval, sauf que ça, c'est le bout de conversation qu'il avait manqué. Lui, de ce qu'il comprenait, on partait le fusiller en montagne. Résigné, mais assez digne pour pas en faire un cas, il se chaussa dans l'entrée. Il s'enfonça une casquette à oreilles sur le futur trophée de chasse qu'il avait sur les épaules et prit sur lui de sortir par en arrière et de s'assurer qu'ils aient tout ce dont ils avaient besoin pour son exécution. La lumière qui débordait de la maison se faisait plus mousseuse dehors en raison du brouillard monté du large. Henri referma subitement le scrigne dans un sursaut, entre lui et un inconnu pas de cou sous les pieds de qui craquait le perron.

L'inconnu, pour dire bonjour, effleura paresseusement le rebord de son chapeau. Il y eut incertitude. La girouette scintillait sur le toit de l'étable au fond du terrain. La chemise de l'inconnu exhala une odeur d'amidon quand il se tassa de dans la porte. Henri, dégrisé, mais bredouillant d'incohérences, se faufila entre la balustrade et Billy Joe Pictou. Les mèches qui fuguaient de sous son chapeau avaient laissé entrevoir un chatoiement de pétrole. Un Indien au beau milieu de la nuit sur le perron de l'homme d'affaires le plus respecté de Lancelot-de-la-Frayère. Ça ferait pas jaser, d'abord.

Henri pénétra dans l'étable, bottant de nervosité les poules en avant de lui. *Les Indiens,* pensait-il, *on sait pas toute.* C'est simple, il avait la chienne. Tant qu'il passa proche de clisser le feu dans le fourrage au moment d'allumer le fanal accroché au clou du linteau. Tout de suite il avait senti le cheval irradier dans sa stalle. C'était plus le cheval à Bradley, mais un autre, un poulain, que Monti avait affectueusement baptisé Pégase.

En tenant la bête par la bride, mais sans le chariot, Henri était revenu vers la maison. Il jouait dans le noir un drôle de jeu avec l'Indien. Il s'en cachait tout en s'assurant de faire assez de bruit pour qu'on l'entende. Le souffle musqué du cheval lui ragaillardissait la nuque. Pas qu'il percevait ce qui se disait d'en dessous du saule pleureur où il s'était réfugié, mais son père, la raie des cheveux en zigzag, dansait toute une danse de Saint-Guy sur le perron devant son visiteur. Seules ses bretelles l'empêchaient de se sortir de la peau par le dessus de la tête. L'Indien le fixait de ses yeux d'albâtre sertis d'ébène, enfouis au fond d'orbites un peu replètes. Billy Joe avait dû lui allouer une minute ou deux pour se décider, parce qu'il le chronométrait sur une montre de gousset. L'Indien en referma le couvercle sur le cadran.

— Ah, fiston, c'est toi, fit Monti d'un air abattu.

Un rayon de lune entre les branchages du saule avait révélé Henri.

— Je t'ai pas dit d'atteler le chefal, je t'ai dit d'aller chercher le chariot. On va pas nulle part, de toute façon, va te recoucher.

Henri partit pour aller desseller le cheval, s'excuser aux poules. Il saisissait mal sur quoi le désaccord reposait entre son père et Billy Joe. Mais au lieu de faire demi-tour, il fit un tour complet sur ses talons.

L'Indien venait de sortir une pépite d'or d'une boulette de papier journal. À la fois vorace et gaga, Monti se passa une manche sur la bouche, réajusta une cravate imaginaire. Billy Joe restait impassible, et muet. Il regardait la pépite dans sa main matelassée de cuir, non pas comme une promesse de fortune, mais comme si la forêt où il avait trouvé ça par hasard avait voulu lui enseigner de quoi. Les méandres de sa vie l'avaient conduit par ce moyen-là jusqu'à Monti, dont lui aussi avait entendu parler des prouesses de prospecteur. Henri s'extirpa de sous le saule en souriant comme quand t'attends qu'on te photographie et que le déclic de l'appareil vient pas.

— Marché conclu, dit Monti revenu dans ses souliers.

Il avait serré la pince à l'Indien, dont la grosse face était fendue elle avec d'un sourire où manquaient cependant les palettes. Les deux hommes avaient pogné un choc d'électricité statique.

L'équipée, au rythme alangui de l'Indien pas pla-coteux, mit le cap sur la montagne. Billy Joe semblait d'heureuse humeur, marchant à pas mous et balourds. Il larguait des sourires bienveillants à Henri, attelé au chariot. Henri se disait que si ça chiait avec son père, au moins il aurait Pictou. Dès la fin de la première heure, Monti marchait loin devant ses partenaires, en position de skieur alpin. Billy Joe fronçait les sourcils en l'obser-vant, mais sans se presser davantage. Quand Henri lui demanda où il avait trouvé sa pépite, pas sûr s'il parlait français, l'Indien agita les doigts au-dessus de sa tête. Il traçait des genres de sinuosités, des S ininterrompus dans le vide.

— Un petit peu partout ? fit Henri, incommodé par l'ardeur qu'il devait mettre à traîner le chariot.

Billy Joe pinça les lèvres, les doigts maintenant tendus. Ses mains tanguaient de gauche à droite. Puis il traça du bras une immense ellipse, pour désigner à Henri tout ce qui les environnait. Il se mit ensuite à battre une mesure de l'index, signalant peut-être l'écoulement des secondes. Encore débilité par l'alcool à décerveler de son père, Henri comprenait zéro pis une barre. *Quelque chose par rapport au moment présent ?* pensa-t-il. Il avait pas la tête aux devinettes. L'Indien partit à rire en voyant l'expres-sion dépassée qu'il affichait, et lui enserra les épaules pour le secouer avec camaraderie. Il se réjouissait de ça, Billy Joe, de rencontrer le rejeton à quelqu'un qui, dans le maillot des Grisous devant son filet, avait joué un rôle dans un des rares faits fameux de sa jeunesse marquée par la solitude et le rejet. La pépite était un prétexte. C'est par curiosité que l'Indien avait cogné à l'huis des Bouge, poussé par un désir de savoir quel genre d'homme son rival des patinoires de jadis était devenu. Peut-être que le souvenir de sa victoire gagnerait encore plus en délices devant quelqu'un d'aussi important aujourd'hui ? C'est là que Monti se revira pour resserrer la vis à son gars. Il lui cria de se bouger un peu. Mais ses rugissements s'étouffèrent dans le tissu ciré de sa capuche. La capuche tournait pas avec le reste de sa tête.

Une fois l'excitation du départ passée, Henri avait du mal à tenir le pas. Il fermait la marche, le cœur au bord des lèvres, appuyé au chariot avec quoi Pictou l'aidait. Dans le seul coin de sa conscience que le mal de bloc avait pas fini de mettre en bouette, il se maudissait d'avoir oublié de huiler les essieux, comme il lui avait été prescrit avant que la famille parte chez Gédéon. Parce que t'es puni par où tu pèches, et même si les fenêtres de la maison étaient on ne peut plus nettes, des élancements lui partaient, au moindre grincement de moyeu, du tronc cérébral jusqu'à l'extrémité des membres. L'Indien guidait son esprit, il allait devant, et les mouvements d'âme d'Henri s'y accordaient. Il se concentrait sur le dos de cet homme qui avait quelque chose de dense, d'harmonieux. *Je sais pas trop comment dire,* pensa Henri. Sa fascination l'épuisait.

Il y eut un répit, à flanc de montagne. Les soulèvements d'estomac à Henri se mêlèrent au vertige quand il vit l'amalgame de maisonnettes à une couple de kilomètres en contrebas, de hangars aux planches où s'accrochaient encore des fois des grappes de moules.

Lancelot-de-la-Frayère, à une telle hauteur, ressemblait à la maquette que la Ville avait recréée pour la présentation de son projet d'électrification. La mer, à cette distance, était parcourue de mouvements infimes et silencieux, dentelée d'écume. Monti prenait sa pause cent pieds plus loin, debout, sans s'être délesté de son packsack. Il beuglait à Henri qu'il allait développer le spot vers lequel il pointait un doigt, sur une crête distante. Billy Joe, dans sa chemise aux manches roulées, le fixait avec flegme. C'était à cause de l'escarpement que le cheval avait dû rester dans l'étable. Son espèce avait pas la réputation d'aussi bien se tenir en équilibre sur les corniches que d'autres ongulés. Monti fit promettre à son fils de jamais le dire à sa mère quand ils avaient laissé le chariot derrière. La baie aurait tenu dans la tasse dans laquelle Henri buvait son bouillon, en se cachant un œil pour promener l'autre sur le champ des Canon, mouchoir ocre à l'horizon, gale aride parmi les cultures maraîchères à venir et les festons d'arbres aux feuillages qui seraient bientôt plus joufflus que des brocolis. Il se donna quelques petites claques dans la face.

— Heille ! Partez pas sans moé !

Rien qu'à se relever, Henri fournissait après chacune de leurs haltes plus d'efforts que ce qu'il parvenait à récupérer.

— Partez pas sans *moi* ! lui parvint la voix de son père.

Il se tenait le ventre, Henri, d'où montaient des silements de train qui freine. Quand même, il avala sur le pouce sa ration de porc salé, se grafignant les bras et la face dans des massifs d'épines à travers quoi leur guide

546

se coulait avec plus de grâce qu'on lui en aurait deviné. Henri voyait bien que Pictou était déçu, qu'il désapprouvait, par des réactions microscopiques, la hâte que Monti manifestait avec une exaspération croissante. Il avait peur que la virée se solde par un échec. Ça lui faisait drôle aussi de voir son père, le diable au corps, attendre de quoi de Billy Joe, dépendre de lui, toujours prêt à s'engager aveuglément partout où l'Indien lui disait d'aller. Monsieur Bouge avait plus aucune volonté propre. Sa certitude de patron lui échappait. Il grandirait jamais tout à fait, monsieur Bouge. Henri enleva une de ses bottes pour la vider de la moraine entière qu'il y avait dedans. Il se portait de plus en plus mal. Sans même s'arrêter, son père expliqua, par diverses hypothèses métaboliques toutes plus ahurissantes les unes que les autres, que le meilleur remède contre la gueule de bois, c'était de pas dessoûler. Henri en perdit l'équilibre, son pied débotté dans la slush. Les hommes commencèrent à boire plus vite qu'ils étaient capables de pisser.

Une des branches des lunettes à Monti sautillait sur une carte topographique qu'il s'était résolu avec répugnance à sortir. Il agrippa l'Indien par la main pour qu'il lui donne une meilleure idée des coordonnées du filon. Leur guide remit le bouchon sur le fort. La bouche pleine d'alcool, il prit la carte. Il la laissa partir dans une bourrasque. Mais Monti en avait deux et il sortit la deuxième. Henri aurait aimé ça que l'Indien boive pas. Pictou indiquait *par-dessus* la montagne, comme. Toujours en silence, il marquait dans les airs de grands axes secs, avant de sublimer son tracé en l'égouttant dans le vent du bout des doigts. Le père acquiesça. Ses mollets, d'un blanc fluorescent, clignotaient dans la verdure. Ça avait vite commencé à bien faire, le tourisme. Plus il buvait, moins il était parlable, le bonhomme. Même dans ses soliloques, il se montrait trop caractériel pour pas s'obstiner lui-même. Un verre de ses lunettes était rendu tout craquelé.

— Tu comprends-ti le français, toujours ? demanda-t-il à l'Indien alors qu'ils roulaient, plus loin, des cigarettes à une blague commune.

Il avait beau avoir envie de tuer Pictou, Monti partageait sans y penser à deux fois son alcool et son tabac. Il était pas regardant là-dessus. C'était une base, ça, l'alcool et le tabac. Le fondement des relations. Tu pouvais à partir de là concevoir tout le ressentiment que tu voulais. La tranche de porc salé, sans accompagnement, avait pour Henri quelque chose de très triste dans le fond de son écuelle. Lui-même avait le pourtour du mufle tout pleumé, des oreilles de Christ. Il aurait quasiment souhaité que son père l'abatte, comme c'était prévu au début.

— Arrête ton taponnage, s'emporta Monti devant l'Indien, pis dis-moé pis ça presse où t'as trouvé cet or-là !

Tapissé de boutons de sel jusqu'à la glotte, les bras en croix, Henri se promit de se nourrir aux légumineuses jusqu'à la Saint-Jean si c'était pour jamais remordre dans du porc salé. Il se laissa tomber la face la première dans un ruisseau, pour s'y rafraîchir parmi la ouananiche. Sauf que c'était une longue veine de mica pleine d'aspérités. La distance en train de se creuser entre son père et l'Indien se creusait aussi en lui. Pictou perdait de sa densité dans l'alcool, contrairement à Monti qui durcissait. Et les tourments du père étaient aussi ceux du fils. Le bon-homme le lâchait plus. *Mastique, mastique ta lanière de cochon,* pensait Henri. Il en était venu à accepter qu'ils allaient peut-être pas trouver d'or. Si seulement il avait pas été aussi malade, il aurait pu se contenter de l'idée qu'il y en avait dans la montagne. *Dans le sol ou dans un compte de banque, qu'est-ce que ça peut ben changer ?*

— Sauvage avoir besoin de civilisé avec méthode pis attirail pour prospecter roche lumineuse sans remuer trop esprits de la terre pas toujours accommodants, dit Monti, et ça lui faisait mal de dire ça, il aimait pas ça parler de même.

Henri le trouvait trop cave. Et petit. Il cherchait en lui la force de lui dire qu'il était à côté de la track, prison-nier de lui-même. C'est pas parce qu'il savait prospecter que Pictou était venu le quérir. Un faucon piqua du ciel dans les broussailles. Henri avait pas eu le temps de ren-filer ses chaussettes de laine trop chaudes par-dessus sa foultitude d'ampoules que l'Indien soûl détalait déjà. Pictou courait des fois, pris de panique ou d'émotion. Monti se tirait la face par en bas comme s'il se passait des affaires graves. Il demandait en hurlant à l'Indien pourquoi il était malcontent, et s'enrageait après Henri pour qu'il embraye. Ça avait pris deux siècles et demi, depuis l'arrivée des colons, pour qu'un natif trouve de la richesse dans ces montagnes-là. C'était pas comme si la concurrence allait faire la file dans les prochains jours.

— Toé, mon pas social, tu vas voir que je vas crisser mon camp avec mon expertise pis mon gars si tu fais pas apparaître ben vite des veines qui brillent dans de la roche.

Assis à se faire emboucaner devant le feu, avec son paternel qui aboyait à la fumée de souffler ailleurs, Henri caressait un cheval lilliputien au creux de sa paume. L'Indien secoua un mélèze pour en faire choir, dans un choc mat suivi d'une circonvolution de duvet flottant, un faisan qui devait-ti se demander. Sans même prendre la peine de lui rompre le cou, il déchira le volatile entre ses mains ardentes sous le jeu des flammes et de la lune où reluisait la rosée. Il tendit à Henri, avec son rictus édenté, le foie encore cru, avant de l'inviter à changer de place pour que la boucane le laisse en paix. L'instant d'après Henri martelait le torse à son père.

— C'est toé qui l'as rendu fou furieux! reprochait Monti à l'Indien.

Il se démenait pour envelopper son gars dans une couverte. Pictou, effiloché, ne pipait mot. Que sa simple présence fasse de la sorte travailler le for intérieur de ses compagnons, il était pas sûr si c'était là quelque chose de plaisant pour lui.

— Ami secourable promettre Indien bouteilles de fort et toutoune chaude si toé rien que dire une tite phrase, dit Monti, et ses yeux imploraient Pictou de le taper en pleine face pour le faire taire.

Couché sur le dos, la tête débarquée d'une couchette au rembourrage mottoneux, Henri discernait son père à l'envers au plafond. Il ignorait comment ils avaient fini là tous les trois, mais ils se trouvaient dans un campe. Les campes, à ces altitudes-là, appartenaient à tout le monde, tant que tu te ramassais et que tu recoupais du bois. Henri, ça lui goûtait le porc salé jusqu'en arrière des yeux. Il avait les ganglions du cou gros comme des balles de golf. Monti vidait un restant de canisse dans un réchaud à mazout enduit de suie, avec à côté de lui des brochettes d'opossum sur un treillis de rameaux liés par des brins d'herbe larges comme ceux que tu peux siffler avec entre tes pouces. Il avait les bretelles le long du corps, les culottes roulées. La pluie filtrait des craques dans le plancher, remontait du sol jusque dans des bassines émail-lées au plafond. Quasi mourant, Henri se ramena la tête du mieux qu'il put dans le coin du mur où était tassée la couchette. La pièce rebascula à l'endroit. Il y avait un linge mouillé dans un coin, parmi des traces de bottes. L'Indien était là à moudre des plantes qu'il ajoutait au pif dans une canne de soupe Campbell vide, Henri se souviendrait toujours de l'étiquette. Pictou lui fit signe de se tenir tranquille pendant qu'il finissait de lui confec-tionner un onguent. C'était ça ou le cataplasme de mou-tarde avec quoi son père l'avait brûlé au deuxième degré la fois où, pour pas avoir affaire à son beau-père, il lui avait lui-même diagnostiqué la phtisie. Henri se laissa oindre sans résistance, par lourdes zébrures corrosives en travers de la poitrine. En dessous d'un crochet de bou-cherie, la chemise déboutonnée, Monti fumait une pipe. Il regardait ça aller, intrigué. L'Indien donna à boire à Henri, sûrement de l'eau de pluie. Sauf qu'en voyant son guérisseur avec un groin et des poils sur la pointe des oreilles, l'enfant voulut crier. La bouche lui tomba au fond de la gorge, et il avait la gorge qui se dilatait, la tête au complet lui tomba dans la gorge. Le bout de la pipe à Monti s'en trouva tout mordillé.

Ça braillait de rire dans le campe quand Henri refit surface la fois d'après. La chair en ébullition, il réussit à se tourner rien qu'assez pour entrapercevoir Billy Joe se bêcher comme faut dans une corde de bois vite décordée. Le vingt-six onces qu'il avait échappé roula jusqu'en dessous de la couchette. La pépite avec laquelle il les avait appâtés reposait sur un coin de la table. Des plumes dans les couettes, des peintures de guerre dans la face, Monti montrait plus de gaillardise que d'habitude. Il était complètement pété. Une poche de thé lui pendait de la bouche. Il faisait des folies pour épater son public.

— Comment ça va, mon homme? il s'était informé à Henri, sans cesser son spectacle plus longtemps.

Henri aurait voulu répondre, mais il en avait pas le souffle. Sa poitrine avait fondu sous l'onguent. Une queue en tire-bouchon dépassait de sa couchette, ça brassait en dessous. Un goret halluciné salopait le bas des murs.

Puis par bravade, au milieu de l'hilarité, l'Indien plaça son chapeau par-dessus sa pépite.

Monti changea de registre sec. Gorgé d'existence et de Yukon, Billy Joe attendait moins sa réaction qu'il le défiait par son égalité d'âme. Le Gaspésien se mit les pieds sur la table, un nœud à la place du front.

— M'en vas te dire de quoi, Pictou… Jamais de la vie que les Crolions auraient dû gagner ce tournoi-là. Ton but, y était pas bon.

Il y eut un silence de trois minutes de long par quarante ans de large. L'Indien, non sans peine, entreprit de se lever, sans remettre son chapeau, et jamais Henri aurait cru que tu pouvais rester longtemps de même sans cligner des yeux.

— Il était pas bon, pas bon, *pas bon* ! gueulait Monti, les traits déformés.

Les étourneaux s'égosillaient. Le soleil rentrait par les fenêtres au verre laiteux. Oblique sur sa chaise, dans une torpeur de conte de fées, le père avait une mouche à marde à la commissure des lèvres. Henri allait mieux. Il se promit de jamais finir comme le bonhomme. Il lui ferma les paupières, l'écouta ronfler. Il buvotait, près de la corde de bois effondrée, un fond de fort dans une tasse à l'anse cassée. Ses couvertes gisaient comme une mue sur sa couchette. *Il s'est poussé,* pensa-t-il. Il restait en effet de Pictou que son chapeau sur le coin de la table. Henri, en se rappelant, se pressa de le soulever pour s'emparer de la pépite en dessous. Il y avait pas de pépite, mais une rondelle de hockey où se voyaient des traces de dents. Sans trop savoir pourquoi, Henri l'empocha. Son père était pas réveillable, il pouvait bien le secouer tant qu'il voulait. Il vida la tasse de fort et se roula en boule sur sa couchette.

Pas une seule fois de tout le trajet du retour Monti fit allusion à Billy Joe Pictou, pas plus qu'à quelque eldorado que ce soit en arrière de Lancelot-de-la-Frayère. Sa sourde oreille, ses démentis, ses versions remaniées se conjuraient en une tentative de persuader son gars qu'il avait lui-même inventé toute l'entreprise dans sa fièvre ou le delirium tremens. Ça faisait ça, des fois, quelques jours après, l'alcool à décerveler. Descendant de la montagne,

Henri se découvrait sans plaisir des muscles pas souvent sollicités pendant que son père s'orientait en se fiant scrupuleusement à sa carte topographique ainsi qu'à certains indices décelés dans la forêt, le côté où telle sorte de mousse rouille kaki croissait sur les trembles, la direction des erres du gros gibier par rapport aux étangs de café mouchetés de nénuphars où des arbres gris et creux sortaient de l'eau.

— Par là, affirmait Monti, on va taper drette chez nous.

Puis il se traînait dans l'humus, pour estimer la fraîcheur du sol retourné par les pattes d'un bestiau que lui seul, à sa connaissance, avait observé au fil des années dans la région. Incapable de décélérer dans les layons pentus pleins de roches traîtresses et de racines dangereuses pour les tibias, Henri souffrait trop de la faim pour que ça lui fasse désormais un pli, de l'or sous nos climats. Lui, ce dont il avait envie, c'était de lait de poule. De tarte au sucre. De cigares au chou et de pudding chômeur. De grands-pères dans le sirop d'érable pour dessert après une copieuse portion de soupe aux pois. De la venaison sans sel aucun. Quand ils avaient fini par ressortir de ce que Monti avait appelé un bocage, les yeux hachés menu par la lumière arrivant de partout, ça avait été pour se rendre compte qu'ils avaient dévié jusque dans le champ des Canon.

— Et si tu *penses*... s'est écrié Henri, sa jambe qui pompait à tous moments la pédale des freins dans le fond de la fourgonnette depuis que Yannick avait pris le volant. Si tu penses que les Canon d'aujourd'hui sont

554

malcommodes, c'est que t'as pas connu le patriarche. J'imagine que de nos jours t'appellerais ça un schizophrène paranoïaque.

Onésime… Ce qui leur restait de gigot sur les os, à Monti et Henri, courait le risque d'être vaporisé par une décharge de mousquet rien que parce qu'ils foulaient sa terre pleine de moellons. Il poussait là-dessus ce qui aurait poussé dans les limbes.

— On va longer par derrière la porcherie, décréta Monti.

Il secouait la tête devant sa carte, pour signifier sans ambiguïté son indignation devant quelque chose d'aussi mal fait. Mais parvenus en arrière du bâtiment, qui est-ce qu'ils tombèrent-ti pas face à face avec, à genoux dans la bouse ? Le vieux schnock à Onésime, justement, en train de réparer sa clôture qu'avait renfoncée une truie un peu écartée après avoir mis bas. Des cochons de lait rosâtres se roulaient dans la fange en grognant, à croire que Légion venait de se jeter dedans. Monti se braqua quand Onésime, un pied-de-biche au poing, narfé sans bon sens, s'envoya la tête de côté comme s'il allait charger. Henri recula loin de la portée. Il renversa un seau de clous récupérés sur des granges, le doigt vers les cochonnets.

— Ça c'est salé, ces petites bêtes-là, dit-il.

Allongé en sous-vêtements sur son lit, des bottes d'adulte aux pieds, Yannick retournait dans tous les sens la réplique qui avait immortalisé Henri dans l'imaginaire collectif et que lui-même avait entendue à toutes les sauces au fil des ans. Il se demandait c'était quoi, finalement, la morale de l'histoire. Et puis, regarde donc ça, le magasinage des rouleaux de convoyeur avait pris plus de temps que prévu. Comme Henri était pas trop friand de conduite à la noirceur, ils avaient abouti dans un motel très vacant sur le bord du fleuve, avec la peinture toute défraîchie, le décor de la chambre rétro pas par exprès. Yannick scrutait l'aquarelle au mur, un phare plein de noblesse dans le fracas des vagues, entouré de mouettes qui volaient à leur guise. *C'est une joke,* il avait pensé. Il acceptait pas son sort. Henri avait vite caillé dans son lit une fois douché. Après avoir tout bu ce qu'il y avait de Yukon dans le minibar, il avait saisi la manette de la télé, s'était donné une couple de minutes pour comprendre comment ça marchait, puis il avait zappé le programme à Yannick et mis ça sur un programme d'histoire. Il avait monté le volume pour être bien certain de tout enterrer les télévisions allumées dans les chambres autour. Trois secondes plus tard le bonhomme dormait, sur fond de croix gammées et de régiments réglés au quart de tour. Le reste de ses œufs dans le vinaigre se désagrégeait au fond du pot sur la table de chevet. Faisait beau s'endormir après ça pour Yannick, pareils ronflements de moissonneuse-batteuse sur l'oreiller à côté. Il s'était mis à tourner en rond. Il était allé déboucher une bouteille de shampoing gratuite pour la sentir et la vider dans le bain. Un air d'opéra pogné dans la tête, il avait pitonné un bout de temps sur les boutons du coffre-fort. Hop, hop, hop, jeu de jambes. Il pratiquait sa boxe devant le miroir. Mais les deux bras lui étaient vite tombés d'ennui, et il s'était approché de son reflet pour y examiner gencives et cratères. Il avait admiré, entre les lames du store, le parfait alignement de son parking à reculons devant la chambre. Le fleuve par la fenêtre étendait sa langue sombre et foisonnante, sur laquelle le motel allait partir à la dérive si la marée continuait à monter de même. La manette glissée dans l'élastique de ses boxers, Yannick savait pertinemment que le patron, endormi dans sa robe de chambre en tissu-éponge imprégnée de fumée rancie, verrait jamais rien passer de ça sur les relevés de la compagnie, une bouteille de plus ou de moins. Il s'était donc lui aussi moulé le dedans des organes d'un enduit cuisant. Et puis d'une autre bouteille. Les tablettes du minibar avaient continué à se trouer au rythme des ronflements et des scènes débrouillées par intermittence à Super Écran. Henri avait appris à conduire les facultés affaiblies, et toutes les polices de la Gaspésie lui envoyaient la main quand ils se croisaient sur le boulevard. Mais ils étaient en ville ici. *Rimouski. Yé.* C'est pour ça que le père, quand des cerises rouges et bleues s'étaient allumées plus tôt dans le rétroviseur, avait ordonné à Junior de se coller dans la face son sourire le plus bon enfant tandis qu'il se dépêchait de glisser le treize onces d'une bibine artisanale sous son duo-tang de papiers d'impôt.

— Messemblait que t'avais promis à maman, avait dit Yannick.

— Mon gars, va falloir que tu me croies. Ce que je bois là, ça compte pas pour de la boisson.

La police les avait dépassés par la droite, pour filer vers d'autres aventures. Mais Henri s'était rangé après ça. Il était sorti de la fourgonnette. Sans daigner regarder son fils, sorti lui avec, il lui avait lancé les clés. Le trousseau avait joué du glockenspiel dans son vol. Même là, quelle journée poche. Il passait plus rien à la télé que les infopubs que sa mère aimait et Yannick s'était bu un autre fort et il avait grimacé et il avait vérifié l'étiquette pour s'assurer que c'était pas de la lotion après-rasage ou de l'acier en fusion ou de quoi avec une tête de mort dessus. « Jägermeister », que c'était écrit, sous un genre de logo de groupe métal. Dire que ça devait être l'heure du bain de minuit au Malin… Une bible, une planche à repasser carbonisée, trois cintres tordus sur leur tringle. *Tout pour s'amuser, ici dedans.* Yannick s'était ouvert une autre bouteille avec les dents, un Yukon rescapé, miraculé, qu'il avait trouvé au plus creux du minibar et sifflé d'une traite et demie devant l'aquarelle qui vibrait sur le mur au-dessus du père.

C'était embêtant, quand même, l'affaire avec le vieux Marcel l'autre jour. Ils s'étaient retrouvés nez à nez à la chasse, sur la piste d'une même proie. Marcel lui avait dit :

— T'as les yeux à ton père, toé.

Il lui avait expliqué ensuite comment distinguer le crottin de la femelle de celui du mâle. Yannick s'était demandé duquel de ses deux yeux l'ami de la famille pouvait bien parler, le brun ou le bleu, et il s'était amusé à l'idée qu'il aurait pu tirer l'ermite là dans le bois, avec son casque de Daniel Boone et ses mocassins.

Personne l'aurait jamais su. Il pensait qu'il avait fini son Yukon. Mais aucunement, non, il en restait plein. Il se promenait dans la chambre en abattant d'autres sortes d'ennemis, avec pour revolver le séchoir à cheveux de la salle de bain, quand il s'était mis à paranoïer à cause des petites bouteilles vides partout. Il les avait toutes ramassées, puis s'était approché de son père à quatre pattes sur le semblant de matelas. Une par une, il les avait glissées dans les poches de la robe de chambre dans laquelle Henri s'était mis à son aise. Le bonhomme en était pas à quelques bouteilles près.

Henri s'était retourné sur le côté, en calculant des budgets, des soumissions à haute voix, et Yannick s'était étendu à toute vitesse, sans plus grouiller ni respirer ni rien risquer. Il était resté là à se réciter à l'avance le sermon dont papa l'honorerait à coup sûr si jamais il le surprenait à suivre l'exemple que lui-même donnait depuis toujours. Yannick avait envie de rire du cocasse de la situation, et pour se retenir il essayait de se concentrer sur l'émission en anglais qu'il avait mise par accident en se couchant sur la manette dans ses boxers. Pendant que les fonds de Yukon se déversaient dans la poche de la robe de chambre, que l'alcool imbibait le tissu-éponge, le matelas, le tapis et toutes les poutres de fondation de cette bâtisse-là, Yannick se rejouait son parking de tantôt. Il fixait les vagues déferlant sur l'écran, en attendant la reprise de la programmation. Un mantra télévisuel érodait, vague par vague, les arêtes de la chambre et du mobilier. Henri ronflait maintenant en sourdine, et Yannick s'était demandé de quoi ça pouvait bien avoir l'air, des spécialités canadiennes. Il avait cligné des yeux. Quand il les avait rouverts, son père avait disparu. Un soleil deux fois plus magistral que la veille avait dû faire partir le store en fumée, parce qu'il y avait à sa place un rectangle bleu dans le mur. Des mouettes engraissées aux restants de cantine y passaient au-dessus du fleuve. Le trafic, au son, avait l'air de traverser la chambre. Un peu lendemain de veille, plus fatigué que quand il s'était endormi, Yannick s'était assis en Indien dans le lit le temps de se replacer. Puis il était tombé face à face avec ses amis. Ils étaient dans la télé. Son père avait mis ça aux nouvelles locales avant de sortir, les nouvelles de La Frayère. Il y avait à l'écran Marie-Pierre et Kim, peignées en moppes. Leur maquillage avait chié. Patapon était apparu, en état de choc, son t-shirt mouillé lui moulant le corps. Et Marteau pétait une note en arrière, excédé par son incapacité à expliquer quoi que ce soit aux intervenants d'urgence. Quand Yannick avait fini par mettre la main sur la manette, il avait monté le volume, pour entendre le reporter conclure en disant dans son micro, trop volumineux pour sa petite bette, son petit journalisme, que les secouristes étaient à la recherche de Thierry Vignola. Dans un coin de l'écran, on voyait la photo de Thierry qui allait finir sur les pintes de lait.

XI

LES YEUX VAIRONS

54

C'ÉTAIT le matin du vingt-quatre décembre chez les Bouge. Joséphine, la chevelure filigranée d'argent, avait de son monde jusque dans le bout d'Anse-Pleureuse et de Gros-Morne, autrefois Gros-Mâle. Pas mal de parenté de son bord avait fait le voyage pour venir réveillonner chez monsieur Lancelot-de-la-Frayère. Un grand sapin pompeux faisait l'enchantement des enfants, dressé de toute son imposture dans un salon que des chandelles ornées d'arrangements de baies rouges éclairaient. Dans toute son imposture, parce qu'en fait c'était de l'épinette. Monti avait abattu l'arbre lui-même avec ses gars, en bordure d'une pépinière dont il avait fait l'acquisition sans but particulier, laissant même aux plus jeunes leur tour avec la cognée. L'arbre était assez fourni pour que les enfants puissent se perdre dans le bois direct dans le salon. L'ange en robe à la cime, sans bisoune, vérification faite par Henri, avait le cou tordu à cause du plafond trop bas. Mais c'était bien beau sinon, les chandelles, les cadeaux bigarrés, les ornements que Monti, dans son désir de la vraie patente, avait commandés d'Allemagne. « Ça vient d'eux autres, cette tradition-là ! » disait-il depuis la mi-novembre. Les Allemands avaient pas très bonne réputation par les temps qui couraient, mais Monti vivait pas tout à fait dans l'histoire. Les festons de macaronis que Joséphine faisait faire aux neveux et nièces chaque année, les bonhommes en pain d'épice que les filles avaient oubliés dans le four, il avait caché ça sur les branches plus en arrière.

On entendait passer dehors, dans la neige moelleuse, les clochettes et fredons des équipées en carrioles qui s'en allaient fêter. Le monde était emmitouflé sur les banquettes, des couverte de laine sur les jambes. Faisait frette on gelait, ce matin-là. Des cabanes à pêche parsemaient les glaces de la baie. Il se préparait de la bouffe dans la cuisine aux Bouge.

— *Sehr gut !* clamait Monti.

Une senteur d'agrumes et de clous de girofle s'envolait de la marmite de Glühwein ronflant sur le feu. Des bas de laine pleins de sucres d'orge et de joujoux habillaient le manteau de la cheminée. Monti avait même promis d'ajouter une pépite, de quelques grammes, dans ceux des enfants qui se montreraient les plus méritants lors de la messe de minuit. Car la maisonnée grouillait de marmots. Il y en avait dans le lot qui étaient rendus dangereux tellement ils avaient hâte d'arracher de leurs étrennes tout ce qu'il y avait de papier d'emballage. Et au suivant, pas de merci ni rien. Les enfants couraient un en arrière de l'autre partout dans la maison, un long ver à falbalas et frisous dont les annelures se dilataient dans les croches.

— *Guten Morgen!*

Monti, pas fâché pour une cenne, ça sortait de même, *vociférait* à chacun des arrivants. Il les faisait rentrer par en arrière, c'était important.

— On passera pas par en avant aujourd'hui, disait-il.

Lui, si tu laissais faire les becs mouillés, les accolades qui chatouillent en dessous du gui, il aimait ça, le temps des fêtes. Il aimait ça, Monti, partager. Il était toujours rendu d'ailleurs à donner des affaires à du monde que les autres disaient pourquoi t'as donné ça à lui. Personne, cela dit, savait où il disparaissait tous les quarts d'heure depuis le début de la matinée, et quand il rentra une fois de plus dans la maison, avec son seau qu'il venait encore d'aller vider, ce fut pour aller fraterniser dans le salon, au boudoir, dans le bureau que les hommes avaient accaparés par instinct.

— Heille, Monti, le fun est pris, viens-t'en nous rejoindre!

C'était de la belle-famille, des proches à sa femme qu'il avait à peu près jamais vus. Se trouvaient peut-être à travers ça trois ou quatre gueux du village qu'il suspectait de pas avoir d'affaire ici. *Bah, c'est Noël,* pensait-il. Ça déjeunait au Glühwein en s'en contant des salaces. Ils allaient dîner tantôt, et là la trâlée de flos débula dans le salon, se sectionna pour passer entre les cannes des monsieurs flous avant de se reformer en un seul et même lombric dans le couloir.

— Attends, mon chou, calme, calme, je veux te montrer, fit Monti au bambin de deux ans qu'il avait réussi à ramasser par le fond de culotte au passage et qui se débattait dans les airs en pleurnichant.

Il le tint devant lui au bout de ses bras pour s'assurer que c'était bien le sien.

— Tout le monde, je… Je pourrais-ti avoir votre attention, tout le monde.

Les conversations s'exténuèrent et, pendant que Monti découettait sa prise, sans trop savoir comment tenir ça, un enfant, les regards avinés confluèrent vers lui.

— Bon, ben, c'est ça, eh ben, merci tout le monde, hein, d'être là chez nous avec nous autres. C'est apprécié. Je… Je parlerai pas longtemps, là. Je voulais vous présenter mon petit Léon icitte, c'est mon quatrième, il vient d'avoir deux…

— Ton cinquième ! s'exclama Siméon Bujold, pharmacien et frère de Joséphine, chez qui une des jambes était plus courte que l'autre.

Tout le monde rit de la méprise. Jamais que la louche tapait le fond du Glühwein. Il y en avait toujours un quelque part qui cherchait son verre. Monti retrouva le sien sur la table d'appoint où il l'avait égaré. Il cala Léon sur sa hanche pour se libérer une main.

— Oui, un, deux, trois, ouin, c'est ça, t'as raison, mon Siméon, c'est mon cinquième…

— C'est moi le parrain ! rajouta Siméon, content de sa boutade, et il envoya une claque dans le dos de Monti en plein comme celui-ci prenait sa gorgée.

— Ha ha, ouin, fit Monti en essayant de déloger ce

qu'il avait soudainement de coincé dans le nez. Faque en tout cas, je tenais à vous informer que c'est mon Léon icitte qui va faire le ti-Jésus à soir dans la crèche à l'église. Pis c'est ça, je suis ben fier de ça, pis là on va… C'est-ti vrai, Siméon ? C'est-ti toi le parrain ?

À force de gigoter, Léon était parvenu à se déprendre de l'emprise du père. Monti, de toute façon, savait plus trop où il s'en allait avec cette harangue-là.

— Ça veut, mon chaud lapin, ça veut, murmurait un boute-en-train de service avec quelque geste indécent du bassin. Un, deux, trois, quatre, *cinq* !

Le beau-père à Monti, le docteur Bujold, lança de ses yeux néroniens des éclairs au farceur. Il le connaissait bien. Il savait très exactement où il lui ferait sa prochaine piqûre.

— Une ben belle famille, mon Monti, pis on se réjouit nous autres avec ! dit quelqu'un.

Monti se revira pour se moucher. Un clou de girofle tremblotait au milieu des sécrétions dans sa serviette de table. Son seau à la main, il s'éclipsa encore une fois pour aller remettre une couche d'eau sur les marches du perron, quand son Henri l'avertit du haut de l'escalier :

— Il s'en vient, papa ! Il s'en vient !

Henri devait avoir dans les six ou sept ans, quelques dents de lait manquantes. Des faces rougeaudes et turbulentes se tournèrent vers lui.

— Ah ben, fit Monti, comme dans sa tête un instant.

— Qui ça ?

— Qui qui s'en vient ?

Les fenêtres dans le salon donnaient sur la pelouse en

avant, et de la façon que la maison était faite tu voyais les marches de la galerie. L'annonce d'Henri avait provoqué une cohue. Tout virait au tourneboulis. Monti à la presse rassembla ses invités, les sifflant à deux doigts comme tu siffles des chiens quand ils écoutent pas. Il levait de terre des athlètes trois fois plus pesants que lui pour placer tout son monde. Tous furent bien vite parqués près des fenêtres. Toine, qui au départ s'en était vu confier la tâche, fit transporter par Henri le fauteuil paternel aux premières loges.

— Parle-moi de ça, se pâma une grand-tante. Des garçons serviables !

Il y en avait dans le tas qui faisaient leurs smattes. Personne s'écoutait.

— Ah, ça c'est mon Henri, répondit Monti à la mauvaise tante. C'est mon plus intelligent, mais c'est celui qui va nous causer le plus de troubles !

Le groupe commençait à se demander quel divertissement se tramait là, et Joséphine pas moins que les autres. Installé en vicomte dans son voltaire, Monti se délectait du fiasco qui se préparait. Il riait déjà, avant même qu'il se soit passé quelque chose. Sa femme, inquiète de l'état dans lequel il se trouverait au souper, essaya de lui enlever sa tasse de Glühwein des mains. Mais Monti était plus fort qu'elle.

— Qu'est-ce qu'on…

— Chut !

Calé dans son fauteuil, les jambes croisées serré pour pas se pisser dans les culottes, Monti riait tellement que

ça se propageait par contagion alentour. Puis c'est là
qu'ils virent.

— Là-bas, y a pas quelqu'un qui s'en vient ?

— Oui !

De son poste de guet à l'étage, Henri avait reconnu
Victor Bradley sitôt paru au détour du chemin le bout
de son bonnet musical.

— Ce serait-ti le facteur, ça ?

— *Oui !*

Dans toute sa splendeur, le service des postes en personne émergea de derrière les arbres, noirs et arachnéens
contre le ciel fade, qui flanquaient la seigneurie des Bouge
à l'ouest.

— Saint Nicolas fait dur cette année ! mourut quasiment Monti.

La parenté riait moins. Monti avait une lueur malé-
fique dans l'œil. Le Paspéya s'amenait, mais pas par l'allée.
Il coupait par la pelouse, non négociable. Même si ça
voulait dire de la neige aux hanches.

— Pingre ! se fâcha Monti. Disputailleur !

Il riait en même temps qu'il pompait. Bradley portait
ce bonnet rouge à bordure de poils blancs et pompon
blanc, pourvu d'un grelot au bout, que les enfants
connaissaient pour l'avoir admiré en images dans leurs
calendriers de l'avent. Mais la rousseur de la barbe com-
promettait son déguisement.

— On est pas en Irlande, morbleu !

Bradley entendait pas Monti. Il était trop loin. Mais
juré que les convives en dedans l'entendaient.

— T'es pas un *viking,* t'es un fact...

La fin de sa phrase dérapa en toux, et Monti avait pas fini de tousser qu'il avait un barreau de chaise d'allumé au bec. À côté de la tonnelle, Bradley remarqua qu'on l'observait. Il plissa les yeux pour distinguer qui c'est qu'il y avait là de l'autre bord dans le salon.

— Votre facteur travaille toujours ben pas le vingt-quatre au matin ? demanda quelqu'un.

— Non, non, fit Monti en poffant sur son cigare. Y m'apporte le cadeau qui m'échoit.

Bradley devina alors toute la compagnie derrière les vitres enguirlandées. Il cessa de sourciller. La face dénaturée par un sourire où tout ce qu'il avait de joues s'engouffrait, il se mit à brandir, dans l'air que le froid rendait fragile, une bouteille de Yukon. Sûr qu'il volait la vedette, car il était à présent assez proche pour entendre rire, le facteur s'avançait vers la maison. Il se montrait les biceps dans des steppettes un peu peuple. Puis, en même temps que Joséphine comprit pourquoi son mari était venu les déranger dans leur popote pour remplir son seau d'eau à peu près quatre-vingt-huit fois, Bradley posa le pied sur la troisième marche du perron, passant outre les deux premières.

L'escalier de la galerie, il était sur la glace bleue.

Bradley fit some figure de patinage artistique, trouvant quand même le tour de *tenter* de se relever sans que personne remarque qu'il venait de se tuer. Monti, fatigué, très fatigué dans son fauteuil, avait plus la tonicité qu'il fallait pour applaudir. Trouvant plus sa tasse, il emprunta le verre de Glühwein d'un grand-oncle à côté pour le boire à sa santé.

— Tu me cherches-tu noise ? lança-t-il au Paspéya.

Le grelot du bonnet tintait à faire s'égrener l'air autour. La petite Lucie s'était enfoui le visage dans le jupon de sa mère. Monti passait son doigt au fond de son verre pour suçoter le peu de tanin recueilli. Même Baptiste, Toine et Henri, assez vieux pour savoir que les Bradley, c'était tout à conspuer, la scène venait de les déstabiliser. La boîte aux lettres. La glace. L'entêtement. L'honneur de Paspébiac en entier reposait sur les épaules au facteur.

— Viens, viens, monte les marches, mon Victor ! cria Monti encore.

Ses membres dans son fauteuil se dessoufflaient comme des ballons. Bradley était dans la position de l'agneau qui apprend à marcher. La bouteille de Yukon, les possessions tombées de ses poches, tout ça glissait autour du fonctionnaire sur la glace. D'un air maintenant placide et concentré, le facteur dérivait sur ses quatre fers. *T'es belle en rouge,* pensa Monti en jetant à sa douce moitié un coup d'œil précautionneux. Quand Bradley, dans une cascade peu probable qui, par son gros bruit de claves, fit détourner le regard des spectateurs, réussit enfin à s'agripper, erreur, à la ferronnerie de la rampe, forçant de tous ses muscles pour pas faire la split entre deux marches et fendre de la fourche au menton, lequel venait comme de se décrocher, Joséphine referma les rideaux d'un geste sans appel. Mâchonnant le bout tout dégueulasse de son cigare, Monti roula des yeux. Les gens s'éloignaient de lui dans des murmures indignés. On entendit hurler dehors quand Bradley se décolla la main du métal frigorifique.

Quelques commensaux picorèrent dans le buffet, sans trop d'appétit. Il y avait de la mangeaille pour une armée.

— Monsieur le maire, madame la mairesse, dit Monti plus tard dans l'après-midi, quand Pleau et sa germaine arrivèrent. Rentrez, rentrez ! La porte ! On est contents de vous avoir à réveillonner, amenez votre monde.

Le maire Pleau fit les présentations. Il était accompagné de quelques membres de son cousinage, des gens de sa coterie au commerce que Monti jugea d'emblée putain. Il détermina que ça devait être eux, le moustachu et le jeune premier parmi le lot, les potentiels investisseurs de qui le maire lui avait dit qu'ils auraient pas besoin de tordre le bras pour leur vendre un projet qu'ils fomentaient. Joséphine faisait semblant que tout allait bien, que son mari sentait pas le fond de tonne quand le soleil était même pas encore tout à fait couché. Elle recueillit les manteaux pour aller porter ça sur le lit. Monti, il l'avait dit à sa femme. Une bibliothèque, dans le village, jamais que ce serait réalisable sans le truchement du maire. Les lèvres qui se tordaient en tous sens, Joséphine accablait les nouveaux venus d'une gentillesse digne des maniaques. Les doigts d'une des convives se faisaient aller sur le piano du salon, les gens voulaient danser.

— Chantez, chantez, les encourageait la madame par-dessus les longues enfilades de notes sautillantes.

Sur une console baroque au fond du hall, encore intouchée, dominait la bouteille de Yukon que Bradley, aidé, avait finalement réussi à livrer tantôt.

— Là, Honoré… dit le maire Pleau à mi-voix à l'oreille d'un Monti de plus en plus histrionique. T'es au courant qu'y a un fauteuil dans ton parterre ?

— Un *fauteuil* ? répondit Monti, affectant une stupéfaction mal calibrée, puis il passa un verre de chartreuse au maire, ils étaient rendus là-dessus, et il l'escorta dans le brouhaha.

Ce qui était arrivé, c'est qu'après l'accident, Joséphine avait invité Victor Bradley dans la maison pour qu'il puisse se remettre et se délasser. C'était une première historique, ça. Et pire encore, elle lui avait, en bonne chrétienne, servi un Yukon en disant qu'il avait tellement travaillé pour.

— Voilà qui devrait vous réchauffer, avait-elle dit.

Mais le facteur, avec sa poque dans le front, une main écorchée, s'était abstenu. Joséphine avait insisté. Bradley avait redit non, sec. Mais il goûterait peut-être au Glühwein, par exemple. Dans le fauteuil du hall, il s'en était calé quelques-uns, des vins chauds, jetant des regards à la dérobée par le huis des pièces attenantes. Il lâchait ses petits « han » arrogants pour manifester qu'il trouvait pas ça si bien décoré que ça. Enfin, il était parti, et Monti était redescendu du coin de plafond où il s'était maintenu tout ce temps-là par la seule pression de ses extrémités. Tapotant des doigts le dossier du fauteuil où s'était assis Bradley, il avait indiqué à Henri de lui ouvrir la porte d'entrée. Et comme on dit en bon français, il avait câlissé le fauteuil au bout de ses bras. La pièce de mobilier était retombée dans la neige du parterre avec un petit pouf étouffé.

Les festivités s'étaient remises à battre leur plein. C'est toujours dans de telles circonstances que Monti sentait le timing mûr pour le brassage des affaires. Il refit signe au maire Pleau, assis à moitié dans l'épinette de Noël, de rapatrier tout ce qu'il avait avec lui de moustachus et de jeunes premiers puis de le suivre. Il s'exprimait surtout en signes depuis le lancer du fauteuil. C'était tout fait en cachette, parce qu'il avait promis à Joséphine de tenir le business mort s'ils recevaient le vingt-quatre. Le maire et ses consorts suivirent leur hôte. Inattentif, et réchauffé lui avec, Pleau rentra dans le bureau en pensant que c'était là qu'ils se réunissaient. Mais non, et il émergea de la pièce comme d'un labyrinthe. Monti les guida à pas feutrés par la cave, sans explication. Il leur prêta de ses bottes à lui, des vieux manteaux. Puis il ouvrit les battants de la porte oblique qui menait dehors et entraîna les maquereaux dans la neige jusque dans son étable.

Les animaux étaient tout fous dans leurs box. D'un bahut capitonné, un meuble de luxe maintenant rempli de foin, Monti fit apparaître une cruche de son alcool à décerveler. Le jeune premier, le menton en cédille, prit une gorgée et se mit tout de suite à ricaner. Ça goûtait comme quand tu mords une pièce de fer à pleines dents. Un trait de la bibine, et l'œil droit du moustachu lui ouvrit plus grand que l'autre.

C'est le maire Pleau qui prit la parole. Mais après son tour dans la cruche, il dut se surpasser pour pas perdre le fil de ses idées. Il présentait, dans le fond, le grand projet qu'un prophète avait dû confier à Monti et qui permettrait de tirer profit de la villégiature dans la région. Monti le fixait avec une acuité diabolique. Leurs lèvres remuaient en même temps, les lèvres d'un ventriloque et de son pantin. Le moustachu et le jeune premier, ils écoutaient, buvaient, essayaient d'écouter, rebuvaient, écoutaient plus, partaient sur d'autre chose. Chaque fois que le maire cherchait l'approbation de son «associé», comme il appelait Monti, un bon mot pour corroborer ses dires, Monti se contentait de prendre un long trait bien écrasant à la cruche.

— Pis où est-ce que vous envisionnez ça, ce funiculaire-là? dit le moustachu.

Il dut chercher quelque chose après quoi se tenir. *Envisionnez,* nota Monti. Il avait toujours pas dit un mot.

— Les installations partiraient de la carrière dont mon associé ici présent a fait l'acquisition dans le cap en arrière du dépôt ferroviaire.

— Tu veux pas dire dans le *trou,* toujours? éructa le jeune premier, distrait un moment par Monti qui formait tout à coup une longue-vue de ses mains pour suivre quelque chose par le châssis.

Le trou, oui. Raclements de gorge. Personne se serait jamais hasardé à lui rire en pleine face, mais juré que Monti s'était fait traiter de gâteux dans son dos quand il avait signé un chèque avec quelques zéros de trop pour le rachat du lotissement en question. Une place pas exploitable, au pied de la montagne. Parce que ça donnait sur la route menant à la mer, le privé y avait creusé pour prendre la roche et le sable nécessaires à l'aménagement des systèmes de dunes et de brise-lames qui protégeaient la promenade construite sur la grève. Il restait plus sur le site qu'une fondrière, les lendemains d'une pluie d'obus. La jeunesse allait y flinguer des rats musqués. Mais Monti, lui, dans sa tête, ça avait fait mer et montagne plus accès routier égale tout plein de possibilités. Un funiculaire, mesdames et messieurs. C'était ça, son grand projet. N'empêche, les ti-copains à Pleau, ils étaient moins chauds d'un coup. « Le trou, le trou », disaient-ils. L'opulence leur raidissait comme dans les habits.

— Je veux surtout pas vous déconforter, fit le moustachu, mais il se trouve qu'il y a pas de sol pour mettre votre funiculaire sur votre terrain.

Déconforter, releva Monti.

— Le terrain, on a besoin de deux mois, fit Pleau, un bras allongé pour retenir les murs qu'il sentait sur le point de s'effondrer.

Le maire expliqua que Monti avait prévu ce type de réserves, et que c'est pour ça qu'il s'était obligé, auprès de l'entreprise responsable de tout ce qui se faisait de travaux d'excavation dans le bout, à disposer, jusqu'à quantité fixée par contrat et moyennant dédommagement, des innombrables monticules de terre que la ramification de l'aqueduc, par la force des choses, avait générés.

— En français, siouplaît ?

— Ben, on ramasse les tas de terre qui traînent partout en étant payés pour, pis on bouche le trou. Le terrain de même se paye à peu près tout seul. Pis après, on étaye la paroi pis that's it. Un funiculaire ! Des sentiers entretenus ! Des belvédères. Des *pistes* de ski.

— Ouin, ouin, ouin, commençait à saisir le jeune premier.

— Honoré ! appela Joséphine par le vasistas de la cuisine.

— Au funiculaire de Lancelot-de-la-Frayère ! fit le moustachu, et il leva la cruche. Je penserais qu'on va se mettre riches, nous autres là !

Le maire Pleau avait envie de verser une larme. C'était tellement important, ce qui se passait. Tous se serrèrent la main en cafouillant.

— *Honoré !*

— On dirait que ta femme te réclame, mon Monti.

Ils se redirigèrent, dans l'analgésie, hors de l'étable vers la maison. Des mouflets dessinaient du doigt dans la condensation des fenêtres.

— Rien que du bon, des projets de même, dit Pleau.

— Pis on va créer des jobs en plus ! s'enthousiasma le moustachu.

— Je pensais à ça, dit Monti, on devrait aller se faire un raid au New-B, un genre de safari, pour se pogner des esclaves.

Ce fut la seule affaire qu'il dit de tout leur concilia-bule. « Envisionner », « déconforter ». Il était trop sagace pour laisser passer ça. Tout honteux de ses origines, sans même savoir pourquoi, le moustachu baissa les yeux. Il y avait plein d'écales de graines de tournesol à ses pieds. Ça tombait des mangeoires dans la neige.

La troupe de débauchés rentra par la cuisine, et Joséphine fut prise de scrupules en voyant la prestance à son mari, qui se lézarda encore davantage quand il s'appuya sur le four aux parois presque en fusion. Sauf que la mère avait pas le choix. Les engagements pris auprès du curé prévalaient.

— Bon, dit-elle à Monti, les enfants et moi, on s'en va à l'église aider à préparer la crèche. L'évêque est arrivé, et le père Isidore doit plus savoir où donner du goupillon. Le souper est prêt, restera plus qu'à sortir les plats après la messe.

Pis les magnums de champagne, pensa Monti.

— On est une quarantaine, si je me trompe pas. Léon fait encore son dodo, mais il est dans son costume de Jésus déjà. Donnes-y une bouteille quand tu le réveilleras, je sais pas, vers onze heures et vingt, et soyez sans faute à l'église pour minuit moins quart. Puis tiens. Parlant de bouteille. Ce serait peut-être le temps de te mettre au lait toi aussi.

Les attentes, pour la messe de minuit cette année, étaient encore plus élevées que de coutume, parce que la dernière fois que le curé avait cédé sa place à l'évêque du diocèse… Ça avait été quelque chose. Onésime Canon, en pleine crise, s'était signé en voyant l'ecclésiastique apparaître dans la nef, avec sa robe mauve, des froufrous pleins d'écho, un casque en totem. Sicotte et Skelling, à un moment donné, avaient plus été capables de refréner leur fou rire. Ils s'étaient mis à se prendre pour des cardinaux, assis en arrière à asperger la Dubuc d'eau bénite. L'évêque, avec son latin de cuisine, avait dû les remettre à leur place, mais le jeu était pas encore tout à fait calmé qu'Onésime, Dieu sait ce qu'il imaginait, avait décidé qu'il fallait faire quelque chose. « Fermez-moé les portes ! avait-il éructé. Pognons-la vivante, la grosse bibitte mauve ! »

— Je te dis, moé, la paroisse avait bien paru encore, se remémora Monti tout haut, en train de se bourrer la face dans le cipaille malgré l'interdiction.

Pas longtemps après le départ des siens, il s'attabla parmi les hommes, de parfaits inconnus, pour passer le temps qui restait devant quelques mains de whist. Le moustachu était là. Ça jouait à l'argent en se calant des toniques. Le pharmacien Bujold revint de sa sieste sur le plancher du corridor avec, dans une main, en une haute pile pas stable, assez de verres pour tout le monde, et dans l'autre la bouteille de Yukon restée dans le hall sur sa console. Monti s'empressa de mettre le doigt dans celui des verres qui fut le plus abondamment rempli. Il se l'octroyait ainsi avec plus d'autorité.

— *Prost !* lâcha-t-il dans le manège des cartes à jouer.

Les dentures, sous les rameaux de houx, se portèrent jusqu'aux verres. Plusieurs soulèvements de cœur vinrent ponctuer un silence incommodant. Le moustachu recracha sa gorgée de Yukon dans sa paume et cacha le gâchis dans sa poche. Monti se resservait pour sa part par gestes assouplis. Il combinait, avec les treize cartes très lointaines que le donneur venait de lui brasser, des full houses du tonnerre, des straights qui s'étiraient de chez eux jusqu'aux bouées au large de la marina. Il était rendu qu'il jouait au poker, lui là, trop avancé pour discerner le goût du fort de celui de la pisse.

De Cloridorme jusqu'à Saint-Zénon-du-Lac-Humqui, l'histoire s'était sue. Une couple de semaines plus tôt, Monti avait marqué un point contre le facteur en le forçant à rebrousser chemin devant sa maison avant qu'il puisse atteindre la boîte aux lettres. Posté dans son grenier, l'homme d'affaires avait lancé par l'œil-de-bœuf des outils aux pieds du Paspéya. Jamais qu'il lui aurait fait mal, trop besoin de lui, mais le facteur avait quand même jugé plus judicieux de revirer de bord. Ça lui tentait pas de finir avec un tournevis entre les yeux.

Monti s'était assis sur le tabouret à côté de son Bradley quand ils s'étaient recroisés à l'hôtel le même soir. *Son* Bradley. Le sien, à lui. Leur contentieux reposait pas non plus sur n'importe quelle vétille, et ils étaient capables de s'assir ensemble. Paqueté de long en large, le dos voûté au-dessus du comptoir, Bradley s'était mis à frotter la dernière bouteille d'hydromel que la Guité lui servait à soir. Il allait te frotter ça jusqu'à ce qu'en jaillisse un génie consentant, qui exaucerait les vœux funestes qu'il se formulait depuis l'après-midi dans une langue inventée. Il avait le cou pareil aux tuyaux en dessous des éviers. La lettre qu'il avait pas pu livrer chez les Bouge était là. Devant lui sur le comptoir. Il lui aurait suffi de glisser l'enveloppe vers Monti. Ça aurait été réglé. Il pouvait pas s'y résoudre.

— Ça restera pas lettre morte, disait-on.

La nuit d'avant, celle du vingt-trois au vingt-quatre, le facteur avait rêvé qu'il faisait sa tournée, quand il s'était rendu compte qu'il était à poil en plein milieu du village. Il rêvait de plus en plus en vieillissant, mais la voix en anglais était pas dans ce songe-là, pour une fois, ni le rouet. Pour préserver une pudeur qu'il se connaissait pas de jour, il avait tout agrippé alentour, à moitié dans son rêve, à moitié dans le vrai monde. L'écriteau en sandwich devant le bar laitier, le châle de sa conquête la plus récente. Ses doigts fantômes lui lancinaient insupportablement au réveil, et il s'était assuré par deux fois d'être habillé avant de partir au travail. Grimpé sur le toit de son magasin, dans une chienne carreautée qui lui donnait l'apparence d'une cornemuse, monsieur Berthelot était en train de déneiger.

— Pas question que ça renfonce comme l'hiver d'il y a deux ans.

— Je te parle-ti, toé ? avait dit Bradley.

Il avait fait irruption dans le bâtiment, sans refermer, pas payé pour ça, la porte derrière lui.

— On étions pas ouverts aujourd'hui, avait déclaré madame Berthelot, occupée à changer les étiquettes sur des produits périmés.

Et à travers les factures envolées au-dessus du comptoir dans le courant d'air, elle avait vu que c'était Bradley.

— Ben là, Victor, tu travaillerions pas certain le vingt-quatre de décembre ?

Bradley s'était arrêté. *On est-ti le vingt-quatre ?* Tu parles d'une excellente nouvelle. C'était congé. Mais parce qu'il allait surtout pas admettre qu'il était dans les patates, il s'était quand même rendu dans le réduit où la malle atterrissait.

— Non, non, avait-il crié en escaladant les boîtes. Je travaille pas. J'avais quelque chose à checker, pis comme je passais dans le boutte !

Pis à part de ça, mêle-toi de tes oignons. Il se félicita de sa procrastination en apercevant tous les colis en retard que les jeunes Frayois auraient pas le bonheur de déballer au retour de la messe. Monti avait reçu son paquet hebdomadaire, et pour une fois qu'il avait le champ libre, Bradley avait décidé de s'offrir une gâterie à l'occasion de la Nativité. Il avait déchiré le carton, puis débouché le Yukon. Il en avait bu son comptant, ça torchait. « Boire son content », que ça s'écrivait. C'est ce qu'il avait soutenu une fois, auprès du rédacteur du *Vivier.* Après quoi, en mettant une main devant l'autre, puis une main devant l'autre, puis une main devant l'autre, comme quand tu donnes du lousse à une corde, il avait extirpé, dans des vapeurs nauséabondes, sa graine de sa braguette. Un membre visqueux, musclé comme une anguille, que la moitié du village avait déjà vu tant Bradley avait la charmante manie de marquer son territoire n'importe où. Ses sphincters s'étaient relâchés, et avec un soupir de soulagement il s'était vidé dans la bouteille. Il avait ensuite brassé sa concoction, recachetée à peu près. Et direction chez Monti. Il avait quitté le magasin en jetant dans sa besace une poignée de sucreries pas payées.

De retour au party, les joueurs de whist devaient trop craindre le courroux de leur hôte pour mentionner quoi que ce soit.

— Où ce qu'elles sont, mes moufles ? disait-on, pressé de déserter la table.

— Ma tuque, mes fourrures?

Les premiers arrivés dehors mangeaient des morceaux de neige pour rincer le goût âcre qu'ils avaient dans la gueule après avoir bu la miction du facteur. Pris de pitié, Siméon Bujold se rassit auprès de son beau-frère, sous prétexte de se chausser en vue de la messe. Il avait une bottine à semelle compensée pour sa jambe courte. Monti se resservit un Yukon à la pisse. Le pharmacien se sentait cheap, pas capable de rien dire.

— Regarde qui qui est là, vibra Monti.

Un sourire oublié aux lèvres, il fixait un point plus loin dans le couloir.

— Qui ça, qui c'est qui est là? demanda Siméon.

Il avait beau suivre le regard à Monti jusqu'au fond du corridor, il voyait rien d'autre que ça. Un fond de corridor.

— Viens-t'en, ma bébête, appelait Monti en se donnant des tapes sur la cuisse.

Ça commence pas mal à plus ressembler à un ivrogne qu'à un gars qui boit, s'assombrit le beau-frère. Il s'emmitonnait dans son écharpe. Léon dormait plus, son père se l'était fait amener pour le momifier dans ses langes. Il lui frottait du gin sur la bouche pendant que lui-même finissait les verres de Yukon laissés orphelins parmi les cartes en désordre. Il avait rebouché la bouteille, perdue dans son caban.

— Allez-y, dit-il. On vous rejoint tout suite.

Il chassa à coups de pied aux fesses ceux qui s'attardaient. Et voilà qu'il était seul dans sa maison, avec son fils, le fusil au-dessus du foyer, sa bête personnalisée. Il avait décidé que c'était le temps de la tuer, celle-là.

C'est les gens de la guignolée qui avaient retrouvé Monti le lendemain, dans une cabane surchauffée de Gesgapegiag. Le cul sur une chaudière à l'envers, avec son fusil de chasse à l'épaule et le Messie dans les bras, il avait passé le réveillon sur la réserve à brosser à la pisse à Bradley. Ça a l'air qu'il achalait encore au matin tout ce qu'il y avait d'Indiens là pour qu'ils aillent lui chercher un certain Billy Joe Pictou. Il avait affaire à lui, tellement affaire à lui.

55

L E PHOTOGRAPHE du *Vivier* était immobilisé derrière son appareil perché sur un trépied à pattes
de héron. On inaugurait ce jour-là la bibliothèque
de Lancelot-de-la-Frayère et les différents partis
associés étaient rassemblés autour de Monti pour une
photo de groupe. Monti souriait pas. Il tenait ouvert,
contre le ruban rouge qu'on avait tendu devant le comptoir, une paire de cisailles crottées que quelqu'un s'était
dépêché d'aller emprunter à la dernière minute dans le
jardin d'un voisin, sans demander, partant de l'ancien
principe, en désuétude de plus en plus, que si c'était
dehors, c'était à tout le monde, tant que tu le rapportais plus tard. Le photographe prit son cliché, et le déclic
continua de cliquer dans l'air, des clics dans les clics, à
cause des rayons encore trop peu garnis et de l'acoustique de la bâtisse, à chier en partant. Puis croquèrent
les cisailles, et le ruban alla s'alanguir de part en part

du comptoir. Monti examinait les rayons pour s'assurer que le flash avait pas imprimé son ombre sur le dos des livres. Le photographe du *Viviér,* avec ses lunettes réparées à l'aide de papier collant, se rendit compte qu'il avait oublié de retirer le capuchon de son objectif. On se dispensait des accolades, des félicitations. Les témoins restaient là, sans trop savoir quoi faire de leur personne dans l'attente des rafraîchissements. Monti sentit qu'on lui effleurait les côtes, et se ramassant sur lui-même il se retourna pour voir qui le chatouillait de la sorte. Il y avait personne. Il fit volte-face, et c'était le nouveau maire élu, chose Fortin.

— Je te cherchais, dit Monti.

— À nous de jouer, répondit Fortin.

Monti avait beau avoir le double de son âge, il lui secoua la main, un seul coup, et une onde sinusoïdale se répercuta jusque dans l'omoplate du politicien. Dehors, des automobiles rutilantes aux formes arrondies se garaient pêle-mêle sur la pelouse. Un autre flash venu de nulle part porta Monti à protéger sa tête au creux de son bras, auquel était accroché son parapluie. Les cisailles lui échappèrent. Elles restèrent au sol, un danger pour la marmaille à qui on avait promis quelque amusette après des mondanités que les adultes aussi trouvaient fastidieuses. Henri s'affairait dans la salle. Sa fainéantise adolescente s'était résorbée à jamais avec le développement des testicules. Il finalisait l'installation de l'estrade, avec d'autres drilles chez qui les efforts s'alliaient pas aussi naturellement au plaisir. Il parlait en même temps musique avec son ami Marcel. Marcel s'aidait de son bord des deux cent cinquante livres de muscles au jeune Léon pour disposer des chaises pliantes. Les Frayois de profession plus libérale venaient vite y déposer des effets pour se les réserver.

— Venez-vous-en, papa, souffla Lucie, une des filles à Monti.

Elle se noua aussitôt le bras à celui du bonhomme, oppressé qu'il était par le poids de son élégant canotier à bande de soie miroir. Charline, jeune fille en fleurs, rejoignit sœur et père, ravie du peu de résistance qu'offrit Monti quand elles le dirigèrent vers l'extérieur.

— Ça va être à vous de prendre la parole après le maire, dit-elle.

Elle humecta son doigt pour nettoyer le jus de tomates sec que son père avait aux coins des lèvres.

— Avez-vous vraiment besoin de votre parapluie?

Une fois dehors, Monti lança le parapluie. Sur le toit de la bâtisse. Le soleil fessait. Tout de blancheur dans la clarté, le bonhomme arrêtait pas de glousser. Avec son col haut, ses manches longues, pas de peau qui dépassait, la robe à Lucie le chatouillait mortellement. Il marchait vite, et ses filles suivaient à peine dans le dédale des voitures dont certaines allaient être un aria à tirer de la pagaille du stationnement.

— Et votre discours, vous l'avez? Papa, vous avez votre discours?

Monti entreprit de dire à ses filles à quel point il était fier d'elles. Des moyennes bonnes femmes, qu'elles étaient devenues.

— Laissez faire les louanges, c'est à votre tour, aujourd'hui.

— Ouin, mon Monti, t'es ben escorté, lâcha depuis son char le notaire Langevin.

C'est vrai que Monti était convoyé par les partis les plus alléchants de la péninsule. Il rendit au notaire un salut belliqueux.

— La Lucie, en tout cas, si j'avais deux-trois ans de moins, grommela derrière eux un Rémi Chiasson croulant.

Il avait trente-cinq ans de plus qu'elle. Monti riait plus. Il riait plus du tout. Ses chatouillements venaient de lui passer.

— Des moyennes bonnes femmes! répéta-t-il par-dessus son épaule, très fort, et il voulut comme dégainer sa canne-épée, mais il l'avait perdue ça faisait longtemps.

Le dessus de ses pieds traînait à présent dans l'herbe. Charline et Lucie le tiraient le long de la bibliothèque vers une porte de service à l'usage des employés. La puînée de Chiasson venait d'accoucher, et le nourrisson ressemblait assez au vieux pour qu'on se demande si c'était pas lui à la fois le père et le grand-père.

— Nous, on va se dépêcher à retourner à l'intérieur pour aider maman avec les enfants, les avisa Lucie en confiant Monti à ses frères.

Ils fumaient là sur le pas de la porte, après avoir escamoté la bouteille de Yukon qu'ils se passaient une seconde avant. Baptiste, comme à la moindre occasion formelle qui se présentait depuis son retour des Europes, portait ses décorations militaires. Toine était pour sa part vêtu de l'habit sur lequel il avait renversé du gros bleu aux funérailles du docteur Bujold. Ils entrèrent tous les trois, Monti et ses gars. Cachés par un rideau de serge à glands, ils espionnaient le maire Fortin. Le maire avait pris une tape sur les fesses pour son signal, et il s'était mis à s'encenser prématurément sur l'estrade devant des chaises encore à peu près vides. Leur serrant la nuque à chacun, Monti exigea de ses fils de quoi lui faire passer ce qu'il avait décidé être du trac. Ils feignirent de pas comprendre.

— C'est pas une suggestion, insista-t-il.

Toine et Baptiste se regardèrent. Ils savaient ce que cette journée-là représentait pour leur mère. Ils finirent la bouteille de Yukon à trois.

— La municipalité a connu une véritable poussée depuis le changement de gouverne, redisait le maire Fortin pour la quatrième fois d'une manière différente sur son estrade, et nous ne sauriâmes dans cette adresse remercier assez suffisamment monsieur Honoré Bouge de la dévotion dont il a toujours fait preuve, conformément à ses égards pour la communauté de Lancelot-de-la-Frayère.

Dans l'entrée, Charline invitait la société à passer au parterre pour les allocutions. Henri et Marcel sortaient le buffet de la consigne. Une octogénaire, madame Blanchard, maugréait entre les rangs de chaises à la recherche de Joséphine, sur qui elle était pâmée, mais qui avait pas le temps tout de suite de s'occuper d'elle. Il se perdait des bouts des élucubrations à Fortin à cause des dérangements et des préparatifs.

— C'est tout mon honneur d'inaugurer aujourd'hui un édifice, et aussi la collection de livres qui va avec, cela pour l'édificication des villageois, l'éfidication, pardon. Nous en ressortirons tous plus culturés, et peut-être que vous penserez à moi aux élections dans six mois.

Ceux des rangées d'en avant avaient ri, pensant que c'était de l'humour. Mais c'en était pas, et le maire adopta une pose plus pompière, pratiquée dans le salon chez eux la veille. Joséphine et Lucie se pressaient de faire assir les flos en demi-lune sur des coussins entre la première rangée de chaises et l'estrade. Elles se penchaient pour pas cacher la vue à personne.

— Mais farce à part, continua le maire Fortin, une touche de susceptibilité dans le ton. Sans la générosité, disais-je, et les opportunités que la Ville a toujours su offrir à Monti Bouge d'investir en elle, parce qu'on se gênera certainement pas aujourd'hui pour l'appeler Monti… Mon ami, mon associé. Heille, je te vois, là, Monti, je te vois. Faque donc, c'est ça, nous autres à la Ville, on va…

Le maire avait omis, détail, de mentionner dans son discours que c'était à Joséphine que le village devait la bibliothèque. À quatre-vingt-dix pour cent. C'était son projet à elle, mais elle était pas du genre à se plaindre de l'effacement. Elle avait pris place à droite d'Isidore, le curé. L'homme laissait ruisseler, par sa chemise déboutonnée, une toison poivre et sel sur sa poitrine de bois blond. Monti marchait entre les enfants, les genoux très hauts, pour s'approcher de l'estrade où le maire en finissait plus de conclure même s'il arrêtait pas de dire « pour finir». Sa femme dans l'assistance lui faisait des signes de gorge tranchée.

— T'es une petite qui, toé? chuchota Monti à une fillette à genoux.

— Ben, une petite Bouge, grand-papa.

— Ah ben oui, voyons, scuse-moé, ma belle. T'es-ti à Baptiste ou à Toine?

C'est pas que Monti était en perte de facultés. Il avait trop d'affaires dans la tête tout le temps. Et la prolifération de la famille, il suivait ça de loin.

— Allez-vous nous l'acheter, notre cheval? s'informa la fillette. Vous avez dit que vous alliez nous acheter un cheval.

— Monti, merci, concluait le maire, merci, on l'applaudit. Merci à nous deux. Pour finir, je voudrais simplement rajouter une chose.

Fortin était reparti. Le pied à Monti lui siffla près de l'oreille quand il grimpa, dans un tourbillon de faces, les trois marches de l'estrade d'une unique enjambée. Joséphine lui avait posé la question plus tôt. «Es-tu nerveux, mon ami?» Monti avait répondu en lui demandant si le cheval était attelé. C'était elle après ça qui était venue nerveuse. Pas pour elle, pour son mari. Parce que premièrement, bien qu'ils aient plus de cheval depuis des siècles, le scribouilleur du *Vivier* à côté avait noté ça dans son carnet. Et deuxièmement, Monti avait encore dormi dans le foin de l'étable quelques nuits plus tôt. Le reste, les fiascos, la perplexité des gens, les anicroches, Joséphine s'en amuserait toujours. Jamais de sa vie elle aurait honte de son mari.

Fortin aurait voulu faire sa sortie dans un tour de prestidigitation, survoler dans un harnais dissimulé l'assemblée en direction du puits de lumière avant de s'envoler vers l'éther et la renommée. Mais on le tassa tout simplement. Monti s'empara de la tribune en se disant que ce serait le moment idéal pour confesser ses torts. Sans que personne remarque au milieu du tumulte, la porte d'entrée s'ouvrit. Le retardataire appela le buffet à lui. Pas croyable, l'acoustique de cette salle-là. Monti dépliait, dans le froissement amplifié des papiers, un discours troué. Il l'avait rédigé sur sa précieuse machine à écrire, à laquelle manquaient plusieurs touches. Toine et Baptiste, un pied sur le mur où ils s'appuyaient les bras croisés, parlaient pas mal fort. Joséphine avait pas le temps de s'ennuyer avec ses hommes. Elle sentait presque l'haleine de Yukon à son époux de la place où elle était assise. Promenant un regard accusateur sur ses compatriotes, Monti mit longtemps avant d'attaquer.

— D'être ici aujourd'hui en compagnie de ma tendre moitié est pour moi…

C'est là que se produisit un sapement très intense dans le fond de la salle à côté du buffet. Il allait falloir faire quelque chose avec l'acoustique, ça se pouvait pas. Le sapement se réverbérait partout dans l'écheveau des poutrelles au plafond. Les chapeaux au parterre pivotèrent à cent quatre-vingts degrés vers l'arrière. Trouvez l'intrus. Un sandwich en triangle pas de croûte dans une main, Bradley était en train de goûter au punch direct à la louche. Il toisait de profil l'assistance de son œil insolemment bleu et grossi. L'estrade grinça sous les chaussures trop cirées de Monti. Il égalisa à petits coups secs sa pile de feuilles sur le rebord du lutrin.

— Mes chers Frayois, se reprit-il. C'est aujourd'hui l'occasion pour ma femme et moi de célébrer…

Le deuxième sapement eut des résonances encore plus impressionnantes. Les gens huèrent leur facteur. Les dix doigts distendus, Monti inhala jusqu'à ce qu'il y ait dans la salle trop peu d'air pour tous les autres.

— Je vous ai-ti déjà raconté l'histoire de la bébête? s'enquit-il, une fois la vague de protestations retombée.

Il délaissa sa tribune pour se tirer une bûche sur le bord de l'estrade, auprès des rejetons assis devant lui. Il y avait dans le tas les blondinettes à son Baptiste, la noiraude à son Toine, la floune à Nault, toute une sélection d'angelots, de moussaillons et de morveux. Marcel donna une bourrade à Henri et s'approcha pour écouter. Les parents disaient toujours à leur progéniture de pas tanner monsieur Monti avec ses souvenirs d'aventures, qu'il aimait pas ça parler de ça. Il en avait donc pris plus d'un de court avec l'histoire qu'il avait racontée alors, en la mimant, en faisant surgir sans discontinuité des décors évocateurs à l'aide de simples accessoires prélevés au gousset des messieurs, sur les crânes environnants, aux atours de certaines représentantes du beau sexe, non sans aller chercher la participation des enfants, de force pour certains, mais au moins il était divertissant, lui qui pour eux avait toujours été rattaché par le moindre poil de son corps au monde des grandes personnes. Il leur avait raconté qu'une fois, dans le Nord, il s'était attablé avec trois ti-namis. Ses ti-namis venaient d'un pays étranger.

Les quatre avaient eu l'idée, en buvant de la bière de racinette et en mangeant des jelly beans avec de la neige au milieu, de jouer aux cartes. Les enfants, ça apprend par le jeu, sauf qu'à un moment donné, probablement à cause de tout le sucre qui se consumait dans le fond de leurs cerveaux, le jeu à quoi ils jouaient était devenu très dangereux, et les trois ti-namis à Monti avaient comme vieilli de vingt-huit ans d'un coup sec. Ça leur disait plus de jouer, et ils voulaient que Monti leur rende les petits bouts d'eux-mêmes qu'il leur avait coupés. Mais Monti, lui, il avait pas fini de jouer, et parce qu'il était seul à bien parler français, c'était lui qui décidait. Il avait dit OK. Un dernier tour pour le thrill. Et il s'était passé quelque chose de fabuleux dans les cartes. Quatre straight flushs royales. Du premier coup.

— Ça, dit Monti, quatre straight flushs royales du premier coup, c'est comme si votre maîtresse d'école avalait sa craie pis se mettait à faire la poule sur les pupitres en pleine leçon d'arithmétique.

Dans le château où ils s'étaient installés pour jouer, il y avait eu plein de feux d'artifice. Tout le monde était si excité qu'une bête surnaturelle avait jailli entre les bières de racinette, les jelly beans et les cartes ensorcelées. La bête ressemblait à une boule de barbe à papa de toutes les saveurs. Elle courait affreusement vite, par contre, et sans doute qu'il fallait être très spécial pour la voir, parce que personne d'autre que Monti partit à sa suite.

— Je jubilais ! dit-il à sa Joséphine.

Elle le regardait avec amour en se disant que la bibliothèque allait pas s'écrouler non plus à cause d'un écart au protocole.

Monti dit qu'il s'était garroché de tous les côtés en même temps. Une de ses jambes avait filé par là sur une crête. Une autre avait pris un raccourci par les bois. Ses bras avaient sautillé sur les mains. Chaque fois qu'elle l'avait trop devancé, la bête l'attendait. Elle caracolait dans les traînées de luminescence que suscitait, comme dans des eaux riches en plancton, chacun de ses battements de queue. Elle s'ébattit d'ailleurs dans l'eau après ça, guidant Monti vers une rivière à moitié gelée où il s'était jeté sans rien sentir tellement il avait désir de la câliner.

— Rendue aussi lisse qu'une loutre, la bête nageait le long de la berge, pis à travers sa fourrure, comme à travers une loupe magique, moé je voyais les filons d'or qui se déclaraient dans le sol, et je savais que c'était là que je devais revenir creuser le lendemain pour y trouver ma richesse.

Ça avait pris une bonne heure, raconter ça. Ce fut Liette Nault, trois ans et demi et des yeux de biche, qui avait fini par demander s'il l'avait attrapée ou non, sa bébête. Elle comblait de syllabes gutturales les silences entre ses mots. Monti fit traduire la question par un interprète à proximité.

— Je l'ai capturée, oui. Mais rien qu'une fois, pis elle s'est sauvée après. Et là, les enfants, écoutez-moé ben.

Le porte-billets qu'il gardait dans sa veste était apparu à sa main, puis voilà que les billets dansaient dans son autre main. Une somme rondelette. Monti frottait le coin de ses vingt piasses pour s'assurer qu'il y en avait pas deux d'épaisseur. Il brandissait la liasse sous le nez des petits, en leur disant que ça, c'était ce qu'il avait sur lui, qu'il payerait facilement, plus tard ou direct là s'ils acceptaient les chèques, le quintuple à celui ou à celle qui parviendrait à lui capturer la bête.

— Parce que monsieur Monti, dit-il, y va péter une fiouse ben vite si personne la pogne.

L'argent disparut entre les couches de son habillement. Tout de suite le petit Gilles, un autre des enfants à Rémi Chiasson, se mit à ourdir un plan pour le voler. C'est lui, Gilles, qui une fois avait fait éclater la vitrine de la cordonnerie. Il avait foncé dedans à bord d'un pneu de tracteur lâché depuis la pente naissante de la montagne. Son père et le docteur Maturin l'en avaient mis au défi.

Joséphine se tenait derrière le comptoir pour un premier prêt symbolique. Elle fut émue de voir que son mari, scrutant les rayons comme s'ils avaient des comptes à rendre, avait opté pour Homère. Il avait commencé l'épopée du Grec en pension à Toronto et il était curieux de connaître la fin. Le livre fut enregistré sur une fiche, puis Monti le coinça sous son aisselle, entre ses jambes, il le cala entre sa mâchoire et son épaule pour finalement pouvoir serrer sa femme dans ses bras devant les Frayois qui applaudissaient. Après le punch et la danse en ligne, carrée, dodécagonale, tout ce que tu veux, l'événement se déplaça tranquillement vers l'hôtel. Les hommes essayaient de contenir la grogne de leurs épouses. Guité venait de rebrasser sa fameuse bière à la betterave, disaient-ils. Tu voyais dans le futur quand t'en buvais assez.

La Guité de l'hôtel, Dieu ait son âme, servait maintenant au paradis leur consommation habituelle aux morts qu'elle avait aimés de leur vivant. C'était son neveu qui avait repris l'établissement, et Monti y débarqua avec le bol de punch du buffet devant son ventre. Le punch gicla partout quand la nouvelle porte à ressorts le tapa dans le dos. Un cheveu roux fut découvert dans le premier verre qu'il se servit. C'était la fête, du monde en masse, et de tous les âges, chummés, l'âge comptait pas. Henri était lui avec dans la place, vêtu de sa froc beige à col de mouton, une tuque roulée au-dessus des oreilles. Il allait pas se mettre à brailler non plus, mais ça le morpionnait de voir son vieux père là aussi tard. Monti était à raconter une des anecdotes qu'il aimait le plus à propos de Léon, quand il l'avait envoyé aider quelques jours sur un chantier au Nouveau-Brunswick pour le dégourdir. Les ouvriers charriaient deux poches de ciment à la fois. Mais Léon était assez fort pour s'en mettre trois sur l'épaule. Le contremaître, après quelques voyages, avait dû se dire que ce Queeb-là allait se brûler, parce que chaque fois que Léon passait devant lui, il lui criait : « Take five ! Take five ! » Il voulait dire de se reposer cinq minutes, pas de prendre cinq poches. Léon lui avait quasiment disloqué le bassin en le remettant à sa place. Les abonnés de l'hôtel riaient aux larmes, mais ça vint moins comique quand Monti se mit à réexpliquer le gag étape par étape, pour s'assurer que tout le monde avait bien compris. Quelqu'un enchaîna avec l'histoire de la puck, et c'était rendu que Monti avait eu besoin d'une trachéotomie pendant qu'on extrayait l'objet avec de la machinerie. Le bonhomme et Marcel sortirent en même temps pour aller pisser, vers l'obscurité et le fracas des vagues, au bout d'une galerie gâchée par la mérule.

— C'était instructif, ton histoire de cet après-midi, dit Marcel, et son jet de pisse partit, rouge à cause de la bière à la betterave. Cet animal enchanté là, est-ce que ce serait par hasard la même bête que t'as attrapée dans le train en t'en revenant de l'Ontario?

Les deux se devinaient à peine dans la noirceur. Mais Marcel sut, à un bruit de badine fendant l'air, que Monti venait de se revirer la tête vers lui.

— Tu m'aurais-ti par hasard déjà fait dire quelque chose que je me souviendrais pas de t'avoir dit?

La bouche à Monti étincelait dans les ténèbres. Il y eut un moment de vérité. Les jets de pisse à Marcel s'espacèrent.

— Qu'est-ce qui est arrivé au voleur, voulut-il savoir en se la secouant, après que tu l'ayes retrouvé?

— Plus jamais qu'il a volé, dit Monti, glacialement.

Marcel referma la braguette beige de ses culottes beiges. Les étoiles tournaient toutes ensemble au-dessus de leurs têtes.

— Plus jamais, comme dans plus jamais?

— Pis vouvoie-moé, la prochaine fois.

Pas trop certain s'il était sérieux avec ça, Marcel resta là une minute devant la nuit. *Vouvoie-moé, vouvoie-moé…* Monti le connaissait depuis qu'il était flo. Il avait même fourni le financement de départ pour leur projet de radio communautaire. Mais si Monti était sérieux… Le pauvre Marcel rentra, et la nouvelle porte à ressorts, en lui claquant dans le dos, lui fit renverser sa bière de betterave. Guité annonçait au même moment qu'il en restait plus.

Enfin seul, Monti put se soulager de tout le punch qui le ballottait. Il avait jamais été capable de pisser avec un autre gars à côté de lui.

56

PEUT-ÊTRE que c'était pour lui une façon de nier sa part de responsabilité dans le phénomène, mais le chacun-pour-soi dans lequel se complaisait de plus en plus ce qui se prétendait une communauté concordait pour Monti avec l'arrivée chez les Frayois du petit écran. C'était moins la cause de la maladie qu'un symptôme, mais en tout cas il y avait de quoi qui le gossait dans ça. Il l'avait lui aussi, son poste de télévision. Un ovni au châssis de bois traité et muni de pattes de chaise, autour duquel tout le salon était agencé. Sans même prendre le temps de s'assir des fois, les traits sculptés au ciseau, Monti visionnait férocement les fadaises qu'on y présentait. Ça voulait pas dire qu'il était pour. Joséphine le mettait en garde quand il se fâchait, «du côté respectable de l'écran», selon l'expression qu'il employait, contre l'inertie de ses concitoyens.

— Pousse pas trop nos Frayois, ils ont bonne nature, faudrait pas changer ça, disait la mère.

Elle ajoutait que tout le monde était pas câblé comme lui, puis elle lui éteignait son émission parce que leurs enfants et les enfants de leurs enfants venaient d'entrer en trombe pour une visite dominicale. Révolue était l'époque où le couple sortait sa trâlée chez l'oncle Gédéon.

— Faites pas trop de bruit, criait Monti quand les enfants menaient le diable dans le salon. Vous allez réveiller les personnes miniatures qui font dodo dans ma télévision.

Il y avait des soirs, et il en était ainsi chez eux, où des voisins éloignés venaient te redonner quelque chose que ton père avait prêté à leur père quand t'étais même pas né, prétexte pour venir profiter de ta boîte à images.

— Qu'est-ce ça va leur prendre ? se morfondait Monti.

Il regardait, traversant La Frayère en char à la tombée du jour, les fenêtres flasher en parfait synchronisme dans les foyers plus cossus ou chez les pauvres qui avaient pas un très bon sens des priorités. Même si champignonnait la population du village, il y avait comme de plus en plus d'espace entre les maisons, et c'est pour ça que la face au monsieur Plouffe sur Radio-Canada lui revenait pas. En plus qu'il avait des airs à Bradley, lequel était, on dira ce qu'on voudra, resté pas mal plus fougueux que Monti à l'approche des soixante-dix chandelles. «C'est parce que je fourre!» prétendait le facteur, n'importe où, n'importe quand. Il donnait sa vigueur encore primesautière en spectacle devant les baigneuses comme devant les ouailles au curé Isidore. Les bonhommes de La Frayère pouvaient plus le sentir. L'asphalte gagnait du terrain sur les sables même les plus resplendissants.

— C'est-ti de ma faute? demanda un soir de verglas Monti à sa femme.

Il sautait sur leur lit pendant que Joséphine pliait un sixième pantalon de mêmes taille, marque et couleur, beige.

— Les mentalités changent, répondit-elle.

— Ou j'ai peut-être fait quelque chose de pas correct? Moé, je voulais qu'on bâtisse, pas qu'on s'enferme entre quatre murs même pas finis pour regarder des farfadets en noir et blanc dire des niaiseries. Je, me, moé, tout le monde. Pis pitche une poignée de cennes noires à terre, voir, dans le jour devant les boutiques!

Le panier à linge rebondissait au bout du lit.

— T'en perds ton français, mon mari. Mais c'est pas un peu facile à dire pour toi? T'en as, de l'argent. Je le sais bien que t'avais des grands plans pour La Frayère, mais là…

— Des grands plans, des grands plans. Je voulais qu'on devienne un peu plus ce qu'on est, c'est toute.

— Honoré Bouge, si La Frayère y était allée à ton rythme, ça ressemblerait à Montréal ici.

— Sherbrooke.

— Rimouski.

— Matane. Y a plus de mythe possible chez nous, c'est ça le problème.

Sans se préoccuper ni du sourire à sa femme ni des poules qui passaient à la queue leu leu dans le couloir,

Monti s'arrêta de sauter. Un tendon sorti du cou, il gesticulait en vain dans son désir d'exprimer le précipice en lui. Dans des cas de même il sifflotait souvent quelque chose en paniquant. Seule la musique pouvait rendre ce qu'il ressentait. Sauf que ça faisait bientôt huit fois qu'il reprenait sa mélodie, en oubliant le début, les mains perpendiculaires l'une à l'autre comme quand tu demandes un time-out. Il sombrait dans un sommeil inhospitalier. Des bruits d'engrenage s'échappaient de sa tête sur l'oreiller. Des rêves lui venaient de grizzlis, de salles des machines, de glissoires sans nulle part où atterrir. Monti en ressortait pas tant reposé qu'avec une neurasthénie patente. Il venait pas spécialement agréable pour personne de son entourage. Son génie était plus applicable dans ces périodes-là qu'à l'humour noir ou à des problèmes pratiques tels que l'ignition du fusil à patates dont Chiasson avait réalisé le prototype durant la grève au moulin pour tirer sur les comme lui. Toute l'exigence existentielle qu'il nourrissait envers son village, tout le désir d'arrachage et d'affaires époustouflantes qui l'habitait se retournaient contre lui.

— T'es déçu, continua Joséphine.

— Je trouve ça décevant, la fin du monde.

— Les gens sont simples ici, Honoré. Ils aiment ça boire à leur manière. Et je vois pas de quoi tu te plains, le monde a de l'ouvrage, c'est ça l'important.

— On est toutes dans nos coins ! Pis les coins sont toutes coupés rond !

Par un samedi d'automne, sa jolie bedaine toute bien modelée, impeccablement cadrée entre ses bretelles,

Monti se fit reconduire par Henri au sommet du mont
où Billy Joe Pictou les avait guidés, mal guidés mais en
tout cas, il y avait une éternité de ça. Il s'en allait inspecter l'état des installations du centre de ski qu'il avait
lui-même fondé, avant sa réouverture pour la saison. Il
comptait les barres jaunes au milieu de la route pendant qu'Henri, une bière entre les cuisses et de la peinture partout sur ses culottes, tentait de faire valoir ses
accomplissements devant son patriarche. Parce que ça
roulait, ses histoires, à Henri, depuis qu'il était parti à
son compte. Mais il avait beau avoir dix employés tant
qu'il voulait, toujours forcé de refuser des contrats tellement il en rentrait, isolation de blocs, déneigement
de toits, terrassement de parcs, nommes-en, pour son
père, qui lança à ce moment-là un œil dédaigneux aux
taches de peinture sur ses culottes, il restait un gars de
bras comme il y en avait en dessous de la moindre roche
que tu retournais en Gaspésie. Monti lui conseilla de
se partir une shop de clôtures, que ça serait bien vite le
meilleur moyen de faire la passe dans les parages. Ou
encore mieux, qu'il retourne à l'école. Dans la bouche
de Monti, c'est ce qui se rapprochait le plus d'un compliment. Sauf qu'Henri, même s'il avait de l'amour pour
les livres, voyait dans le savoir quelque chose de l'ordre
du gouffre. En revanche, il était toujours à rendre service à Untel ou Unetelle. Et malgré son goût plus prononcé que la moyenne pour les bonnes choses, il y avait
rien que lui dans le clan Bouge qui avait le tonnage et
l'allant qu'il faudrait pour tenir la maison en un morceau quand les parents mangeraient les pissenlits par la

racine. C'était d'ailleurs Henri le seul à être resté autour pour veiller sur eux dans leur vieillesse, avec Léon. Mais bon, Léon.

Le camion était même pas encore arrêté devant le centre de ski que le père en était sorti et courait d'un poteau à l'autre, du remonte-pente à la rampe de la billetterie, pointant en même temps du doigt tous les pignons du chalet. Rien de tout ça avait été repeinturé, en dépit des ordres atrocement détaillés donnés aux fainéants qu'il allait pas payer à se croiser les bras. Henri, au nom de tous, encaissa les récriminations, entremêlées de répliques des *Belles histoires des pays d'en haut*.

— Regarde, là. C'est pas compliqué, viande à chien. Tu prends ton pot de peinture. Tu l'ouvres. Tu trempes ton pinceau dedans pis tu le passes sur ta surface jusqu'à ce que tu voies plus l'autre couleur en dessous.

Mais à un moment donné, c'est pas non plus parce que t'as des taches de couleur sur tes culottes que t'es en charge de tout le peinturage de la péninsule. Monti donnait pas de contrats à son gars. C'était pas l'aider, qu'il disait. Il arrachait des écailles de peinture sur ses poteaux étouffés sous le lierre en cherchant autour de quoi à défaire.

— Mais là, lui dit Joséphine, une autre fois où ils étaient assis parmi les caisses de Yukon vides et les plantes vivaces dans leur véranda. Va falloir que tu m'expliques comment le premier Frayois venu est censé se «transcender», ou choisis le mot à cent piasses que tu veux, quand tu fais des crisettes comme t'as faite à Henri au centre de ski l'autre jour.

— Belle grande trappe, cet Henri-là, fit Monti.

Un porcelet dormait sur ses genoux. Son verre d'alcool se dressait à l'écart dans une tranche d'ombre.

— Il se fait du tracas pour son père, bon. Il est peut-être pas allé à la guerre comme ton Baptiste, mais tu vas arrêter d'être sur son cas tout le temps, toi. C'est sur le dos à Léon que tu devrais te mettre un peu.

— Léon, c'est le bébé. Laisse-le tranquille.

— Il va avoir vingt-trois ans! Et c'est Charline, le bébé.

— Le bébé des gars, bon.

Un moment passa. La tranche d'ombre continua, en même temps que le soleil, sa lente rotation jusqu'à ce que le verre à Monti brille dans la lumière.

— Tu vois, dit-il, c'est moé qui l'a fait, ce village-là. Pis je veux que la couleur de la mer reste ajustée à celle de mes poteaux. Parce que c'est comme si qu'il fallait que tout un paquet de conditions soient réunies pour qu'il se passe ce qui est supposé de se passer. Me suis-tu, Joséphine? Quatre joueurs retournent quatre straight flushs royales du premier coup, pis vlan. Une bête jaillit au milieu d'une table. C'est *ça*, que je veux. À l'échelle du village, comprends-tu?

Joséphine savait pas trop si son époux traversait une crise personnelle plus violente qu'à l'accoutumée ou bien s'il était en train de perdre la boule pour de bon. Il suivait, à des heures impossibles, le fil de sa conscience sur sa machine à écrire défoncée. Joséphine prenait un risque, mais elle lui fit lire un mince traité de métaphysique qui pour elle avait réglé bien des affaires. *Transcender, transcender. Ça l'aidera peut-être à faire un peu de ménage dans ses raisonnements,* pensait-elle. Une simple plaquette, d'une densité d'iridium. Il se passait vraiment des choses bizarres entre les deux oreilles à Monti Bouge quand il lisait ça.

— J'ai une idée, dit-il.

Sous un ciel où brillaient toutes les étoiles de l'univers, il prit son char. Quand il se rendit compte qu'il s'était assis sur la banquette arrière sans faire exprès, dardant, à la recherche du contact, le dos du siège du conducteur avec sa clé, il soupesa la recommandation de ses assureurs. «Prenez plus le volant, monsieur Bouge.» Monti prit le volant. La Cadillac se dédoublait mollement au passage dans les vitrines trop bariolées à son goût de la rue Principale. Depuis l'électrification des campagnes que les fils électriques partitionnaient le ciel. Monti voyait ça en se disant que c'était encore beau qu'il y ait pas d'étiquette de prix sur chaque bout d'azur. Il fit clignoter ses phares pour saluer le pick-up qui, sur les hautes, s'en venait en sens inverse. Il fut toutefois pas en mesure d'identifier, à cause de la lune en trois dimensions dans le pare-brise, la personne au volant.

C'était le pick-up que Péo avait laissé derrière lui après que la cirrhose l'eut terrassé. Plus tragique encore, sa recette de bibine l'avait suivi dans la tombe. Mais en tout cas, les clés restaient toujours dans le véhicule, qu'on retrouvait n'importe où dans le village au matin. Le pick-up, Péo aurait voulu ça de même, s'offrait à l'usage de tous ceux qui en avaient besoin. Les jeunesses s'en servaient pour se pratiquer à chauffer et faire des traces de pneus sur le quai.

Il y avait un seul feu de circulation dans le village de La Frayère. C'était rouge à tout coup. Monti attendit, ses roues d'en avant à un poil de la ligne. Il observait la devanture de l'ancienne mercerie, dans laquelle s'alignaient maintenant les mannequins de plastique sans bras ni visage d'un magasin de prêt-à-porter. C'était vert, et Monti put rien faire d'autre que de remarquer les bonbonnes de propane à moitié rouillées sur le côté du dernier restaurant où il aimait encore aller manger son hachis. Il ralentit devant le stationnement de la salle de quilles. L'enseigne lumineuse explosa en nova sur son capot frais ciré. Les vauriens qui flânaient là, des gueules d'amour dans la vingtaine, l'acclamèrent tant qu'il s'arrêta jaser un peu, de connaissances mutuelles, de spots à gibier, de caps de roues chromés. Les favoris trop longs, les gars gaspillaient leurs meilleures années accotés sur leurs motos des veillées de temps. Monti essayait en discutant de voir dans le tas s'il reconnaîtrait pas de ses petits-enfants. Lassé des blagues de Newfie, et surtout de leurs exploits de buveurs, il pesa sur le gaz, piquant au passage le flacon que le plus laid de la gang tendait à un de ses amis. Il en but tout le contenu et fit le tour du quadrilatère pour revenir lancer l'objet sur les flâneurs. Rien qu'il haïssait plus que ceux qui romantisaient l'acte de boire.

— Tu bois pour exister, dit-il en se mirant dans le rétroviseur, et il emprunta le chemin du Réservoir.

Il coupa le moteur sous le viaduc. Sa bête mystérieuse s'enfuit en dessous d'une pile de rebuts brûlés quand il referma sa portière. Il parcourut le reste de la distance à pied par le sous-bois, puis il piqua par les cours. Sur le balcon chez le maire Fortin, il s'enveloppa le poing dans son débardeur et fracassa un des carreaux de la porte. Il ouvrit de l'intérieur, sans même jamais avoir vérifié si c'était barré. Et c'est sur le bout des pieds qu'il se rendit, avec une brève note de plus en plus aiguë à chaque pas comme dans les dessins animés, jusqu'au frigidaire qu'il entrebâilla pour s'éclairer un peu. Il s'y pencha. Sa figure dans la lumière était plus qu'un jeu de facettes brutes dans différents tons de jaune. Il voulait aussi prendre le pouls du mariage à ses hôtes. L'absence de viande rouge et de plats maison confirmait ce qui était de toute façon un secret de polichinelle. Tout le monde à La Frayère était au courant que madame Fortin fautait son mari.

— Ça me déplaît qu'il y ait plus de mœurs, confia Monti à un restant de riz blanc.

Il se déboucha une bière avec son briquet. Il remit la bouteille sur la tablette une fois vidée et s'en glissa une autre dans la poche, avant de réapparaître à l'étage où il prit du côté opposé aux ronflements de femme perceptibles sur l'échelle de Richter. T'avais même pas besoin des rumeurs pour savoir que les Fortin faisaient chambre à part. Rien qu'à voir monsieur marcher en pingouin, tu devinais. En se bâillonnant de son col pour pas rire, Monti s'aventura dans le genre de noirceur où les orteils te cassent contre des meubles sans que tu voies rien venir. Il atteignit un minuscule lit au centre d'une pièce immense, où le maire était couché dans une position calculée, avec toutes les attentions dont s'entourent les insomniaques. Pas qu'il avait l'intention de le réveiller, mais Monti s'accroupit à côté. Il se mit à murmurer à l'oreille de ce Fortin-là, pour l'influencer par suggestion.

— On va organiser un festival de chasse.

Un murmure à peine audible. Juste ce qui était nécessaire pour faire vibrer le tympan. Le cerveau du maire allait inconsciemment transmettre, par stricts influx nerveux, l'idée jusqu'à la main qui signe les chèques.

— On va organiser un festival de chasse, répéta Monti, plus chuintant.

— Ben oui, là, fit Fortin, retourné sur le dos pour s'étirer. J'ai compris. Pis tu me dois un carreau de porte.

Monti, en déguerpissant, rentra par mégarde dans un garde-robe. Il en ressortit l'air de rien, comme s'il arrivait tout juste.

— Je te réveille pas, j'espère?

— Non, non, je dormais pas, assis-toé.

— Pis le mariage, ça va comment?

Fortin rabattit un pan de sa couverture sur des mouchoirs.

— Comme sur des roulettes, souffla-t-il. Je savais pas que t'étais rendu conseiller conjugal?

Et c'est là que, sans que Fortin puisse placer un mot, Monti exposa son idée de festival. L'événement se déroulerait sous un chapiteau rayé bleu et blanc, comme le drapeau du Québec, autour d'une chasse organisée dans la montagne. Ça allait mettre La Frayère sur la mappe, et même s'il craignait pas pour le financement, ça lui serait pas désagréable non plus que la municipalité lui débloque un budget.

— Pour qu'on la pogne une bonne fois pour toutes, dit-il.

— Monti, viarge, s'emporta Fortin tout bas. Je suis plus maire, ça fait sept ans. Faque fais-moi plaisir pis va achaler Valiquette avec tes marottes à trois heures de la nuitte quand les gens honnêtes sont au lit.

— Valiquette ? Je… Mais…

— Pis pogner quoi, à part de ça ? Monti, heille. Reviens icitte, que je te dis. Pogner quoi ?

Les ronflements de tracteur, dans une implosion à hauteur de larynx, stoppèrent à l'autre bout du corridor. Madame Fortin émergea en nuisette de la chambre des maîtres pour, d'un pas de somnambule, se rendre au pot sans jamais remarquer l'ombre plaquée contre le mur s'engouffrant derrière elle pour aller s'embusquer en dessous de son lit d'impératrice. Ses partiels baignaient dans un verre d'eau sur la table de chevet. Elle regagna ses draps adultères. Elle alla pour se rendormir, coupée de l'environnement par son cache-yeux, ses bouchons, et ce fut tout le lit, sommier, baldaquin, qui se mit à brasser démoniaquement.

Monti se rappelait plus où il avait laissé son char et il déambula jusqu'à ce qu'il tombe sur le pick-up à Péo. Les clés y étaient point.

C'est à cause de la crise des clôtures qu'il y avait autant de monde lors de l'assemblée municipale la fois suivante. Comme d'habitude, Monti avait vu juste quand il avait suggéré à Henri de se partir une fabrique. Tout avait commencé par une chicane de délimitation de terrains, dans laquelle le village au complet s'était vite retrouvé embarqué. La réunion, dans l'hôtel de ville, tourna donc autour du sujet et de rien d'autre. La salle était bondée. La promiscuité insupportait extraordinairement Monti et il balayait de sa canne l'air devant lui pour tenir à distance les partisans de la démocratie.

Victor Bradley était là aussi. La politique devenait chez lui un hobby, pas depuis qu'il avait pris sa retraite, mais depuis qu'il avait à peu près arrêté de travailler, tout en continuant de recevoir son salaire à temps plein. Enfin, il accordait pas non plus si souvent que ça aux Frayois la grâce de sa personne. Sauf que ce jour-là, faut croire qu'il avait jugé d'intérêt public de faire étalage de sa science en matière de zonage et de droit foncier.

La présence du facteur tarabiscotait Monti plus que les autres. Monti traînait toujours de ses garçons dans de telles situations, avec pour objectif de les endurcir contre l'ennui et d'assurer au-delà de son trépas la perpétuation de ses intérêts. Mais là son Léon manqua de s'évanouir avant même de prendre la parole comme son père lui en avait donné la responsabilité.

— Laisse faire, je m'en occupe, le semonça Monti.

C'était à se demander où se cachait toujours Henri quand on avait besoin de sa volubilité. Monti commença, en gloussant, par s'adresser publiquement à ses voisins pour leur dire de pas prendre ça personnel. Sa clôture servait dans les faits à marquer une limite entre leurs maisons respectives, à lui et Bradley, que séparaient cinq kilomètres et des pinottes. Le facteur habitait dans le parc à roulottes qui se développait de manière effrayante. L'hilarité générale coupa court aux querelles de terrains, et c'est durant la période de varia que Monti annonça qu'un festival de chasse se tiendrait à La Frayère.

— Un festival? fit Ronald Pagé, garagiste et chasseur de son état, depuis longtemps sur la liste noire des Bouge pour avoir stoulé Toine aux polices une fois qu'il sortait de l'hôtel avec une pinte de trop dans le corps pour quelqu'un qui s'en allait gratter.

Pagé avait voulu récupérer pour son profit les contrats de neige qui se libéreraient si jamais Toine perdait ses licences. Si tu portais le nom de Bouge, tu gazais chez Melançon, même si ça voulait dire un détour de vingt minutes.

— Un festival, confirma Monti.

Ce fut dès lors The Monsieur Bouge Show. Il lui suffit de gonfler les bras pour faire voir à ses auditeurs un chapiteau, plein de fumage et d'animation. Puis deux ou trois pas de claquette leur donnèrent à tous le goût de danser. Tout en épelant le mot *commandites,* avec juste un *m,* l'homme d'affaires agitait les doigts au-dessus de son front. Il évoquait par là une certaine effervescence et de subséquentes retombées économiques. Ça allait se tenir dans le temps de la chasse, disait-il.

— Avec un concours de tir!

Agapithe Guérette approuva. Les Frayois étaient tout ouïe. Monti prenait son temps, les laissant tous suspendus à ses lèvres de géronte pendant qu'il débouchait sa flasque d'argent sterling pour se passer un rince-bouche et tuer tout de suite le rire qu'il sentait monter en lui. *Ça cha-touille tellement,* pensa-t-il. Il y aurait une boustifaille terrible, des lancers de fer, des toutous à gagner.

— Un concours de tir ! suggéra Agapithe.

Ça allait pas en s'améliorant, son alzheimer.

— Oui, pis des courses de poches comme quand on était jeunes, des mascottes.

Et du pop-corn au beurre, et des pommes trempées dans le caramel, et des piñatas regorgeant de colifichets et de dorures pour les enfants.

— Pour redonner à la région, dit fébrilement Léon, parce que là, Monti riait aux éclats.

Tout le monde trouvait que ça avait du bon sens. Exception faite de Victor Bradley. C'était bien sûr. Il avait jamais rien donné d'autre que des morpions à personne. Même s'il était pas d'accord, le facteur se mit tout de suite à chercher des acheteurs pour la peau de l'ours. Il se demandait déjà où est-ce qu'il allait placer le trophée de la proie la plus rare qu'il avait pratiquement déjà remporté. C'était pas fin, mais il y avait des malvats qui, d'une translation de la main sur le plat de l'autre, fai-saient comme s'ils s'enlevaient le bout du pouce pour se moquer de son infirmité.

— Je vas vous ramener un wapiti ! lança Bradley.

Ça se payait sa gueule. Avec un pitre dans sa mire, le facteur appuya sur une gâchette invisible. Léon dépo-sait au même instant sur le bureau de Valiquette, tapée à la machine, une proposition de projet déjà toute bud-gétée. Certaines lettres de l'alphabet avaient été rajou-tées au crayon de plomb.

— Y s'est pas vu de wapiti icitte, s'exclama Chiasson, ça doit faire quatre-vingt-dix ans !

S'ensuivit une polémique passionnée sur les populations de *Cervus canadensis* sous le climat somme toute boréal de la péninsule gaspésienne. Tu percevais dans la meute, avec les écoles qui se formaient, les panels, toutes sortes de clivages démographiques. Monti se régalait de voir dans l'échantillon se révéler le profil psychologique de ses concitoyens. T'avais à la fin le maire Valiquette, debout à côté de son fauteuil. Il faisait signe à Bradley de venir prendre sa place en avant. Le facteur arrêtait pas de tripoter le trousseau de clés qu'il portait depuis pas longtemps à sa ceinture.

— Ça doit être qu'y en ont des wapitis, à Paspébiac, dit l'Abel à Gabi.

— Oui, renchérit Monti. C'est le nom qu'ils donnent à ce que nous autres on appelle des ouistitis.

La babine du dessous alla tout de suite lui recouvrir les trous de nez. Rémi Chiasson s'esclaffait. Il se lécha le bout du doigt pour en toucher le facteur, censé être son ami. Il laissa entendre un bruit d'eau qu'on verse dans une poêlonne chaude.

— Toé, Honoré Bouge, écoute-moé ben, s'excita Bradley par-dessus l'émeute en puissance. Je vas te gager ce que tu veux que je te ramène un wapiti dans la boîte de mon pick-up avant la fin de l'été qui s'en vient.

Il menaçait de sa clé de char les parjures autour de lui, maniant ça à la manière d'un sabre de cavalerie. Assis sur sa chaise de biais dans le coin, les bras en croix, le menton avancé, Monti avait l'air d'un boxeur entre deux rounds. Léon le coachait pas, mais il était derrière pour le rafraîchir au besoin, lui masser les muscles.

— T'en as pas, de pick-up, fit Monti, encore capable d'additionner un plus un.

— Si je te ramène un wapiti, poursuivit le facteur, et il remélangea vite fait la clé en question au reste de son trousseau, m'as aller chez vous un dimanche soir, pis je vas manger dans *ton* siège le souper que *ta* femme t'aura préparé. Pis avec mes bottes sur *ton* pouf, m'as fumer *ton* tabac en profitant de *ta* tévé jusqu'à la fermeture de *tes* programmes. Qu'est-ce tu dis de ça?

— Je vas même te redonner ton chefal en prime! fit Monti.

Dommage qu'il y eût seulement quelques vieux de la vieille pour la trouver croustillante, celle-là.

Goddamn, pareil, l'écoulement des années.

— Jamais eu de chefal, dit Bradley.

— Je te gage l'honneur, d'abord, le relança Monti.

D'une part, Bradley possédait absolument rien que Monti aurait pu désirer, d'autant qu'il était déjà détenteur de son âme à la suite d'une gageure antérieure. D'autre part, qu'est-ce qu'il y aurait de pire pour le Paspéya que de perdre son honneur face à Monti Bouge? Les deux sexagénaires se serrèrent la main à vingt pieds l'un de l'autre. Leurs bras serpentaient à travers les corps désordonnés.

La Ville avait accordé les subventions, mais la famille Bouge injectait quand même dans le projet une part considérable des fonds nécessaires. Les pistes dans la montagne avaient été débroussaillées, balisées dans des couleurs aux codes incompréhensibles. On avait installé des drains sur le site, et des toilettes chimiques, puis loué le chapiteau à une compagnie de Mont-Joli, que Monti appelait « Mongolie » par exprès chaque fois qu'il parlait au gars. On avait rangé le chapiteau, en attendant, dans l'entrepôt d'un éleveur qui leur avait signé un bail renouvelable de mois en mois. Les menuisiers étaient débordés, c'était des contrats payants pour eux, monter les gradins, la palissade, les stands. Joséphine avait obligé Monti à faire embaucher Henri, ou du moins à lui accorder la même chance que les autres soumissionnaires. « Viens-t'en », avait dit Henri à Liette Nault, âgée d'une dizaine d'années, une journée de vacances qu'elle gaspillait à le suivre partout sur le chantier. « C'est mon helper ! » se vantait Henri, et il lui avait donné ce que coûtait une crème molle pour se débarrasser d'elle.

— Faites-vous pas de bile, monsieur le maire, tout est pesé, réfléchi, calculé, gueulait Monti dans son méga-phone quand Valiquette et lui se reconnaissaient de loin.

Puis il repartait à sautiller en tapotant le porte-docu-ments qu'il traînait partout ces jours-là. Quand par contre un scèneux parvenait à s'avancer le nez au-dessus de ses papiers, il s'écartait tellement sec qu'une toux venait bien souvent lui arracher les poumons. Il se sauvait de l'es-pion, avec à la boutonnière une gerbe d'herbe à poux. Le maire Valiquette, le trésorier et le petit actionnariat de rien du tout qu'il y avait d'impliqué dans le Festi-chasse, c'était aussi bien de toute façon qu'ils sachent pas ce que contenait le porte-documents. Il y avait rien là-dedans pour tranquilliser l'esprit d'un entrepreneur.

La liste des commanditaires se résumait à l'hôtel à la Guité, la société Yukon, le barbier du village, et après ça, t'avais une série d'entités qui existaient pas.

— Pas encore, pas encore, se justifiait Monti devant son grand miroir victorien, mâchoire haute et gorge exposée, son rasoir à la main.

Entre-temps, ça devait faire huit fois que le maire donnait le go aux divers comités populaires mis en place.

Le Festichasse aurait lieu en octobre, ça donnait un bon six mois pour se préparer. Il commença, vers la fin du printemps, à y avoir une telle affluence entre le nouveau bureau de poste et le site des festivités que le facteur Bradley débarquait le matin à la croisée des chemins, *en culottes courtes,* avec son paquet de cigarettes sur l'épaule, sa poche de lettres, une chaise longue qu'il dépliait durement en s'aidant des pieds. Il se prélassait ainsi sous les nuages, dans l'attente des chaleurs lucifériennes qu'il avait promises à plein de monde pour le mois de mai. Sous un soleil tourné crevé, pendant les rares éclaircies que détruiraient vite de nouvelles averses, il enfilait ses lunettes fumées afin de mieux reluquer les «greluches», comme il les appelait toutes. Les passants qu'il traitait en pions ramassaient eux-mêmes le courrier que Bradley prenait même plus la peine de leur tendre. Il tenait, en toute indolence, les enveloppes avec un doigt et demi, laissant sa main pendre à l'accoudoir. Des fois, entre deux gorgées de Long Island Iced Tea, il se lissait la moustache ou se mettait à jouer d'une guimbarde au son de ressort, comme il y en a dans le bas des portes.

Il gardait à sa portée un revolver à barillet, dans l'éventualité où se pointerait un wapiti.

Les plus jeunes avaient voté pour faire venir un chanteur de rock'n'roll des États-Unis le soir du gros spectacle. Henri et Marcel, ils étaient friands de ça, de la musique de même. Ils en avaient glissé un mot à Monti. Le bonhomme mangeait ses céréales dans de la pils, il rentrait sous son toit ses animaux les plus malingres quand le temps se gâtait trop, il était allé voir le bijoutier une fois pour lui demander s'il était apte à lui fabriquer des balles d'argent, mais il admettait pas qu'on se cirât la crigne pour beugler dans un micro en se dandinant. Ce serait un orchestre de Rivière-à-Claude, des gratteux de banjo accompagnés d'un joueur de chaudrons et d'un virtuose de la planche à laver. C'était très bon.

Monti exigea que Léon et une poignée de saisonniers lui fassent faire un tour de l'entrepôt, qu'il puisse contre-vérifier lui-même l'inventaire des denrées, feux d'artifice, articles de fantaisie achetés jusqu'à maintenant. Il avait mouillé pas mal dans les dernières semaines, et on craignait que l'humidité règne dans le bâtiment. L'allumette que Léon craqua pour allumer sa cigarette partit quasiment en boule de feu quand s'ouvrirent, renflés par la pression des gaz de l'autre côté, les lourds battants tenus clos de peine et de misère par une barre transversale à l'extérieur. Façon de parler, mais reste qu'il était trop de bonne heure pour stocker en quantité des victuailles comme du blé d'Inde et des patates à patates frites dans une place aussi humide. Ça avait viré en liquide noir dans le fond des caisses. Monti se mit dans l'air vicié à se tousser les bronches au creux du coude tandis que les autres se dispersaient, les mains sur les cheveux à cause des chauves-souris qui voletaient parmi les cargaisons. Le bonhomme fut pas très ravi quand il constata que la toile du chapiteau était rongée de longues moisissures toutes crépitantes. Ça avait l'air qu'il avait pas été assez clair quand il avait ordonné qu'on mette des bâches dessus. D'un bleu excessivement propre, les bâches encore roulées avaient été garrochées n'importe comment dans un coin de l'entrepôt. Très utile. Monti toussa assez pour que sa manche en reste mouchetée de sang.

— Faut que vous alliez voir un docteur, lui conseilla le curé Isidore durant un croquet amical.

C'était devant le café de la promenade, sur une pelouse dont Henri gérait la tonte dans l'attente d'avoir des enfants. La conversation de chasse des sportifs avait été mise en veilleuse le temps que Monti finisse de tousser. Il s'apaisa le dedans de la gorge de quelques habiles coups de pastis, en rapide succession. La toux recommença tout de suite après. Autour de lui, les joueurs attendaient. Ils venaient pas jouer au croquet pour stresser. Le ciel était maussade, mais au moins il pleuvait pas, pour une fois. Monti parla en toussant. Il dit qu'il y était allé, chez le médecin. Puis il joua son coup en tenant son maillet comme un hockey.

— Le docteur Maturin m'a assuré que j'étais en santé, ajouta-t-il.

— On est pas pressés de t'envoyer retrouver Pictou

sur le banc des punitions, dit Fred Sicotte, ancien ailier droit des Grisous de Saint-Lancelot-de-la-Frayère.

Monti appuya son maillet après un arbre auquel il donna la permission de jouer à sa place. Sans dire salut à personne, le pastis et lui prirent la direction de la bibliothèque. Les bonhommes regardèrent Sicotte, soupçonnant qu'il venait de dire de quoi de grave. C'est pas tout le monde qui avait compris l'allusion.

Ça faisait des mois que Monti avait pas mis le pied dans l'institution fondée par sa femme, en partie parce qu'il avait perdu le livre d'Homère emprunté le jour de l'inauguration. C'est à peine s'il avait lu une couple de pages. Il avait toutefois trouvé ça plus prenant que durant son voyage au Klondike. Il savait pas trop si Homère était le prénom du gars ou bien son nom de famille, mais en tout cas, la manière qu'il avait de dire les choses, l'ampleur des événements relatés, ses petites formules rares, il avait pas haï ça. Sauf que demandez-lui pas où était passé le volume. Madame Cousineau administrait la bibliothèque, maintenant que Joséphine y occupait plutôt un rôle d'éminence grise, et elle chicanait Monti à tout coup en lui disant qu'il ferait mieux de ramener le livre avant qu'elle sorte les grands moyens. « C'est quelque part chez nous ! » se défendait Monti. Il rajoutait en marmonnant que c'était lui qui avait payé la moitié de la collection, rien là pour radoucir Lili Cousineau. Lili, pareil doux prénom. Monti en avait peur.

Comme de fait, c'était elle au comptoir quand il entra. Il passa à toute vitesse devant elle, qui menaça de le faire saisir. Il lui lança qu'il connaissait pas d'Honoré Bouge.

— *Honoré Bouge !* tonna-t-elle.

La présence de livres avait pas tellement amélioré l'acoustique ici dedans, se disait Monti. Une fois installé à son ancienne table de cuisine, dans la section des journaux, il ouvrit *Le Vivier* de la semaine à la page de la rubrique nécrologique. Il y avait beaucoup plus de pages qu'avant, dans *Le Vivier.* Tu le lisais pas au complet. Monti vit aussitôt, peut-être prise après son décès, tu parles d'une expression, la photographie de Billy Joe Pictou. L'Indien laissait derrière lui son épouse Marie-Agnès Tremblay et leur fils Étienne-Jean Pictou.

— Un *métis* ! s'attrista-t-il un peu.

Même rendu à un âge où il avait connu plus de gens morts qu'il en connaissait de vivants, dans une culture de village où ça énervait pas personne quand quelqu'un les quittait, la nouvelle lui fit gros de la peine. Il s'enferma longtemps dans son bureau, avec sa bouteille de Yukon et un grand bol de pois mange-tout de son jardin. Joséphine l'entendait de l'autre bord de la porte converser tout seul. Il téléphona à son banquier pour qu'il effectue un virement au nom de Marie-Agnès Tremblay dans un compte de Chandler. La madame était pas à veille d'avoir une banque chez elle à Pabos Mills. Il lui envoya ensuite la médaille de nickel dont les Chevaliers de Colomb l'avaient décoré. Ça, ça voulait dire de quoi pour lui.

Guité avait été obligé d'embaucher des apprentis pour s'aider à remplir les commandes du Festichasse. Une bière suprême fermentait en barils pendant que le maire Valiquette se rongeait les moelles en validant les chiffres. Avec le temps de cul auquel on avait eu droit

tout l'été, le camping était réduit à l'état de grenouil-
lère, et ça serait pas non plus dans les six chambres de
l'hôtel qu'ils allaient loger les centaines de festivaliers
dont ils avaient besoin pour qu'au moins la Ville rentre
dans son argent.

— Bonjour, Joséphine, Valiquette à l'appareil. Est-ce
que je pourrais parler à votre mari ?

Monti avait changé depuis la disparition de Billy Joe.
Lui aussi se décomposait. Moins motivé, exsangue, il se
livrait à des incantations devant le maire, bing bang. Valiquette, incrédule, le regardait faire apparaître des motels
un peu partout. Les jours de Yukon, Monti demandait
aussi des fois à un associé que lui seul semblait voir de
corroborer ses dires. Mais le fantôme charcuté de Donald
Bead restait coi. La lumière passait au travers.

— Ils vont te mettre un entonnoir sur la tête, dit
Joséphine quand il apparut très probable que le festival
adviendrait pas comme prévu.

Plus inquiétant, Monti avait par un matin de ribote
laissé entendre au capitaine Labri, à bord du pédalo que
celui-ci gouvernait en maintenant le cap sur l'île aux
Hérons, que s'il lui fallait pour attraper la bête l'ayant
tourmenté toute sa vie entraîner le village de La Frayère
en entier dans son délire, eh bien, qu'il en soit ainsi. À
quoi le capitaine Labri avait levé son verre.

— Ben tiens, s'interrompit Henri.

C'était un de ses derniers après-midi d'ouvrage sur
le site. Son casque de la construction lui avait laissé une
barre rouge dans le front. Bradley avait voulu frapper fort,
et pendant que les gars se dépêchaient à tout démonter,

avant que la tempête arrive, il s'avança sur la verdure avec le pick-up à Péo. Il avait trouvé le moyen de faire réimmatriculer le véhicule à son nom, et il roulait entre des piles de montants ou de planches et même sur la toile du chapiteau laissée à croupir dans l'herbe après que le propriétaire de l'entrepôt eut refusé de renouveler le bail au cinquième report de la date de l'événement. Le village allait, à ce qu'il paraissait, se prendre la queue d'un ouragan. Déjà les bateaux s'entrechoquaient au large de la marina. Leurs câblages s'emmêlaient le long des mâts.

— Ton père est pas icitte? demanda Bradley à Henri.

Il débarqua de son véhicule, la jambe lui faisant comme s'il enfourchait un bronco. La langue dans la joue, il fit signe vers la boîte de sa camionnette.

— Attends un peu, dit Henri, et là il regarda partout autour de lui dans le champ, en dessous de ses semelles, il souleva même un coin de la toile du chapiteau pour voir si Monti serait pas là.

Un des fils à Bradley, Jason de son prénom, était assis dans la camionnette du côté passager, les pieds sortis par la fenêtre. Il venait d'être libéré de prison et martelait la tôle de la portière de ses jointures. Sa crinière brûlait d'un feu aux mille rousseurs. Un bouc entourait son bec-de-lièvre. Son gars, Bobby, se décrottait le nez à côté, au milieu de la banquette. Bobby. Il portait ça *par-dessus* les oreilles, lui, une calotte de baseball. Trois taches de rousseur en triangle sur chaque pommette, il avait la bouille picotée de rose. Les saletés avaient collé sur ses joues après que la balloune soufflée dans sa gomme lui eut tantôt fait boum en pleine face.

— Qu'est-ce qu'il y a ? demanda Henri quand le facteur s'approcha pour arracher un fil qui dépassait de son gilet.

La vérité, c'est que Monti s'était fait hospitaliser à Notre-Dame de Chartres, à Maria. Fortin l'avait promené en barouette sur la rue Principale, les deux paquetés jusqu'à un niveau de débilité avancé, puis l'ancien maire avait dompé son associé dans les marches des locaux du syndicat, où il avait roupillé le reste de la journée. Et une chose en amène une autre. Mais ça regardait pas personne.

Les banderoles du Festichasse volaient parmi les goélands stationnaires, au-dessus des blés couchés. Deux des gars de l'équipe, Slater et Marcel, se tenaient dans la boîte de la camionnette où ils venaient de grimper. Ils se poussaient l'un l'autre du coude en se bidonnant. Les coups de jointures sur la tôle avaient cessé. Bradley père retenait son chapeau de cow-boy pour pas qu'il parte au vent, l'autre main posée sur la plus grosse boucle de ceinture qui se pouvait.

— En tout cas, dit-il. Tu feras le message à la mère chez vous. Je soupe à six heures pis je mange aucun légume vert.

— T'appelles ça un wapiti ! ricana Slater.

Dans la boîte du pick-up gisait écartelé certes un spécimen de cervidé, mais un qui jouissait pas tout à fait de la même désirabilité que son vague cousin le wapiti.

— Bradley, câlisse, c'est un chevreuil.

Quasiment un faon, même. Des petits bois comme des bouts de manche à balai.

— Laisse-les pas te parler de même, dit Jason.

Il y eut dans les bourrasques comme un duel entre le facteur et Henri. Plein de traîneries se mirent à rouler dans l'herbe ou à tourbillonner en l'air.

— Regardez là-bas, fit Bradley. Un avion !

— C'est ça, rentre chez vous, cria Henri au pick-up qui clenchait déjà vers un horizon biblique. Avant que tes chiens partent à virevolter au bout de leur chaîne.

— Well, décida Slater à l'autre bout.

Il se dirigea, équipé d'une masse, vers la scène qu'on avait érigée quatre mois plus tôt en vue du spectacle de clôture. La poussière y dansait en tornades. La grande chasse, la chasse collective, le grand rassemblement, aux ramifications si vastes, si proliférantes que personne pigeait rien quand Monti décollait là-dessus, ce serait pour une autre fois.

— Pis que je te voye te réessayer sur une Bouge !

Henri déchoquait pas. L'honneur du facteur, il allait se faire des bobettes avec. Que son père eût mis le village dans le trou aidait pas non plus son humeur. Marcel lui passa le bras autour du cou.

— Viens-t'en, on s'en va aider Guité à liquider sa production. C'est clair qu'il va être over.

57

UNE CRAPOTTE, par bonds caoutchouteux, sortit des fourrés dans l'averse. Elle s'avança jusqu'au milieu de la route pour barboter gaiement dans l'eau de pluie débordant d'une crevasse.

— Tassez-vous, moé je passe, dit Bradley.

Son pick-up, festonné de rouille, un seul essuie-glace de fonctionnel, cahota sur le chemin de terre pour s'engager sur la route. Le tuyau d'échappement frotta sur un dos d'âne que le Paspéya avait choisi d'ignorer. La crapotte tournait et tournait. Ses chairs épousaient les rainures du pneu qui venait de lui passer dessus. Elle laissait derrière elle de nombreux têtards.

Bradley sifflotait dans sa cabine, par-dessus le radio à batteries crachouillant du hillbilly sur le tableau de bord. À l'âge vénérable auquel il était rendu, ça lui disait plus grand-chose de dormir la nuit. Ses mains pleines de taches de son et parcourues de veines saillantes tournèrent avec délié le volant pour prendre en direction du quai. *M'as aller faire un ti-tour.* La vue qu'il avait sur l'église débarqua du pare-brise dans un soubresaut, sitôt remplacée par une mer à la fois morne et houleuse. Tout son attirail de pêche, jeté pêle-mêle au fond de la boîte du pick-up, avait glissé contre une paroi. Bradley pigea dans le sac de bonbons fourré dans le compartiment de sa portière. Un casse-gueule roula bientôt d'un côté à l'autre de ce qui restait de sa dentition. Il pleuvait des cordes. Personne faisait la file sur le quai. Le facteur revira de bord. Les couics de l'essuie-glace auraient agressé n'importe qui sauf lui. *Je pourrais peut-être aller aux danseuses à Point Cross.* Puis le casse-gueule fut pulvérisé entre ses molaires.

Bradley manqua de se dévisser la tête quand il dépassa, qui tanguait sur l'accotement, une ingénue sortie de nulle part.

— Jackpot.

Les feux de ses freins s'étirèrent en deux filaments de lumière fumant dans la nuit.

— Veux-tu des bonbons? offrit-il à la fille par la porte qu'il s'était étiré pour ouvrir du côté passager.

La fille avait pas l'air trop méfiante. De toute évidence en boisson, elle fit de son mieux pour escalader le marchepied. Sa blouse fleurie était toute détrempée. Son pantalon à pattes d'éléphant aussi.

— Faque comme ça t'es sortie avec tes tites copines à soir? demanda Bradley.

Il roulait à son gré. La blondinette allait pas nulle part, qu'elle avait dit. L'alcool exagérait ses manières.

La jeune vingtaine, libérée, elle s'est mise à lui raconter ce qu'elle avait fait de sa soirée. *Plate,* pensait Bradley. Francine, Suzie, Lotte, il les connaissait pas, lui. Et la soirée d'une minette de cet âge-là, quand t'approches toi-même des cent trente-trois printemps, à peu près…

— Ta vie est trop compliquée pour moé, dit-il, et il décida d'aller revirer sur le quai, pourquoi pas.

Mais là, c'était pas ça. Parce qu'elle avait insisté, après les vues, pour aller avec ses amies de filles boire un milk-shake, une engueulade avait éclaté entre elle et son homme.

— Ah, t'as un homme, toé ? fit Bradley.

La fille racontait ça tout croche, son histoire. Même pas capable de reclasser les épisodes dans le bon ordre. Le facteur se zippa la bouche quand elle lui dit qu'elle avait pas l'habitude de prendre un coup de même, lui faisant promettre de pas aller raconter ça. La fille expliqua que son homme l'avait à moitié sortie de force du bar laitier devant ses amies. *Ça, c'est ta version,* pensa Bradley. Pour l'enquiquiner, elle s'était mise à picoler à son tour. Elle voulait que son homme se sente comme elle se sentait quand c'est lui qui se paquetait, et s'était mise à boire dans le bar de poils où il l'avait emmenée dans l'espoir qu'ils se réconcilient. *Elle va pas se mettre à brailler, toujours.* Elle avait fini par monter une cré facture au gars, capable elle aussi de le gêner devant son monde, et c'est là qu'il lui avait donné un ultimatum.

— Soit que tu t'en viens vivre avec moé, qu'il m'a dit, soit qu'on casse.

Son homme, apparemment, en avait soupé de son niaisage avec la puck.

— C'est qui, ton père ? demanda Bradley.

Il était tellement psychologue que ça lui avait semblé la chose à dire quand la fille s'était mise à sangloter.

— Pierre Nault, hoqueta celle-ci, plus soûle encore maintenant que les nerfs lui avaient lâché.

Elle tendit, par-dessus Bradley, cinq ongles peinturlurés pour se servir dans les bonbons.

— Lui, y veut se caser, mais moé, je suis trop jeune.

— Ah, t'es la petite à Nault. Je le connais, ton père.

Ambitionne pas, pensa le facteur. Il déboucha, ému par la main encore pleine de sève qui venait de lui frôler la cuisse, la flasque de liqueur aux groseilles à Chiasson glissée dans sa botte.

— Pis toé, c'est quoi ton petit nom ?

— Liette.

— Oh, Liette, se mit à chantonner le Paspéya, quand je te vois, la-la-la…

La fille riait et pleurnichait en même temps. Il y avait toujours personne au quai. Les vagues tentaient d'embarquer dans les bateaux amarrés. Bradley revira de bord, encore. À gauche ou à droite, Liette avait pas mal l'air de s'en sacrer.

— Mais dis-moé, t'as pas l'âge de boire ? fit le Paspéya.

— Oui oui, répondit la fille, un peu malade.

Tout évachée qu'elle était d'avance dans son siège, Bradley lui fit goûter une couple de fois de sa liqueur pour qu'elle se remonte. Mais le danger avec la liqueur aux groseilles à Chiasson, c'est que c'était tellement sucré

que tu goûtais pas l'alcool. Le facteur alluma deux cigarettes d'une même inhalation. Il montra à sa passagère
comment fumer. Le pick-up roulait à peu près aussi bien
que s'il avait été monté pas de roues sur quatre blocs en
ciment. La bouteille presque vide, ses seins moulés par sa
blouse mouillée, Liette retint un autre hoquet pendant
que Bradley, c'était sa façon de lui conter fleurette, lui
expliquait les subtilités techniques de la pesée des colis.

— Vous êtes tellement un vieux monsieur, dit la fille.

Accotée dessus, elle passa les doigts sur la joue du
Paspéya pour en éprouver le grain.

— T'aimes-ti ça, toé, les vieux monsieurs ?

Et c'est là que Bradley l'enlaça en faisant semblant de
bâiller. Elle dormait à moitié contre lui, de toute façon,
et pour pas que ça se termine jamais, il alla reprendre
par un rang. Sa fenêtre fermait pas complètement, parce
que la vitre tenait plus comme il fallait dans son châssis.
Il était deux heures et demie du matin. L'essuie-glace
frottait intensément sur le pare-brise. Liette feulait dans
son sommeil. À un moment donné, à sentir la fille toute
chaude vibrer contre lui… Bradley mit pas longtemps à
se convaincre que ça valait la peine de passer le peu d'années qu'il lui restait en dedans. Son gars purgeait une
autre peine, ils chambreraient ensemble. De retour dans
le village, il bifurqua vers la cantine. Il s'avança jusqu'en
arrière de la cabane, au bord du cap de boue. La baie avait
l'air de sauter sur place. Mademoiselle était toujours vau-
trée sur lui, et le facteur craqua une allumette de sa main
libre. Son visage luisait dans le rougeoiement, nervuré
de rides noires. Il dégusta sa cigarette dans l'obscurité et

l'averse qui avait repris. Après quoi il ouvrit sa portière et s'extirpa du véhicule sans même avoir besoin de faire attention pour pas réveiller Liette. Elle dormait comme une bûche, et le facteur écrasa en dessous de sa semelle son mégot qu'il envoya d'une pichenotte contre la cantine, dans les rapides près de la gouttière. Il leva un instant ses yeux vairons vers les nuages. Sa chemise devint transparente. La pluie lui claquait sur les dents. Tout ce qu'il y avait de réalité alentour venait l'enserrer en lui donnant le sentiment aigu d'exister. Bradley avait encore une énergie remarquable pour son âge. Sans se hâter, il fit le tour du véhicule jusqu'au côté passager. Il racla du pied au passage les formations de boue sur sa calandre.

Il refit après ça, tous phares éteints, un tour de village pour s'assurer qu'il y avait pas personne de levé encore. Il trouvait ça confortable, lui, des jeans mouillés, et il finit par rentrer dans le stationnement de la salle de quilles. Il y contourna le bâtiment en direction de la porte arrière, que les jeunes utilisaient des fois quand ils sortaient fumer des joints. Son pick-up bien aligné, Bradley fit marche arrière, jusqu'à ce que la boîte soit à quelques pieds seulement de la porte à carreaux grillagés. Sans couper le contact ni non plus refermer sa portière, il débarqua et ouvrit le panneau de la boîte. Il se dit, à la vue de la fille couchée dans les cannes et le reste de l'équipement de pêche, que c'était pas mal mieux qu'un wapiti comme prise. Ses perchaudes de la veille étaient tombées d'un seau en fer-blanc un peu partout dans le fond de la camionnette. Une goutte au menton, Bradley tira la fille par les jambes, par à-coups. Il la dompa dans la bouette en arrière de la salle de quilles. Liette s'était pas endormie en état de se rappeler quoi que ce soit le lendemain. Le triangle du système hydraulique dans le haut de la porte jetait une ombre raide sur son flanc contusionné. Le facteur se poussa sans se presser, en sifflotant jusqu'à chez eux.

Il se réveilla sur la plage quelque chose comme quatre mois plus tard. Les rayons du soleil traversaient les verres de ses lunettes fumées. Il avait les paupières encore closes. Il entendait le clapotis des vaguelettes à ses pieds, les enfants qui se baignaient, le cri éraillé des mouettes. *Crème,* pensa-t-il. *Crème solaire.* Il ouvrit les yeux et se redressa lentement pour s'assir. Le sable avait collé partout dans le dos de son maillot, style justaucorps, rayé beige et brun. Les fibres en étaient toutes étirées par l'usure. Bradley ôta ses lunettes pour mieux estimer ses brûlures. Deux soucoupes blanches, autour de ses yeux, tranchaient sur sa pigmentation de crevette cuite. Sur ses bras aussi, ses tibias, le haut de son tronc, de foudroyants coups de soleil le coloraient.

— Ça va? s'inquiéta à côté une touriste sous un parasol.

Des touristes, des enfants, leurs gardiennes, c'est tout ce qu'on trouvait sur le bord de la mer. Les Frayois qui se respectaient, ils allaient pas faire de la plage. De la même façon qu'ils portaient pas de culottes courtes. Bradley gratifia la femme de son regard le plus acrimonieux. Pourquoi est-ce qu'on a toujours l'impression que les vieillards sont intrinsèquement gentils? Il enfonça sur son front vif et dégarni une casquette de peintre en bâtiment trop serrée, et se déboucha une des frettes qui dépassaient de sa glacière où la glace avait fondu. Le bouchon alla choir dans la frange d'algues devant la mer, les piquants vers le haut.

— Pourquoi que ça irait pas? demanda Bradley.

— Vous avez dormi vachement longtemps, oh là là, je m'apprêtais à vous réveiller, quoi, il faut pas rester comme ça au soleil.

Ostie de Française, pensa le Paspéya. Il rajusta les oreilles de lapin de son radio et monta le son pour que la touriste arrête de lui faire la morale. Une chaloupe au large s'en revenait vers eux autres. Les enfants, dans l'eau verte et indifférente, lui envoyaient des signaux avec une méduse au bout d'un bâton. C'était Marcel au large avec un de ses amis. *Un Chapleau, messemble.* La chaloupe vint peu après s'échouer sur la grève. Sa carène crissa dans le sable. Marcel et Chapleau étaient allés remonter une couple de cages à crabes, dans le but de faire cuire ça plus tard pour les preneurs sur la terrasse de la marina. Alors qu'il rangeait de l'équipement dans le compartiment sous le siège de la chaloupe, Chapleau remarqua Bradley sur sa couverte. Il attira l'attention de Marcel, qui partit à rire de voir ça lui avec.

Bradley, il venait pas à la plage. Il la colonisait. Premièrement, c'est pas sur une serviette qu'il montait son camp de base, mais sur une couverte de lit king. Son linge était éparé partout autour, avec ses gougounes à travers ça, parmi les détritus qu'il générait dans les heures oiseuses où il stâlait là. Il avait sa glacière, ses collations. Des pages d'almanachs et des feuillets de journaux battaient dans la brise, sous la chaise longue qu'il emportait en plus de la couverte. Les haut-parleurs de son radio trituraient le commentaire d'un match de baseball. Les antennes de l'appareil étaient pure incandescence dans la lumière. Marcel et Chapleau halaient leur chaloupe dans les herbes, entre la plage et le stationnement, quand ils ouïrent Bradley railler la Française par-dessus la narration radiophonique, insoutenablement tendue, d'un imminent retrait sur trois prises.

— Ça vient de Paris, pis ça sait même pas que c'est une *île* ! Youhou, madame la comtesse, pour que c'est faire, d'abord, que ça s'appelle l'Île-de-France ? Je vous dis, moé, quand tu peux plus te fier à personne.

Le Paspéya était plus arrêtable. Même si elle s'efforçait de le prendre avec philosophie, la touriste s'écœura vite assez de l'entendre déblatérer. Tout en cherchant à plaisanter, elle remit, une chose après l'autre, son goûter dans son panier, referma son parasol, puis roula sa serviette et s'en alla vers son bed & breakfast en évitant de croiser son regard. Bradley resta à soliloquer un bout de temps. Il fixait dans la mer devant lui les enfants sans les voir. Une couille pendouillait de son maillot trop lâche à la fourche. C'est seulement une fois qu'il fut à court de frettes qu'il cessa de secouer la tête. *Paris qui est pas une île, astheure.*

Avec au milieu de sa face très rouge comme beaucoup trop de dents tout à coup, il se toucha quelques fois le bout des orteils. Il renfila ensuite dans la douleur ses gougounes sans se soucier des traîneries derrière lui. Ses clés, ça oui, il les ramassa et traversa les herbes entre la plage et le stationnement. Il monta à bord de sa camionnette. Le moteur démarra dans des tressautements de capot. Bradley d'un coup de gaz recula sur la plage. Les enfants faisaient plus d'éclaboussures. Ça les déconcertait de voir le Paspéya émettre lui-même dans son miroir des bips de camion sur le reculons. Il ressortit du véhicule. Une réglisse lui ballottait au bec. Les herbes à plat tentaient de se relever dans ses traces de roues. Bradley détacha la corde qui retenait le panneau de la boîte depuis que le loquet clenchait plus. Les mêmes cannes à pêche croupissaient encore là, toutes emmêlées les unes aux autres. Les perchaudes aussi, séchées par le soleil, collées sur le métal. Il y avait autour de chacune une auréole couleur de cuivre. Couverte, glacière, chaise longue, Bradley foutit tout ça à la va-comme-je-te-pousse dans le véhicule, et son linge aussi. Il se dérangea pas pour ses déchets, dont s'approchaient déjà quelques goélands à sale gueule.

Bradley parcourut la rue Principale une couple de fois, à siffler les piétonnes, la main accrochée dans le haut du châssis de sa vitre baissée. Son hillbilly jouait au boutte, question que les plaisanciers puissent bénéficier de ses goûts éclairés. Le seau de fer-blanc duquel les perchaudes s'étaient renversées des mois plus tôt roulait partout dans la boîte. Le Paspéya tua le temps comme ça, et vers les cinq heures il prit en direction de chez eux. La Ville était à veille de poser des pancartes de traverse de crocodiles dans ces marécages-là. Bradley ralentit en apercevant Pat, son remplaçant, qui se débattait dans les quenouilles. Des anneaux de boucane noire

émanaient de son pick-up. Il se mit à suivre le nouveau
facteur pour l'intimider, sauf que c'était un maudit bon
Jack, Pat. Il salua son prédécesseur en agitant un avis de
saisie contre le bleu du ciel. Il y avait des travaux dans
la voie de gauche, balisée par des cônes, tu pouvais pas
dépasser. Bradley dans la voie de droite laissait tourner
son moteur, le temps de prodiguer astuces et conseils.
La file de chars qui s'allongeait derrière, ça lui faisait
pas un pli.

— Y a-ti toujours une bouteille qui rentre chez Bouge
toutes les semaines? voulut-il savoir.

— Oui, monsieur! se réjouit Pat.

Bradley porta deux doigts écourtés à sa visière et
poursuivit sa route, largement sous la limite de vitesse
prescrite par les conventions. Il voulait faire zire le
conducteur derrière lui. On lui klaxonnait pas après,
Bradley. La queue de castor accrochée à sa boule traînait
sur la chaussée. Il dut battre un record de lenteur quand
vint le temps d'obliquer dans la cour à scrap qu'était
rendu le garage à Pagé. Il avança et recula maintes fois
sur le tube courant sur l'asphalte devant les pompes. La
clochette sonnait à chaque fois dans la bâtisse.

— Le plein, dit Bradley, sans même daigner tourner
la tête vers le pompiste dévoré par les boutons.

Il ressortit une minute plus tard du garage avec un
autre caisson de frettes et du hareng boucané que t'achetais même pas emballé. Il referma le volet à essence de
son pick-up d'un coup de pied. C'est parce qu'il avait toujours aimé ça, le sport, qu'il se portait comme un chef.

De retour dans son logement, il mit à bouillir un

chaudron d'eau rempli à ras bord sur le seul de ses ronds d'où montait pas trop de fumée à cause de la croûte en dessous. Il attendait que ça bouille, à téter une bière en bedaine dans la fenêtre. Le museau de son chien avait laissé d'épaisses traînées blanchâtres sur la vitre. L'eau bouillait, et Bradley agrippa, dans une armoire où la moitié des contenants étaient vides, une boîte de nouilles ouverte. Des mites à farine s'en envolèrent. Pas de sel ni d'huile ni rien de ça, il jeta les pâtes en sacrifice dans les gros bouillons. Sa bière finie, il but un fond de lait Carnation qui caillait sur le comptoir et retourna se planter devant la fenêtre pour grignoter des nouilles crues pendant que son souper cuisait.

C'est prêt. Il planta une fourchette ternie dans la motte de pâtes, qu'il posa sur le comptoir le temps de vider l'eau du chaudron. Il tenait le chaudron à l'aide d'un gant de hockey. Il monta des profondeurs de l'évier des glouglous pleins d'écho. Bradley remit la motte de pâtes dans le chaudron et râpa à l'économe des morceaux de son hareng là-dessus. Il saupoudra le tout d'épices à steak avant d'aller manger ça sur le trône. Ses restes finirent dans le bol du chien. *Y va revenir de sa marche à un moment donné,* pensa le Paspéya. C'est en se mettant une chemise à manches courtes sur le dos qu'il s'arrêta pour observer la lésion à son abdomen. Il soupçonnait que la tique était encore dans sa chair. Il gratta autour, puis haussa les épaules.

Il était pas en avance, mais ça avait ça de bon que le trafic était retombé dans le stationnement de l'école primaire. Les lieux étaient malgré tout engorgés, et il lui fallut virailler à travers les villageois avant d'avoir la chance de piquer la place que s'en allait prendre un autre retardataire. Le clignotant du gars continua à clignoter bêtement. Les gens sortaient de leur char, attirés comme de la limaille sur un aimant vers la double porte en acier du bâtiment. Les talons usés des bottes à Bradley claquaient sur l'asphalte. Le son se feutra une seconde sur les tapis dans l'entrée. Les claquements reprirent sur le béton des marches, dans le couloir du sous-sol tout placardé des projets de recherche aux élèves. Le roulis amplifié des boules dans leur boulier lui parvenait déjà, entrecoupé des numéros que bâillait l'annonceur dans son micro. Le couloir déboucha sur un gymnase, plus ou moins arrangé en salle communautaire les soirs où il y avait du bingo.

— M'as t'en prendre quatre de même, dit Bradley à madame Cousineau.

Il pointait les plus grandes feuilles, celles sur lesquelles il y avait trois cartes par trois.

— *Bonjour,* répondit la Cousineau, derrière un coffret où elle jouait avec des sous.

Bradley lui arracha son change et, en se battant la cuisse de ses cartes, il entra plus avant dans la salle.

— B, quinze, soupira l'annonceur blasé sur sa tribune. B. Quinze.

Il y avait des paniers de basketball à chaque bout de la salle, des piles de tapis de gymnastique bleus le long d'un mur, des lignes de différentes couleurs peintes sur le plancher. Les mêmes retraités que d'habitude abondaient aux tables en tôle à pattes repliables. *Ah ben, ah ben,* pensa Bradley. *De la belle famille de par en haut.* C'est pas tant qu'il avait envie, mais quand il vit que Monti était accompagné de sa fille Charline, il se dirigea vers une chaise libre à leur table.

— N, trente-deux. N. Trente-deux.

Charline devint toute rouge, une petite affaire moins rouge que la face du Paspéya quand celui-ci posa son cul devant elle. Seul les séparait un plat de pitounes en plastique translucides aux couleurs de l'arc-en-ciel.

— Ben tiens, fit un Monti souffreteux en revenant à lui.

Monti avait les cheveux blancs maintenant. Il les portait droits dans les airs. Son chapeau était accroché à une poignée de la marchette derrière lui. Tout le monde alentour avait manqué le dernier numéro annoncé. Les avares qui avaient entendu cachaient leurs cartes pour pas que les voisins copient.

— On parlait de toé, justement, dit un Bernier.

Le sourcil à Bradley se souleva. Sa moustache se déroula de chaque bord dans son exhalaison. Il étala ses cartes en avant de lui. Et devant d'autres aussi. Il rapprocha le plat de pitounes de sa personne.

— O, soixante et quinze. O. Soixante et quinze.

Les joueurs plus chevronnés utilisaient des tampons à encre. Meilleure performance psychomotrice, moins d'accidents. Tu les repérais, ces joueurs-là. Ils s'appliquaient. Beaucoup de sucre fut cassé encore sur le dos de Bradley. Parce que, même s'il était là, il était pas tout à fait là. Il avait un œil sur Charline, un œil sur ses cartes. Fournissait pas.

— Tu vas-tu manger du crabe toé aussi à la marina plus tard ? lui demanda Jean Bouthillier.

Mes sangsues, vous autres, pensa le Paspéya. Sans rien perdre de sa désinvolture, il devina que quelqu'un à la table avait dû croiser Marcel ou Chapleau, et là, ça se dilatait la rate.

— C'est quoi, on a plus le droit de profiter de nos plages ?

— B, quinze, s'amusa l'annonceur. B. Quinze.

Le mécontentement monta partout dans la salle. L'annonceur l'avait déjà sorti, le B quinze. C'était pas fin, mais puisqu'il faisait ça bénévolement. Bradley profita de l'imbroglio pour accorder toute son attention à Charline. *On a des affaires de pas réglées, toé pis moé.* Elle était belle femme, la Charline, dans la fleur de l'âge. *Restée vieille fille,* pensa le Paspéya. *Tu parles d'un gaspille.* Depuis qu'il était arrivé qu'elle taponnait après ses bagues et ses bracelets, incapable de se détourner de l'unique carte à son papa.

— Bon, bon, OK, N, trente-huit, reprit l'annonceur, plus robotique que jamais. N. Trente-huit.

Monti affirmait toujours à la blague qu'il venait au bingo pour se refaire, sauf qu'il jouait même pas. Il se conformait simplement au principe qu'il faut que tu sortes de chez vous des fois. Quelqu'un dit que ça devait pas être loin du nombre de petits-enfants chez eux, ça, trente-huit.

— À combien vous êtes rendus, pas de farce, toé pis Joséphine ?

— Aucune mosus d'idée, répondit Monti.

— Sept, dit Charline. Bientôt huit.

— Je leur ai acheté un chefal, ajouta Monti.

— La Charline est-ti pleine ? demanda Bradley.

Si oui, il l'aurait félicitée, rien de plus. Vrai de vrai, même l'annonceur se tut deux minutes.

— V, quarante-treize. V. Quarante-treize.

Il y eut à l'annonce de ce numéro un sacré froufrou parmi les aînés. Des yeux affolés, derrière leurs fonds de bouteille, scannaient les cartes en avant d'eux. Il y avait plus de filet aux cerceaux des paniers de basketball. Les lignes sur le plancher délimitaient des zones de taille iné-gale. L'annonceur continua avec un numéro normal, se délectant encore un instant de la confusion. Une conver-sation s'ensuivit, par-dessus les murmures séditieux et les toux de stress. Bradley apprit que c'était pas Charline qui allait jouir des joies de la maternité, non. C'était Henri. Il était enceinte de quatre mois.

— I, vingt-neuf. I. Vingt-neuf.

Le bingo avait quelque chose de plus sympathique, d'ailleurs, les soirs où Henri prenait le micro.

— Je vois mal Nault grand-père, dit Bernier en appre-nant la nouvelle.

À quoi Bradley échappa ses pitounes, et voulant les rattraper, il dérangea celles qu'il avait déjà disposées sur ses cartes. *Un, deux, trois, quatre,* calcula-t-il. Quatre mois. Il y en avait pas dix non plus, des Nault à La Frayère.

— Pierre Nault ? s'émerveilla-t-il.

— Y les prend jeunes pareil, cet Henri-là, dit le notaire Langevin.

— O, soixante et quatorze. O. Soixante et quatorze.

— Les noces sont prévues à l'automne, se défendit Monti.

Ça a pas le choix d'être elle ! pensa Bradley, une autre pitoune dans la paume. Ses yeux passaient mécaniquement, sans qu'il agisse, d'un O soixante et quatorze à l'autre sur ses trente-six cartes.

— La belle Liette mariée, commenta Bouthillier.

Bradley en fut désarçonné de sa chaise, partie au galop entre les tables. Elle repassa en dessous de ses fesses juste avant qu'il tombe à terre.

— G, quarante-deux. G. Quaran…

— Ça y est ! s'exclama quelqu'un à la table voisine.

Il s'enregistrait soudainement de l'activité à quelques rangées de là.

— Y a-ti un bingo ? se répandit la rumeur, bingo, bingo.

— Défaisez pas vos cartes, cria Monti aux gens autour. Défaisez surtout pas vos cartes, personne !

Charline fut gênée de voir son père se mettre dans un tel émoi. Mais il avait pas oublié, Monti, ce que ça pouvait avoir de pénible de faire jouer deux fois de file le même bingo à tous ces Frayois-là à cause d'une victoire erronée. Bénédicte Blanchard, très grêle, s'était levée de sa place, toujours la même d'une soirée à l'autre. Une accompagnatrice était là pour l'aider. La doyenne avait comme peur, avec sa carte toute bien tamponnée qui tremblait dans sa main, d'aller soumettre son bingo en avant. C'était peut-être la seule centenaire de La Frayère, madame Blanchard. Il aurait fallu vérifier avec le recensement.

— En tout cas, mon Bradley, t'as pris du soleil aujourd'hui, dit Bouthillier.

— Ça te va bien, rajouta Langevin. Un masque de raton laveur de même.

Bradley entendait plus rien qu'un rabâchage à peine audible. Des voix étouffées, comme en dessous de l'eau. Depuis deux minutes et demie qu'il abaissait la même pitoune moite sur le O soixante et quatorze. Toute la tablée se payait sa tête. Ses baignades, ses notions géographiques. À part Monti, qui arrêtait pas de répéter qu'il allait se remettre à l'équitation, qu'il avait dit à sa femme que son cheval était pour les petits-enfants, pour pas qu'elle chiale, mais que dans les faits c'était pour lui, qu'il avait plus envie d'une vie sans cheval. Charline lui fit remarquer que sa mère aurait jamais chialé pour de quoi de même.

— B douze, oui, confirma l'annonceur dans son micro.

L'accompagnatrice de madame Blanchard lui nommait les numéros gagnants. *Heille,* pensait Bradley. Si Henri mariait Liette Nault parce qu'elle était enceinte de *lui,* ça voulait dire que du Bradley finirait par infester la maison chez Monti et corrompre la lignée des Bouge.

— I vingt-neuf, oui, oui.

La floune se souvenait de rien, ça se serait déjà su. Elle était finie, le soir où il l'avait embarquée. Ou elle avait jugé plus crédible de blâmer les vilains garnements qui se tenaient à la salle de quilles.

— En culottes courtes en plein village, lâcha Langevin dans des éclats de rire lointains. T'as pas d'honneur, mon Bradley !

— Ben je cré ben ! lança Monti. C'est moé qui en suis le propriétaire, de son honneur !

Bradley le dévisagea, à moitié dans la lune. Puis sa baboune céda au même sourire sucré qu'il avait eu, à l'époque où il arbitrait, devant l'entraîneur outré des Grisous.

— Le free, répéta l'annonceur après l'accompagnatrice.

Le Paspéya répliquait rien. Monti s'en alarma.

— C'est pas fini, j'espère ? voulut-il se rassurer. Bradley, c'est pas fini ?

— G quarante-huit, on l'a, oui.

Bradley, en dessous de la table, enleva une de ses bottes en la secouant. Il se gratta le côté du pied contre le denim de son autre mollet.

— O soixante et quatorze, dit l'accompagnatrice.

Madame Blanchard, ça la faisait rigoler, ce chiffre-là. Il sortait des grincements d'elle. Le sourire à Bradley s'était tant élargi qu'un peu plus et les commissures de sa bouche se touchaient derrière sa tête.

— Le bingo est bon ! déclara l'annonceur, et le boulier repartit sans entrain, à travers des applaudissements pas très enthousiastes.

XII

LE BAPTÊME

LÉON BOUGE venait de se garer devant l'hôtel à la Guité. Les portes étaient barrées, impossible de rentrer par nulle part. Henri en dedans était pris par sa partie de dards et l'histoire qu'il racontait à son concurrent. Ses yeux s'étaient écarquillés par contre quand son frère avait cogné dans la vitre. Le concurrent non plus avait pas compris le message quand on avait commencé à mettre les chaises à l'envers sur les tables. Léon par la fenêtre faisait signe à Henri de se dépêcher à s'en venir.

— T'as-ti une urgence? avait demandé Bilodeau.

Bilodeau, la police du coin. Il dilapidait comme à son habitude son chèque de paye dans la machine à poker, sans une pensée pour Céline son épouse et leurs enfants à la maison. Henri avait pas répondu. Il avait déposé ses dards dans un cendrier et s'était envoyé un dernier coup de sel en arrière de la cravate, parce qu'il gardait jamais la salière loin de sa pinte ces jours-ci. Puis il avait titubé vers toutes les sorties à la fois en déboutonnant déjà sa chemise pour pas perdre un instant quand il lui faudrait se coller le bébé sur la peau. Guérette, le nouveau propriétaire de l'hôtel, avait levé la tête des frigos qu'il était en train de remplir pour le lendemain. La Frayère, c'était plus comme avant. Il s'y passait plus autant de prodiges. Pareille scène, ça avait de quoi nourrir les ragots durant des semaines. Quoique là, ça avait plutôt fait taire les élucubrations des rares habitués encore dans la place, officiellement fermée depuis quarante-cinq minutes.

— C'est Liette qui sera en train d'accoucher, avait dit le vieux Marcel, tout seul à sa table, dans la lueur du juke-box et la fumée de ses bidi.

Marcel. Depuis qu'il avait trente-cinq ans que le monde l'appelait le vieux Marcel.

— Sûrement de quoi de même, avait répondu Bilodeau.

Le policier avait lâché sa machine à poker pour aller prendre une gorgée de la bière qu'Henri avait pas pris le temps de finir, salée à souhait, en effet, tant qu'il était allé se la faire rembourser par Guérette en l'obstinant qu'elle était pas buvable, et s'il pouvait lui donner ça en trente sous, ça serait bien parfait.

— OK, inspire, expire, on pousse, pousse fort, ordonnait Henri à Liette dans son lit d'hôpital.

L'accouchement de François avait été, comment on dirait ça, plutôt salissant. « Y en avait partout ! » se vanteraient plus tard les parents. Liette avait eu, à travers ses cris de mort, l'impression de donner naissance à quelque

650

chose comme une table à pique-nique. Le nouveau-né avait pourtant un tout petit corps de rien, mais le bon Dieu l'avait greyé d'une tête disproportionnée. Il y avait un nœud dans son cordon ombilical. Les docteurs avaient pris une photo, et Henri en avait profité pour leur demander d'en prendre une deuxième, de la famille, avec son appareil à lui.

— Votre descendant, monsieur Bouge, lui avait dit l'obstétricien.

Henri, commotionné, s'était reconnu dans sa progéniture gluante et ratatinée. Couverte de bouts d'entrailles, Liette mangeait la banane devant combler sa carence en potassium.

Il s'était pas écoulé quarante-huit heures qu'Henri était déjà reparti sur la go.

— Et comme il faut, expliquait au téléphone la mère de Liette à Joséphine, laquelle avait appelé pour prendre des nouvelles de sa bru et de son petit-fils, et pour s'excuser aussi de pas pouvoir venir tout de suite, son mari se montrait difficile.

Henri, pendant ce temps-là, achalait son beau-père pour qu'il l'aide à caler ce qui restait du vingt-six onces de Yukon que surveillait pour lui un lapin de porcelaine jouant de sa guitare en porcelaine dans le salon des Nault.

— C'est une bouteille de collection, je la réservais à ça.

Mais Nault voulait rien savoir, et Henri s'était relevé du divan, les bras tendus, comme si quelqu'un les lui tirait. Liette était en compote dans le fauteuil, avec au sein son nouveau-né empaqueté dans une doudou volée au service de néonatalogie. Il allait falloir la baptiser, la

chenille à poil. Les responsables avaient déjà mis *Fran-*
çois sur le baptistaire, mais c'était rien qu'en attendant.
Là, il allait falloir qu'ils le baptisent François pour vrai,
leur nourrisson. Yannick, un an et quelques, se tortillait
en chialant sur le giron de sa grand-mère. Pas de plaisir
ici dedans. Henri avait trouvé le moyen de se ramener
le corps à peu près droit, et c'est en s'accrochant au gou-
vernail accroché au mur qu'il avait réussi à prendre ce
qui s'approchait d'une pose de conférencier. *Tu veux-ti*
rire de moi, avait pensé le beau-père, plus capable d'être
là. Et dire qu'il était chez eux. Le buste d'Henri oscil-
lait, dressé malgré tout comme un des caps de bouette
qui faisaient face à la baie. C'était ridicule. Ça tapait du
pied dans le salon. Le beau-père, de plus en plus sur les
dents, était allé pour dire à son gendre de se rass… Mais
Henri avait décollé, d'une voix argentine, éclaircie par le
fort et l'émotion, il avait remercié son monde, leur avait
annoncé qu'il allait leur annoncer, ici ce soir, le nom de
son petit gars, nom que tout le monde connaissait déjà,
mais il voulait d'abord dire trois mots, et déjà de dire
ça, ça lui avait pris cinq minutes, avec tout le monde qui
pressentait *the* monologue, un monologue tentaculaire, et
c'était long assez, oui, plein de pathos en barre, et Liette,
elle venait sans connaissance quand il se paquetait de
même, Henri, devant son père en plus, donnez-moi un
break, s'il vous plaît quelqu'un, quand soudain, d'une
diction pédante et parfaitement découpée malgré une
beuverie des plus ramollissantes, parce qu'on avait-tu le
droit d'être heureux, maudite étole, Henri avait ouvert
les valves pour de bon, en se donnant comme un *élan,*

avant de débiter ce qui, prédisait-il, serait peut-être un discours historique, mais en attendant, ça s'étirait encore un peu, fausse alerte, des vœux, des remerciements, des platitudes, ça tournait en rond et repartait tout en circonvolutions, et Yannick dans les bras à mamie commençait à chigner que c'en était plus des farces, le beau-père bouillait de voir sa fille à moitié moribonde supporter pareilles inept... –, *mais attends un peu, heille,* même Nault avait été pris de surprise, c'est comme si ça venait de l'émouvoir, ce que son gendre prophétisait là, *continue, mon homme,* avait-il pensé, et Henri, radieux et de plus en plus rhéteur, contrôlant habilement son débit à petits coups de langue saccadés entre ses lèvres roses et laquées, avait passablement allégé sa pose, il l'avait assouplie dans des crissements de toile aux cuisses, aux fesses, les yeux dans l'absolu, en continuant de se faire aller le mâche-patate pendant que les autres se regardaient pantois, personne voulait plus rien manquer, ils étaient la seconde d'après emportés par le mouvement de ses lèvres, roses et laquées, Liette autant que ses parents, et ça pouvait seulement être par magnanimité qu'il avait répété, Henri, c'était tellement beau, ce qu'il venait de leur enseigner à tous pour que chacun puisse mieux méditer plus tard sur tout ça, et il profitait, en plus, de l'entorse à son discours pour y intégrer plein d'autres images en filigrane, trop bien torchées, c'était débile, ça faisait des gros wow dans la cabane, et t'avais tout le salon d'un coup qui s'était disloqué, qui s'était *ramené,* on aurait dit, Henri faisant vibrer une corde secrètement sensible, il avait repris une gorgée de Yukon, on célébrait, et son discours, qui avait viré le temps de quelques alexandrins à l'ode jouissive, dégagea dès lors une telle énergie que la télé en avait été comme embrouillée, «ouah», avaient-ils tous fait dans leurs fauteuils et divans, ils étaient plus morfondus du tout, ils étaient éblouis, envoûtés par l'orgie d'éloquence du buveur immortel en avant d'eux, funambule du toast, lancé dans une improvisation qui aurait été capable de galvaniser les foules et même d'éclairer les maisons, et voilà-ti pas qu'il parlait même plus, Henri, il *chantait*, faisait chanter la langue en tout cas, manipulant avec aisance une syntaxe des plus malléables, comme dilatée, la poussant amoureusement, et sans accroc, jusqu'à ses points de tension et de relâchement les plus inouïs, et chut, chut, «il va nous sortir de quoi», avait dit la belle-mère, et par une inflexion de rien du tout, d'*énormes* vérités furent proférées, juste de même, les frissons leur passaient dans le dos à tout le monde, et même Yannick grouillait plus d'un poil, et le visage à Liette pétillait, et le beau-père s'était servi deux doigts de fort finalement, tandis qu'Henri, près de battre dans une gloire totale son propre record d'ivresse, trouvait encore la force, eh oui, de faire rejaillir par les mots de tous les jours des figures qui leur avaient causé à tous un tel plaisir que ça pouvait rien qu'être péché, ouh, ha, tout ça en l'honneur, pardon, d'un bébé l'air tout sauf exalté, c'était regrettable, pas ingrat mais pas loin, comme je-m'en-câlisse, et au serment d'amour avec un grand A dont l'avait nonobstant honoré l'orateur de génie qui avait la bonté d'être son père, eh bien, elle avait pas fini de tinter, la clochette d'or accrochée au pinacle de la langue française, elle tintait exquisément et elle tintait tant que même Henri se contenait plus, il y était allé d'un clin d'œil à son géniteur, ce grand absent, «merci papa, pour votre dureté», et même qu'enweille, il s'était payé la traite, baptisant, le moment venu, devant sa parenté fragilisée et pleine de courbatures, l'adorable bouton qu'ils avaient là parmi eux, cinq livres, neuf onces, son *enfant,* c'était pas rien, ça, du prénom de *François,* chanceux, et là Yannick avait tiqué un peu, à ce prénom qui, pour simplifier, disons, voulait dire *français* en vieux français, «en *hommage*!» avait ululé Henri, mais avec la voix qu'il avait d'habitude au lendemain de l'embouteillage de l'alcool à décerveler de Monti, et même si c'est pas tout le monde à La Frayère qui aurait pu résumer, même si pas personne aurait pu résumer ni même saisir la complexité des émotions venant de se vivre ici, ça se pâmait là-dedans, toute la famille s'étreignait en se disant qu'ils se respectaient, tous ils se promettaient que c'était pour toujours, «yessir», disait le beau-père Nault, Henri ayant quand même mis ça très clair qu'il avait de très, très hautes attentes envers François, sur qui, du simple fait qu'il s'appelait de même, pesait linguistiquement une pression jupitérienne.

XIII

FIN DE CHASSE

59

LIETTE a donné une couple de tapes dans la vitre, comme quand tu veux rétablir la réception de ton téléviseur. Elle végétait devant la fenêtre de sa cuisine. Tout le terrain dehors semblait se déchirer en longs rubans de poudreuse enroulés sur eux-mêmes.

— Je sors promener le chien, a dit François.

Il est passé derrière elle. Croquette le talonnait, préalablement inséré dans son pull à losanges.

— T'es-tu assez habillé?

François portait, trop large et trop court, le manteau de fourrure de sa mère, qui avait pas trouvé la motivation de se retourner pour poser sa question. Des mèches de cheveux, plaquées sur un front vaste et scintillant, dépassaient du casque de poil à son père, dont il s'était en plus affublé. Croquette a regardé sa bouboule. François a regardé Croquette. Liette a regardé le rouleau de sacs en plastique à utiliser en cas de crottes. Un déclic, et voilà le travail. François avait fixé le mousqueton de la laisse rétractable au collier du chien, assorti à son pull.

C'était encore beau que la porte arrache pas de ses gonds et tournique pas jusque dans le fond de la cuisine quand François en a tourné la poignée. Le vent avait pris encore plus de muscle avec le crépuscule. Le chien a entraîné François tête baissée dans la tourmente. Visibilité nulle. François s'est avancé sur la galerie, une main sur son casque de poil pour pas que ça s'envole. La laisse s'est tout de suite mise à se dérouler dans le boîtier qu'il tenait de sa main libre. La poche de sel, la rampe d'escalier, tout avait été recouvert d'un gros crémage épais. Le cageot que s'était bricolé Henri avec du bois de bricolage pour mettre d'autre bois de bricolage dedans était rempli de neige lui aussi. Avec tous les voyages que le père avait faits de la maison à la boîte à malle, il aurait dû y avoir un semblant de chemin, une piste minimalement battue, des empreintes de bottes dans lesquelles marcher soi-même. Tout ça avait vite été recouvert. François a risqué un pas branlant, s'enfonçant jusqu'au genou dans la blancheur, et la laisse s'est tendue devant lui. Il a progressé avec difficulté, penché dans le blizzard, la face enfouie quelque part entre le creux de son coude et la fourrure de son manteau. Il faisait tellement mauvais qu'il voyait même pas le chien au bout de la laisse. Sauf qu'ils avaient pas atteint la limite du terrain que le chien voulait plus continuer.

— Allez, pitou, viens-t'en.

La laisse s'est retendue, mais vers la maison, vers les

lumières qui repoussaient l'obscurité en train de s'enra-
ciner autour. François a tiré doucement. Il y avait rien
pour raisonner Croquette. Lui et François avaient pas du
tout les mêmes projets de soirée. François a retiré sur la
laisse, de toutes ses forces, ce coup-ci. Il a senti du lousse,
jusqu'à ce que Croquette atterrisse l'autre bord de lui, du
côté du chemin. Il devinait par ses seuls tremblements
la risible silhouette de l'animal dans la nuit devant.

— J'ai besoin de toi, il a dit.

Il lui semblait impératif de valoriser le chien. Parce
qu'il était pas sûr si le sort était dissipé ou non, si le complot contre les Bouge avait été démantelé par la révéla-
tion de la vérité pure et simple, mais ce qu'il savait, par
exemple, c'est que jamais son prédateur s'était enhardi à
s'approcher de lui depuis que Croquette assurait sa protection. Il allait pas prendre de chance. Il allait le garder
avec lui. Sans être prêt non plus à transporter dans ses
bras une bestiole déjà bien assez gras dur de même. Il
aurait voulu que la maison se replie derrière son dos et
se volatilise dans d'autres dimensions. La laisse se relâ-
chait un peu plus à chaque pas qu'il réussissait à faire.
Puis il a redépassé Croquette immobile à côté de lui,
derrière lui, loin derrière lui.

— François !

Déjà à bout de force, le chien dans les bras, il était
à peine rendu dans le croche de la rue Jacques-Cartier
quand son nom lui est parvenu dans la tourmente. Des
fréquences déchiquetées, qu'il lui a fallu recoller dans
son oreille interne avant de pouvoir les décoder. Il s'est
reviré, les yeux bridés dans le vent et la face aplatie contre

les os. Sa mère, d'un gris très pâle, se tenait dans le rectangle éclairé de la porte d'entrée chez eux. C'était à peine si François distinguait encore la maison sur sa butte.

— Foutez-moi la paix ! il a crié.

Son cri, emporté par les bourrasques, est allé se défaire dans des branchages incohérents tailladant l'air derrière lui. Il y avait plusieurs maisons à vendre dans le voisinage. Mais François avait pas l'intention de s'installer dans le coin, ça fait qu'il est reparti à marcher plus vite, autant que faire se peut dans une telle accumulation de neige. Croquette, à la voix de sa maîtresse, se tordait dans ses bras comme s'il lui passait un courant de trois cent cinquante volts dans le steak.

— *François !* a de nouveau appelé sa mère.

Ses contours s'étaient estompés pour de bon dans la distance conquise à grand-peine. *Cela suffit, le chantage émotif,* a pensé François. *Mon Dieu.* Il y avait une invasion d'extraterrestres en cours au-dessus de La Frayère. Ou bien c'est les ampoules des lampadaires qu'il voyait. Elles flottaient dans les hauteurs, rattachées à rien, tranchant timidement de leurs faibles faisceaux coniques les ténèbres maintenant grasses.

— Bon, Croquette. Écoute-moi. J'apprécie tout ce que tu as fait pour moi. Mais pour être franc, tu gigotes beaucoup. Il va donc falloir que je fasse sans toi. Tonton François va t'attacher à l'arbre que voici. Toi, ta mission, c'est d'intercepter la bête que tu sais, dans l'éventualité où elle se lancerait à ma poursuite. C'est bien compris, Croquette ? Tu restes, le chien, tu restes.

Ça comprend plus qu'on pense, les animaux. Croquette a donné la patte dans le vide quand celui qu'il considérait comme un genre de demi-frère, un allié contre Yannick, s'est éloigné dans des spirales de neige.

— Je vais vous montrer, moi !

En donnant des coups de poing dans le vent, François houspillait la race humaine dans son entier. La seule clarté autour avait l'air d'être prisonnière des glaces. Il a entendu derrière lui la laisse à Croquette se dérouler à sa suite avec des claquements de fouet. Trop tard, il était en marche vers le centre-ville et les essaims tout agités qu'il devinait être des bâtisses.

Et quelle soif.

— On t'*aime* ! a sifflé le vent.

— Hein ?

Seul sur sa banquise, François s'est tourné une dernière fois vers la maison dissoute au loin. La laisse lui tourbillonnait en dessous du nez dans les rafales. Il y avait plus de chien au bout. Une gratte est apparue plus loin en grondant. Elle a arraché quelques étincelles à l'asphalte, et la rue Principale s'est lentement déballée derrière. François s'y est hasardé. Il se posait les vraies questions. *Le Canadien a-t-il le premier trio qu'il faut pour viser les séries éliminatoires ?* Tout était fermé. De rares carrés jaunasses trouaient parfois la mosaïque des fenêtres opaques, pièces manquantes du puzzle de la nuit. Le gars était convaincu qu'il allait y avoir restructuration de la défense lors des prochains entraînements. Il a dépassé le salon de coiffure Chez Ginette. Les piètres décorations

663

d'Halloween dans les rues juraient dans pareil décor de Carnaval de Québec. François a presque pleuré en repensant qu'il avait pas vu le moindre signe de fête païenne chez ses parents. Il poursuivait sur sa lancée. Cherchait des noms pour son neveu. Une sirène retentissait dans l'obscurité picotée de blanc. Le dessous des nuages passait du rouge au bleu à quelques pâtés de maisons de là. Il y avait maintenant sur la rue Principale de La Frayère une sculpture coûteuse et sublimée, censée honorer les bons rapports entre Micmacs et colons. François la découvrait. Il a fait quelques fois le tour de l'œuvre pour l'admirer, y passant le bras afin d'enlever la neige. C'est là qu'il a trouvé le doigt de bronze qui manquait plus loin à la statue du maire Fortin, soudé perpendiculairement à la joue d'un des Indiens. Il est reparti dans une autre direction, n'importe laquelle. Les yeux lui clignaient plus en même temps. Sa vie était toute de légèreté. Il reconnaissait aucune devanture dans le village, pas une mautadite, à part les mêmes franchises de malbouffe ou de clubs vidéo qu'à Montréal. L'image de Rock lui est venue. Les locaux vacants proliféraient eux aussi parmi les quelques commerces plus chanceux. *Zut,* a pensé François. Une ecchymose lui est sortie de nulle part dans la face. Il avait laissé, avec l'argent dedans, son enveloppe dans les poches de son veston. Sûrement qu'elle était en train de se défaire en petits boudins de papier partout dans la laveuse chez ses parents.

À l'étage d'une buanderie, d'ailleurs, aux vitrines barricadées de planches de bois pressé, un gamin appelait son père pour qu'il vienne vite. Richard Sainte-Cluque,

en train de développer dans sa cuisine tranche de fromage orange sur tranche de fromage orange, s'est dépêché
d'aller voir ce qui se passait. Son fils a pointé du doigt
l'animal dans la rue ténébreuse en bas. Richard était pas
sûr de ce qu'il voyait. François, dans ses fourrures, arrachait des poignées de neige à la tempête pour les jeter
sur les murs des bâtisses à sa portée.

60

CACHE-MOI ! Mets-toi devant moi ! s'est dépêché de dire Rock, interrompant d'urgence les vantardises du gars de Montréal.

Depuis l'ouverture qu'ils collaient au bar, au chaud à téter le Yukon que la serveuse leur avait apporté dans sa dernière ronde. Des glaçons, malgré la tempête, fondaient dans leurs verres, avec comme de la fumée figée dans le milieu. François était là dehors, une coulée de morve de la narine au menton. Il s'écrasait le nez dans la vitre pour voir quelle sorte de vie il y avait dans l'hôtel à la Guité, lequel appartenait plus à quelque Guité que ce soit depuis la fin des années soixante. C'est le cadet des frères Guérette qui faisait rouler la place. Et c'était pas facile. Parce que de Sainte-Madeleine-de-la-Rivière-Madeleine à Listuguj, le moindre taon de la péninsule ayant posé les coudes sur ce comptoir-là ne serait-ce qu'une fois dans son existence s'entêtait encore aujourd'hui à appeler l'établissement «l'hôtel à la Guité». Chaque fois qu'il entendait ça, Guérette avait un clou de six pouces qui lui rentrait dans le cœur. Il avait pas d'autre choix que de se demander c'était quoi sa place dans le monde.

— C'est *lui*? s'est étonné le gars de Montréal à la vue de François. Le grand singe dans la vitre?

Il s'est redressé, rassis, quasiment mis debout sur son tabouret. Son Yukon restait à peine entamé devant lui, il était pas capable de boire ça. Il était plus capable de boire du tout.

— Cache-moi, je te dis.

Rock a ramassé le gars de Montréal, sans perdre son calme plus que ça, et l'a planté entre la fenêtre et lui. T'aurais mis le moteur du petit dans le gros, t'aurais tout démoli. Du rock FM en canne jouait dans l'hôtel. Le gars de Montréal a rejeté les épaules par en arrière, le tronc entre parenthèses entre les bras. Les quelques clients dans la place étaient trop occupés à se régaler de sa prestation en buvant leur bière pour remarquer le primate derrière eux dans la fenêtre.

— C'est bon, il s'est poussé, a dit le gars de Montréal du ton de celui qui connaît ça.

Quatre ou cinq clients, c'était trop d'action pour François. La tempête l'avait déjà transporté ailleurs. Le gars de Montréal s'est vite retrouvé à radoter à une couple de gars assis plus loin qu'il comprenait pas ce qu'un hôtel de même pouvait bien avoir de si légendaire. Il aurait fallu que le monde ici voie les bars de fou qu'ils avaient sur Saint-Laurent à Montréal. Le tapis de la table de pool était déchiré. Rock racontait pour sa part à la barmaid son trajet jusqu'en Gaspésie.

— Je vous remets-tu quelque chose ? la barmaid a demandé par-dessus la musique. Je vous installe-ti des lits de camp quelque part ?

Heidi, c'était ça son nom, les regardait tour à tour en les débarrassant. Eux la dévoraient des yeux. Dans ses jeggings et ses espadrilles pas de marque, elle mâchait sa gomme en se déhanchant sur son rock FM.

— On a le temps pour un dernier, a fait Rock. Notre lift attendra, de toute façon.

Il a avancé, en la faisant marcher sur deux doigts, une main vers celle d'Heidi. La serveuse a retiré la sienne du comptoir, pour la mettre en lieu sûr sur la poche de cuir noir à sa taille. Elle avait peut-être pas beaucoup d'expérience derrière un bar, mais elle était capable de remettre un gars tache à sa place. Elle a pris bien soin de pas encourager Rock. Le gars de Montréal avait rien vu aller de ça. Il avait trop hâte de tester lui-même les pouvoirs que Rock lui avait promis, une couple de semaines auparavant, quand ils s'étaient rencontrés dans un magasin d'électronique. Il s'est transvidé d'une traite son drink au fond de la chaudière.

— T'es-tu sur le menu ? il a demandé à la serveuse, la gorge arrachée, le front en feu.

Heidi lui a tendu une fourchette en indiquant le fond de la salle.

— Tiens, va jouer dans la prise de courant avec ça.

Le gars de Montréal s'est retourné. On voyait encore sur le mur à l'autre bout la forme décolorée du juke-box qui avait trôné là pendant près de trente ans avant qu'Henri Bouge le rachète. Les lumières de l'enseigne promotionnelle au-dessus de la table de pool flanchaient de temps en temps. Le L et le dernier T disparaissaient dans LABATT. Le gars de Montréal a remonté les manches de son t-shirt par-dessus ses épaules et s'est commandé un double, de la même chose, pas de glace. Il a envoyé un clin d'œil à la barmaid. Sa face a cligné au complet.

— Qu'est-ce qu'on disait ? a fait Rock.

Il avait perdu le fil de son histoire de taxi et il a regardé dans la fenêtre pour être sûr que François était pas en train de s'essuyer les pieds sur le tapis dans l'entrée. Il savait que c'était risqué d'attendre leur évacuation à l'hôtel, mais bof, il y a pas personne à qui ça tenterait non plus de passer la journée dans une entrée de bloc appartement. Le gars de Montréal avait profité de son silence pour se mettre à lui parler de ses ambitions, mais Rock le regardait gesticuler sans comprendre un mot de ce qu'il disait. Lui-même se rejouait le pseudo-accident du matin, sa cascade. Tout ça l'avait laissé raqué, et amer aussi. Il revoyait François, tout attendrissant, avec ses dissertations de patentes à gosses et ses tics nerveux. Heidi leur a apporté leur commande. Il y avait pas moins de swing dans son déhanchement. Un Yukon pour le gars de Montréal, deux pour Rock. Il a placé un des verres devant un tabouret libre à côté de lui.

— Cheers, grand-papa, il a dit.

— Aux USA ! a rajouté le gars de Montréal, assez fort pour que tout le monde entende, et il a levé son verre tout seul, sans personne avec qui trinquer.

Il était jamais allé aux États, Danny, mais il avait toujours senti que c'était fait pour lui, ce pays-là, avec ses grosses baraques de vedettes à l'ombre des palmiers, les piscines creusées, l'argent qui poussait dans les arbres. Et, surtout, le respect de la planète entière. *Donnez-moi les moyens,* il pensait, *pis vous allez voir que je suis capable de me faire respecter.* Il y avait pas de taponnage aux États. Les choses se faisaient en grand là-bas. Tu pouvais être quelqu'un. Le gars de Montréal se voyait déjà faire sa loi. Dans sa tête, il sortait avec des chanteuses et se promenait en yacht. Il était pas capable de mettre trois mots d'anglais dans le bon ordre, mais ça faisait rien. Il avait pas de passeport non plus, sauf qu'on lui avait assuré que ça poserait pas problème. Rock, par contre, l'avait pas félicité quand il lui avait expliqué tantôt comment s'étaient déroulées les choses dans le chalet des Laganière. Danny s'était beaucoup écarté du plan. Mais enfin, ça changerait pas le dénouement, Rock savait ça. Les détours, les improvisations, les pneus lacérés, ça faisait partie du plan. Les voies du grand-père étaient impénétrables. Il y avait plus trop de circulation à cette heure-là, mais ils avaient eu le temps en masse de voir les chasseurs de la place s'agiter. Ils avaient senti l'état d'esprit des Frayois se détériorer jusqu'à la noirceur. Rock s'est viré pour regarder dehors. Un bus Greyhound, comme apparu devant l'hôtel, obstruait l'entièreté de la fenêtre. En se levant Rock a fait signe à la serveuse de leur apporter la facture. Heidi, dans des éclats de rire, a fouetté de son torchon le comptoir devant un autre client près des toilettes unisexes, puis elle est venue les faire payer.

— J'entends des voix, lui a dit le gars de Montréal quand elle lui a dit combien il lui devait.

Il regardait partout autour de son air le plus candide.

— Ben, va te faire interner, a répondu la barmaid.

— Des voix d'anges.

Un remix de La Bottine venait d'embarquer dans les caisses, dondaine la ridaine sur un rythme disco.

— Lâche pas, a dit Rock à son comparse.

Il soupçonnait le grand-père de réserver un sort spécial à ce pion-là aussi. Pour les Yukon, il avait sa carte VIP, mais il a dû suivre la serveuse afin d'aller payer derrière le bar le reste des consommations par Interac. *Elle se sert de mon chum pour se rapprocher de moi,* a pensé le gars de Montréal. Il voyait Rock plus loin écrire quelque chose au stylo sur son reçu. Rock venait de donner son numéro de téléphone à la fille, qui a trouvé ça bien drôle quand il s'est ensuite mis à hasarder des séquences de chiffres pour deviner le sien. Heidi a fini par lui prendre le stylo. Elle lui a noté sur l'avant-bras le numéro de son chum, un Canon. Le gars de Montréal s'est levé à son tour. Il a marché tranquillement jusqu'à la table de pool, où il a envoyé une des boules taper dans ses semblables.

— Viens-t'en, mon Danny, a dit Rock. C'est toute payé, t'as rien qu'à laisser le tip.

Le gars de Montréal a dû se pencher pour repêcher son portefeuille dans ses culottes, tellement il les portait basses. Ses bras avaient l'air de spaghettis trop cuits.

Stupéfié lui-même par sa largesse, il s'est approché d'Heidi pour glisser un cinq piasses dans la bretelle de sa camisole. Mais Heidi s'est tassée avant. Quand elle a voulu prendre le billet normalement, le gars de Montréal l'a lâché. Ils l'ont regardé ensemble planer jusqu'à terre.

61

L A RUMEUR s'était répandue parmi la populace d'une créature sauvage, tout droit sortie d'un dossier top secret, qui terrorisait les abords de La Frayère. Même qu'on avait pu l'observer dans la ville. Un groupe de Frayois s'imaginait une fois la nuit tombée partir en safari dans les rues. La plupart des individus concernés étaient pourtant du monde assez terre à terre dans la vie. Il aurait fallu que les Raël ou les Roch « Moïse » Thériault se lèvent de bonne heure en Jésus-Marie pour que Nicolas Labri ou le Gabou à Fernand transfèrent leurs fonds dans leur compte. On avait pas affaire là à du monde crédule, mais bien à des amateurs de choses concrètes. Les gars s'endormaient le soir en lisant des catalogues d'écrous ou de lames de scie ronde. T'aurais pas non plus fait porter très longtemps une chemise rose et des sandales à des Gilles Chiasson ou à des Richard Sainte-Cluque, êtres de peu de fantaisie. Ils avaient des idées assez arrêtées sur ce qui différenciait l'homme du clown. Mais même si personne là-dedans, Thierry Vignola ou pas, aurait pris l'existence des monstres au sérieux, ça restait qu'il y en avait dans le lot, à commencer par Foster, qui avaient vu ce qu'ils avaient vu. Et la découverte d'un cadavre en pièces détachées dans le champ des Canon avait certainement pas aidé. La police locale était sur place, mais elle avait pas assez d'effectifs pour gérer ça, et encore moins l'équipement, surtout pas avec le temps qu'il faisait. Sans compter que leur chef, Gaétan Bilodeau, avait d'habitude l'esprit qui se gangrenait pas mal passé son troisième rye. Des renforts allaient venir des municipalités des environs, mais en attendant, on se livrait à une battue à quatre ou cinq gars sur un terrain où ça en aurait pris deux cents.

Il y avait chez les Frayois des appétits que seule la mobilisation pouvait assouvir, une mobilisation promettant de les purger de leur désœuvrement tout en leur donnant de surcroît un prétexte à sortir leurs jouets préférés. Une patrouille populaire s'était donc organisée, à l'écart des représentants de la loi. Le bal avait été lancé par les motoneigistes qui avaient rescapé Steeve, sûrement déjà dans son lit d'hôpital, à boire à la paille tout ce qu'il pouvait de petits jus en boîte, en exigeant toujours plus d'oreillers et de repositionnements. Il avait tant neigé que le taxi avait pas été repéré par les intervenants d'urgence avant qu'il soit trop tard pour que quelqu'un ait la chance de faire des liens. Surtout que c'était pas rare dans le bout qu'on abandonne son vieux char au grand air après l'avoir désimmatriculé. Yannick agissait comme s'il avait recruté à ses fins les motoneigistes auxquels il s'était joint. Il leur avait donné l'ordre, *après* que tout le monde s'était dit que ce serait ça leur point de rendez-vous, de se réunir où la montagne prenait naissance, sur un chantier de coupe pas loin du chemin du Réservoir, à l'orée de la ville. La moitié des gars se prenaient pour des pilotes de course, excités sur les bolides plus tenables qu'ils avaient hâte de désengourdir pour la première fois depuis l'hiver passé.

— Faque combien qu'on est à peu près ? a demandé, le dos rond, un des chasseurs par-dessus le rugissement de son moteur sur le neutre.

Les motoneigistes cherchaient à voir comment diviser le plus efficacement possible leurs forces sur le territoire, en commençant par le centre-ville, parce que c'était là que la créature avait été aperçue la dernière fois, en face de l'ancienne buanderie.

— On est quinze, a dit Yannick, onze skidoos.

C'était les chiffres qui lui étaient passés par la tête. Il en avait aucune idée, de combien ils étaient, et il aurait pas pu s'en sacrer plus. Les walkies-talkies craquetaient dans le froid, accrochés à la combinaison de leurs propriétaires. Quelqu'un a suggéré d'une voix de tuba pardessus le vent que tel et tel gars aillent se poster au centre d'achats, deux autres au dépôt d'Urgence Sinistre dans la côte pendant que le reste ratisserait la rue Pleau, la rue Principale et ainsi de suite, c'est-à-dire les artères par où tu pouvais sortir de la ville. Sur leurs motoneiges de travers les unes en face des autres, entre les rondins démembrés et les souches rases et les branches maintenant recouvertes de neige que la débusqueuse avait laissés sur le chantier, les troupes faisaient circuler une bouteille. On s'échangeait en buvant des regards consensuels. Excepté Yannick, ses yeux disparates rivés sur l'autre stratège à deux sous qui se prenait pour un mâle alpha, à moitié invisible dans la poudrerie. Il avait envie de lui dire qu'ils étaient pas dans un jeu vidéo, que si tu trouvais un bout de tuyau de métal à terre, c'était pas pour que tu le ramasses en te disant que ça servirait plus tard. Mais il voyait pas très bien pourquoi il aurait dit ça.

— Non, on fera pas ça de même, il a dit à la place.

Assis derrière Gabou, sur la motoneige qu'ils partageaient, il a réexposé le même plan, point par point, sans rien y changer d'autre que qui est-ce qui allait où.

— On y va, a dit Foster pendant que les walkies-talkies communiquaient avec d'autres cohortes réunies ailleurs.

Le centre-ville se découpait abstraitement à l'autre bout du chemin terminé par la clairière artificielle où le cul des bolides dérapait dans des projections de neige en décollant vers différents points cardinaux. Yannick et Gabou ont viraillé quelque temps, sans tomber sur plus d'indices. Ils roulaient dans la rue, sur les trottoirs. T'as pas le droit de faire ça, sauf qu'à un moment donné, Gabou a vu de quoi. Il était pas sûr de son affaire, même qu'à la limite c'était peut-être le corps flottant qui depuis dix ans se promenait dans l'humeur aqueuse de son œil. Il lui semblait pourtant bel et bien qu'une tache se mouvait pas loin des HLM. Une sorte d'ectoplasme, sectionné en tous sens par une neige fourmillante, qu'il avait vu se reformer à la manière d'un liquide sous la marquise du dépanneur à Gérald et se couler derrière un coin. Ça valait la peine d'aller vérifier. Par excès de prudence, Gabou a voulu faire un détour, roulant pas assez vite pour Yannick. Il voulait surprendre la bibitte par derrière, si bibitte il y avait, mais des grichements se sont alors échappés de son récepteur. On aurait cru que l'appareil était en papier et qu'il se chiffonnait de l'intérieur.

— Dix-quatre, dix-quatre. Je… Gabou, t'es-ti là ? Réponds, t'es-ti là ? Terminé.

C'était Nicolas Labri, ça. Il sonnait tout énervé, leur parlant depuis son char. Sa motoneige avait coulé l'an dernier dans la baie quand la glace avait cédé en dessous. Il l'avait mise à vendre pareil, en ayant au moins l'honnêteté de mettre ça clair dans son annonce que c'était à l'acheteur d'aller la chercher au fond de la mer. Il s'en magasinerait une autre avec l'argent.

— Gabou à l'écoute. Reçu. Qu'est-ce qui se passe, mon Nico ? Terminé.

— Je… Ciboire… Respire, faut que je respire. Veux-tu ben me dire où c'est que vous étiez ? Là, Gabou, c'est positif de notre bord. Le flo à Richard a pas conté de menteries. Y a quelque chose de louche icitte.

Gabou s'est écarté la face de son récepteur. L'appareil se tordait en crachant des sons de meule. Yannick perdait patience.

— … devant le magasin de livres, a comme hurlé Nico dans le feedback.

— Roger that, a dit Gabou.

Mais il a prononcé *Roger* comme t'aurais dit *Roger Hudon*, et *that* pareil que *datte*. Son véhicule avait pas encore eu le temps d'accélérer trop que Yannick en a sauté, son fusil sur le bras. Il a fait une dizaine d'enjambées, se plantant un peu sur la neige tapée, avant de retrouver son équilibre et de disparaître vers le nord-ouest.

— Ben, où est-ce qu'y va ? s'est demandé Gabou.

Ça y est. C'était prouvé. Si tu penchais la bouteille, que tu la couchais, que tu la virais à l'envers, l'alcool qu'il y avait dedans se ramenait toujours au niveau. Chiasson a repris une lampée après avoir raccroché son récepteur sur le clip à sa poitrine. Lui aussi, toujours parqué le long du dépôt d'Urgence Sinistre, venait d'être averti de la présence d'une anomalie au coin de la rue Pleau. Il y avait un autre gars avec lui, un Robichaud, venu le rejoindre pour la simple raison qu'il avait sa sorte de bière. Les événements les autorisaient à conduire soûls, ils s'étaient mis d'accord là-dessus. Et quand même que Gaétan Bilodeau les aurait arrêtés pour leur faire souffler dans la balloune… Chiasson a lancé sa vide contre la paroi du bâtiment de ses employeurs d'antan, et Robichaud et lui ont pris comme Gabou en direction de la zone à encercler. Le dépôt était situé dans le haut d'une côte, laquelle formait comme une bosse, ça fait qu'à cause de la courbe tu voyais mal ce qu'il y avait en bas dans la ville avant d'arriver sur le dessus. Une chance qu'ils avaient pris le temps de finir leur bière, parce que cinq secondes avant ils se seraient fait passer dessus par un bus

678

Greyhound surgi d'une rue transversale aussitôt qu'ils auraient atteint le point de la butte où ça descendait. Ahuris les deux, ils ont laissé leurs motoneiges glisser sur leurs skis jusqu'au pied de la pente, sans donner de gaz. Les chenilles tournaient sans résistance, dans un défilement de caoutchouc infini. Dans une ville de la taille de La Frayère, le monde les connaissait, les horaires d'autobus, et il y avait aucun autobus voyageur de prévu à cette heure-là, surtout que Greyhound desservait pas le secteur, c'était Orléans Express. Une tache brune en forme de haricot grossissait sur le trottoir dans le bas de la côte à mesure qu'ils en approchaient. Pas qu'ils jouissaient de la visibilité qu'il aurait fallu pour voir que c'était un divan, mais Chiasson savait que c'était ça pareil. Ça s'était jasé l'avant-veille sur le quai, que tel gars avait aidé son voisin à mettre son divan au chemin.

C'était rendu ça, la teneur des histoires qui se racontaient à La Frayère.

Une autre masse terne, aux arêtes grugées par le foisonnement des flocons, s'est à son tour détachée du divan. Chiasson a vu tout de suite deux autres motoneiges déboucher d'un carrefour. Il en a déduit que ça devait être Foster et il savait plus qui. Ils s'en revenaient du centre d'achats. La tache a coupé vers le bocage, une talle d'arbres de la superficie d'une couple de terrains résidentiels, entre le secteur commercial et des rangées de duplex en arrière.

— Chiasson? a déflagré son récepteur. Foster à Chiasson. Tu m'entends-tu? Terminé.

— Ici Chiasson. Je te reçois. Terminé.

— Notre bête est allée se piéger dans le sous-bois. Amenez-vous tranquillos de votre côté, je suis en train de me coordonner avec Gabou pour qu'on la pogne en souricière.

— Copie ça.

Les chasseurs avaient délaissé leurs véhicules, pour se faire plus furtifs, et ça se faisait des signaux pour se positionner de manière à couvrir toutes les échappées potentielles à travers les arbres. Gabou était excité. Il avait du mal à se retenir de crier pour le fun de crier. À tout bout de champ Foster vérifiait que son fusil était bien chargé, progressant sous les branches effeuillées auxquelles il trouvait malgré leur maigreur quelque chose de festif. Il était pas le seul à avoir l'impression que des balles de peinture remplissaient la chambre de son arme. Ou qu'il jaillirait de celle-ci un petit drapeau marqué pow!, un bouchon de liège rattaché au canon par une chaînette. Il y en avait parmi les gars qui se demandaient ce qu'ils faisaient dans le bois si tard, mais les autres autour avançaient, donc ils avançaient eux autres avec, dans les mêmes ricanements étouffés. C'était une nuit de fête, une nuit de chasse et de fête comme en avait rêvé Monti à l'époque. Il aurait juste manqué des guirlandes d'une branche à l'autre, des fanions, des kiosques forains et des paillettes sur la neige et des jetons et des emballages de friandises, et t'aurais été en plein Festichasse. Plus personne savait où était passé Yannick. Les chasseurs se sont enfoncés entre les arbres. Ils distinguaient rien de plus que leurs silhouettes dans les ténèbres, comme découpées dans du papier construction et collées sur des bâtons de popsicle. Un des gars dont personne se souvenait jamais du nom a épaulé sa carabine devant le tableau grandeur nature qui se profilait devant lui. Il entrapercevait, à travers le lacis minutieux des branches, un monstre moins bien fait que le décor alentour. La créature grognassait dans des nuages de buée se figeant dans l'air. Deux oiseaux se pourchassaient au-dessus de lui. Désireux de vivre son moment à fond, Chose Bine a crinqué le chien de sa carabine. Il allait ramener le prix le plus exceptionnel à ceux qu'il aimait. Ça se retenait même plus de rire autour de lui. Le rubis au bout de sa cigarette s'est embrasé.

62

À PEU PRÈS en même temps, à l'autre bout complètement, Yannick atteignait presque dans sa course les limites de La Frayère. Il s'approchait du supermarché, devant lequel passait la 132. Sur la piste d'une proie partie de l'autre bord, il a sauté la clôture de l'aire des livraisons, sans réaliser totalement qu'au fond, c'était après le droit de faire ce qu'il voulait qu'il courait. Il voulait plus jamais avoir à s'empêcher de rien. Un œil aligné sur sa mire, la bouche close, il a inspecté les environs. Les dents lui grinçaient à cause de la neige sous ses semelles, mais il savait qu'elle resterait pas, que ça fondrait en découvrant le monde à peine altéré en dessous. Il a du bout de son canon reniflé les habitacles des quelques camions restés dans le stationnement privé. Romain Perrault connaissait des membres du personnel de l'entrepôt, et en échange de ses services, ils lui laissaient des fois le système d'alarme désarmé et la porte débarrée, pour quand venait l'heure du trip-bouffe après les virées nocturnes. Yannick a tout de suite trouvé la porte. C'était pas dur, il y en avait rien qu'une. Elle était pas verrouillée, comme de fait, et ça a dégagé un quart de cercle à terre dans la neige quand il l'a tirée vers lui. Il s'est laissé absorber par le noir, entre les chariots élévateurs et les palettes de denrées à mettre sur les rayonnages. Son doigt exerçait déjà, sur la gâchette de son fusil, la pression maximale que tu pouvais mettre sans que le coup parte. Il est entré dans une salle d'employés, avec une table, un micro-ondes, des uniformes vert et blanc. Le bout de son canon le devançait chaque fois qu'il franchissait une embrasure ou tournait un coin, prêt à débusquer ce qui se dissimulait dans les espaces où il était pris de vertige en voyant ça se déployer devant lui. La journée avait été longue, mais il était pas fatigué. Plus jamais il dormirait, et il a traversé un rideau de lanières de caoutchouc transparent pour déboucher dans l'épicerie en tant que telle, la place où t'achetais ton manger. C'était son rêve, quand il avait dix ou douze ans, de passer la nuit enfermé par erreur dans une grande surface, où il aurait pu se bourrer sans retenue de tout ce qui l'aurait tenté sans que personne puisse le lui reprocher au matin. Il a arpenté une allée après l'autre en mâchouillant de la saucisse à hot-dog. Le laser de son viseur traçait une droite jusqu'à l'autre bout du magasin. Il a longé les boîtes de gâteaux Vachon et les frigos de crème glacée. Il a extirpé une autre saucisse du paquet, en avalant la moitié d'une bouchée. Il a posé un moment son fusil contre une tablette, dans l'allée des collations, avec les biscuits, tout ça. Il a sorti son cellulaire et composé le numéro de Cynthia. Tant qu'à être à l'épicerie, il allait lui demander s'ils avaient besoin de quelque chose. Mais elle était couchée à cette heure-là, et son appel est tombé sur la boîte vocale. Il y avait quelque chose de relaxant dans l'immobilité des lieux, dans ce monde d'objets, comme s'il possédait la manette pour mettre l'univers sur pause. Yannick s'est mis à ouvrir derrière lui les portes des frigos, sans les refermer. Il a sorti toute la viande des comptoirs du coin boucherie, lançant des tournedos et des mottes de bœuf haché sur les autres produits autour. Même chose dans les étals du poissonnier. Puis pour reprendre son souffle, il s'est mis à feuilleter le *7 jours* proche des caisses et c'est là qu'il s'est rappelé qu'il allait être père. La célébrité en une parlait de ça dans son entrevue. Yannick mordillait en lisant quelques bâtonnets de pepperoni pour se décrisper la mâchoire. Il s'est ensuite appliqué à bien péter à coups de crosse tous les moniteurs, la vitre des scanners à plat sur les comptoirs. Comme dans un match de lutte, il a enchaîné en faisant la corde à linge à tout ce qu'il y avait de pots d'olives, de tomates séchées et de piments forts dans le rayon des condiments. Il renversait les étagères sur son passage, à la recherche des paquets de craquelins que t'achetais en portions individuelles avec du mastic alimentaire et une petite palette rouge en plastique pour le tartiner. Il avait peur de la crémaillère qu'il pendrait aussitôt que ses parents libéreraient la maison. En ressortant des frigos à bière, il a admiré son dégât dans la section où il y avait les œufs, le yogourt, les fromages à pâte molle. Il s'est donné un élan dans l'allée, puis a freiné sec pour glisser sur le plancher visqueux jusqu'à ce qu'il retombe sur du propre. Il a remis ça plus de fois qu'on l'aurait cru nécessaire avant de trouver ça vraiment plate. De toute façon, il fallait qu'il rentre dans pas long. Faire lever Cynthia pour qu'ils aillent récupérer son jeep. Il avait juste envie de quelque chose de sucré avant.

63

FRANÇOIS a pivoté sur ses semelles en voyant à quelques kilomètres, qui arrivait au bout du chemin du Réservoir, le cortège rageur des moto-neiges. Il s'est réenligné vers une mer levée debout dans la baie. Le trottoir se distinguait pas de la rue sous la neige. Ses mains, sa face de caméléon, tout ce qu'il avait de viande et qui dépassait de ses fourrures s'est effacé contre la façade grise de l'immeuble à logements subventionnés qu'il rasait malgré la pancarte NE PAS TRÉPASSER. Il a battu des cils et s'est retrouvé en plein milieu de la rue Principale, à un carrefour où le vent brassait les feux de circulation sur leurs câbles. *J'en perds des bouts,* il a enfin remarqué devant le dépanneur à Gérald. D'autres motoneiges s'affolaient dans le coin du centre d'achats. Même flapi, François a su accélérer la cadence. Il était en profond dialogue avec le bout de ses bottes.

Fallait bien la devanture d'une librairie pour l'arrêter. *Vous allez voir,* il a pensé, de plus en plus vitriolique. Il savait pas qui avait eu la drôle d'idée d'ouvrir une librairie à La Frayère, mais le gérant avait l'air d'aimer ça, cuisiner, à voir la vitrine où agonisaient une couple d'autres livres inertes et décolorés. François a senti le besoin de frotter d'une paume fibreuse les brillantes éclaboussures jaunes partout sur les vitres. Il voulait s'assurer qu'on voie bien son livre quand il serait à son tour sur les présentoirs, sans comprendre que c'est le reflet des phares d'un vus derrière lui qu'il frottait. Une fois de plus, il a cru entendre qu'on l'appelait dans la tempête, devinant son nom dans un grognement juteux.

— Françoué !

Plus loin sur la rue Pleau, perpendiculaire à la rue de la librairie, deux véhicules tête-bêche bloquaient chacune des voies. Les rues avaient été déblayées et les bancs de neige montaient haut. Le cri que François avait entendu venait pas de là, par contre, ça c'était certain. Des chasseurs se parlaient dans leurs chars d'une fenêtre à l'autre. Un des gars l'a pointé du doigt. Leur assemblée a été levée, ça a pas pris de temps.

— Bouh ! a fait une créature desséchée, anthropomorphe ou à peu près, jaillie de l'entrée de tôle ondulée de l'immeuble d'un ancien centre d'emploi.

François a manqué mourir là. Tout ce qu'il a vu sur le coup, c'est une touffe de poils lustrés, sur une pommette plus pointue que l'autre. Il a fait volte-face, la main sur le côté du visage comme une œillère. Il est reparti en joggant dans la neige en direction de Montréal.

— Ben là! a fait Poupette, et il a attrapé le fugitif par la fourrure de son manteau. Wow, ben doux, ton manteau.

— Va-t'en! a crié François. Ce ne peut être toi!

— Regarde-moé, Françoué!

Poupette a tenté d'acculer son Gaspésien génial quelque part entre la façade d'un CLSC et la mer à deux cents mètres. L'autre pommette lui a remonté sous la peau. Il avait le sourire pareil que s'il venait de se prendre un coup de hache en pleine poire.

— C'est moé!

Sa voix d'élytres avait une résonance insolite. Sa cage thoracique a résonné quand il se l'est tapotée en répétant «c'est moé». François lui a tâté la face, redevenue plus symétrique. La touffe de poils sur sa pommette lui est restée entre les doigts.

— Mais qu'est-ce que tu fais ici? Tu…

— Attends une seconde.

Poupette, sémillant, a extrait de la camisole en filet dont il s'était vêtu un cahier Canada comme ceux dont François se servait. Ce dernier a failli lui demander s'il était assez habillé. Poupette a feuilleté plusieurs fois le cahier d'un bout à l'autre avant de trouver sa page.

— U-bi-qui-té, il a dit fièrement, le doigt dans les airs. C'est toé qui m'as appris ça, ce mot-là. T'aimes-tu mon bracelet?

Il a fait tinter, dans ce qui restait de face à François, l'assemblage de coquillages et de brisures de nacre à son poignet, pas différent de ce qui s'achète dans n'importe quelle boutique d'attrape-touristes à l'est de Sainte-Flavie.

— Pis checke mes boucles d'oreille, t'es aimes-tu ?

Des plumes factices, entremêlées de bouts de verre poli avec un leurre de pêche à travers ça. François, à quelque part, était soulagé, et il est allé pour étreindre son fidèle compagnon, qu'il jugeait préférable de réchauffer dans ses fourrures. Mais Poupette a eu un mouvement de recul en observant la neutralité de celui qu'il considérait comme son siamois à l'égard de ses bijoux. Une bosse difforme se déplaçait avec lenteur en dessous des mailles de sa camisole.

— Excuse-moi, s'est rattrapé François, qui s'était enlacé lui-même dans son élan. Fastueux, tes bijoux. Ils te vont à merveille.

Blessé, ça se voyait, Poupette lui a fait signe de se taire, que c'était correct. Il a sorti pour se consoler une petite bouteille de Yukon de ses culottes en peau de serpent.

— Let's go, il a dit après une gorgée plutôt tortueuse. On va faire comme si c'était moé qui te faisais visiter.

À travers les histoires de travailleuse sociale et de tapis volant qu'il inventait à mesure pour expliquer comment il s'était rendu jusqu'ici, il a pris en direction d'un dépôt semi-désaffecté vers quoi la rue montait. Les grondements de moteurs se multipliaient alentour, toujours plus près. François suivait pas son camarade, non. Il suivait la bouteille de Yukon format minibar. Il a bientôt dû se laisser choir dans un divan enneigé, abandonné sur le trottoir. Il avait l'air d'une peau d'ours mal étendue sur le dossier. Poupette avait calé le reste du fort.

— Je comprends, a fait Poupette.

Il a fait marche arrière pour venir s'évacher lui aussi.

Il a ressorti une autre bouteille de Yukon, que François a quasiment avalée au complet sans même prendre le temps de la déboucher. Un autobus Greyhound est passé plus haut dans la côte. Les coussins du divan étaient comme rembourrés de beurre de pinottes. D'autres déchets, des sacs à poubelle s'empilaient dessus, se déversaient à côté. Poupette chantait *Il est des nôtres*. La bougeotte l'a repris après dix secondes.

— Bon. T'es reposé, là. Appuie-toi sur moé. M'as faire mon gros possible pour pas casser. Heille, sais-tu, j'étais jamais venu, en Gaspésie. Trop doux, ton manteau. Ça me fait rusher un peu. Je sens plus le froid. Toé ? Ha ! Bois, bois. J'en ai plein, regarde. Tiens, une autre. J'en ai à l'infini. Crisse qu'on tripe. Viens-t'en, hop. C'est ça. Non, non, pas par là. On va aller voir du monde, nous autres là. Faque ton livre ? Ouin, pis c'est ça, j'ai rien dit pantoute aux autres, ni à Momo ni à Graton. Armand pis Tibi non plus. Tu sais comment qu'y sont.

Remis grosso modo sur pied, François a tenté d'évoquer dans son esprit l'image de son cercle d'amis. Il pouvait rien se représenter d'autre que des tas de linge vide sur un plancher collant. Tout ce qu'il y avait de tension en lui s'était relâché dans les dernières minutes. Il comprenait plus ce qu'il lui arrivait. Il marchait pour marcher.

— Je leur ai pas dit que je savais t'étais où non plus, parce que dans mon livre à moé, c'est toujours mieux que personne sache où t'es. Faque tu joues le jeu, surtout, tu leur dis pas que je savais. T'as-tu du feu ? Ah, l'air frais. Man, j'étais jamais sorti de Montréal. Là, Françoué, va falloir te mettre de la crème, quelque chose. Moé, j'existe pas. Pis le cash que tu me dois, tu laisseras faire. Cadeau. On repart à zéro. Le Roy s'est repayé, anyway. J'ai ben assez d'un rein. Je sais pas, là.

Deux motoneiges ont commencé à descendre la route en silence. Elles glissaient lentement sur la pente dans leur direction, les moteurs tenus morts. Elles perturbaient le pattern de la neige tombant de plus belle. François s'est figé, et tout de suite une autre motoneige a fait, dans une ouverture sur la droite, un virage en U pour se placer face à eux. Poupette a fait changer François de cap, dans la lumière instantanée, presque tangible, où ils palpitaient tous les deux. Ils allaient au pas de course. Les arbres défilaient sur les côtés en un continuum heurté.

— Par là, a dit Poupette. On va prendre un raccourci.

François, nageant le crawl dans la poudreuse, a rejoint le sous-bois où bien du monde à La Frayère avaient bu leur première bière.

— Tiens, bois ça. Messemble que ça fait cent ans que je t'ai pas vu. T'es rendu écrivain! M'as mettre ça sur mon cv. Le tonus viendrait-tu comme de te lâcher? Hop, une autre petite bouteille de potion magique pour mon Françoué. On va te refaire une beauté, je suis pas inquiet. Je suis en vacances, moé là. Fait du bien en estie. Vas-y, tinque, t'es capable. Oh que oui, c'est ça. Le seul fioul qui brûle encore là-dedans, mon crotté. C'est beau, c'est ça.

L'agrippant par le bras, Poupette a guidé François plus profondément dans le bocage, sous des branches nocturnes qui s'avançaient au-dessus de la neige indigo pour venir les flatter.

— Ça me dérangerait pas de rester icitte, sais-tu. Mais

pas de trouble, champion. Je vas m'occuper de toé. Tu pourras coucher en dessous de la cage d'escalier chez nous des fois. Tiens, laisse-moé te remonter le col, caler ton casque. Je vas te présenter à mon papa gâteau aussi. Bois ton sirop, mon malade.

Les ombres des nuages, gigantesques tours sales et torsadées, défilaient au sol ou sur les branches. Elles noircissaient la nuit encore plus. Poupette a donné une dernière bouteille à François. Il savait qu'elle le garderait éveillé, même si ce qui pouvait lui arriver de mieux aurait été de s'effondrer. Il a assis son ami sur un arbre renversé, amolli, dont les rares bouts d'écorce encore à nu étaient striés de champignons en croissant de lune.

— Tiens, tiens, toé tu restes là, lui a dit Poupette. Tu vas être ben. Minute, je vas t'essuyer le bord de la gueule. Voilà. Ha ha. Pis là… Ben, on attend !

Poupette a pris place sur le tronc à son tour. Hâve, mais d'un maintien plus exemplaire qu'à son habitude, il se tapait sur un genou en jetant des coups d'œil d'un côté puis de l'autre.

— Nous attendons quoi ? a réussi à articuler François.

Il avait la mâchoire trop lousse. Poupette a pris soin de lui remettre la langue dans la bouche. À son cou étaient apparues des écailles semblables à celles couvrant ses culottes reptiliennes. Il s'est relevé quand des voix ont commencé à monter dans les bois. Les yeux pareils à des lentilles de télescope, il reculait en catimini dans le rayonnement des neiges, un doigt sur ses lèvres, pour dire chut.

— Poupette, mon doux, a balbutié François, le menton

sur la poitrine, un ressort en guise de cou. Ne le prends pas mal, mais je crois que je t'ai inventé. Poupette? Est-ce que tu es là? C'est crucial, crucial. Poupette, es-tu là?

Mais Poupette avait dû se dépêcher de regagner la rue, parce qu'il était plus là. Et ses empreintes non plus. Une rafale de poudreuse est passée en arabesques au sol, entre les troncs d'arbres et les jambes qui avançaient sous les voûtes barbelées du bocage. François a revu dans sa rêverie acide ses péripéties des dernières vingt-quatre heures. Ses pieds ont crissé dans la neige. *Un condensé de ma vie,* il a pensé. Une unité de secours s'était activée dans son esprit. Il se sentait comme une ombre sans personne d'attaché au bout. Sur sa bouche s'est dessiné le même genre de moue que tu fais quand tu félicites quelqu'un ironiquement. Son seul désir, tout ce qu'il aurait voulu, ça aurait été de regoûter à la reconnaissance et au succès. Mais il avait un peu gaspillé son quinze minutes de gloire la fois de sa conférence sur les Maroons de Montréal à l'Université Laval. De toute façon, il aurait pas eu la force ni la coordination pour se redresser sur son tronc champêtre et prendre la parole. Des rires dérangeaient maintenant l'excellent silence autour. François en était à s'applaudir lui-même avec mollesse quand la braise solitaire d'une cigarette s'est attisée à travers les branches en désordre. Il s'est pas applaudi longtemps. Une lumière creuse l'attirait déjà ailleurs, entre les arbres estompés. On pouvait être sûr que la bête rare le suivait pas, qui s'éclipsait en volutes de photons espiègles alors que Monti se dérobait dans les forêts de la grande chasse.

Épilogue

HENRI avait fait lever Léon de son divan, chez le souillon où il squattait ces temps-ci, pour qu'il vienne lui donner un coup de main avec la fournaise chez leurs parents. Le système au mazout à Monti datait pas mal et, avec Yannick et François qui habitaient maintenant la maison, Henri allait pas commencer à chipoter sur la sécurité, en plus que ça lui donnait une raison de payer son frère en dessous de la table pour le dépanner. En faisant emménager sa petite famille avec ses parents, il pouvait plus facilement leur apporter ce genre d'aide. Il voyait ça comme ça. Il y avait de la place en masse dans la maison, personne allait se marcher sur les pieds. Et lui, la proximité lui permettait de tenir la place propre, de la mettre tranquillement pas vite à son goût pour quand il rachèterait à sa fratrie leur part de l'héritage. Sans rire, il y avait à peu près rien que ses parents de caducs dans la cabane depuis qu'il avait pris les rênes. Ah oui, et l'étable aussi. Il en parlait pas, mais il jetterait ça à terre pour se bâtir un atelier-garage à la place. Un temple à deux portes rideaux, dont il avait lui-même dessiné les plans.

Monti était descendu au sous-sol avec ses fils et leur machine du diable. Heille, une fournaise électrique. Écroulé sur sa marchette, il leur faisait part de ses instructions, commençant une phrase sur trois par « moé, dans mon temps ». C'était une grosse job, déjà huit heures du soir et ça avait pas arrêté de la journée. Chacun de leur bord de la fournaise au mazout, après quoi ils étaient là à forcer comme des bœufs, Henri et Léon partageaient l'espoir tacite que la pompe du puisard se mette en marche toute seule dans son carré de concassé, que le tuyau se réveille et happe leur père et l'aspire et que le bonhomme disparaisse par le drain en attendant qu'ils terminent l'installation. Ils iraient le repêcher plus tard au bout de la rue par une bouche d'égout. *Je vais le finir, mon sous-sol,* se promit Henri en soulevant l'assemblage. La croix sur la tête de la vis d'une des conduites était trop émoussée pour la visseuse. Monti craillait que l'outil convenait pas. Quand la mèche dérapa une neuvième fois d'affilée, Léon pogna les nerfs. Il poussa de tout son poids sur la fournaise. Elle tomba des quatre blocs où elle était montée.

— C'est vous autres, ça, encore ? les gronda Monti, et il se traînassa vers eux sur sa marchette en fixant un des blocs à terre. Je vous ai pas dit assez souvent de pas jouer dans ce qui m'appartient ?

Le problème, c'est que la moitié de La Frayère appartenait à Monti. Il avançait pas vite. Henri et Léon le regardaient en faisant des bruits d'autobus qui décompresse. Ils voulaient pas non plus l'aider, pour pas l'insulter. Monti finit par se pencher, puis par ramasser, parmi les trois bouts de deux par quatre constituant les autres blocs, l'exemplaire de la bibliothèque du livre d'Homère qu'il avait perdu depuis l'extinction des dinosaures. Il y avait une patte de fournaise d'imprimée dans la couverture cartonnée. Ça devait être Baptiste qui avait mis ça là, les deux frères se mirent d'accord là-dessus. Ils se mâchonnaient le dedans des joues en se fabriquant un vague souvenir de la chose.

C'est peut-être ça qui manquait, s'assombrit Monti, et il entendait par là qu'en la réapparition du livre tenait peut-être la dernière coïncidence au sein de la gigantesque mécanique du hasard qui l'avait entraîné dans son mouvement un soir de poker au Klondike, et qu'il avait tenté depuis de reproduire à l'échelle d'une vie sans en saisir très bien lui-même toutes les implications. Il repartit, pas de marchette mais le livre en main, vers l'escalier sans plus porter attention à ses gars. Il arrêtait pas de passer le pouce sur le nom de l'auteur, Homère, en relief sur le carton, enchanté de devoir quelque chose comme quatre mille piasses d'amende à la bibliothèque. *Où ce que je suis?* s'étonna-t-il, les yeux levés soudain vers le haut des millions de marches menant au rez-de-chaussée. La porte de la cuisine se dressait tout en haut comme un simple trait de crayon, sur un palier de lumière.

— Avez-vous besoin d'aide, papa? se risqua Henri.

Il se disait en même temps que, si son père était encore en vie quand il aurait rénové le sous-sol, il lui poserait une genre de rampe, une plateforme, de quoi pour qu'il puisse aller se parquer lui-même en bas des fois.

— Je vois pas en quoi tu pourrais m'aider jamais, non, répondit Monti.

C'était pas pour pas tomber qu'il se tenait après tout ce qu'il pouvait. C'était pour pas s'envoler. Il posait le pied droit sur une marche. Le pied gauche sur la même marche. Puis il posait le pied droit sur la marche suivante. Léon suivait en arrière avec la marchette. Joséphine attendait dans la porte le retour de son homme, éreinté mais conquérant.

— Assieds-toi dans ton fauteuil, dit-elle. Je vais te réchauffer une soupe au barley.

En brandissant sa louche, pourvue au bout d'une minuscule bottine jaune et rouge, elle cria de quoi à Henri du haut des escaliers, comme quoi il aurait eu beau aider leur père lui avec. Peur de se salir, Liette lavait du bout des doigts la vaisselle dans l'évier, quand se fit entendre derrière elle le frottement des espadrilles à Monti, extrêmement blanches et démesurées. Le frottement était ponctué du heurt de la marchette sur le prélart, amorti par des balles de tennis qu'on avait fendues pour en faire des coussinets. Monti avait l'impression de rien que voir sa bru de dos tout le temps, jamais de face, et ça aurait pu être rigolo, là tout de suite, de tirer sur le cordon du tablier qui retombait de la boucle irréprochable qu'elle avait entre les reins. Des reins enviables pour le bonhomme, à présent que les siens se montraient capricieux. De son point de vue à lui, c'est Joséphine qui avait insisté pour accueillir Henri et sa trâlée. Deux marmots dans les jupes, Liette avait encore tout à apprendre des rites du foyer, et Joséphine s'était donné pour mandat de lui montrer le b.-a.-ba. Aucun doute pour personne qu'elle avait, passé leurs noces d'or, développé une doctrine complète de la conjugalité. Mais la sainteté de sa femme exaspérait Monti des fois. Pas autant que l'exaspérait Henri, mais quand même.

— Les flos sont-ti couchés? voulut-il savoir.

Le coussin de son fauteuil dans le salon renfonça sous son arrière-train. Une bassine d'eau chaude apparut par terre, avec une serviette à côté. Chatouillé par le moindre courant d'air, Monti cherchait partout autour le livre d'Homère qu'il avait sous le bras.

— Oui, dit Joséphine, Liette les a mis au lit il y a un moment déjà.

Ça suffisait, la pause. Monti partit pour se relever.

— Faut que j'aille pourvoir aux animaux.

La brebis faisait de la fièvre à matin, et… Joséphine l'obligea à se rassir en le poussant d'un doigt sur le sternum, le tisonnier dans l'autre main pour l'assommer au besoin.

— Tu les as déjà nourris aujourd'hui, je vais aller voir moi-même tout à l'heure si tout est correct.

Les braises se ravivèrent dans l'âtre, sous les fouissements du tisonnier. Le fusil de chasse, le même qu'avant, reluisait au-dessus du foyer. *Quelle femme extraordinaire,* pensa Monti, dévisageant, avec une incrédulité teintée de soupçon, son épouse quand elle lui amena son cabaret.

La soupe fumait dans un bol en terre cuite. Quelques cubes de glace affleuraient à la surface du bouillon. Son quignon de pain lui sembla d'une réalité dérangeante à côté du bol, accompagné d'une bonne grosse tranche de la terrine potagère dont sa femme le forçait depuis des semaines à se nourrir pour des raisons de cholestérol. Elle avait coupé son galopin de Yukon au Coke, jugeant préférable d'en ralentir les effets amusants.

— Je te remercie, ma femme.

— Demain, je te prépare ton cassoulet.

Joséphine lui enfonça gentiment sa bavette dans l'encolure, du même geste avec quoi tu pétris ta pâte sur le bord de ton assiette à tarte pour que ça gaufre. Mais quand elle alla pour lui mettre la télévision, Monti lui dit d'un signe de pas se déranger. Il pianotait sur la couverture du Homère qu'il venait de retrouver entre sa cuisse et le fauteuil, pour la deuxième fois en un peu plus de vingt ans, et dans une même soirée. Joséphine en resta bouche bée, puis elle repassa à la cuisine. Liette était assise à sa fenêtre habituelle, à côté d'une cuillère et d'une fourchette en bois géantes accrochées au mur. La jeune mère avait l'air d'une petite fille en punition qui regardait les autres enfants jouer dehors. Le zèle à Henri avait au moins ça de bon que, même dans la paternité, il manifestait une énergie sans bornes. Les gouttes de lait sur le poignet, le Cheez Whiz sur des bouts de céleri d'un décimètre pile, des châteaux faits de couvertes et d'oreillers, il aimait ça, quand il avait le temps. Ça aidait Liette, pour qui de s'installer chez ses beaux-parents avait été

un violent choc culturel, surtout de même vite après
un mariage déjà précipité d'avance. On avait mis sa jeunesse dans une boîte en carton, avec dessus une adresse
en Alaska. Mais des fois aussi, trop d'aide, c'est comme
pas assez. Henri avait du mal à déléguer. Il souffrait
d'être aussi perfectionniste. Un jour, dans un nuage de
poudre à bébé, il avait même eu l'indélicatesse, devant
ses parents et tout, de critiquer sa femme parce qu'elle
avait racheté telle marque de couches malgré qu'il le lui
eût formellement interdit. La bordure absorbante était
mal conçue où l'aine, et c'est là que tombait naturellement la virilité de son François. Liette se retrouvait du
coup au bas de la hiérarchie familiale, dans un monde
en noir et blanc, entouré d'un mobilier anachronique et
de conversations de maladies tout le temps. « Je vas me
flétrir, Henri », disait-elle quand il l'emmenait faire du
char. Mais de un, ils payaient pas de loyer. Et de deux, la
mère Bouge allait bientôt plus avoir la colonne qu'il fallait pour supporter son mari, dont les incartades allaient
pas en s'allégeant.

Parlant du loup, Monti promenait sa cuillère dans sa
soupe. Il mâchait son pain comme si c'était là quelque
chose d'important qu'il avait à faire avant de faire quelque chose de plus important encore. Le regard en l'air, il
essayait de déduire, à travers le plafond, l'emplacement
exact des bébés dans leur couchette et berceau à l'étage.
Yannick pis François, méditait-il. Il en circonscrivait les
contours dans son esprit. Une scène de crime. La glace
avait fini de fondre dans son bol. Les molécules s'agi-

taient un peu moins follement parmi les boules d'orge et les biscuits soda égrenés dans le liquide afin d'y ajouter de la consistance.

— Ah! dit-il.

Pour une fois qu'il prenait le temps de se laisser exister, sans que ça se lève en sursaut toutes les trois secondes en dedans de lui. Il y avait rien, de toute sa vie, qui lui avait donné autant de fierté, autant de satisfaction que son voyage au Klondike. Une araignée tournoyait pas très loin de sa face, en suspension dans le vide. Il sapait sa soupe en même temps qu'il gloussait pire qu'à sa première fois dans l'herbe derrière un fumoir à saumon. Le frottement de son maillot de corps, les lichettes de chaleur s'échappant de l'âtre, de vilains doigts fantômes, tout le chatouillait. *Je m'ennuie de Bradley,* lui firent penser les doigts fantômes. Remontés à leur tour du centre de la terre, Henri et Léon burent et mangèrent eux aussi, et c'est là que Liette fut informée qu'ils redescendaient à Rimouski pour une pièce qui leur manquait.

— *À soir?*

Liette avait peut-être vu son mari quinze minutes dans la semaine. Ils allaient coucher à l'hôtel, expliqua Henri, dans le but de revenir demain le plus tôt possible, parce qu'il avait quarante-six mille patentes à régler dans l'après-midi. Le pare-chocs du char à Léon traînait sur la terre battue. Le char s'éloignait dans l'allée qu'Henri en était encore à promettre à sa belle, par sa vitre baissée, que sa vie serait plus que bonheur et félicité une fois posée la fournaise.

— Soyez prudents, là!

Il y avait à peu près juste le clocher de l'église que Léon avait pas encore tapé dans le village. Les assurances l'avaient averti la dernière fois. Son char était plus couvert pour les collisions, seulement pour le feu. Léon avait essayé de leur faire accroire que le feu avait pris sous le capot, et qu'il avait été obligé de l'éteindre avec une pelle.

Un des poupons brûlait d'ailleurs vif à l'étage, c'est du moins ce qu'on aurait cru, pareils braillements, et Liette y monta par bonds de félin. *Il a peut-être froid,* pensa Joséphine en se cherchant un châle. Monti s'étira, jusqu'à ce que son fauteuil bascule presque, pour déposer son cabaret sur le buffet à côté. Il retira ses chaussettes, des chaussettes fines qu'il achetait en lots. Le livre d'Homère était ouvert à la page une, entre ses rotules aux circonférences érodées. Personne l'avait jamais lu, les pages en étaient même pas coupées. Tout en se demandant où est-ce qu'il était rendu dans cette histoire-là, Monti claqua des doigts d'une main. Un coupe-papier s'y matérialisa. Puis il claqua des doigts de l'autre, et voilà qu'il tenait une pipe dûment bourrée. *Je m'ennuie tellement de Bradley,* s'apitoya-t-il.

— Je sors voir les animaux, Honoré, dit Joséphine dans sa robe légère, chaussée de bottes Kodiak.

Le coupe-papier siffla. Joséphine s'attarda dans l'attente d'une réponse, se plaisant, sans se frustrer jamais, à observer son mari lire ainsi. Il avait pour ses cors mis ses pieds à tremper dans l'eau brûlante. Le diamant de son menton reposait dans une main toujours capable de te casser la tienne en te la serrant. *C'était du bonhomme, cet Ulysse-là,* convint Monti. La lune, par la fenêtre, était à

705

veille de débouler le flanc du mont pour rouler jusqu'à la grève. Monti grignotait sa pipe. Elle lui tressautait entre les dents. Par la véranda, Joséphine sortit dans un jardin foisonnant. Les admirables végétaux ondulaient sous une brise souple. Ses plans de tomates aussi, ils ondulaient, et la bâche par-dessus le tracteur. Chemises et pantalons, sur la corde à linge, se livraient à leurs exercices. Il faisait moins frais dehors que dans la maison. Il pleuvait au sol des feuilles de saule, et Joséphine, en marchant, souffla une mèche de cheveux qu'elle avait devant la bouche. L'étable délabrée, dans laquelle Henri disait qu'il fallait plus mettre d'argent, rapetissait à chaque pas en sa direction. La girouette se cherchait un peu sur le toit.

— Avais-tu l'intention d'aller à cheval à soir ? demanda Joséphine à son mari une fois rentrée de sa besogne.

Monti, il avait une théorie. Il en avait plusieurs, mais une entre autres qui s'inspirait de celle-là qui dit que la distance entre la flèche et sa cible est infiniment divisible. Ton verre, il était jamais tout à fait vide.

— Je te parle, Honoré.

Joséphine décroisa les bras, sa robe, ses bas collants piqués de brins divers. Elle enleva à son mari le galopin vide qu'il s'acharnait à sucer en se jouant légèrement avec le bout du coupe-papier dans la cuisse. Elle lui servit son deuxième coup du soir et déposa la bouteille plus à sa portée. Des ombrages, tout en modulations, s'échappaient du fusil au-dessus de l'âtre.

— Hein, mon cavalier ? Où tu pensais aller comme ça ce soir ?

— Vargeux pareil, cette épopée-là, se contenta de répondre Monti.

Il avait les pieds encore plus ratatinés que d'habitude dans sa bassine où l'eau avait tiédi. Tricotées avec amour, des pantoufles lui furent apportées. Ça swignait du glaive dans le bout de Troie, ces tout-nus-là. Monti débourra sa pipe à petits coups sur l'accoudoir, et c'est là que Joséphine remarqua, consciente de sa propension à voir des signes partout des fois, qu'il avait de ses ongles gratté le vernis sur la volute de bois au bout. Et il y avait plus rien pour le chatouiller non plus. Monti trônait, au contraire, en toute immobilité dans une pyramide de rayons lunaires. Le nœud d'une bûche éclata en tisons dans le foyer.

— Bonne nuit, répéta Joséphine pour la troisième fois. Allô? Seigneur, j'en connais un qui est pris dans sa lecture.

Elle croyait pas si bien dire, et il fallut qu'elle prenne la face à son époux des deux mains. Parce que même après tant d'années, ils se donnaient encore un bec sur la bouche au moment du coucher. Poussée par un pressentiment, Joséphine alluma toutes les lumières du couloir et de l'escalier en regagnant ses quartiers. Elle alla s'assurer que tout était correct avec Yannick et François. L'estomac lui fit un bond quand elle vit que le berceau du poupon était inoccupé, mais c'est que Liette s'était endormie avec dans les bras.

Dans sa chambre, enfilant sa jaquette, Joséphine se remémora l'époque où elle greffait mentalement une tête d'animal particulière à chaque patient qui entrait dans le cabinet de son père. Pas de fournaise avant demain. C'était le Grand Nord en haut, et elle s'abrilla sous la couette. La lampe de chevet répandait de très lentes aurores boréales au plafond. Joséphine lut, comme chaque soir au lit, quelques poèmes français dans une anthologie de classiques qu'elle gardait depuis toujours à son chevet. Un romantique ce coup-ci, et ses lèvres énamourées remuaient en même temps que les vers prenaient corps dans le théâtre qu'elle avait dans le crâne. Toute la strophe se figea en tremblotant à la césure d'un vers sirupeux. Les cils de la lectrice battirent dans l'abandon à la fin du poème. Elle éteignit, pour bientôt s'endormir sur le côté, un oreiller entre les genoux, après s'être durant quelques secondes trémoussée comme un poisson frais pêché au fond d'une barque, crampée toute seule en dessous des draps.

Elle se réveilla quand elle entendit en bas se refermer la porte de la véranda. *Il doit aller voir à la brebis,* rêvat-elle à moitié, et elle appela la fenêtre pour qu'elle vienne à elle. Un des marmots piaillait dans sa chambre. Joséphine, une fois debout, aperçut Monti dehors en contrebas. Le bonhomme donna une poussée dans la balancine alors qu'il passait en dessous du saule pleureur. Les ombres du feuillage tachetèrent son maillot de corps, pour tout de suite s'en détacher. Il avait décroché son fusil, dont il s'aidait comme d'une prothèse pour mieux marcher. *Il s'en va se tuer,* se formula Joséphine, une dague plantée dans le ventre. « Une bonne fois, je m'en vas aller me supprimer », avait un jour déclaré Monti.

Le cœur qui battait la chamade, se mordant la lèvre au sang, Joséphine descendit à toute vitesse jusqu'à la fenêtre au-dessus du cygne dans la cuisine, juste à temps pour voir un éclair illuminer de l'intérieur les carreaux crasseux de l'étable rectangulaire au fond du terrain. Même si elle l'avait pas vu, elle l'aurait entendu. Il se passa rien pendant quelques secondes. Puis l'étable se mit à canter. Les clous éclataient dans le bois fatigué et la charpente craquait de partout. Elle se stabilisa dans un angle précaire, comme retenue au dernier instant.

Puis ce fut le matin. Le coucou piottait dans le hall chaque fois qu'il sortait de son horloge. Le vantail du vasistas coulissa sèchement, se referma, et Joséphine ouvrit sa porte sur une canaille particulièrement frappable. C'était le fils à Rémi Chiasson, Gilles, que son entourage appelait Guilless, comme Guinness, mais avec des *l*. Joséphine avait pas eu le plaisir de le voir d'aussi près depuis ses années d'école, celui-là, du temps où elle faisait de la suppléance. Elle sortit sur sa galerie assiégée par les plantes grimpantes, dans un treillis d'ombre malgré le gros soleil. Sa silhouette dessinait un trou de serrure dans le cadre de porte. Il y avait des vérités à protéger dans cette maison-là. Elle tenait François dans ses bras, enveloppé de la chrysalide de sa doudou, qu'il faudrait bien rendre au service de néonatalogie. Le bébé était tout en train de se construire à l'intérieur.

— Ouin, dit Chiasson. Y a quelqu'un qui a appelé pour un dégât? Un chefal mort, si je me trompe pas?

Il fouillait dans les feuilles retenues par une pince sur son bloc-notes. Le moteur de son fourgon tournait toujours dans l'allée, un deuxième employé dedans. Le logo d'Urgence Sinistre dominait le flanc du véhicule. Joséphine aurait apprécié que la compagnie lui dépêche un homme.

— Est-ce que votre mère sait que vous vous promenez en fourgon? dit-elle.

— Cré-moé, cré-moé pas, fit Chiasson, je suis rendu avec trop de poil au cul pour tes bancs d'école.

C'était plus un enfant, Chiasson, fallait pas se fier aux apparences. Il tapota le tag de son employeur sur sa poche de chemise, l'autre main sur la fourche. *Culotté jusqu'au menton,* pensa Joséphine. *À vous faire regretter le docteur Maturin.* L'ami des animaux, le docteur Maturin, pas plus docteur que le Guilless ici présent était gouverneur général du Canada. Mais t'appelais qui, quand t'avais besoin de quelqu'un pour se rentrer un bras jusqu'à l'épaule dans le cul d'une vache aux meuglements plus saturniens que le restant du troupeau? T'appelais le docteur Maturin. Fallait seulement que tu restes pas loin dans le pâturage pour le surveiller, il avait ses vices. Sauf que ce fou-là, à matin, il avait comme tendance à être mort d'un accident cérébrovasculaire depuis quinze ans.

— Faque siouplaît, continua Chiasson, épargne-moé tes leçons de vie pis tes tics professionnels, hein. Ton mari est-ti là? Ou Henri sinon? On a d'autres choses au programme que de jaser, nous autres.

— Mon cher *monsieur,* se ressaisit Joséphine, sidérée devant un tel sans-gêne. Si mon mari ou mon fils étaient ici, vous auriez en ce moment même la tête parmi les mouettes et les gaz rares quelque part au-dessus de la baie.

Chiasson réaspira le morviat qu'il venait de cracher vers les restes de bulbes, de semis et de renoncules dans la rocaille. La rosée s'évaporait devant la balustrade de la galerie. Dommage que le seul Bouge mâle qu'il y avait là fût un nouveau-né. François clignait des yeux dans les bras de grand-maman. *C'est sans doute à cause du cheval de Troie,* spécula Joséphine.

— C'est dans l'étable en arrière, dit-elle à Chiasson, lequel passa sa main sur sa nuque aux follicules électrifiés.

Même avec l'âge et les sensations fortes que ses proches lui causaient encore à l'occasion, elle avait rien perdu de sa droiture, la Joséphine. Il y avait quelque chose d'imposant dans cet être pourtant si gracile. Ses membres fluets se devinaient sous sa robe que la même brise qu'hier plaquait contre elle, contre sa poitrine plate, ses courbes peu accentuées, ses clavicules qui saillaient. Son menton faisait une boulette bien potelée dans son visage d'une étrange beauté de chèvre, un duvet blanc poussait au-dessus de sa lèvre coupée, ses yeux tels des forets de perceuse étaient trop espacés l'un de l'autre. Le vert de ses iris avait comme pas fini de se travailler, gagnant en netteté près des ramifications de ses pattes d'oie. Elle portait un bandeau d'où s'échappaient les frisottis argentés d'une chevelure qu'elle avait toujours gardée très longue. Un mouchoir formait un triangle à son cou. Une frange de dentelle dépassait de sa robe pour encercler aux poignets ses mains restées lestes, qu'elle avait toujours eues grandes. À sa manière, sa vie durant, Monti en avait été frénétiquement amoureux.

— Heille, chose, Pictou ! cria Chiasson.

Le fourgon tangua. Il s'en extirpa un métis coiffé d'un chapeau de friperie bosselé dans les règles, mais orné pour compenser d'un as de pique glissé sous le ruban. Chiasson cocha la case « Entrevue » sur son formulaire.

Henri et Léon devraient revenir de Rimouski bientôt, espéra Joséphine.

Le métis lui envoya la main, les lignes de sa destinée illisibles sous un demi-pouce de corne. Une tache de naissance se déployait en archipel le long de sa face.

— Va checker le chefal dans l'étable, le bossa Chiasson, voir de quoi qu'on a de besoin.

Étienne-Jean Pictou se pencha dans l'allée bordée de pierres peintes pour cueillir un large brin d'herbe entre des pavés disjoints, et s'engagea à son rythme sur le côté de la maison. Plate que Monti fût pas là pour rencontrer le garçon de Billy Joe, il en aurait eu le cœur en joie.

Sans les culottes courtes à ras le bonbon que Chiasson lui avait déjà connues ni le nœud dont elle parait à l'époque le devant de sa blouse pour s'exhiber le nombril, Liette apparut derrière sa belle-mère sur le perron. Habillée en mémère, elle tenait Yannick en bobettes par la main. Yannick tétait sa suce. Il la tétait à tout rompre, les jambes recouvertes de grafignes et de gales, un regard déconcertant rivé sur Chiasson dans le compartiment de son fourgon. Personne avait jamais osé passer la remarque à Henri, lui dire que son fils avait les mêmes yeux vairons que feu le facteur Bradley. Et Liette, allez savoir les idées qu'elle avait. Une bêche jaillit du fourgon et rebondit dans la poussière. François était sur le point de se mettre à pleurer, et Joséphine et lui s'éclipsèrent donc à l'intérieur. Tenant toujours le bébé, elle alla voir dans le livre d'Homère si Monti avait pas laissé un signet à la page suspectée. *Il aura cru que son cheval était creux,* se convainquit Joséphine.

Devant la maison, une autre pelle atterrit sur le rond de terre battue, suivie de chaînes et de sacs, d'un bidon de désinfectant. Yannick babilla quelque chose à sa mère, attiré par les impacts et les produits chimiques.

Étienne-Jean soufflait, en contournant la maison, sur le brin d'herbe vibratoire serré entre ses pouces. Son dos couvert de piqûres se voûta quand il passa sous les frondes du saule. Les branches gorgées de couleur s'écartaient sur son passage tandis qu'il chargeait au ralenti vers l'étable en forme de parallélogramme. Le pneu attaché après une branche en guise de balancine tournait encore derrière lui quand le métis ramena sur son visage le masque respiratoire qu'il avait dans le front, avant de se frayer un chemin entre les bottes de chaume et les planches cassées, clivées de tout bord tout côté près de la stalle où le cheval s'était effondré.

Pauvre étalon, il avait le buste tout éparpillé dans son foin. Le vétérinaire allait en suer un coup pour le recoudre. C'est une bête de concours que Monti avait flinguée là. Il se l'était procurée par un contact dans un ranch de la Bible Belt, pour les leçons d'équitation que ses petits-enfants prenaient dans une ferme pas loin. Son loyer était payé de cré bouts de temps pour rien à l'écurie, parce que le bonhomme envoyait toujours un de ses taouins, le plus souvent Henri, chercher le pur-sang pour s'en occuper lui-même chez eux.

Les yeux pleins d'eau, respirant sporadiquement derrière son masque et dans les mouches, Pictou s'agenouilla à côté du cheval pour en caresser la robe. Il aurait aimé connaître cette bête-là vivante. Il aurait aimé actionner un moment une de ses jambes pour la beauté de voir rouler son omoplate. Mais il savait que la rigidité cadavérique l'avait gagnée, il l'avait su dès qu'il était entré dans la pénombre bourdonnante de l'étable. Le fusil que Monti avait utilisé reposait encore dans la paille piétinée qui tapissait le sol. Le métis leva les yeux vers les solives hérissées de piques à pigeon. Il se frotta les mains, vigoureusement, jusqu'à ce qu'elles picotent. Il te plunkait par-ci par-là des mots en micmac dans les incantations qu'il fredonnait. Ça sonne comme du pipeau dit de même, mais quand les énergies furent palpables dans l'atmosphère corrompue, il apposa ses paumes crevassées sur les tempes du cheval et attendit en se concentrant pour se rendre disponible à son esprit. Il se passait rien, et il glissa vite les mains sur le museau. Rien. Il frotta encore un peu, sauf que Chiasson klaxonnait en hystérique en avant. Étienne-Jean céda le cheval à la mort, son recueillement empêché.

Joséphine était ressortie sur la galerie, le livre d'Homère avec elle. Elle était en train de donner des explications à un nouvel arrivant, dont le père avait déjà lui aussi eu très peur du père à Étienne-Jean sur une patinoire. Liette, fumant dans une chaise en rotin, allaitait François de dos.

— La première affaire qu'on apprend, marmonna Chiasson à Pictou revenu, pis la dernière qu'on oublie.

Il montrait le nourrisson, qui mordillait le mamelon gercé de sa mère. Quand Liette se retourna vers lui, il cocha sur le formulaire la case « Évaluation ».

C'était Éric Labillois, le nouvel arrivant. Les oreilles en porte de grange, son tablier criblé de matières organiques, il avait accouru du comptoir à poisson de l'épicerie où il arrondissait ses fins de mois depuis qu'il y avait pas mal moins de pianos à accorder dans la région.

— J'étais couchée, lui racontait Joséphine, quand j'ai entendu la porte de la véranda claquer. J'ai pensé, ce sera la brebis qui le préoccupe. Elle était malade hier matin, et je voulais pas qu'il la rentre dans la maison à cause des petits.

C'était pas son style, mais là, dans l'émotion de la nuit, elle avait eu la certitude que Monti s'en allait se péter dans l'étable. Yannick sautait partout dans la cour, à taper sur des affaires avec des bâtons. Il imita aussi trois secondes les travailleurs d'Urgence Sinistre, avant de repartir écraser tout ce qu'il trouvait de pets-de-loup. Chiasson se rendit derrière la maison à son tour, par en dessous du saule. Le suivant sans se presser, le métis poussait un matériel insuffisant dans une barouette. *Va faire beau sortir ça d'icitte,* pensaient-ils tous les deux.

— Après ça ? Labillois pressa Joséphine.

L'eau lui pissait dans la face, et c'est pas parce que son poulpe de mer l'attendait dans son bac à glace à l'épicerie.

— J'espérais que c'était ça, du moins, parce que je suis allée dans l'étable hier au soir et…

Joséphine voyait pas de raison de mentionner que, quand elle était sortie s'occuper des animaux en soirée, le cheval était attelé, harnaché, tout le kit. Elle l'avait délesté, sans rien redouter de plus qu'une des lubies de voyage à son homme, pas de quoi s'exciter. Labillois moulinait de la main pour qu'elle embraye.

— Donc là, je me suis relevée pour prendre connaissance de ce qui se passait par la fenêtre.

Le livre d'Homère en visière, Joséphine fut derechef distraite par un autre villageois qu'elle connaissait même pas et qui montait l'allée vers eux. Le gars s'éventait en poussant un vélocipède à côté de lui.

— Après, madame ?

— Pardon ! appela le cycliste.

— Après, ben j'ai vu par la fenêtre de ma chambre qu'il avait pas pris sa marchette. Il avait pris... Je suis descendue en bas le plus vite que j'ai pu. Mais j'étais pas habillée pour ça.

Elle savait plus ce qu'elle disait, et jamais qu'elle avouerait non plus qu'elle avait donné, en pensée du moins, sa permission à Monti, le feu vert, vas-y, tire-toi, mon ami. Elle s'était surprise à être en paix avec ça. François lâcha un bêlement catastrophé. Des voitures s'arrêtaient dans la lisière d'herbe au bord de la route, tout contre leur clôture. *Mais qu'est-ce qui se passe ?* se demanda Joséphine en émoi.

— Vous disiez que votre mari ?

— Je distinguais pas trop bien par la fenêtre, malgré les influences de la lune dans la rosée. Puis c'est ça. Il y a eu un coup de feu dans l'étable. Le sang m'a viré en boudin dans les veines. J'étais pétrifiée, vous vous doutez bien.

Il y avait d'autres gens qui couraient sur la route en direction de la maison. Qui *couraient.* C'était pas dans les habitudes locales, ça. D'autres venaient aussi par les champs. Ils laissaient des sillons dans les blés. Un émeu avait dû s'enfuir de l'élevage à la sortie de La Frayère, parce que là, il y en avait un qui avait rattrapé les villageois. *C'est pas vrai,* pensa Joséphine, *mais c'est pas vrai.* Au moins, le fusil à Monti était resté dans l'étable.

— Sans doute… Excusez-moi. Sans doute que, sous le poids du cheval, l'étable s'est mise à…

— Mais là, s'interposa un des inconnus frais débarqués.

— Oui ?

Il était familier à Joséphine, mais en même temps pas.

— Où c'est qu'il est, votre mari ? Là tout de suite ?

Son bâton dans les airs, Yannick pourchassait un suisse sur la pelouse.

— Où est-ce qu'il est, où est-ce qu'il est, répéta Joséphine. C'est ça que je me tue à dire depuis tantôt. Je le sais pas, moi, où est-ce qu'il est.

TABLE

Achevé d'imprimer au Québec en mai 2018
sur les presses de l'imprimerie Gauvin.